C0-AWM-667

WITHDRAWN
The Catholic
Theological Union
LIBRARY
Chicago, Ill.

TRAITÉS THÉOLOGIQUES
SUR LA TRINITÉ

SOURCES CHRÉTIENNES
Collection dirigée par H. de Lubac, S. J., et J. Daniélou, S. J.
Secrétariat de Direction : C. Mondésert, S. J.
N° 69

MARIUS VICTORINUS

TRAITÉS THÉOLOGIQUES SUR LA TRINITÉ

II

COMMENTAIRE

PAR
Pierre HADOT

Cet ouvrage est publié avec le concours
du Centre National de la Recherche Scientifique

LES ÉDITIONS DU CERF, 29, BD DE LA TOUR-MAUBOURG, PARIS

1960

LETTRE DE CANDIDUS L'ARIEN A VICTORINUS SUR LA GÉNÉRATION DIVINE

Caractère général de la lettre. — Victorinus décrira la méthode de Candidus par deux verbes : *proponere* (poser une thèse), *tractare* (la confirmer par une argumentation), *adv. Ar.* I 1,5. Les thèses de Candidus sont proposées sous forme syllogistique (1,7-10 ; 3,26-37). Leur mise en œuvre, leur confirmation consiste en une réduction à l'absurde. En effet, la thèse initiale établit que Dieu est inengendré et préinengendrant. Si un adversaire nie cette conclusion et prétend que Dieu est engendré ou qu'il engendre, on lui montre, dans le premier cas, que rien ne peut engendrer Dieu et, dans le second cas, qu'aucun mode de génération n'est compatible avec l'immobilité divine. Acculé à l'impossibilité logique, l'adversaire doit donc admettre la thèse. Le titre : *de generatione divina* peut faire allusion à des formules nicéennes, comme ἔνθεον γέννησιν, cité par Eusèbe de Césarée, (Opitz, *Urkunden* 22, p. 46,18).

Sigles et références :

Les sigles sont utilisés selon les règles énoncées, t. I, p. 102-103. Mais j'ai omis de répéter *adv. Ar.* dans les citations de l'*adversus Arium* intervenant dans le commentaire même de l'*adversus Arium*, c'est-à-dire que par exemple III = *adv. Ar.* III. De même, à l'intérieur de chaque livre, j'ai omis de répéter le numéro du livre, au début des références se rapportant au livre même. Par exemple, dans *adv. Ar.* I, la référence : 16,15 (non précédée d'*adv. Ar.* I) correspond à *adv. Ar.* I 16,15.

Le signe n. signifie : voir la note du commentaire se rapportant à tel passage de Victorinus. C'est donc un renvoi au commentaire.

Pour les auteurs anciens et modernes, les références bibliographiques complètes sont données dans la bibliographie placée à la fin du volume.

1,4-11. Thèse générale : Dieu est inengendré et inengendrant. — 1° Définition de la *génération* : elle est changement dans l'engendrant et l'engendré. 2° Définition de Dieu : il est sans changement. 3° Conversion de la première définition : l'absence de changement est absence de génération (= quod inversibile... neque genitum est neque generat aliquid). 4° Syllogisme. Majeure = première définition convertie : ce qui est immuable n'engendre pas et n'est pas engendré ; mineure = deuxième définition : Dieu est immuable ; conclusion : donc Dieu n'engendre pas et n'est pas engendré.

La notion d'un Dieu inengendrant et inengendré évoque certaines spéculations néopythagoriciennes dont Philon, *de opificio mundi* 99-100 ; Cohn, Berlin, 1896, p. 33,26 – 34,19, est le témoin. L'arithmologie pythagoricienne divisait les nombres en quatre catégories : ceux qui engendrent sans être engendrés (= 1), ceux qui sont engendrés et engendrent (= 4), ceux qui sont engendrés et n'engendrent pas (= 8), ceux qui n'engendrent pas et ne sont pas engendrés (= 7), cf. Macrobe, *in somn. Scip.* I 5,16 ; Eyssenhardt, p. 494,27-30. Selon Philon (*ibid.* p. 34,12) certains pythagoriciens rapportaient le nombre 7 au Maître de toutes choses parce que celui-ci est immobile et que « seul *ce qui n'engendre pas et n'est pas engendré* reste immobile (τὸ γὰρ μήτε γεννῶν μήτε γεννώμενον ἀκίνητον μένει) : car toute génération est en mouvement (ἐν κινήσει γὰρ ἡ γένεσις) ». Et Philon continue en citant le fragment B. 20 de Philolaos (H. Diels, *Die Fragmente der Vorsokratiker*, Berlin, 1950, t. I, p. 416,8-22) que l'on retrouve dans le même contexte chez Lydus, *de mensibus* II 12 ; Wünsch, Leipzig, 1898, p. 33,8 sq., ce qui laisserait supposer que cette doctrine était connue dans les milieux néoplatoniciens. Lydus l'attribue tout entière à Philolaos.

1,4. — Cf. le résumé de cette argumentation chez Victorinus, *ad Cand.* 30, 2-6. Même liaison génération-altération chez Plotin, *Enn.* VI 3,21,39 : τῷ γίνεσθαι αὐτὸ τοῦτο τὸ ἠλλοιῶσθαι. L'opposition entre l'immuable et le devenir est traditionnelle dans le platonisme et bien connue des Pères de l'Église, cf. Théophile d'Antioche, *ad Autolycum* II 4 ; *PG* 6,1052 b ; G. Bardy, Paris 1948, p. 102,17.

1,5. inmutabile. — Cf. la doctrine des *Platonici*, chez Augustin, *de civ. dei* VIII 6 ; Dombart, p. 291,1 : « Quidquid mutabile est non esse summum deum. »

1,7. inversibile et inmutabile. — Cf. lettre d'Arius

à Alexandre d'Alexandrie : ἄτρεπτον καὶ ἀναλλοίωτον (Opitz, *Urkunden* 6, p. 12,6).

***

1,11 — 3,25. II. Dieu est inengendré. — Deux étapes dans la démonstration : 1° L'être en général n'est pas antérieur à Dieu ; 2° l'être de Dieu n'est pas antérieur à Dieu. La première étape correspond à l'idée suivante : tout existant particulier, quand il est engendré, participe à l'idée d'être qui lui est préexistante : *recevoir* l'être, c'est être *postérieur* à l'idée d'être. Il faut donc prouver que l'idée d'être ne peut être antérieure à Dieu (conséquence : il n'est pas un des existants, mais les transcende tous). La deuxième étape correspond à l'idée suivante : il n'y a pas de génération spéciale à Dieu, dans laquelle il serait postérieur à sa propre idée : la quiddité de Dieu n'est pas antérieure à Dieu, autrement dit, il n'y a aucun devenir en lui.

Ces deux étapes (1,11 – 3,11 et 3,12-25) correspondent au moins en partie à celles de l'argumentation du néoarien Eunomius, *apol.* 7 ; *PG* 30,841 c : « Dieu est inengendré parce qu'il ne peut être engendré ni par un autre, ni par lui-même. Car le producteur est antérieur au produit. Il faudrait alors qu'il y eût quelque chose d'autre antérieur à Dieu ou que Dieu soit antérieur à lui-même. » L'argumentation de Candidus est plus précise et plus technique.

***

1,11 — 3,11. L'être (puissance, existence, existant, substance) n'est pas antérieur à Dieu. — C'est la première étape de la démonstration de l'innascibilité divine : tout être engendré participe à l'idée d'être préexistante, donc suppose l'être en soi. Puissance, existence, existant, substance sont donc les différents aspects de l'idée d'être. D'une manière générale (1,14-25) et en détail (1,26 – 3,11), ces différents aspects de l'idée d'être se révèlent incapables d'engendrer Dieu. Cf. l'aporie d'Aristote, *metaphys.* XIV 4 ; 1091 a 33 : le Bien et le Parfait sont-ils ὑστερογενῆ ?

1,11-14. — *Exsistentia* = ὕπαρξις ; *substantia* = οὐσία ; pour cette distinction, cf. *adv. Ar.* I 30,20-26. *Substantialitas* = οὐσιότης (cf. *adv. Ar.* III 7,12) ; *exsistentialitas* = ὑπαρκτότης (cf. *adv. Ar.* III 7,12) ; *exsistens* = ὄν (cf. Candidus lui-même, 3,1) ; *essentitas* = ὀντότης.

Principes de traduction : 1° *Substantia* = substance,

à cause de l'étymologie (cf. Candidus, 2,22). 2° *Exsistentia* = existence ; pour Candidus et Victorinus, *exsistentia* au sens propre représente l'infinitif du verbe *être*, sans autre détermination : τὸ εἶναι. Évidemment le mot français *existence* porte avec lui maintenant beaucoup de résonances particulières. Je veux le prendre ici au sens où Scipion du Pleix (cité par É. Gilson, *L'Être et l'Essence*, Paris, 1948, p. 15) dans sa *Métaphysique*, Rouen, 1645, p. 844 le prenait quand il le définissait : « La nue entité, le simple et nu être des choses, sans considérer aucun ordre ou rang qu'elles tiennent entre les autres. » 3° *Exsistens* (ὄν) = existant. La traduction normale serait *étant* ; mais, bien que le terme ait conquis désormais son droit de cité en philosophie, je n'ai pas voulu l'imposer au lecteur et j'ai adopté le décalque *existant*. Il s'agit en tout cas de *celui qui est*, du sujet concret et déterminé. Candidus et Victorinus emploient également *quod est* pour traduire ὄν ; j'ai donc traduit régulièrement *quod est* par existant. 4° *Essentitas* (Victorinus préférera *essentialitas*, *adv. Ar.* III 7,12 ; IV 5,36) = entité, mais au sens de puissance universelle donnant aux existants d'être existants.

1,14-15. — Énumération dans l'ordre de complexité croissante qui sera l'ordre de la démonstration de Candidus. La puissance *peut* être ; l'existence *est* ; la substance est *sujet* ; l'existant est *sujet* et *qualité*.

1,16. ipse est. — Dieu est *exsistentia* parce qu'il est être pur (cf. 3,16 = 2,19).

1,17. praestat. — = produit, cf. *ad Cand.* 2,21.

1,17-25. — Question préalable : toute génération de Dieu répugne à la raison. Le principe de cette argumentation remonte à Platon, *Republ.* 380 d-381 c ; cf. aussi Aristote, *de philosophia*, *fragm.* 16, Ross. Ce raisonnement sera souvent utilisé dans la lettre, cf. 4,12 ; 5,18 ; 9,10.

1,19. sui ipsa substitutiva. — = αὐθυπόστατα. Même liaison entre perfection et autoconstitution, Proclus, *elem. theol.*, *prop.* 45 ; Dodds, p. 46,12 sq.

1,26-32. La puissance. — Elle ne peut engendrer Dieu, car elle ne peut rien engendrer sans le concours de l'acte : c'est le principe aristotélicien (*metaphys.* IX 8 ; 1049 b 22 sq.) déjà utilisé par Plotin, *Enn.* VI 1,26,1-4 contre le stoïcisme : « Le plus absurde, c'est de mettre au premier rang ce qui est en puissance et de ne pas placer l'acte avant la puissance. Car l'être en puissance ne saurait jamais passer à l'acte, s'il tient le premier rang parmi les êtres. »

1,26. dicitur. — Par les stoïciens, cf. note précédente.

1,26. quod sit. — = τὸ ὄν ; cf. *ad Cand.* 2,20.

2,1-13. La substance. — Elle ne peut engendrer Dieu parce qu'elle implique composition. Parmi tous les sens donnés à οὐσία par Aristote, Candidus (et, on le verra, Victorinus) retient comme signification propre, celle de *sujet* (cf. Aristote, *metaphys.* VII 3,1028 b 33), probablement par contamination avec la notion stoïcienne d'οὐσία, comme sujet recevant passivement les qualités qui le déterminent. Ce sujet étant sujet d'*autre* chose implique composition, ce qui répugne à la simplicité divine. La simplicité étant antérieure à la composition, la substance ne peut qu'être postérieure à Dieu.

2,4. subiectum ... alteri. — Cf. encore la critique du stoïcisme par Plotin, *Enn.* VI 1,27,14-18 : « *Sujet* est un terme relatif et relatif non pas à ce qui est en lui, mais à ce qui agit sur lui », raisonnement analogue, mais non identique, à celui de Candidus.

2,8. aliud deus, aliud deum esse. — Quand un existant quelconque est (*cum est deus*), c'est que sa forme (sa quiddité) est reçue dans un sujet ; ainsi, pour Dieu, le sujet Dieu recevrait la forme de Dieu, *deus* recevrait l'*esse deum* (cf. Simplicius, *de anima*, Hayduck, p. 261,8 sq. : τὸ μὲν αὐτό, τὴν οὐσίαν δηλοῖ τοῦ ἐνύλου, τὸ δὲ εἶναι αὐτό, τὸ εἶδος « mais, ajoute Simplicius, dans les choses immatérielles, les deux reviennent au même »). En Dieu, parfaitement simple, la substance et la forme sont identiques.

2,9. praeexistente substantia. — Candidus a donné plus haut la définition de la substance sensible qui implique composition. Il a ensuite montré que Dieu ne peut être une substance sensible recevant une forme. Donc Dieu n'est pas tiré d'une substance = matière préexistante : puisque la forme n'entre pas chez lui en composition avec la matière, avec le sujet, il n'est pas comme les autres existants le composé d'une forme s'incarnant dans la matière et d'un sujet amorphe attendant la forme. Autre interprétation possible : Candidus connaît la substance intelligible, il appelle le Fils *prima substantia* (cf. 11,12). Il est donc possible que *substantia* désigne ici la substance en soi, le principe de substantification de tous les existants : Dieu n'étant pas substance, ne suppose pas avant lui la substance en soi. Cette interprétation serait cohérente non plus avec le contexte immédiat, mais avec l'ensemble de la démonstration de Candidus.

2,10. praestat. — Cf. 1,17 et pour l'idée, 8,18-20.

2,14-27. L'existence. — La substance impliquait composition. L'existence, elle, est trop simple pour engendrer Dieu. Elle est l'être pris sans aucune détermination, sans sujet et sans prédicat, antérieurement à tout contenu conceptuel. L'être pur ne peut en effet agir pour engendrer, car l'agir serait déjà une détermination. Sur la distinction *exsistentia-substantia*, cf. *adv. Ar.* I 30,21-26. Cette distinction ne joue aucun rôle dans les écrits de l'arianisme dialectique (Aetius, Eunomius) qui nous ont été conservés. Pour Candidus, Dieu est *exsistentia* : 1° L'*exsistentia* est *esse solum*. Or Dieu est défini *esse solum*, 3,16 ; en cela, Candidus est en accord avec Victorinus, *adv. Ar.* IV 19,10. 2° Énumérant *potentia, exsistentia, substantia*, ὄν, Candidus a ajouté (1,16) que tout cela ou est lui-même ou lui est postérieur. Or Dieu ne peut être puissance, puisque la puissance est postérieure à l'acte, et il ne peut être ni *substantia* ni ὄν qui impliquent composition. Étant lui-même *exsistentia*, Dieu ne peut être engendré par elle.

2,22. quale aliquid esse. — Ici, comme plus haut 1,27, je me suis résigné à un décalque assez littéral. Il s'agissait tout à l'heure du τί ἐστιν, et ici du ποῖόν τί ἐστιν (cf. Porphyre, *Isagoge*, Busse, p. 3,10). Des traductions plus modernes comme quiddité, attribut qualitatif m'ont semblé anachroniques.

2,24. sive ... sive. — L'hésitation de Candidus (comme celle de Victorinus, *adv. Ar.* III 7,10) montre bien qu'il ne faut pas forcer trop la distinction entre *exsistentialitas* et *existentia*.

3,1-7. L'existant. — Il n'y a qu'une différence d'accent entre la notion de substance et celle d'existant. La substance, c'est le sujet en tant que sujet. L'existant, c'est le sujet pris avec ses qualités (exactement le contraire de la définition plotinienne, *Enn.* II 6,1,1).

3,6. postgenita. — = ὑστερογενῆ, Porphyre, *Isag.*, Busse, p. 21,13 (= *postnativa* chez Victorinus, dans Boèce, *in Isag. ed. prima*, I 2,29 ; Schepps-Brandt, p. 129,5).

3,7. genita. — Normalement = *engendrés*. Mais il y a illogisme pour Candidus à parler de choses engendrées si Dieu n'engendre pas, cf. 8,14. C'est sans doute que le latin ne distingue pas ici entre γεννητός et γενητός. A vrai dire, le grec lui-même faisait cette confusion si l'on en croit G. L. Prestige, *God in Patristic Thought*, Londres, 1952, p. 37-52 et 151-156 (trad. franç., Paris, 1955, p. 54-64 et 127-141). La logique commanderait de traduire ici par *faits*, *produits*, mais l'ambiguïté consciente ou non de Candidus doit être respectée.

3,8. ex quo omnia. — Cf. la lettre d'Eusèbe de Nicomédie à Paulin de Tyr dans la traduction de Candidus, CAND. II, 2,39 : « Omnia autem ex deo. »

***

3,11-25. L'être de Dieu n'est pas antérieur à Dieu. Dieu est cause de son être. — L'identité entre l'être-Dieu et Dieu a déjà été affirmée, 2,8 ; cette affirmation s'inscrit dans une tradition qui remonte au problème soulevé par Aristote, *metaphys.* VII 6 ; 1031 a 15 : la quiddité est-elle identique à chaque être ? Elle permettra à Plotin d'affirmer que l'Un est cause de soi, *Enn.* VI 8,14, en s'appuyant sur l'unité de la quiddité et de l'être dans les êtres intelligibles. De cette identité Candidus tire l'affirmation de la simplicité divine ; et la simplicité divine est un autre nom de son innascibilité.

3,14. locus... habitator. — Cf. Plotin, *Enn.* VI 8,21,19 sur la notion de contenance de l'Un par lui-même.

3,16-21. — Victorinus utilisera cette triade pour rendre compte rationnellement de la trinité. Pour Candidus, ces trois noms ne représentent probablement que trois points de vue de l'esprit humain sur l'être pur divin. La présence de cette triade chez Candidus montre bien l'existence d'une conception de Dieu comme triade (et même comme ennéade : 3 × 3) suprême, sans que cette triade implique génération ou multiplicité. Il s'agit d'ailleurs en somme de l'affirmation d'une parfaite plénitude d'être (cf. *Sophiste* 248 e) : Dieu est, vit et pense.

3,20-21. ter tria. — En tant que chaque terme implique les trois et qu'il y a trois termes.

***

3,26 — 9,18. III. Dieu est inengendrant. — Athanase reprochait déjà aux ariens, *contra arianos* II 2 ; *PG* 26,149 c, de concevoir la nature divine comme stérile, et Hilaire affirme explicitement que les anoméens niaient toute génération à partir de Dieu, *contra Constantium* 12 ; *PL* 10,591 a : « Negantes quidquam substantiae dei simile esse neque de deo posse exsistere generationem sed esse Christum creaturam », et *de trinitate* VIII 3 ; *PL* 10,239 b :

« Ex uno nasci nihil posse quia universarum rerum ex duorum coniunctione nativitas est : deum autem indemutabilem nullam ex se nativitatem tribuere posse nascenti, quia nec accessioni id quod demutatur obnoxium sit, nec solitarii atque unius natura id in se habeat conditionis ut generet. » Deux étapes dans la démonstration de Candidus : 1° en général, toute génération active suppose mutation ; 2° en particulier, tout mode de génération entraîne mutation.

3,26-37. Toute génération implique mutation. — Développement des implications de la notion d'*ingenitus*, ce qui nous ramène finalement au début de la lettre, 1,5-7 : Dieu est inchangeable et immuable. Or la génération implique mutation puisqu'elle est communication de tout ou de partie de l'engendrant. Donc Dieu n'engendre pas.

3,26-29. — Même suite de déterminations négatives, chez

Candidus	Auxence de Dorostorum (= Ulfila ?)	Maximin
ingenitum	ingenitum	
sine ortu	sine principio	
sine fine	sine fine	
infinitum	interminatum	infinitus
inconprehensibile	incapavilem	incapabilis
incognoscibile		
invisibile	invisivilem	invisibilis
inversibile	inmutavilem	
inmutabile	indivisum	
	inmovilem	

(cf. Auxence, dans F. Kauffmann, *Aus der Schule des Wulfila*, Strasbourg, 1899, p. 73,17-21 reproduit dans *PL, Suppl.* I 703 ; Maximin, dans Augustin, *collatio cum Maximino* 9 et 26 ; *PL* 42,728 et 740).

3,32-36. — Cette conception de la génération est déjà celle de l'arianisme primitif, cf. Eusèbe de Nicomédie, lettre à Paulin de Tyr, dans Cand. II 2,20-22 : « Si autem ex ipso hoc est ab ipso erat sicuti pars eius aut ex effluentia substantiae. » Les néoariens (Eunomius, *apol.* 15 ; *PG* 30, 849 d) rejettent une génération par la nature ou substantielle, pour eux, physique, mais admettent une génération par la volonté qui équivaut à une création, l'engendré étant tiré du néant par le vouloir divin. Candidus, s'il admet *genitus* pour le créé, refuse absolument l'emploi de *generare* à propos de Dieu.

***

4,1 — 9,18. Dieu ne peut engendrer selon aucun mode de génération imaginable. — Il y a une grande similitude entre la présente argumentation de Candidus et les attaques de saint Irénée contre les modes d'émission des éons, imaginés par les gnostiques. Irénée énumère : la projection d'un rayon (*adv. haer.* II 13,5; *PG* 7,745 a), la projection d'une ombre (II 8,1 ; 738 a), la projection de l'intelligence (II 13,5; 745 a), la transmission d'une lumière (II 17,4 ; 763 a). Plus encore que la liste des modes de génération, c'est la méthode de raisonnement qui est identique de part et d'autre. Irénée et Candidus objectent en effet à leurs adversaires le dilemme suivant : ou bien le mode de génération envisagé aboutit à la manifestation hors du Père d'une entité distincte, et l'on est alors obligé d'admettre un changement et une division en Dieu, ou bien la génération reste à l'intérieur du Père et il n'y a pas véritablement génération.

C'était une tradition bien établie dans l'arianisme, d'assimiler la génération du Fils de Dieu telle que la concevaient les orthodoxes, avec les émissions des éons gnostiques. Ce thème hérésiologique se trouve chez Arius, lettre à Eusèbe de Nicomédie, Cand. II 1,32, lettre à Alexandre d'Alexandrie, 3; dans Opitz, *Urkunden* 6; p. 12,10 sq. — On remarquera que plusieurs des modes de génération ici énumérés sont des noms scripturaires du Fils.

4,9-17. Le reflet. — *Refulgentia* = ἀπαύγασμα (*Hebr.* 1,3 : « Le Fils est le reflet de la gloire divine »). Ce terme scripturaire avait été adopté traditionnellement pour exprimer le rapport du Fils au Père, cf. Athanase, *contra arianos* I 16 ; *PG* 26,45 c, mais il était critiqué par les ariens, cf. Athanase, *contra arianos* II 33 ; *PG* 26,217 c.

Le reflet issu d'une source de lumière, dit Candidus, représente une partie de cette lumière distinguée de sa source, donc une séparation au sein de cette lumière.

Si la séparation n'est pas définitive, elle est inutile. Si elle est définitive, elle suppose une division de la substance.

De plus, ou bien le reflet est une substance, mais alors différente de la source lumineuse, donc pas engendrée consubstantiellement, ou bien ce n'est pas une substance, et il n'est pas engendré.

4,9. tempus. — Cf. Aristote, *phys.* VI 235 a 11 : ἅπασα κίνησις ἐν χρόνῳ.

4,10. secedentem in propriam substantiam. — Expression analogue, Irénée, *adv. haer.* II 14,4 ; *PG* 7,752 a : « Secedere unumquemque in similem naturae suae substantiam. »

4,11. discernibilis pars a toto. — Même objection arienne chez Athanase, *contra arianos* II 33 ; *PG* 26,217 c : κατὰ διαίρεσιν δὲ μέρος ἐστι τοῦτο (= ἀπαύγασμα) τοῦ φωτός.

4,12. vana generatio. — Dans un contexte différent, raisonnement analogue chez Irénée, *adv. haer.* II 7,1 ; 726 b : « Si autem transeunt quae utilitas huius brevissimi temporis honoris qui aliquando quidem non fuit, rursus autem non erit ? ».

4,17. inversio prioris. — On trouvera l'énumération de formules analogues depuis Aristote, *phys.* 191 a 5-7, chez J. H. Waszink, *Tertulliani de anima*, Amsterdam, 1947, p. 390. On pourra ajouter à cette liste Grégoire d'Elvire, *de fide* 8 ; *PL* 20,45 b 15 : « Translatio omnis interemptio est pristini. »

5,1-5. La projection d'un rayon. — Si le reflet est une sorte de tache lumineuse, apparemment détachée de sa source, le rayon reste en continuité avec celle-ci.

Toujours dilemme analogue : ou bien il reste en continuité, il n'y a pas alors génération ; ou bien il est distinct de sa source, alors il y a diminution et changement dans la source lumineuse.

La métaphore du rayon se trouve chez Tertullien, *adv. Prax.* 8 ; *PL* 2,164 a : « Tertius a sole apex ex radio. » Elle est critiquée par Irénée, *adv. haer.* II 13,6 ; 745 b, d'une manière analogue à celle de Candidus : « Si autem non emissum extra patrem illum dicunt, sed in ipso patre, primo quidem superfluum erit etiam dicere emissum esse eum. Quemadmodum enim emissus est si intra patrem est ? Emissio enim est eius quod emittitur extra emittentem manifestatio. »

5,6-14. Le flux d'un point. — Sur cette définition géométrique de la ligne, cf. Jamblique, *in Nicom. arithm.*, Pistelli, Leipzig, 1894, p. 57,7. Cette définition de la ligne, flux du point, prend d'ailleurs chez les néoplatoniciens, un caractère symbolique, cf. Proclus, *in Euclid. element.* 9 ; Friedlein, Leipzig, 1873, p. 97,13 : « Le flux du point signifie la procession et la puissance génératrice (τὴν πρόοδον καὶ τὴν γόνιμον δύναμιν ». Déjà chez Philon, elle signifie la génération de la dyade par la monade, *de opificio mundi* 49 ; Cohn, p. 16,5 : ῥύσει μὲν ἑνὸς δυάς, ῥύσει δὲ σημείου συνίσταται γραμμή. Victorinus lui-même, *adv. Ar.* I 60,22 sq. assimilera le point au Père et la ligne au Fils, la ligne étant conçue comme le point en acte, le point sortant de lui-même tout en restant en continuité avec soi. Sur la tradition pythagoricienne liée à cette conception, cf. A.-J. Festugière, *Le Dieu inconnu et la gnose*, p. 37 n. 1, qui fait des réserves sur l'utilisation « moniste » de la définition de la ligne. Voir également Plotin, *Enn.* V 2,2,26-30.

Dilemme de Candidus : ou bien le point reste immobile (comme Dieu), alors il reste point ; ou bien il se meut, alors il n'est plus point, mais ligne. C'est-à-dire ou absence de génération, ou mutation de l'engendrant.

Réfutation analogue par Numénius (*test.* 30, Leemans) des pythagoriciens « monistes » qui faisaient procéder la dyade de la monade : « La monade se serait éloignée elle-même de sa nature pour se transporter dans la condition de la dyade (ap. Chalcidius, *in Tim.*, Wrobel, p. 324,11 : recedente a natura sua singularitate et in duitatis habitum migrante). Mais c'est une opinion inadmissible car alors la monade cesserait d'être la monade qu'elle était pour devenir la dyade qu'elle n'était pas (non recte ut quae erat singularitas esse desineret, quae non erat duitas subsisteret). » Cette doctrine qui tend à faire sortir la dyade de la monade comme la ligne du point, tend en théologie à faire du Fils une sorte de matière intelligible émanée du Père.

5,6. sed. — Introduit une instance d'un adversaire imaginaire.

5,15-25. La projection. — *Emissio* = προβολή (cf. Cand. II 1,31). Plan de la réfutation : 1° dans l'engendrant, la projection entraîne diminution ; 2° dans l'engendré, ou bien, il y a puissance égale à l'engendrant : la génération est alors inutile ; ou bien, il y a diminution de puissance par rapport à l'engendrant ; il y a alors mutation dans l'engendrant.

5,18. in aliquod aliud. — *In* et l'accusatif indiquent un mouvement dans une direction, ici vers l'altérité. Celui qui projette quelque chose de soi, ou bien est diminué, s'il donne une partie de lui-même (substance, divinité ou acte), ou bien est transformé *en quelque chose d'autre*, s'il donne la totalité de soi-même, cf. 3,35.

6,1-7. L'image. — Cf. *Col.* 1,15 : « Le Fils est l'image de Dieu. » Cf. Athanase, *contra arianos* I 16 ; *PG* 26,45 c. Toute la critique consiste ici à nier le caractère substantiel de l'image. La source lointaine pourrait être Platon, *Timée* 52 c : « Car l'image (εἰκόνι), à laquelle n'appartient même pas ce qu'elle représente, mais qui est comme un fantôme changeant (φάντασμα) d'une autre réalité doit, pour cette raison, naître en quelque chose d'autre (ἐν ἑτέρῳ προσήκει τινὶ γίγνεσθαι) et participer ainsi, vaille que vaille, à l'existence, sans quoi, elle ne serait rien du tout (ἢ μηδὲν τὸ παράπαν αὐτὴν εἶναι). »

6,2. imaginali. — Cf. *adv. Ar.* I 19,6.

6,2. iuxta qualitatem. — Ou bien opposition entre le monde sensible où domine la qualité et qui n'est qu'image et le monde intelligible, modèle et substance, cf. Plotin, *Enn.* II 6,3,18-20, ou bien, simplement, définition de l'image comme ressemblance de forme extérieure (genre de la qualité, chez Aristote, *categ.* 10 a 11).

6,3. in alio ... aliquo. — Cet argument contre la substantialité de l'image est analogue à l'argument contre la substantialité du reflet, attribué par Jean Chrysostome à certains adversaires ariens, *in Hebr.* I 2,1 ; *PG* 63,20 : τὸ γὰρ ἀπαύγασμα φασίν, ἐνυπόστατον οὐκ ἔστιν ἀλλ' ἐν ἑτέρῳ ἔχει τὸ εἶναι.

6,6. consecutio. — = παρακολούθημα, le plus extérieur de tous les accidents, cf. Plotin, *Enn.* VI 3,3,6 ; Jamblique, *de comm. math.* 8; Festa, Leipzig, 1891, p. 32,23 : « Les ombres sont les accompagnements des corps. » Platon, *Sophiste* 266 c : τὸ παρακολουθοῦν εἴδωλον ἑκάστῳ.

6,8-12. Le caractère. — Cf. *Hebr.* 1,3. Même genre de réfutation que pour l'image.

6,13 — 7,14. La procession et le mouvement. — Les adversaires visés par Candidus considéraient-ils procession et mouvement comme équivalents ? On le croirait volontiers à voir Candidus s'appliquer à distinguer les deux concepts. On trouve, chez certains théologiens, ces deux concepts, mais séparés, *prodire* (= procession) chez Tertullien, *adv. Prax.* 8 ; *PL* 2,163 c, κινεῖσθαι chez Grégoire de Nazianze, *orat.* XXIX (*theol.* III) ; *PG* 36,76 b 9, et XXIII 8 ; *PG* 35, 1160 c 9 : μονάδος μὲν κινηθείσης διὰ τὸ πλούσιον.

Victorinus lui-même conçoit la génération comme un mouvement qui se dirige vers l'extérieur, *adv. Ar.* III 2,27-30. C'est au fond sa doctrine qui se rapproche le plus de la conception visée par Candidus.

Pour critiquer ce mode, Candidus distingue d'abord procession (mouvement se terminant à l'extérieur du sujet) et mouvement (pouvant ou bien se terminer à l'intérieur ou bien se terminer à l'extérieur du sujet).

Si l'on suppose que la génération se fait selon la procession,

celle-ci a lieu	ou une fois (parce que parfaite dès le début)	1° Elle est *inutile*. 2° Dieu devient stérile, s'il s'arrête d'engendrer.
	ou plusieurs fois (parce que d'abord imparfaite)	1° Il est *irrationnel* que Dieu engendre sans cesse du nouveau. 2° Irrationnel aussi que le parfait engendre de l'imparfait.

En somme si Dieu n'engendre qu'une fois, c'est qu'il perd sa fécondité dès la première procession, et s'il engendre plusieurs fois, c'est qu'il n'était pas capable d'atteindre du premier coup la perfection.

Si l'on dit que la génération se fait selon le mouvement, le mouvement est

ou immanent	il *n'y a pas* génération (car toute génération est extériorisation),
ou transitif (= *procession*) (qui a priori implique mutation en Dieu)	il aboutit alors à une *production* : ou de la substance de Dieu (donc *pas de consubstantiel*, puisque Dieu n'avait pas encore de substance), ou de la substance d'un autre (dans de cas, *pas de génération*, mais création d'un effet).

Candidus ne nie donc pas la possibilité d'un mouvement immanent en Dieu, mais il refuse d'admettre qu'il engendre une hypostase distincte.

6,14-17. — Cf. Plotin, *Enn.* VI 1,22,2-5 : « Faire (τὸ ποιεῖν), c'est avoir en soi ou bien un mouvement sans relation à autre chose (ἢ ἔχειν ἐν αὑτῷ κίνησιν τὴν ἀπόλυτον) qui naît de soi-même, ou bien un mouvement qui se termine en quelque chose d'autre, tout en partant du sujet qui est dit *faire* (ἢ τὴν τελευτῶσαν εἰς ἄλλο ἀπ' αὐτοῦ ὁρμωμένην ἀπὸ τοῦ λεγομένου ποιεῖν.) » Distinction analogue, *Enn.* VI 3,22,4-10 entre le mouvement qui se termine à une nouvelle forme et le mouvement qui n'est que passage de la puissance d'agir à l'acte. Pour Victorinus, le mouvement immanent (*intus motus*) engendre la substance, le mouvement vers l'extérieur (*foras spectans*), l'acte, cf. *adv. Ar.* III 2,28-30.

6,19. qui usus. — Cf. 4,12 et n.

6,20. pauper ... in progressu. — Ou bien *in* temporel : pourquoi Dieu devient-il pauvre dans la procession, au moment de la procession ; ou bien *in* introduisant un ablatif de point de vue : pourquoi Dieu devient-il pauvre en fait de procession. Le sens général est le même : pourquoi Dieu est-il appauvri au point de ne pouvoir renouveler ce mouvement de procession ?

6,21. quid novum genuit. — Le cosmos est unique et éternel, toute nouveauté est irrationnelle, cf. 7,25. Même objection arienne, chez le Pseudo-Rufin, *de fide*, *PL* 21, 1131 a : « Si natura deus crearet (= si son essence était génératrice) et non voluntate, infiniti mundi creati reperirentur, innumerabiles vero qui per dies singulos crearentur. »

7,1. neque consubstantiale neque sine conversione. — C 7,13 ; 7,29 ; 9,17.

7,15-32. Le trop-plein. — Image plotinienne : « Étant parfait, il surabonde, et cette surabondance produit une chose différente de lui (*Enn.* V 2,1,7 : ὂν γὰρ τέλειον... οἷον ὑπερερρύη καὶ τὸ ὑπερπλῆρες αὐτοῦ πεποίηκεν ἄλλο). » (Cf. Grégoire de Nazianze, *orat.* XXIX (*theol.* III) ; *PG* 36,76 c 3). Vigile de Thapse, *contra arianos* II 10 ; *PL* 62,204 c, fait exposer puis réfuter par Arius une doctrine analogue : « Quasi *exuberatione quadam* sine damno sui in eadem substantia genuerit filium... si quidem determinatorum sit exuberare quod est *quasi extra se fluere*... Qui si accepit aliquando (*scil.* incrementa) necesse est ut semper accipiat et nihilominus pari exuberatione semper et generet. Sin autem incrementa non accepit...nec fluit nec redundat. » La réfutation est toute proche de celle de Candidus.

Pour Candidus, ou bien ce « toujours plein » provoque une génération perpétuelle : nouveaux mondes, nouveaux anges, ce qui est irrationnel. Ou bien, ce « toujours plein » ne s'écoule qu'une fois. Alors double changement en Dieu : du non-écoulement à l'écoulement ; ensuite de l'écoulement au non-écoulement.

De plus l'écoulé ne sera jamais du surabondant : il n'y a pas de consubstantialité possible entre le principe inépuisable et ce qui en découle.

8,1-29. La volonté et l'acte. — Ici l'ambiguïté concernant les modes de génération apparaît nettement : Candidus veut-il dire que certains prétendent que le Fils est engendré *comme* volonté et acte de Dieu, ou *par* la volonté et l'acte de Dieu ? A vrai dire Victorinus, *ad Cand.* 22, 8-9, et *adv. Ar.* I 31,27, tiendra aux deux. Je pense que Candidus vise ici une doctrine analogue à celle de Victorinus lui-même qui présente le Fils comme l'acte de la volonté du Père ; car Candidus prend la peine de nier l'identité entre volonté et acte (qui permettait d'affirmer la consubstantialité entre eux) et de nier aussi la substantialité de la volonté (également indispensable à la consubstantialité). Candidus s'attaque à la génération du Fils *comme* acte *par* la volonté. Il admettra bien que le Fils soit produit *comme effet*, *par* la volonté (8,11), mais non pas engendré comme *acte* consubstantiel à la volonté.

Sa réfutation consiste 1° (8,4-10) à nier toute simultanéité entre acte et volonté ; 2° (8,10-17) à enlever tout caractère substantiel à la volonté et à l'acte : ils ne peuvent constituer, ni l'une ni l'autre, des hypostases distinctes ; 3° (8,17-19) à nier l'existence de toute substance avant l'acte créateur. Le premier effet de Dieu (= Jésus-Christ, 10,5) est la première substance (11,12) ; le premier composé est l'œuvre de la volonté de Dieu qui en lui-même est être simple. Avant la volonté créatrice de Dieu, il n'y a pas de substance.

Ainsi Candidus admet bien une activité de la volonté divine et en cela il est d'accord aussi bien avec l'arianisme primitif (Arius, *lettre à Eusèbe*, dans CAND. II 1,37) que dialectique (Eunomius, dans Basile, *adv. Eunom.* II 11 ; *PG* 29, 592 b : τὴν οὐσίαν τοῦ υἱοῦ... εἶναι γεννηθεῖσαν πρὸ πάντων γνώμῃ τοῦ πατρός). Produire par la volonté, c'est justement créer un effet, tirer du néant et non de la propre substance.

8,2-4. — Tout ceci peut être mis dans la bouche des adversaires de Candidus, soit qu'ils en tirent une conclusion concernant la consubstantialité du Fils-acte, avec la volonté divine, soit qu'ils veuillent en conclure que le Fils est aussi volonté, que la volonté aussi est engendrée comme l'acte. En tout cas, l'identité volonté-acte divin que Candidus va rejeter est un thème constant et traditionnel, chez orthodoxes et ariens, cf. Irénée, *fragm.* V dans éd. Harvey, II, p. 477 ; *Asclepius* 8, dans *Corpus Hermeticum*, Nock-Festugière, t. II, p. 305,12 : « Voluntas etenim dei ipsa est summa perfectio » ; de même, *Corpus Hermeticum* X 2 ; t. I, p. 113, 11-12 ; Eunomius, *apol.* 24 ; *PG* 30,859 c : πρὸς δὲ τὴν ἐνέργειαν ἥτις ἐστὶ καὶ βούλησις ; 23, 859 b (= *Ps.* 113,3).

8,8. ambo. — Nuance de simultanéité.

8,10. substantia non est. — La raison n'est donnée que plus bas, 8,20 : toute substance est postérieure à la volonté divine. Eunomius, *apol.* 22 ; 857 c, montre bien l'importance de la négation de la substantialité de la volonté et de l'acte pour les ariens ; il s'agit en effet de supprimer toute continuité entre Dieu et le monde, pour assurer la transcendance divine : « Sans considérer l'acte comme un morcellement ou un mouvement de la substance (οὗτοι μερισμὸν ἢ κίνησίν τινα τῆς οὐσίας τὴν ἐνέργειαν ἡγουμένους) comme sont forcés de le faire ceux qui suivent les sophismes des Grecs, car ces derniers unissent l'acte à la substance et, à cause de cela, ils affirment la simultanéité du monde avec Dieu. » Il y a dans cette polémique l'idée suivante : si l'acte et la volonté de Dieu sont substantiels, si Dieu agit par nature et non par volonté libre, l'univers découle nécessairement de Dieu. Eunomius défend la création contre l'éternité du monde. Quant à « ceux qui suivent les sophismes des Grecs », ce sont ceux, qui comme Marcel d'Ancyre et Victorinus, conçoivent la génération du Fils, comme le mouvement de la substance divine s'actuant et manifestant le monde. Quant à Candidus, il diffère d'Eunomius, en réservant le nom de substance à l'effet de la volonté divine.

8,12. ipsum opus. — Même distinction entre ἐνέργεια (= *actio*) et ἔργον (= *opus*) chez Eunomius, dans Grégoire de Nysse, *contra Eunomium* I ; *PG* 45,324-325.

8,14. genitum. — Cf. 3,7.

8,18. generare. — Illogisme de vocabulaire, par rapport à 3,26-37.

8,19-29. — Cf. 2,10-13. Argument fondamental contre le consubstantiel : si la substance est le premier effet de la volonté divine, Dieu n'est pas substance ; on ne peut donc parler de consubstantiel. Si Dieu était substance, il faudrait supposer que la substance lui préexiste : c'est l'argumentation déjà rencontrée 2,9, avec la même ambiguïté ; le contexte semble bien autoriser à interpréter cette préexistence de la substance, comme préexistence de la substance universelle à tout ce qui participe d'elle. Cette même argumentation concernant la préexistence de la substance à Dieu sera employée par les homéousiens contre le consubstantiel (cf. *adv. Ar.* I 29,9) et par les homéens contre le mot substance, cf. les homéens cités par Grégoire d'Elvire, qui développent des idées très proches de celles de Candidus : « Deus etenim, inquiunt, *efficit ut sit substantia*, non tamen ut ipse deus in substantia deputetur quippe aiunt, cum omnis substantia contraria recipiat (= subiectum). Deus vero qui nihil diversum admittere potest (= simplex), substantia dici non debet (*de fide* 4 ; *PL* 20,39). »

8,27. insubstantialis. — = ἀνούσιος, cf. *adv. Ar.* II 1,24 sq.

9,1-18. Le « type ». — Le « type », c'est en médecine l'accès, puis la rémission de la fièvre, cf. mon article, *Typus, Stoïcisme et Monarchianisme au IVe siècle d'après Candidus l'Arien et Marius Victorinus*, dans *Recherches Théol. anc. méd.* 18 (1951), p. 177-187. C'est donc un mouvement de tension et de détente, exactement la τονικὴ κίνησις du Pneuma stoïcien, si on en fait un mouvement ontologique. C'est d'ailleurs ce que l'on peut déduire de la description de ce mouvement par Candidus : l'esprit *tend* sa nature, puis la recueille en soi. On reconnaît là la doctrine reprochée à Photin, par la formule de Sirmium de 351 (Hilaire, *de synodis* 38 ; *PL* 10,510 b : « Si quis substantiam dei dilatari et contrahi dicit » ; Athanase, *de synodis* 27 ; *PG* 26,737 a : πλατύνεσθαι ἢ συστέλλεσθαι). Hors de ces points assurés, bien des obscurités demeurent. Candidus pense-t-il réellement à Photin ? Photin employait-il le mot *typus* ? Le mot *typus* est-il une caricature, inventée par Candidus, de la conception de Photin ? Le mot *typus* avait-il un sens philosophique en dehors de la médecine ?

Candidus lui-même expose cette théorie avec une imprécision qui est peut-être voulue. Du « type », jaillit une certaine filialité. C'est tout. Il n'a pas de peine à montrer qu'en exposant ainsi la doctrine, le mode de génération n'est pas précisé et que l'on retombe dans la critique des autres modes : reflet, projection, écoulement, etc. Il lui suffit donc de rappeler ses argumentations précédentes.

9,3. residit. — Est toujours intransitif ; *naturam* n'est donc complément que d'*intendit*.

9,4. typum. — Cf. Galien, περὶ τύπων 2 ; Kuhn, VII, p. 463 : τύπος ἐστὶ τάξις ἐπιτάσεως (= intendit) καὶ ἀνέσεως (= residit).

9,6-12. — Cf. 3,34-37 ; 5,16-25.

9,13. utrumque inperfectum. — Cf. l'argumentation arienne citée par Hilaire, *de trinitate* III 8 ; *PL* 10,80 a-b : « Nasci nihil potuit ab uno quia omnis ex duobus nativitas est. Iam si ab uno natus hic filius est, partem eius qui genuit accepit et si pars, *neuter* ergo *perfectus* est ; deest enim ei unde decessit ; nec plenitudo in eo erit qui ex portione constiterit : *neuter* ergo *perfectus* est, cum plenitudinem suam et qui genuerit amittat nec qui natus est consequatur (cf. également le texte cité, 3,26 – 9,18 n.). » Argumentation analogue, du Pseudo-Athanase, contre ceux qui comprennent *Ioh.* 10,30 : « Le Père et moi sommes un » au sens d'une division en deux de l'unité, *contra arianos*, IV 9; Stegmann, p. 53,7; *PG* 26,480 a : εἰ μὲν οὖν τὸ ἓν εἰς δύο διῄρηται μηδέτερον τέλειον, μέρος γὰρ ἑκάτερον καὶ οὐχ ὅλον.

9,14-15. — Semble une instance de l'adversaire, reprenant la brève notation de 9,5 et essayant d'éviter la notion matérialiste de génération que Candidus lui a opposée. La génération selon le type ne se ferait pas par communication de substance, mais tandis que l'Esprit se tend (*insurgente*) sans sortir de lui-même, quelque chose d'autre que lui se manifeste, en dehors de lui, sans aucun rayonnement de l'un sur l'autre. Autrement dit, pas de continuité entre engendrant et engendré, pas de division ou d'écoulement ou de rayonnement du premier. C'est d'ailleurs ce que semble comprendre Candidus, qui en déduit, 9,15-17 que le second terme vient donc du néant. A remarquer que comme *intendere* et *residere*, *insurgere* est un terme médical (Ambroise, *Abraham* 2,3,11; Schenkl, *CSEL*, 32, p. 573,6-7 chez qui il désigne l'accès d'une maladie).

***

10,1 — 11,22. Conclusion : Le Fils est l'effet de Dieu. — Puisque Dieu n'engendre pas et n'est pas engendré, Jésus-Christ ne peut être que le premier effet de Dieu. Cette conclusion est tirée sous forme de commentaires de textes scripturaires paraissant confirmer la thèse de Candidus.

10,2-5. Identité entre Jésus-Christ, le Fils et le Logos. — Cf. *ad Cand.* 2,30-31 ; cette identité était niée selon le Pseudo-Athanase, *contra arianos* IV 21 ; Stegmann, p. 67,19 sq. ; *PG* 26,497 d par les hérétiques de tendance sabellienne, et également, mais moins clairement, par les ariens, *contra arianos* IV 8 ; Stegmann, p. 52,22 sq. ; 477 d, les eusébiens selon lui, confessant le Fils, mais ne lui appliquant pas le nom du Verbe sinon selon une dénomination extrinsèque ou un point de vue de l'esprit (κατ' ἐπίνοιαν), d'autres confessant le Verbe, mais ne lui accordant le nom de Fils que selon une pareille dénomination. Candidus pourrait être rangé lui-même dans cette seconde catégorie car, s'il affirme ici l'identité Fils-Logos-Jésus, il affirme dans la phrase suivante que le nom de Fils a été *donné* à Jésus par Dieu.

10,5. opus. — Cf. *fragmenta arianorum* XIV; *PL* 13, 618 c, à propos de l'Esprit-Saint : « Hic est primum et maius patris per filium opus. » Cf. 8,12 sq.

10,6. — Le nom de Fils ne signifie pas génération par Dieu, mais création par Dieu sans intermédiaire. Cf. les anoméens cités par Georges de Laodicée dans Épiphane, *panarion* 73,13,4 ; Holl, p. 286,13-15 ; *PG* 42,429 b : αὐτὸς αὐτὸν αὐτούργησε καὶ ὑπερέχοντα μεγέθει καὶ δυνάμει ἁπάντων ἐποίησε· διὰ τοῦτο αὐτὸν ἐκάλεσε μονογενῆ υἱόν.

10,7. ex his quae non sunt. — Cf. 9,15-17.

10,8. potentia. — Cf. Théophile d'Antioche, *ad Autolycum* II 4 ; *PG* 6,1052 b ; Bardy, p. 102,21 : « La puissance de Dieu se manifeste en ceci qu'elle produit, à partir des non-existants, tous les existants qu'elle veut. »

10,11. perfectum omnimodis. — Cf. Eunomius, *apol.* 15 ; *PG* 30,849 d : μόνος γὰρ τῇ τοῦ ἀγενήτου δυνάμει γεννηθεὶς καὶ κτισθείς, τελειότατος γέγονεν ὑπουργὸς πρὸς πᾶσαν δημιουργίαν καὶ γνώμην τοῦ πατρός ; *fragmenta arianorum* I ; *PL* 13, 597 b : « Hunc (filium) non proficientem in posterum sed statim perfectum » ; Maximin, dans Augustin, *collatio cum Maximino* 15 ; *PL* 42, 733 : « Filium... non proficientem sed perfectum. »

10,14-15. — Ces deux textes johanniques chers aux orthodoxes depuis le début de la controverse arienne, cf. *ad Cand.* 1,21-27, sont interprétés dans le sens de l'unité d'action et non de substance, cf. *fragmenta arianorum* IV ; *PL* 13,602 a-b : « Illud itaque quod saepius dictum est : *ego in patre et pater in me*, non unam substantiam sed duo significat, patris ingenitam et filii unigenitam et ideo intellegitur filius in sinu patris quod sentitur in charitate atque in potestate illius qui omnia tenet. » (Cf. Astérius, dans Athanase, *contra arianos* III 2 ; *PG* 26,324 c – 325 a ; Eunomius, *apol.* 24 ; *PG* 30,860 c.

10,15-17. — Augustin, *contra Maximinum* II 12,3 ; *PL* 42,768 : « Absit autem ut quomodo putas, ideo sit pater potentior filio quia creatorem genuit pater, filius autem non genuit creatorem. » On voit ainsi la permanence des mêmes schémas chez les ariens.

10,21. — Cf. Athanase, *contra arianos* III 42 ; *PG* 26, 412 a-b ; *fragmenta arianorum* IV ; *PL* 13,603 a : « Filius qui negavit se scire diem illam. »

10,21-25. — Mouvement analogue dans *fragmenta arianorum* IV ; *PL* 13,602-603 : « Non est igitur unus et ipse, pater et filius, qui circumtenet et qui circumtenetur, ingenitus et unigenitus, genitor et qui genitus est, qui mandat et qui mandatum accipit et obtemperat... *qui mittit et qui mittitur*, qui visus est et quem nemo vidit hominum nec videre potest, *qui inpassibilis est et qui pro* *nobis passus est, qui resurrexit a mortuis* et qui eum resuscitavit pater... »

10,24-27. — Les événements de la vie terrestre de Jésus sont des accidents qui surviennent à une substance et supposent un sujet. Ceci convient au Fils, parce que, premier effet de Dieu, il est la première substance. Dieu au contraire est antérieur à la substance, il n'admet aucune composition. Les dénominations que nous lui donnons, à la différence de celles que nous donnons au Fils, ne correspondent en lui qu'à une seule réalité, son être un et simple. Ce ne sont que des dénominations négatives qui écartent de lui tout ce qui n'est pas l'être, et qui reviennent finalement à affirmer qu'il est le Principe, cf. 3,26-29. Il y a donc entre les dénominations du Père et celle du Fils l'abîme infranchissable entre le Principe et ce qui n'est pas principe, entre le simple et le composé, entre l'être pur et la substance.

10,26. receptrix. — Cf. Aristote, *categ.* V ; 4 a 11 : le propre de la substance, τῶν ἐναντίων εἶναι δεκτικόν. Même utilisation de cette définition aristotélicienne de la substance, chez les homéens de Grégoire d'Elvire, *de fide* 4 ; *PL* 20,39 cités 8,19-29 n. : « Cum omnis substantia contraria recipiat. »

11,1-8. Jésus a été fait par le Père, selon l'Écriture. — Athanase, *contra arianos* I 53 ; *PG* 26,121 b fera l'exégèse d'un groupe de textes utilisés ainsi par les ariens pour défendre le mot « faire », comprenant aussi *Act.* 2,36 et *Prov.* 8,22 mais ne contenant pas *Ioh.* 1,3 et ajoutant *Hebr.* 1,4 et 3,1.

11,5. praepositum. — J. Schildenberger, *Die altlateinische Texte des Proverbien-Buches*, Beuron, 1941, p. 174 considère que cette citation de *Prov.* 8,22 par Candidus est très libre et ne s'apparente à aucune autre.

11,8-22. Les noms de Jésus. — Énumération de tous les noms du Fils qui expriment son rôle, d'abord dans la création, ensuite dans l'histoire du salut. Énumération de même allure générale, chez Eunomius, *ecthesis*, *PG* 67, 588 c-d.

11,10. dei virtute deum. — Le Fils est appelé Dieu dans la tradition arienne, cf. Arius, lettre à Eusèbe, dans Cand. II 1,38.

11,10. spiritum supra omnes spiritus. — Formule analogue chez Victorinus à propos du Père, *adv. Ar.* I 50,5.

11,11. operatione ... potentia ... substantia. — 1° Si l'on admet la leçon *substantia*, *substantia* désigne la substance du Fils : Jésus est fait en sa substance, cf. Eusèbe de Nicomédie, lettre à Paulin de Tyr, dans CAND. II 2,16. Dans ce cas, *operatione* et *potentia* désignent, symétriquement, l'acte du Fils et la puissance du Fils. Il est Monogène en son acte, parce qu'il est le seul créateur fait par Dieu ; Fils en sa puissance, parce qu'il est fait immédiatement par Dieu pour tirer les existants du néant. 2° Si l'on admet la leçon *substantiam*, attestée seulement par *G*, mais plausible, il faut entendre que le Fils est fait pour être la première substance (c'est toute la doctrine de la lettre) et non tirée d'une substance préexistante. *Potentia*... *operatione*... pourraient alors s'entendre de l'acte et de la puissance du Père, cf. Eunomius, *apol.* 28 ; *PG* 30,868 a : μόνον τῇ ἑαυτοῦ δυνάμει καὶ ἐνεργείᾳ ἐγέννησέ τε καὶ ἔκτισε καὶ ἐποίησεν.

11,12. omnis. — πᾶς au sens d'universel.

11,14-17. — Candidus semble utiliser une classification des existants analogue à celle qui transparaît chez Victorinus, *ad Cand.* 7-11 et surtout *adv. Ar.* I 61. Il y a d'abord l'opposition fondamentale corporels-incorporels. Dans les incorporels, deux catégories : les intelligibles (*intellectibilia* = νοητά) et les intellectuels (*intellectualia* = νοερά) ; *intellegentium aut intellectorum* ne me semble pas une répétition de la précédente distinction, mais plutôt un principe de subdivision de celle-ci : on aura les *intellectibilia intellecta* : les intelligibles purement intelligibles et *intellectibilia intellegentia*, les intelligibles intellectuels, d'une part ; et, d'autre part, les *intellectualia intellecta* (c'est-à-dire, encore une fois, les intelligibles intellectuels) et les *intellectualia intellegentia*, les intellectuels exerçant leur acte d'intelligence. Par cette subdivision, on peut distinguer trois classes : les intelligibles purs, les intelligibles en même temps qu'intellectuels, enfin les intellectuels purs. Sur ces distinctions, cf. *adv. Ar.* I 61,7-27 n.

11,17. praeprincipium aut praecausa. — Même vocabulaire, *adv. Ar.* I 63,33.

11,17. praestatio. — Le sens habituel du mot étant *paiement*, il est possible qu'il corresponde à ἀπαρχή qui a le double sens de première offrande et de commencement et par surcroît pourrait signifier que le Fils est en même temps l'offrande du monde à Dieu (1 *Cor.* 15,23).

11,17. effector. — = δημιουργός, cf. Eunomius, *ecthesis*, *PG* 67,588 d 4, qui énumère une classification analogue des existants.

11,17-18. capacitas, plenitudo. — Cf. *adv. Ar.* I 24, 46-47.

11,19-22. — Après le rôle cosmique et créateur du Fils, son rôle rédempteur.

11,19. ut servus. — Cf. *Phil.* 2,7. *Ut* exprime sans doute la restriction : Jésus ne prend que la forme de l'esclave. Cf. Eunomius, *ecthesis*, *PG* 67,588 d 10 : ὑπήκοος πρὸς πᾶσαν διοίκησιν opposé à βασιλεὺς καὶ κύριος πάσης ζωῆς ; *fragmenta arianorum* XVII ; *PL* 13,625 b : « Dei providentia hominibus deserviens » et I ; *PL* 13,598 a : « Dominum totius creaturae natum, ministrum vero domini non nati. »

11,21. gloria ... et corona. — Cf. *Isaïe* 28,5. Sur cette image, voir K. Baus, *Der Kranz in Antike und Christentum*, Bonn, 1940, p. 169.

LETTRE DE VICTORINUS A CANDIDUS

Caractère général de la lettre. — Ce traité didactique n'a de la lettre que le titre et quelques vocatifs adressés à Candidus. Il n'a pas la rigueur dialectique de la lettre de Candidus. Celui-ci pratiquait une critique impitoyable, acculant l'adversaire à des impossibilités logiques. Au négatif, Victorinus répond par du positif : définition des existants, des non-existants, de la place de Dieu parmi eux, de la génération du Fils, etc., et il affirme plus qu'il ne prouve. Pour les sources de cette lettre, le lecteur se reportera à l'excellent article de F. W. Kohnke, *Plato's Conception of* οὐκ ὄντως οὐκ ὄν dans *Phronesis* II (1957), p. 32-40, qui reconnaît, en la présente lettre, l'influence d'un commentaire de Porphyre sur le *Sophiste*. Nos travaux ayant été totalement indépendants, on remarquera nos convergences en plusieurs points importants.

1,4-16. Prologue : l'impossibilité de parler de Dieu. — Le prologue est dirigé contre l'esprit de l'arianisme dialectique, qui se confiait au langage et prétendait connaître l'essence divine dans un mot comme *agennetos*. Il reproche donc à Candidus son audace, marque l'hésitation de Victorinus lui-même à parler d'un objet qui le dépasse, enfin conduit la discussion sur le plan scripturaire. Il y a derrière ce prologue, et tout au long de la lettre, l'idée suivante : on ne peut nommer Dieu et son Fils qu'en reprenant les dénominations que l'Écriture leur applique. « C'est une règle universelle, dira le Pseudo-Denys (*de div. nom.* I 1 ; *PG* 3,585 a ; trad. M. de Gandillac, Paris, 1943, p. 67), qu'il faut éviter d'appliquer témérairement aucune parole, voire même aucune pensée à la Déité surressentielle et secrète, à l'exception de ce que nous ont révélé divinement les saintes Écritures. »

Ce prologue de Victorinus s'inscrit dans une tradition (cf. A.-J. Festugière, *Le Dieu inconnu et la gnose*, p. 92-140) qui va d'Albinus à Proclus et au Pseudo-Denys. Bien des détails d'expression du présent prologue rappellent les *Oracles chaldaïques*, Porphyre, l'hermétisme.

1,4. — *Magnam tuam intellegentiam* = μεγαλόνοια, cf. Dinneen, *Titles in Christian Greek Epistolography*, p. 40 et 108. *Generose* = γενναῖος. *Fascinavit*, cf. *Gal.* 3,1, voir *in Gal.* 3,1; 1166 d 8. Gerbert (*epist.* XV *ad Petroaldum* ; *PL* 139,205 b) a peut-être imité ce début.

1,5. audacia. — Cf. *Corpus Hermeticum, excerpt. Stob.* II A 1 ; Festugière, t. III, Paris, 1954, p. 4 : τολμήσαντα ; Ps.-Justin, *expositio rectae fidei*, Otto, nº 8, p. 26,17 : κατατολμᾷν ; Synésius, *hymn.* 1,258, Terzaghi : τόλμαι. *Super hominem*, cf. Lactance, *div. inst.* IV 7,3 ; Brandt, p. 293,4 : προεννουμένου θεοῦ ὃν εἰπεῖν (= dicere) ὑπὲρ ἄνθρωπόν ἐστι.

1,6. sed. — A un double sens : *adversatif*, dans la mesure où il annonce le début de la phrase qui, rappelant la présence de l'Esprit dans l'âme, semble s'opposer à la phrase précédente, *copulatif*, dans la mesure où la fin de la phrase (*et etiam nunc*) confirmera simplement la phrase précédente (*edicere... inpossibile*).

1,6. quoniamsi. — Le terme a la même ambiguïté que *sed* : il a une valeur *causale*, (= puisque) dans la mesure où la subordonnée qu'il introduit explique *vult... videre* ; il a une valeur *adversative* (= bien que) dans la mesure où la subordonnée qu'il introduit exprime un fait qui contredit la deuxième partie de la phrase (*edicere... inpossibile*). En résumé : l'âme veut voir *parce que...*, mais elle ne peut parler, *bien que...*

1,6. inditus. — Cf. Pseudo-Justin, *expositio rectae fidei* 8; Otto, p. 28,1 : εἰ γὰρ καὶ νοῦς ἡμῖν καθαρὸς ἐνίδρυται. Ce νοῦς, qui permet, selon le Pseudo-Justin, à notre âme de saisir les choses qui sont au-dessus de nous, est alourdi et affaibli par la chair à laquelle est liée l'âme : le contexte est donc très semblable de part et d'autre. Mais, chez le Pseudo-Justin, le νοῦς est une partie de l'homme ; ici, au contraire, il s'agit d'une hypostase extérieure à l'homme, l'Esprit-Saint, qui s'introduit dans l'âme et éveille l'intelligence propre à l'âme. Sur ces deux conceptions différentes, cf. A.-J. Festugière, *Le Dieu inconnu et la gnose*, p. 216.

1,6. — Νοῦς πατρικός est un terme d'origine « chaldaïque » (Kroll, p. 50) ; par exemple, Proclus, *in Crat.*, Pasquali, p. 21,1 : σύμβολα γὰρ πατρικὸς νόος ἔσπειρεν κατὰ κόσμον (au lieu de κατὰ κόσμον, Psellus, dans Kroll, *de orac. chald.*, p. 50, n. 2, a la leçon : ταῖς ψυχαῖς) ; σύμβολα = *figurationes*.

1,7-8. — On a vu dans la note précédente que l'intelligence paternelle sème dans les âmes des « symboles ». Ces « symboles », ce sont des correspondances magiques avec le monde intelligible. Grâce à ces « symboles », les dieux peuvent mouvoir les êtres et les ramener à leur origine (cf. Jamblique, *de mysteriis* III 15 ; Parthey, p. 136,5 ; Proclus, *theol. plat.* II 8 ; Portus, p. 104-105). Cette doctrine, issue des *Oracles chaldaïques* et liée à celle de νοῦς πατρικός, est contaminée ici par la doctrine plus ancienne des notions innées dans l'âme (cf. Jamblique, *de mysteriis* I 4 ; p. 9,17 : ταῖς... νοήσεσιν ἃς εἴλεφεν ἐξ ἀιδίου παρὰ τῶν θεῶν ; voir également le texte de Porphyre à la note suivante ; en latin, déjà *intellegentiae* = notions innées chez Cicéron, *de leg.* 1,10,30). L'âme porte en elle, inscrites de toute éternité des notions des choses divines. Ces notions sont les symboles, c'est-à-dire les ressemblances, les parentés avec le monde intelligible que l'Esprit-Saint (intelligence paternelle) peut éveiller, mettre en mouvement, afin que l'âme revienne vers Dieu, c'est-à-dire cherche à le connaître. *Figurationes intellegentiarum* doit donc s'interpréter, me semble-t-il, comme un génitif de définition : ces symboles que sont les notions.

Une autre traduction est possible : *intellegentiae* = idées transcendantes (cf. *adv. Ar.* I 58,23) ; *figurationes* = images, empreintes, traces, cf. Plotin, *Enn.* V 3,3,12 : ἴχνη. L'Esprit-Saint mettrait alors en mouvement les images des idées. Mais je pense que le contexte très influencé par les *Oracles chaldaïques* oblige à admettre la première interprétation.

1,7. inscriptas. — Cf. Porphyre, *ad Marcellam*, Nauck, p. 291,11 : τετυπωμένον ἐξ ἀιδίου ; Jamblique, texte cité à la note précédente ; Plotin, *Enn.* V 3,4,2. Sur l'écriture intérieure, cf. II *Cor.* 3,3, et déjà *Prov.* 3,3 ; 7,3 ; *Ézéch.* 11,19 ; 36,26 ; *Jér.* 31,33.

1,8. movet. — Nuance d'émouvoir, d'éveiller à un désir, de mettre en état d'inspiration. Idée liée à celle de « symbole ».

1,8-9. — *Res* s'oppose à *mysteria* comme la substance (pluriel de solennité) à l'acte, à l'économie qui manifeste cette substance. *Investigabilia* annonce déjà *Rom.* 11,34 cité plus bas. Cette économie est celle des volontés et des actes de Dieu, c'est-à-dire du plan divin sur le monde, comme ensemble des idées divines.

1,10. vult videre. — Idée analogue chez Ambroise, *de Isaac et anima* VI 53 ; Schenkl, p. 670,11 : « Ex seminibus eius (= figurationes intellegentiarum) quae quodam utero intellegibili susceperit anima, totam plenitudinem divinitatis eius habitantem in eo corporaliter, ut legimus, *videre desiderat.* » Cf. *adv. Ar.* I 16,1-2, sur le désir inefficace de voir le Père, selon Valentin.

1,10. quidem ... autem. — L'opposition entre le désir de voir et l'impossibilité de connaître parfaitement, par suite de l'obstacle du corps, se transforme, par l'introduction de la formule hermétique (cf. note suivante) en opposition entre le désir de voir et l'impossibilité d'exprimer.

1,11-12. — Victorinus ne cite pas la fin du texte hermétique célèbre ; ᾧ καὶ νοῆσαι δυνατόν (même à qui est capable de le concevoir). Mais tout le développement précédent exprime cette idée.

1,12-14. — Même utilisation de *Rom.* 11,33 chez Hilaire, *in psalm.* CXXIX 1 ; Zingerle, p. 647,25 ; *PL* 9,718 b-c.

1,15. Esaias. — La citation d'Isaïe est anonyme dans *Rom.* 11,34.

1,16. — Celse, dans Origène, *contra Celsum* VII 42 ; *PG* 11,1481 a 6 ; Koetschau, t. II, p. 192,27, après avoir cité Platon, *Timée* 28 c 3 (origine dernière de la formule hermétique citée 1,11-12), ajoute : « Voyez donc comment les hommes inspirés de Dieu cherchent la voie de la vérité. » Victorinus semble utiliser ici, au sujet de saint Paul, une formule analogue à celle que Celse emploie à propos de Platon.

***

1,17 — 2,9. II. L'enseignement de l'Écriture : Jésus-Christ est le Fils de Dieu. — Candidus avait terminé sa lettre par la citation de quelques textes d'Écriture ; Victorinus fait l'inverse : il commence par elle, montrant ainsi que sa pensée veut partir du texte sacré. Ces citations n'ont pas encore l'ampleur que Victorinus leur donnera dans le premier livre *adversus Arium* ; elles sont traditionnelles depuis le début de la querelle arienne.

1,17. nomine Christianus. — Peut-être y a-t-il ici un argument analogue à celui d'Athanase (*contra arianos* I 10 ; *PG* 26,33 a) qui oppose les chrétiens, qui tirent leur nom du Christ, aux ariens, qui tirent leur nom d'Arius.

1,21. — Sur ce mode de discussion qui consiste à ramener l'adversaire à la lettre du texte juridique, cf. Cicéron, *de invent.* II 49,147.

1,21-30. — Même schéma d'argumentation, chez Hilaire, *de trinitate* VI 22 ; *PL* 10, 173 c : « Il convient que l'ordre de notre réponse soit le suivant : enseigner d'abord que le Christ est Fils de Dieu de telle sorte que la nature de la divinité par laquelle il est Fils soit parfaite... Il est connu... de plusieurs manières que Notre-Seigneur Jésus-Christ est vraiment Dieu, Fils unique de Dieu, puisque le Père l'atteste à son sujet, puisqu'il le confesse de lui-même, puisque les apôtres le prêchent, puisque les fidèles le croient, puisque les démons l'avouent, puisque les Juifs le crient, puisque les païens le confessent dans sa passion. » Ici sont apportés seulement les témoignages des prophètes, de l'Apôtre et de Jésus lui-même, mais ailleurs Victorinus apportera d'autres éléments de la liste (cf. *ad Cand.* 16,8).

1,21-27. — Les mêmes textes furent employés par les orthodoxes dès le début de la controverse arienne. On trouve déjà *Ps.* 2,7; *Rom.* 8,32 ; *Ioh.* 10,30; 14,9-11 dans la lettre d'Alexandre d'Alexandrie adressée à tous les évêques en 324 (cf. Opitz, *Urkunden* 14, p. 24,25 sq.).

1,27-29. — Le dilemme complet est le suivant :

Si deus fuit, non mentitus est	(Si deus non fuit, mentitus est)
(si non mentitus est, non opus est dei)	Si mentitus est, ergo nec opus est dei.

Raisonnement analogue, *adv. Ar.* I 10,17. *Opus dei* = CAND. I 10,5.

2,1. de nobis. — C'est-à-dire, en partant du fait de notre adoption.

2,1. nos dicimus. — Dans la profession de foi et dans l'oraison dominicale.

2,10 — 23,10. III. L'enseignement de la raison : l'Existant et le Logos viennent de Dieu. — Après le raisonnement discutant *de* l'Écriture, le raisonnement portant sur les notions elles-mêmes, tirées de l'Écriture sans doute, mais étudiées pour elles-mêmes : l'Écriture (et Candidus) donne à Jésus les noms d'Existant, de Logos, de Vie. Quels sont les attributs impliqués par ces noms ? Cette méthode s'inscrit dans la tradition théologique très répandue des *epinoiai*, c'est-à-dire consistant à distinguer, dans le Christ, des aspects différents correspondant aux noms que lui donne l'Écriture (cf. R. Cadiou, *La jeunesse d'Origène*, Paris, 1935, p. 158-163). Ici, dans cette lettre à Candidus, ce sont Existant (ὄν) et Logos qui sont seulement étudiés. Ces deux termes semblent avoir fait l'objet de spéculations philosophiques conjointes à l'époque de

Victorinus, si l'on en juge par *adv. Ar.* IV 18,62. Ce rapprochement entre ὄν et Logos ne se retrouve pas seulement dans le plan de l'*ad Candidum* (ὄν = chap. 2-16 ; Logos = chap. 17-23), dans l'*adversus Arium* IV 18-19, mais encore dans l'*hymne* III 135-242. Ainsi il y a rencontre entre la problématique philosophique recherchant l'origine et la définition de l'Existant et du Logos et le langage scripturaire appelant le Fils, Existant (*Exode* 3,13, cf. *ad Cand.* 14,25-27) et Logos (*Ioh.* 1,1).

Le sens général de l'argumentation de Victorinus est le suivant : si Jésus-Christ est l'*Existant*, le *Logos*, etc. comment peut-il venir du néant, comme le prétend Candidus ? Il ne peut venir que de ce Non-Existant supérieur à l'Existant et qui est Dieu. Mais pour définir ce Non-Existant, il faut le situer dans la hiérarchie des existants, d'où le long exposé sur les modes des existants et des non-existants, très vraisemblablement emprunté à une source philosophique grecque. Cet exposé permet à la fois de montrer que le néant d'où surgirait le Fils, selon Candidus, n'est qu'une production de notre esprit, sans fondement dans la réalité et que, si l'existant doit venir du non-existant, il ne peut provenir que du Non-Existant transcendant.

Victorinus montrera ensuite que ce Non-Existant transcendant est déjà Existant en puissance, que la génération de l'Existant est manifestation et actuation.

Pour la notion de Logos, il en sera de même. Victorinus montrera que Dieu est déjà Logos, c'est-à-dire que l'Être (*esse*) divin est *déjà* Agir (Mouvement et Intelligence). Mais comme l'Agir suit l'Être, l'Être est Père et l'Agir, Fils. Il faut donc distinguer un état de repos où l'Agir est confondu avec l'Être et un état de mouvement où l'Agir, c'est-à-dire le Logos, jaillit pour faire apparaître les Êtres.

Il faut remarquer que *esse* = προόν, c'est-à-dire que les deux noms du Père dans les deux parties, l'une consacrée à l'Existant, l'autre au Logos, sont absolument synonymes, cf. *adv. Ar.* IV 19,6.

***

2,10-16. Les noms de Jésus d'après Candidus. — Dans la liste assez longue des noms de Jésus, donnée par Candidus à la fin de sa lettre, Cand. I 11,8-22, Victorinus ne retient en fait que deux noms : λόγος, *actio*. Il va prendre *vita* quelques lignes plus haut (11,8) et il ajoute un nom : *potentia* qui ne se trouve pas dans Candidus. Pour Candidus, ces noms signifient que Jésus, l'effet absolument parfait produit par la volonté divine, est le principe de tous les êtres : première substance, premier acte, premier Logos. Entre ce Premier Existant et Dieu, il y a l'abîme du néant. Tout au long de sa réponse, Victorinus affectera de reprendre les noms donnés par Candidus à Jésus, *prima et omnis exsistentia* (2,32) ; *omnimodis perfectum* (2,33). Candidus et Victorinus visent donc tous deux, en parlant de Jésus, une entité métaphysique bien déterminée : l'Existant Premier qui est acte, Logos, vie, substance universelle. Mais ils ne sont pas d'accord sur le mode de génération de cet Existant Premier.

Première objection de Victorinus à Candidus : les noms qu'il a donnés à Jésus signifient une perfection que ne peut atteindre un être sorti du néant ; il faudrait que cette perfection fût le terme d'un progrès, et ce progrès ne pourrait jamais aboutir, partant du néant ; ou alors, il faudrait que le néant ait plus de perfection que ce qui est.

2,12. operatio. — = *actio*, CAND. I 11,13.

2,13. adsecutus. — Exprime l'action d'atteindre quelque chose que l'on n'a pas naturellement. Venant du néant, Jésus devrait recevoir et mériter la perfection.

2,14. beatum. — Deux sens possibles. 1° *beatum ab* comparatif : le non-être serait plus heureux que l'être ; *a*) *ab* après comparatif, cf. *ad Cand.* 30,35 ; *b*) positif = comparatif, cf. *ad Cand.* 14,9. 2° *ab* préposition marquant la provenance : ce qui ne vient pas de ce qui est, est-il heureux ? Un raisonnement analogue de Plotin me fait pencher pour la première interprétation, *Enn.* III 6,6,23-29 : « Et il le faut bien (définir l'être par la vie et l'intelligence) ; sans quoi l'intelligence et la vie ne viendraient pas de l'être ; elles s'adjoindront à l'être et ne proviendront pas du non-être ; l'être ne possédera ni vie ni intelligence ; le non-être les possédera véritablement comme si l'on croyait qu'elles ne doivent être qu'aux degrés inférieurs et postérieurs de la réalité ; car l'un antérieur à l'être les fournit à l'être et n'en a pas lui-même besoin. » Le non-existant, dit Plotin, aurait vie et intelligence, si l'existant n'était pas lui-même vie et intelligence. Le non-existant, dit Victorinus, serait bienheureux (= parfait = vie et intelligence) si les perfections (= vie et intelligence) de Jésus ne venaient pas de l'existant, mais du non-existant. Autrement dit le principe d'un existant possède les qualités de cet existant à un titre éminent. Si le néant est principe de Jésus, premier existant, il doit avoir toutes les perfections à un degré supérieur à Jésus. Le raisonnement est le même chez Plotin et chez Victorinus.

***

2,16-30. Dieu, Préexistant, engendre Jésus, l'Existant. — Victorinus reprendra souvent ce schéma (*adv. Ar.* I 31 ; I 33 ; I 50 ; I 52 ; II 1-3 ; IV 4-5 ; IV 21-29) : 1° Qu'est-ce que Dieu ? Est-il être ou non-être, existant ou non-existant ? Réponse : Dieu, étant au-dessus des existants, est à la fois existant et non-existant. Il est la puissance de l'existence, de la vie et de l'intelligence. 2° Il a engendré l'Existant, c'est-à-dire celui qui possède l'existence, la vie et l'intelligence. Cela revient à dire que l'Existant qui était en puissance en lui s'est actué. 3° L'engendré est donc existence, vie et intelligence en acte. 4° Cet engendré, c'est le Fils, c'est le Logos, c'est Jésus-Christ. Ce schéma annonce tout le développement ultérieur (1° = *ad Cand.* 3-13 ; 2° = 14 ; 3° et 4° = 15-16). Candidus refusait toute théogonie. Le schéma présent s'inscrit dans une tradition «théogonique» que l'on rencontre, par exemple, chez Philon (cf. É. Bréhier, *Les idées philosophiques et religieuses de Philon d'Alexandrie*, Paris, 1907, p. 109), chez Tertullien (*adv. Prax.* 5,3), chez Plotin (*Enn.* V 2,1 ; V 1,7), chez Porphyre (*hist. phil.*, *fr.* XVIII ; Nauck, p. 15,1 sq.), chez Jamblique (*de mysteriis* 8,2), chez Macrobe (*in somn. Scip.* I 14,6).

2,16. — J'ai traduit régulièrement *quod est* par l'*existant.* Victorinus en effet traduit ὄν, ou bien par *exsistens* (*ad Cand.* 4,3), ou bien par *quod est* (*ad Cand.* 8,20-21 = *ad Cand.* 6,5-7). Pour ma traduction d'ὄν par *existant*, cf. Cand. I, 1,11 – 3,11 n. Parfois, comme ici, Victorinus emploie *quod sit* ou *id quod sit*, cf. *ad Cand.* 4,13. Il ne faut pas chercher de signification différente dans ces expresssions. Il y a simplement un cas d'emploi du subjonctif en concurrence avec l'indicatif, sans raison apparente (cf. A. Blaise, *Manuel du Latin chrétien*, Strasbourg, 1955, p. 156).

2,17. faceret. — Subjonctif exclamatif ou peut-être (*DPVTMϒ*) infinitif exclamatif. Cf. Cand. I 10,7 : « Effecit autem ex his quae non sunt ». Même négation chez Porphyre, (dans Proclus, *in Tim.*, Diehl, I, p. 281,7) : τὸ μὲν γὰρ αὐθυπόστατον ἀφ' ἑαυτοῦ γεννώμενον οὐκ ἐκ τοῦ μὴ ὄντος πρόεισι, cité par W. Theiler, compte rendu de E. Benz, *Marius Victorinus*, dans *Gnomon* 10 (1934), p. 496.

2,18-21. — Cf. *adv. Ar.* II 1,23-34 (à *supra omnia* correspond ὑπερούσιος, à *id quod sit*, ἐνούσιος).

2,21. — *Praestat* = produit, cf. *ad Cand.* 13,3. — *Ineffabilem generationem.* On trouve chez Synésius, par exemple, *hymn.* 9,62, Terzaghi : ὑπερουσίοις λοχείαις, des expressions (peut-être influencées par les *Oracles chaldaïques*) qui font allusion à un enfantement transcendant. Mais il s'agit surtout d'une formule employée dans les professions de foi, cf. *adv. Ar.* I 47,36-37 : *ineffabili potentia et ineloquibili generatione.*

2,22. — Première apparition chez Victorinus de la triade existence, vie, pensée, déjà rencontrée chez Candidus, Cand. I 3,16. L'existant est achevé quand il est vie et pensée. Cette doctrine s'inscrit dans la tradition des commentaires du *Sophiste* 248 e et plus précisément de la notion de παντελῶς ὄν. Plotin (*Enn.* III 6,6,23-29) cité plus haut à propos de *beatum*, 2,14, affirme, d'une manière très analogue à celle de Victorinus, que l'un fournit être, vie, intelligence à l'être, en commentant lui-même le *Sophiste.* D'ailleurs la même idée revient souvent chez lui, par exemple *Enn.* V 5,10,12 ; I 6,7,11 ; V 1,7,17.

2,24. — On est obligé de construire : *est autem quod est supra id quod est vere* ὄν, c'est-à-dire de lier *id* et *quod* (cf. Cand. I 6,6). En effet Dieu est au-dessus du *vere* ὄν, cf. *ad Cand.* 13,8, et dans des textes grecs assez parents, Jamblique, *de mysteriis* VIII 2 ; Parthey, p. 261,9 : πρὸ τῶν ὄντως ὄντων..., *Corpus Hermeticum, excerptum Stobaei* XXI ; Festugière, t. III, p. 90 : ἔστι τοίνυν τὸ προὸν ἐπὶ πάντων τῶν ὄντων καὶ τῶν ὄντως ὄντων. Le sens général de la phrase est celui-ci : si Dieu n'est pas non-existant par privation, mais par transcendance, il sera le Préexistant (προόν).

2,25. potentia. — La puissance a en elle l'acte et c'est l'acte lui-même qui se met en acte, cf. *adv. Ar.* I 50,27-32; I 51,10. Doctrine diamétralement opposée à Cand. I 1,27-32.

2,25. operatione ... excitata. — Ablatif absolu.

2,26. ineloquibili. — Cf. 2,22 : *ineffabilem.*

2,26. omnimodis perfectum. — Cf. Candidus : *opus esse dei omnimodis perfectum* (Cand. I 10,11 – 11,9). Il y a certainement chez Victorinus la nette conscience de viser la même entité métaphysique que considère Candidus : c'est le παντελῶς ὄν du *Sophiste* 248 e.

2,27. a toto ... totum. — Cf. la profession de foi du synode des Encénies (341), dans Hilaire, *de synodis* 29 ; *PL* 10,502 b : « Totum ex toto, unum ex uno, perfectum de perfecto. »

2,27. igitur. — Répétition d'*igitur* dans la conclusion du raisonnement, cf. *ad Cand.* 10,15-16.

2,28. προόν. — Cf. *Corpus Hermeticum, excerptum Stobaei* XXI, cité plus haut, 2,24 n. Plotin, *Enn.* III 6,6,28 : τὸ γὰρ πρὸ τοῦ ὄντος χορηγὸν μὲν τούτων εἰς τὸ ὄν, cité en traduction plus haut, 2,14 n., peut donner une idée de la manière dont le mot s'est forgé dans la tradition.

2,28. totum. — Ce vocabulaire qui rapproche l'idée d'Existant et celle de totalité se rattache aussi au *Sophiste* 244 d-e.

2,29. — J'ai traduit : « en existence, vie, intelligence » comme s'il s'agissait d'une expression technique analogue à : « en acte ». La triade en question correspond d'ailleurs justement à l'acte. L'existant n'est achevé, parfait, donc en acte que lorsqu'il est « en existence, vie, intelligence ». Cf. Plotin, *Enn.* V 6,6,20 ; III 6,6,10. C'est toujours la définition de l'être parfait sous tous rapports de *Sophiste* 248 e.

2,29. universale. — Je pense que ce terme ici a valeur d'adverbe = *omnino* comme τὸ ὅλον en grec, par exemple chez Aristote (voir Bonitz, *Index Aristotelicus*, p. 505). Toutefois on retrouve la notion d'*universale* ὄν dans un contexte assez proche, *ad Cand.* 15,5. Mais justement, Victorinus aurait certainement répété ὄν après *universale*, s'il avait voulu ici exprimer cette notion.

***

2,30-35. Les noms de Jésus. — Quatrième moment du schéma esquissé plus haut : l'identification entre l'Existant engendré par Dieu et Jésus, cf. 2,16-30 n. Cette identification se précise ainsi, Existant = Fils = Logos = Jésus-Christ. Ces précisions s'expliquent par la volonté de prouver l'identité entre le Fils, le Logos et Jésus-Christ. Le même souci se retrouve plus loin 15,1 – 16,17 et dans *adv. Ar.* I 5 ; I 35-36 ; I 45,9 ; II 1,15 ; III 8,5 ; CAND. I 10,2-4. Il témoigne d'une intention polémique contre Marcel d'Ancyre et Photin auxquels on reprochait (cf. *adv. Ar.* I 45,9) de distinguer le Logos et le Fils. Cette suite de noms unit les dénominations traditionnelles dans l'Église et tirées du symbole de foi aux dénominations traditionnelles dans l'école néoplatonicienne visant le Premier Existant.

Victorinus reprend à Candidus un certain nombre de noms et en ajoute d'autres que l'on retrouve chez Proclus et qui étaient probablement traditionnels dès le IVe siècle pour désigner l'Existant Premier : Candidus (11,12) *omnis et prima substantia* ; (11,9) *opus dei omnimodis perfectum.* Proclus, *in Tim.*, Diehl, t. I, p. 231,6-9 : οὕτω δήπου καὶ τὸ αὐτοόν (= *ipsum* ὄν) ὃ πρώτως ἐστὶν ὄν (= primum ὄν), κορυφὴ τῶν ὄντων ἐστὶν ἁπάντων καὶ ἀπ' αὐτοῦ προείσι πᾶν τε τὸ νοητὸν καὶ τὸ νοερὸν καὶ τὸ ὁπωσοῦν ἀποφερόμενον τὴν τοῦ ὄντος προσηγορίαν. Cf. *ad Cand.* 15,1-6, où l'on retrouve notamment l'ἓν ὄν (= unum ὄν). avec lequel Proclus (*in Tim.* I, p. 231,10) identifie le πρώτως ὄν. On a donc bien ici une description de l'Un qui est, c'est-à-dire de la seconde hypostase rapportée traditionnellement à la seconde hypothèse du *Parménide*, cf. *ad Cand.* 12,6.

2,31. in deo. — Parce que le Logos est *in principio*, cf. 16,12.

2,32. — Peut-être faut-il suppléer *prima et omnis vita* entre *exsistentia* et *prima*, cf. *ad Cand.* 2,23.

2,32. exsistentia. — Victorinus qui connaît bien la distinction faite entre *exsistentia* et *substantia* par Candidus (Cand. I 2,18), cf. *adv. Ar.* I 30,21-26, n'emploie pas toujours d'une manière technique ces deux vocables et *exsistentia* est ici un terme exactement correspondant à *substantia* de Candidus (Cand. I 11,12).

***

3,1 — 14,5. Place de Dieu parmi les existants et les non-existants. — C'est la reprise du premier point du schéma exposé plus haut (2,16-30 n.). Candidus a dit à la fin de sa lettre que Jésus venait du néant. Mais, va lui répondre Victorinus, il n'y a pas d'autre néant d'où puisse venir Jésus, que le Néant transcendant qu'est Dieu. Pour montrer cela, Victorinus va utiliser un exposé scolaire concernant les modes des existants et des non-existants, dont on retrouve des traces depuis le moyen platonisme jusqu'au néoplatonisme tardif. Ainsi le Fils de Dieu apparaîtra comme le sommet de cette hiérarchie et Dieu lui-même comme le Non-Existant transcendant à ce sommet.

***

3,1-9. Dieu cause des existants et des non-existants. — Plus haut, Victorinus était parti de la liste de noms de Jésus donnés par Candidus à la fin de sa lettre (cf. 2,10-16). Cette fois, c'est de la notion de Dieu *causa omnium* placée par celui-ci au début de sa lettre (CAND. I 1,5-6) que partira la critique. Si Dieu est cause de tout, Dieu est lui-même existant et non-existant, ou plutôt préexistant, c'est-à-dire au-dessus de l'opposition entre existant et non-existant.

3,3. — Cf. Porphyre, *sent.* XXXI; Mommert, p. 16,20-21 : καὶ ὡς πάντα τὰ ὄντα καὶ οὐκ ὄντα ἐκ τοῦ θεοῦ ; Proclus, *in Parm.*, Cousin, Paris, 1864, p. 1043,9 : τὴν τοίνυν ἀρχὴν τῶν ὄντων ἁπάντων καὶ μὴ ὄντων τὸ ἓν λέγοντες.

3,3-6. — Cf. 2,18-25.

3,6. — On peut supposer que *quod*[1] équivaut à *hoc quod* (que l'on retrouve dans la phrase suivante) et lui donner un sens causal : « Parce que, comme on l'a dit plus haut (3,4), la cause n'est pas encore l'existant, elle est non-existant. » Le rapprochement avec la phrase suivante oblige à choisir cette interprétation. Une autre est possible, mais qui me semble plus faible ; *quod* = *id quod* : ce qui n'est pas encore, cela est le non-existant ; on aurait alors une définition provisoire du non-existant.

3,7 πρόον. — Cf. 2,28.

***

4,1 — 5,16. Les non-existants : leurs quatre modes. — But de cet exposé scolaire : montrer que le néant dont Candidus a parlé n'est qu'une fiction de l'esprit, et que, d'autre part, Dieu est non-existant par transcendance. Cette doctrine s'inscrit dans la tradition des commentaires sur le *Sophiste* de Platon et sur la *Physique* d'Aristote :

1er mode : *iuxta negationem.* Platon, *Sophiste* 254 d : ὄντως μὴ ὄν ; Aristote, *phys.* I 3,187 a : ἁπλῶς μὴ ὄν; Dexippe, *in categ.* I 4 ; Busse, p. 13,17 : πάσης τῆς φύσεως ἄρσις ; Syrianus, *in metaphys.*, Kroll, p. 75,8 : μηδαμῇ μηδαμῶς ὄν; Simplicius, *in phys.*, Diels, p. 238,24 sq. : κατὰ στέρησιν (μὴ ὄν); Ammonius, *de interpret.* 11 ; Busse, p. 213,11 : μηδαμῇ μηδαμῶς ὄν ; Scholie du commentaire de Proclus, *in rempubl.*, Kroll, II, p. 375 : τὸ μηδαμῶς ὂν καὶ ἁπλῶς μὴ ὂν κατὰ τὸν τοῦ Ἀριστοτέλους λόγον.

2e mode : *iuxta alterius ad aliud naturam.* Platon, *Sophiste* 255 d : ἡ θατέρου φύσις ; Aristote, *phys.* I 3,187 a : τὶ μὴ ὄν, Dexippe, *in categ.* I 4 ; Busse, p. 13,17 : τὶ μὴ ὄν; Syrianus, *in metaphys.*, Kroll, p. 172,5 : τὸ κατὰ τὴν ἑτερότητα (μὴ ὄν); Ammonius, *de interpret.* 11; Busse, p. 213,5 : τοῦ κατὰ τὴν ἑτερότητα θεωρουμένου οὐ παρ' ἔλαττόν τε τοῦ ὄντος (= Platon, *Sophiste* 258 b) εἶναι διὰ ταῦτα λεγομένου; Scholie du commentaire de Proclus, *in rempubl.*, Kroll, II, p. 375 : τὸ κατὰ τὴν ἑτερότητα ὃ τι μὴ ὂν καλεῖ Ἀριστοτέλης, Πλάτων δὲ οὐ παρ' ἔλαττον τοῦ ὄντος.

3e mode : *iuxta nondum esse, quod futurum est et potest esse.* Aristote, *metaphys.* XIV 2,1089 a : δυνάμει ; Syrianus, *in metaphys.*, p. 75,8 : μὴ ὂν ... τὸ μήπω ὄν, ὃ εἰς ταὐτὸν ἔρχεται τῷ δυνάμει ὄντι ; Ammonius, *de interpret.* 11 ; Busse, p. 213,7 : τοῦ τὸ γενητὸν σημαίνοντος ; Scholie du commentaire de Proclus *in rempubl.*, Kroll, II, p. 375 : τὸ αἰσθητόν ; ces deux textes visent plutôt le μὴ ὄντως μὴ ὄν, cf. *ad Cand.* 9 ; Simplicius, *in phys.*, Diels, p. 814,1 : τὸ ἐνεργείᾳ μὲν μὴ ὄν, δυνάμει δὲ ὄν ; *in phys.*, p. 1251,11 : τὸ οὔπω ὄν.

4e mode : *iuxta quod supra omnia quae sunt est esse.* Porphyre, *sentent.* XXVI ; Mommert, p. 11,10 : τὸ ὑπὲρ τὸ ὂν μὴ ὄν ; Proclus, *elem. theol.*, *prop.* 138 : τὸ μὴ ὂν ὡς κρεῖττον τοῦ ὄντος ; Ammonius, *de interpret.* 11 ; Busse, p. 213,2 : τοῦ ὑπὲρ τὰ ὄντα ; Scholie du commentaire de Proclus, *in rempubl.*, Kroll, II, p. 375 : τὸ ὑπερούσιον.

En résumé, cette classification est issue d'un effort des commentateurs d'Aristote (et peut-être de Platon) pour harmoniser les diverses sortes de non-existant chez Platon avec les diverses sortes de non-existant chez Aristote. Victorinus témoigne d'un état de cette tradition scolaire assez proche de Syrianus.

4,6-16. — Cf. 3, 3-9 et 2,18-25. Dieu est reconnu comme μὴ ὂν ὑπὲρ τὸ ὄν, selon l'expression de Porphyre citée dans la note précédente.

4,7. utique. — = ἄν.

4,8. nondum. — Cf. *Corpus Hermeticum* X 2 : τί γάρ ἐστι θεὸς καὶ πατὴρ καὶ τὸ ἀγαθόν, ἢ τὸ τῶν πάντων εἶναι οὐκέτι ὄντων.

4,10. — Asyndète entre *intellegere* et *appellare.*

4,13. privationem. — Cf. 4,3 : *privatio exsistentis* (*exsistens = id quod sit =* τὸ ὄν).

5,3. voluntate. — Cf. *Corpus Hermeticum* X 2 ; IV 1 ; V 7. Le thème est constant à l'époque, cf. E. Benz, *Marius Victorinus und die Entwicklung der abendländischen Willensmetaphysik*, p. 310 sq.

5,4-16. — Ce développement est une reprise plus détaillée de l'exposé précédent (4,1-5) sur les modes des non-existants. Il est introduit sous forme de commentaire de *quae non sunt*, 5,4 : si Dieu fait naître les existants et les non-existants, les non-existants qu'il fait naître ne sont pas des non-existants absolument non-existants. Ce qui vient de Dieu doit exister de quelque manière. Cf. *ad Cand.* 6,7-13 et 11,6-11. Ce développement représente une sorte de parenthèse, car après lui, 6,1-5, Victorinus revient à Dieu, cause des existants et des non-existants, pour introduire cette fois son développement sur les modes des existants. On a ainsi une sorte de doublet :

5,1-4 : Dieu cause des existants et des non-existants.	6,1-5 : Dieu cause des existants et des non-existants.
5,4-16 : les non-existants dont il est cause sont existants d'une certaine manière, car un absolument non-existant n'est qu'une fiction de l'esprit.	6,5-7 : énumération des modes des existants. 6,7-13 : les non-existants dont Dieu est cause sont existants d'une certaine manière, car un absolument non-existant n'est qu'une fiction de l'esprit.

On peut ajouter d'ailleurs qu'au chapitre 11,6-12 le développement sur les non-existants vient également à la suite de l'énumération, cette fois détaillée, des modes des existants (qui s'étend de 7,1 à 11,6). Il est difficile d'expliquer l'apparition de ces doublets qui présentent d'ailleurs entre eux de légères différences.

5,8. subintellegentia. — = ὑπόνοια (imagination). Cette fiction de l'esprit ne correspondant pas à un objet n'a donc par elle-même aucune consistance.

5,11-16. — Cf. *adv. Ar.* I 54,14-19. *Asclepius* 14 ; Nock-Festugière, p. 313,7-9 : « idcirco non erant quia nata non erant, sed in eo iam tunc erant unde nasci habuerunt. »

5,15. circa aliud. — Cf. 4,3 : *iuxta alterius ad aliud naturam.* Si *alterius naturam* semble bien traduire ἡ θατέρου φύσις de *Sophiste* 255 d, *circa aliud* et *ad aliud* doivent probablement correspondre à πρὸς ἄλλα (255 c).

***

6,1 — 11,12. Les existants : leurs quatre modes. — But de ce nouvel exposé : montrer que Dieu n'est aucun des existants, selon aucun des modes qu'ils peuvent revêtir ; situer le Fils de Dieu comme sommet de tous les existants. On retrouve des traces de cette doctrine sur les modes des existants dans le commentaire de Proclus sur le *Timée*, où elle est attribuée à des « anciens » : « Des anciens ont appelé ὄντως ὄν le plan intelligible (τὸ νοητὸν πλάτος); οὐχ ὄντως ὄν, le plan psychique (τὸ ψυχικόν); οὐκ ὄντως οὐκ ὄν le plan sensible (τὸ αἰσθητόν); ὄντως οὐκ ὄν la matière (τὴν ὕλην) (*in Tim.*; Diehl, t. I, p. 233,2).

C'est strictement la même doctrine qu'expose Victorinus ; les êtres véritablement (*vere*) existants, ce sont les intelligibles, les existants qui ne sont pas véritablement existants, c'est-à-dire qui n'ont pas l'excellence de l'existence, ce sont les âmes que Victorinus appelle les « intellectuels » ; à ces deux modes s'opposent les non-existants. Ceux qui sont véritablement non-existants s'identifient à la matière ; ceux qui ne sont pas véritablement non-existants, ce sont les choses sensibles.

La source dernière de cette classification est encore une fois le *Sophiste* de Platon 240 b, qui distingue ὄντως ὄν et οὐκ ὄντως οὐκ ὄν, et 254 d, qui emploie l'expression ὄντως μὴ ὄν. Les commentateurs se sont appliqués à faire correspondre à ces distinctions dialectiques de Platon des classes d'êtres (on trouve des traces de pareilles classifications chez Sénèque, *epist.* 58, 16-22). La classification qui se retrouve à la fois chez Victorinus et chez Proclus marque un stade bien délimité de l'histoire de cette exégèse.

Les commentateurs néoplatoniciens effectuaient une sorte de genèse dialectique de ces quatre modes (et d'autres analogues), grâce à ce que l'on a appelé la loi des moyens termes (cf. E. R. Dodds, *Proclus, The Elements of Theology*, p. XXII: deux termes AB et non-A non-B ne peuvent être en continuité, mais doivent être reliés par un terme intermédiaire: ou bien A non-B ou bien B non-A qui forme une triade avec eux. Voir Marius Victorinus, *hymn.* III 75-78 et 82-85). Ce que Victorinus appelle imaginer (*subaudire*) *per conversionem et conplexionem* (*ad Cand.* 11,2) semble une méthode différente, voir *ad locum*.

Dans tout l'exposé de Victorinus, *l'âme représente le point de vue par rapport auquel les classes se distinguent* ; c'est elle qui prenant conscience d'elle-même, découvre qu'elle se connaît, grâce à la lumière des intelligibles et qu'elle est *intellectuelle* par eux. C'est encore à partir de son être propre que l'âme conçoit les existants sensibles, en inversant cette fois la notion d'existant, jusqu'au point où rien ne correspond plus à sa conception : la pensée du néant est un néant de pensée. Le mouvement cognitif de l'âme correspond d'ailleurs à un mouvement ontologique, l'être se concentrant dans l'intelligible ou se distendant dans la matière suivant les mouvements de l'âme. Sur ces deux directions du mouvement de l'âme, vers le néant supérieur ou vers le néant inférieur, cf. Porphyre, *sentent.* XXVI ; Mommert, p. 11,8-14 ; voir à ce sujet, W. Theiler, *Porphyrios und Augustin*, p. 11.

***

6,5-7. — Cf. 8,19-21.

6,6. vere. — = ὄντως. Victorinus n'est pas le premier responsable de cette traduction qui, selon M. Gilson, *L'Être et l'Essence*, p. 24, « laisse perdre le redoublement si expressif dans la formule grecque ». L'auteur en est Cicéron, *Timée* 2,3 ; Müller, p. 214,27 : « Id gignitur et interit nec unquam *esse vere* potest. » Je me suis résigné à traduire par *véritablement*, d'abord par fidélité à Victorinus, ensuite parce qu'il est difficile de trouver une traduction adéquate de ὄντως (on pourrait songer à *essentiellement*, mais ce serait un peu anachronique).

6,7-13. — Cf. 5,4-11. Le non-existant véritablement non-existant n'est qu'une fiction de l'esprit : l'esprit humain utilise sa connaissance des existants pour forger ce fantôme ; mais, en fait, la connaissance ne peut atteindre le non-existant, elle ne peut sortir des limites qui enserrent et délimitent l'existant.

6,8. plenitudo. — Cf. 11,8 : il s'agit de la plénitude issue de Dieu ; Dieu n'a créé que du plein. Même idée, *Corpus Hermeticum* II 13 ; Nock-Festugière, I, p. 37,9 : οὐδὲ γὰρ οὐδὲν ὑπέλειπε πλέον τὸ μὴ ὄν, et la suite (traduction Festugière) qui montre bien le refus chez l'auteur hermétique comme chez Victorinus d'une création *ex nihilo* : « Et toutes les choses qui existent viennent à l'être à partir des choses qui existent et non à partir des choses qui n'existent pas. »

6,9. aliquo modo. — Cf. 5,11, expression équivalente à « non véritablement non-existant ».

6,9. enfasi. — Déjà opposition entre ἔμφασις et ὑπόστασις dans le *de mundo* IV, 395 a 30-31 ; Lorimer, Paris, 1933, p. 69, traduit par Sénèque, *naturales quaestiones* I 6,4 ; Gercke, I, p. 25,13 : *mendacium et sine re similitudo* en opposition à *substantia.*

6,9-10. — Je construis : « Sola enfasi eorum quae vere non sunt exsistente in intellegentia. »

6,11. subiectionem. — = ὕφεσις, relâchement, abaissement, diminution. C'est le principe de la dégradation de l'être, cf. Porphyre, *sentent.* XI ; Mommert, p. 3,5 et, lié à ἐλάττωσις, Simplicius, *in categ.*, Kalbfleisch, p. 150,22 ; même liaison *subiectio-diminutio*, Tertullien, *adv. Hermog.* XI 1 ; *PL* 2,207 a 2. Mais c'est aussi un relâchement de l'activité de connaissance qui, se détachant de l'être, se tourne vers l'apparence et finalement vers le néant : une faiblesse psychique.

6,11. quodam ... modo. — Cf. 6,9.

6,12. incipiens imaginata est. — Cf. déjà Sénèque, *epist.* 58,15 ; Hense, p. 169,5 : « Quicquid aliud falsa cogitatione formatum *habere aliquam imaginem coepit*, quamvis non habeat substantiam. » Il faut relier *incipiens* et *est*, présent périphrastique, et voir dans le participe *imaginata*, un hellénisme, ἄρχομαι se construisant parfois en grec avec le participe, construction qui exprime l'inachèvement de l'action.

***

7,1-7. Les intelligibles. — Si nous prenons l'énumération des intelligibles dans le sens inverse, c'est-à-dire en descendant, nous trouvons d'abord au sommet de tous les existants, l'Existant un et seul ; le chapitre 15 montrera qu'il s'agit du Fils de Dieu. Il est classé ici parmi les existants qui sont véritablement existants, mais il est leur source et il est au-dessus d'eux. Immédiatement au-dessous, nous trouvons deux plans : *exsistentialitas, vitalitas, intellegentitas* et *exsistentia, vita, intellegentia.* Il est possible que la source de Victorinus les ait distingués. Mais, chez Victorinus lui-même, la distinction tend à s'estomper, cf. *adv. Ar.* III 7,10, et chez Candidus également, cf. Cand. I 2,24. De même, si la source de Victorinus distingue entre l'Existant suprême et ces triades, Victorinus lui-même identifie pratiquement l'Existant avec la triade : existence, vie, pensée, cf. 2,21-23 et 29. Au-dessous encore, nous trouvons neuf entités d'identification plus difficile. On retrouve la formule *spiritus*, νοῦς, *anima* en *adv. Ar.* I 25,43 dans la chaîne des existants. Il y a sans doute ici une des caractéristiques du néoplatonisme postérieur : l'apparition d'entités (hénades chez Proclus, cf. E. R. Dodds, *Proclus, The Elements of Theology*, p. 257) s'intercalant entre l'Un suprême et le Noûs. L'énumération des autres termes (*cognoscentia, disciplina*, etc.) est probablement la trace d'un effort des commentateurs de Platon pour unifier les différents genres de l'être mentionnés par lui en divers dialogues : par exemple, *Sophiste* 260 a, le logos, l'opinion ; *Philèbe* 66 a-b, mesure, *perfection* (proportion, beauté, efficacité), intellect, sagesse, *sciences*, arts, *opinions*.

7,1. eius quod sit. — Génitif partitif.

7,7 — 8,7. Les intellectuels. — Les intellectuels se distinguent des intelligibles, en tant qu'ils ont besoin des intelligibles pour connaître et pour se connaître : ce sont des sujets connaissants qui se sont éloignés et distingués de l'objet avec lequel ils étaient identiques ; ce sont les âmes. La distinction entre νοητός et νοερός, connue de Julien, *oratio* IV 133 b ; Hertlein, I, p. 172,9 sq., remonte au moins à Jamblique (cf. G. Mau, *Die Religionsphilosophie Kaiser Julians*, Leipzig, 1907, p. 37). Dans l'exposé de Victorinus, les intellectuels, c'est-à-dire les âmes, constituent le plan à partir duquel les autres plans de la réalité sont explorés. On comparera utilement les développements de Victorinus sur les plans de la réalité (intelligible, intellectuel, sensible) avec la division des sciences, chez Boèce, *in Isag. ed. prima* I 3 ; Schepps-Brandt, p. 8,11 – 9,12.

7,7. noster νοῦς. — Cf. Porphyre, *sentent.* XLIII ; Mommert, p. 43,4 : ὁ ἡμέτερος <νοῦς>. L'intellect de l'âme se distingue du Noûs séparé dont Victorinus parle *ad Cand.* 8,3.

7,8. stat. — Un mouvement analogue de l'âme vers les intelligibles est décrit par Plotin, *Enn.* I 3,4 : c'est celui de la dialectique qui atteint le repos dans le monde intelligible. Sur la connaissance comme repos après l'agitation de la recherche, cf. Aristote, *phys.* VII 3,247 b 17.

7,9. intellegentia ... exsistens. — Nominatif absolu, *intellegentia* (= νόησις probablement) étant différent de νοῦς.

7,9. iam non in confusione. — Cf. Plotin, *Enn.* I 3,4,18 : οὐδὲν ἔτι πολυπραγμονοῦσα.

7,10-14. — Découvrant l'altérité qui est en elle, l'âme comprend qu'elle fait partie d'un ordre d'être inférieur à celui des intelligibles ou des véritablement existants : elle est, mais, n'étant pas pleinement identique à elle-même, elle n'a pas l'excellence d'être des intelligibles ; cf. Plotin, *Enn.* V 3,6,3.

7,10. conprehensio et definitio. — Hellénisme, cf. Xénophon, *Cyropédie* I 1,1 : ἔννοια ποθ' ἡμῖν ἐγενέθη pour ἐνενοήσαμεν.

7,15. in natura. — *Natura* au sens de classe, *ad Cand.* 9,19.

7,15. animarum intellectualium. — Cf. Porphyre, *sentent.* XXXII ; Mommert, p. 24,14 : ἡ ψυχὴ ἡ νοερά ; Plotin, *Enn.* V, 1,3,12.

7,17. excitatus. — Toujours la liaison entre activité et éveil, cf. *ad Cand.* 2,26.

7,17. ὁ νοῦς. — Il s'agit, semble-t-il, de l'intellect agent qui actue l'« intellect passif » de l'âme, cf. le νοῦς πατρικός du début de la lettre, *ad Cand.* 1,6 et 8,3. Cf. Simplicius, *in categ.*, Kalbfleisch, p. 249,1 : ὅταν γὰρ ὁ τῆς ψυχῆς νοῦς ὑπὸ τοῦ χωριστοῦ τελειοῦται.

7,19. perfectio. — Cf. Plotin, *Enn.* V 1,3,13 ; V 1,10,12 ; Jamblique, *de mysteriis* V 10 ; Parthey, p. 213,17 ; Salluste VIII ; Mullach, Paris, 1881, p. 37 : ἔστι δέ τις δύναμις... τελειοῦσα δὲ τὴν ψυχήν.

7,20. — Cf. *ad Cand.* 9,26 ; *adv. Ar.* III 11,32 ; I 64,4. Admettant avec Candidus, Cand. I 2,4-5, que la substance au sens propre est sujet d'une forme, Victorinus peut en conclure que l'âme est substance au sens le plus propre du terme, puisqu'elle joue le rôle d'une matière vis-à-vis de l'intelligence. Cf. Plotin, *Enn.* III 9,5,2 : « Indéterminée avant d'avoir vu l'intelligence, l'âme a une disposition naturelle à penser (= ad intellegentiam accommodata) ; et elle est à l'intelligence, comme la matière à la forme (πεφυκυῖαν δὲ νοεῖν· ὕλην οὖν πρὸς νοῦν). » Cf. *Enn.* V, 1,3,23. En somme, l'altérité qui distingue les intellectuels des intelligibles et les empêche d'être véritablement et totalement existants, se traduit par une potentialité et une passivité.

8,1-7. — Sous l'influence de l'intelligence illuminatrice qui agit sur elle, l'âme connaît à la fois elle-même (= les seulement existants) et les intelligibles (= les véritablement existants), cf. 7,10-14.

8,8-21. Les non véritablement non-existants et les non-existants. — L'exposé de Victorinus concernant les deux derniers modes d'existants n'est ici encore qu'esquissé. Il sera repris 9,4 – 10,37. La présente esquisse se contente d'affirmer que le non-existant ne peut être conçu qu'à partir de l'existant et que le non-existant est toujours quelque chose. On verra plus loin que les deux derniers modes d'être sont les êtres sensibles et la matière. Les idées contenues dans le développement présent peuvent venir du *Sophiste* 240 c (l'opinion fausse conçoit les non-existants comme existants en quelque façon) : en effet, l'âme en s'éloignant des intelligibles et des véritablement existants projette, grâce aux vrais existants, une apparence qui ne correspond plus à la réalité : elle se trompe.

8,9. conversionem. — Deux interprétations possibles : 1° *conversio* = ἀποστροφή ; pensant d'abord ce qui est, l'âme se détourne de cette pensée et imagine le non-existant, cf. Porphyre, *sentent.* XL § 5 ; Mommert, p. 38,7-22 notamment 19 : τῇ τοῦ ὄντος ἀποστροφῇ. Dans ce cas, *intellegentia* a comme dans les pages précédentes le sens d'acte de pensée en même temps que de contenu de pensée ; 2° *conversio* = ἀπόφασις ; il s'agit alors d'une opération logique : négation du concept (*intellegentia*) d'existant. *Conversio* peut se traduire par *négation*, si l'on remarque que *conversio* = *inversio* chez Candidus, cf. Cand. I 7,13 (= 4,17) et prend chez lui le sens de destruction, d'anéantissement. Les deux traductions possibles de *conversio* ne doivent peut-être pas être distinguées trop subtilement : le mouvement de l'âme qui se détourne de l'existant est en même temps opération logique qui nie la notion d'existant. L'idée commune est celle d'une transformation dans une mauvaise direction, d'une dégradation ; on retrouve la *subiectio* de 6,11. Pour s'éloigner de l'existant, il faut encore partir de lui, détourner sa lumière pour s'imaginer voir les fantomatiques images du sensible.

8,12. exterminatio. — Cf. Lucrèce, *de rerum natura*, I 670 : « Nam quodcumque *suis* mutatum *finibus exit*, continuo hoc mors est illius quod fuit ante. » L'existant devient non-existant lorsqu'il sort des limites de sa nature, lorsqu'il perd sa forme. Plotin exprime d'une manière saisissante la terreur de l'âme devant cet abîme et les mobiles psychologiques de la connaissance sensible : « L'âme qui souffre de cette indétermination (de la matière), jette sur elle la forme des objets, craignant en quelque manière de sortir de la réalité (φόβῳ τοῦ ἔξω τῶν ὄντων εἶναι) si elle s'arrête trop longtemps sur le non-être » (*Enn.* II 4,10,33).

8,14. — Cf. Cand. I 3,2-3 (mais *exsistentia* chez Victorinus, *substantia* chez Candidus).

8,17-19. — Il s'agissait de montrer que le non-existant véritablement non-existant n'a aucune réalité. Il y a un minimum d'existence jusque dans le non-existant. Il n'y a donc pas de création *ex nihilo*. Les non-existants eux-mêmes font partie de l'ordre général des existants.

9,1 — 10,37. Troisième et quatrième modes : les existants sensibles et la matière. — Cette reprise de 8,18 continue, comme les exposés précédents sur les deux premiers modes, à lier intimement théorie concernant la hiérarchie des objets et des sujets connaissants et théorie concernant les modes des existants. L'excellence de l'existence est liée à l'excellence de l'intelligence. Et la trace de consistance ontologique qui subsiste dans le monde sensible est liée à la trace d'intelligence qui subsiste dans la sensation. Le monde sensible *n'est pas véritablement non-existant* ; la sensation peut rester proche de l'intelligence : le monde sensible est alors objet de la physique (cf. Boèce, *in Isag. ed. prima* I 3 ; Schepps-Brandt, p. 9,6).

L'étude des modes des existants s'achève ensuite sur la considération du non-existant (existant encore d'une certaine manière, cf. 8,15-19), c'est-à-dire de la matière. Ici le leitmotiv qui a couru tout au long de l'étude sur les modes des existants apparaît nettement : tout ce qui existe, après les véritablement existants ou intelligibles, peut se définir par un rapport entre l'âme et la matière ; l'âme séparée de la matière (et donc connaissant les intelligibles) se définit comme ordre du seulement existant, de l'intellectuel ; l'âme se mêlant à la matière, engendre le monde sensible, c'est-à-dire l'ordre du non-véritablement non-existant ; la matière enfin, séparée de l'âme, constitue le non-existant (10,7-10). Sur ce rôle de l'âme, cf. *adv. Ar.* I 61,7-27.

9,4. intellegibilis et intellectualis. — L'expression désigne, me semble-t-il, l'ensemble du monde intelligible (cf. *adv. Ar.* I 61,12 ; IV 2,18 ; IV 25,20) ou les caractéristiques propres de ce qui est véritablement existant.

9,4. iuxta intellegentiam. — C'est le Logos qui est l'intelligence créatrice, cf. 25,7-9. L'existence sera donc fonction directe de l'intelligibilité. Cf. *Sophiste* 265 c.

9,5-11. — On retrouve ici, me semble-t-il, une doctrine d'origine « chaldaïque » : le second Noûs (le premier étant le premier Dieu) est dyade, parce que, d'une part, il contient les intelligibles par son intelligence et que, d'autre part, il suscite la sensation dans le monde, cf. W. Kroll, *de oraculis chaldaicis*, p. 14 : νῷ μὲν κατέχειν τὰ νοητά, αἴσθησιν δ'ἐπάγειν κόσμοις. D'où l'expression δημιουργικὴ αἴσθησις employée par Syrianus, *in metaphys.*, Kroll, p. 89,13-17. Il semble bien que ce soit ce double aspect, noétique et sensible, de l'Intelligence créatrice qui soit visé ici.

9,10. illam. — Annonce *sensuali intellegentia*, 9,14.

9,11. propinquus. — Même idée d'un voisinage de la raison et de la faculté de sentir, Plotin, *Enn.* IV 3,23,23. *Vicina virtus, in Ephes.* I 4,1250 a 8.

9,12-15. — C'est l'objet de la science physique.

9,13. gignuntur et regignuntur. — *Asclepius* 16 ; Nock-Festugière, t. II, p. 315,20 : « Totamque gignentium creantiumque materiam. »

9,14. potentia. — Les êtres sensibles préexistent dans l'intelligence sensible.

9,14. in sensuali intellegentia. — Il s'agit donc de la partie de l'intelligence qui utilise la sensation, cette doctrine de l'intelligence sensible provenant d'une exégèse des *Oracles chaldaïques.* On peut l'identifier avec l'intelligence de l'âme se tournant vers le sensible et la matière. Cf. *adv. Ar.* I 62,32 : « Sensibilis enim potentia, hylicus νοῦς est » (rapprocher ce texte, de Plotin, *Enn.* IV 3,23,23).

9,15. quodam modo esse et non esse. — Cf. 6,8-9.

9,18. mundi ... partes. — Tous les êtres animés, cf. 10,1-7.

9,20-22. — L'objet de l'intelligence est la substance ou le sujet qui restent identiques sous les qualités différentes ; l'objet du sens, ce sont les qualités, en perpétuel devenir. Cf. Proclus, *in Tim.*, Diehl, I, p. 251,7-16, c'est la δόξα, non l'αἴσθησις qui atteint les substances sensibles (= *Timée* 28 a). Voir aussi Plotin, *Enn.* II 4,10,25-28.

9,26. — L'objection signifie : où doit-on placer l'âme ? Dans le domaine de l'existant qui n'a pas de devenir (cf. *Timée* 27 d – 28 a) ou dans le domaine de l'existant mélangé de devenir, c'est-à-dire du monde sensible ? La réponse sera donnée en 10,30-32 : par essence, l'âme appartient au monde des existants sans devenir, mais elle peut se mélanger à la matière. Alors elle fait partie des non-véritablement non-existants (êtres sensibles). Ainsi le développement concernant la matière (10,7-37) vient à la fois pour achever l'étude des différents modes des existants et pour répondre à la question concernant la place de l'âme parmi eux. Cf. Porphyre dans Proclus, *in Tim.*, Diehl, I, p. 257, 3 sq. où l'âme est ἅμα ὂν καὶ γινόμενον.

10,1-6. — Cf. 9,4-26.

10,7. subintellegimus. — De même Plotin, *Enn.* II 4,10,25-35, montre comment l'âme, pour penser la matière, effectue la dissociation entre le sujet sans formes et les qualités qu'il perçoit en bloc. De même Origène, *de principiis,* IV 4,7 (34) ; Koetschau, p. 358,20 : « Cum ergo sensus noster omni qualitate ab intellectu suo remota ipsum subiacentiae solius, ut ita dixerim, punctum contuetur et ipsi inhaeret... tunc simulata quodammodo cogitatione his omnibus qualitatibus nudam videbitur intueri materiam. »

10,7-30. — Double but de ce développement : préciser le statut ontologique de la matière, la comparer à l'âme. Raison de cette comparaison : l'âme et la matière forment les deux pôles entre lesquels le monde trouve sa consistance et se compose. L'âme en soi et la matière en soi sont donc non mélangées. Il n'y a pas en elles composition entre substance et qualité, puisque cette composition est le propre du monde sensible qu'elles délimitent. Dans la matière comme dans l'âme, la qualité se confond avec la substance : les qualités qui les définissent leur sont consubstantielles ; l'hylicité pour la matière, l'intellectualité pour l'âme ne viennent pas s'ajouter comme des accidents à la substance, mais sont constitutives de la substance.

10,11-19. — Cette description de la matière ne peut se comprendre que dans une perspective stoïcisante ; la matière est le sujet dernier ; mais les qualités sont elles-mêmes matière et sujet. Elles s'identifient d'ailleurs concrètement avec la matière première, cf. Diogène Laërce VII 137 : τὰ δὴ τέτταρα στοιχεῖα (= qualitates) εἶναι ὁμοῦ τὴν ἄποιον οὐσίαν, τὴν ὕλην. Origène, *de princip.* IV 4,7(34) ; Koetschau, p. 358,1 sq. nous donne un écho détaillé des discussions scolaires à ce sujet et rapporte l'opinion de ceux qui voulaient ramener la matière aux qualités : « Si enim duritia et mollities, calidum et frigidum, humidum et aridum, qualitas est, his autem vel ceteris huiusmodi amputatis, nihil aliud intelligitur subiacere, videbuntur *qualitates* esse *omnia.* »

10,25. quidam. — Les stoïciens pour qui la réalité était identité concrète du sujet et de la qualité, grâce au mélange total.

10,29. neque intelligentiam . . . habet. — Sens passif, comme en 13,9 : *sine intellectu.*

10,30-32. — Cf. 9,26 n.

10,32. nutrix. — = τιθήνη, Platon, *Timée* 49 a. *Asclepius* 18 ; Nock-Festugière, t. II, p. 317,10 : « Mundus (= la matière) itaque nutrit corpora, animas spiritus. »

10,34-35. effeta et densa. — Par opposition à la fécondité de l'âme, *effeta* semble signifier que la matière est stérile (cf. Plotin, *Enn.* III 6,19,25). Mais alors il devient très difficile de comprendre *densa.* Je pense qu'il faut reconnaître en *densa* le mouvement de condensation de la matière et en *effeta* le mouvement de raréfaction, cf. *Timée* 49 b : πηγνύμενον ... τηκόμενον. La matière, en elle-même, c'est-à-dire sans l'âme, est infinie, sans détermination ; cette infinité se traduit par un mouvement de contraction et d'enflure, cf. Plotin, *Enn.* II 4,11,34-38 : « (Cet indéterminé) se contracte du grand au petit ; puis il s'enfle en quelque sorte du petit au grand et la matière le parcourt. »

11,1-12. Tous les autres modes possibles se ramènent aux précédents. — *Per conversionem et conplexionem*, on peut imaginer d'autres modes, c'est-à-dire en inversant les liaisons. La classification des existants est en effet obtenue d'une manière assez analogue à celle d'Aristote, *categ.* 1 a 20 sq. Elle suppose un schéma de quatre termes susceptibles d'entrecroisement (cf. Porphyre, *in categ.*, Busse, p. 78,37 ; voir mon article, *Cancellatus respectus*, dans *Archivum Latinitatis Medii Aevi* (*Bulletin du Cange*), t. XXIV 3,1954, p. 280). C'est d'ailleurs ainsi que l'entend le scholiaste de Proclus, *in Tim.* (*ad locum* = t. I, p. 233,2), Kroll, t. I, p. 469,17, qui donne le schéma suivant :

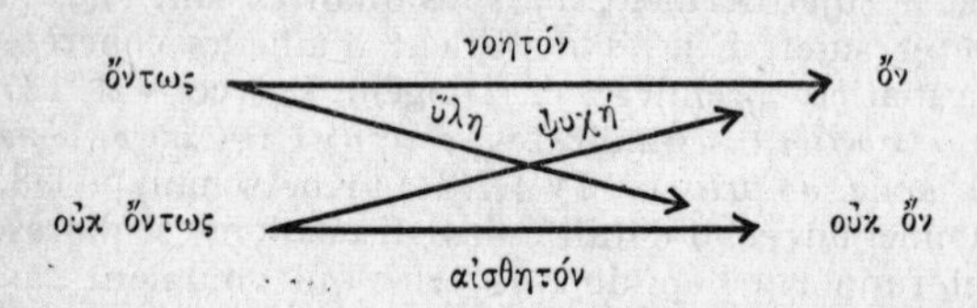

Ce schéma paraît correspondre exactement à ce que Victorinus imagine maintenant puisque les deux diagonales forment *quae non vere sunt* et *vere quae non sunt*. *Per conversionem et conplexionem* correspond donc à cet entrecroisement.

Mais, dans tous les développements précédents, Victorinus a utilisé en fait un schéma légèrement différent :

1. { ὄντως ὄν ————→ μὴ ὄντως μὴ ὄν 2.
1. { ὄν ————→ μὴ ὄν 2. (cf. 8,20)

c'est-à-dire obtenu en deux étapes : 1° division générale des existants en véritablement existants et en seulement existants ; 2° génération des concepts de non-existants par négation des deux classes précédemment distinguées. Donc la liaison inversée (*per conversionem et conplexionem*) se fait bien par entrecroisement, mais elle ne porte que sur ὄντως et μὴ ὄντως :

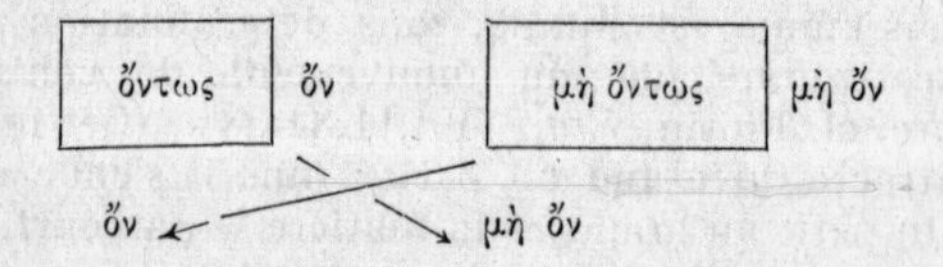

Il en résulte ceci que μὴ ὄντως (*non vere*) n'ajoute rien à ὄν, mais par contre ὄντως ajoute une nuance particulière à μὴ ὄν. Le non-existant, sans plus, dans le schéma primitif, c'était la matière, et elle existait encore d'une certaine manière (cf. 8,15-19). Le véritablement non-existant par contre ne doit pas avoir de place dans la classification des existants. Proclus, *in Tim.*, Diehl, t. I, p. 233,2 sq. n'hésitera pas à appeler la matière : absolument non-existant.

11,6-12. — Cf. 5,4-11 et 6,7-13. Ce dernier texte supposait déjà le schéma ici exposé, puisque *quae vere non sunt* n'était pas contenu dans l'énumération des existants, 6,5-7.

***

12,1 — 14,5. La place de Dieu parmi les existants et les non-existants. — On atteint ici une des parties centrales de la lettre. L'exposé précédent sur les modes des existants a été trop long, soit que Victorinus n'ait pas su se libérer de sa source, soit qu'il ait voulu faire étalage d'érudition. En tout cas, son seul but était de permettre de situer Dieu parmi les existants et de repousser la notion de création *ex nihilo*. Le moment est donc venu d'utiliser ces matériaux pour répondre vraiment à Candidus.

La réponse est donc celle-ci : Dieu n'est aucun des existants ; il est transcendant dans son unité et solitude. Mais voulant être aussi, en puissance, le Tout et la multiplicité des existants, il lui a fallu un intermédiaire, non plus Un purement Un comme lui, mais Un-Être, portant déjà en lui la multiplicité des existants (cf. 12,5).

Victorinus a pleinement conscience que, s'il ne dit que cela, il dit au fond la même chose que Candidus (12,7). C'est bien la doctrine arienne, cf. Athanase, *contra arianos* II 24 ; *PG* 26,200 a : « Voulant créer la nature qui est en devenir et voyant qu'elle ne pouvait participer à la pure puissance du Père et à l'acte créateur issu de lui, Dieu fait et crée d'abord, lui seul, un seul, et il l'appelle le Fils et le Logos afin que, par l'intermédiaire de celui-ci, le reste, tous les êtres, puissent être engendrés. »

Seulement la différence tient au rapport existant entre Dieu et cet intermédiaire : pour Candidus, cet intermédiaire est créé *ex nihilo*. Or, fort de son exposé sur les modes des non-existants, Victorinus peut répondre : de quel non-existant le Fils est-il tiré ? Certainement pas du non-existant absolument non-existant, puisque ce dernier n'est qu'une fiction de l'esprit. Si l'on énumère tous les modes, on n'en trouve qu'un qui convienne : le non-existant au-dessus de l'existant, c'est-à-dire Dieu même. Autant dire que le Fils vient de Dieu, naît de Dieu. Telle est la réponse de Victorinus. Il restera ensuite à préciser un peu, ce que peut être cette génération du Fils de Dieu.

12,1. in quibus. — La question est traditionnelle dans le platonisme : Maxime de Tyr (Hobein XI 8 ; p. 137,16), se demandant dans quelle nature, intelligible ou sensible, il faut placer Dieu, répond : dans celle qui est la plus éloignée du sensible ; pour la trouver, il conseille d'employer la méthode de division pour classer les êtres, et de choisir. dans chaque dichotomie, la classe la plus noble (τιμιωτέρα = *honoratiora*). Mais Victorinus ne mentionne les plus nobles de tous les existants, les véritablement existants, que pour affirmer que Dieu, leur cause, leur est transcendant.

12,5-7. — *Unus et solus, ipsum unum*, c'est, suivant une tradition déjà solidement établie au temps de Plotin, la première hypothèse du *Parménide. Unum esse*, c'est le second Un qui correspond à la seconde hypothèse du *Parménide*, « l'Un qui est », ἓν ὄν, ou peut-être (car Victorinus aurait écrit : *unum quod est*) τὸ ἓν εἶναι. La seconde hypostase, l'Un qui est, représente une détermination, une manifestation du Premier Un (le rapport entre les deux Uns n'est pas précisé ici par Victorinus). Le Second Un est l'Existant par excellence et, avec lui, s'introduit la multiplicité, tandis que le Premier Un reste seulement Un, cf. *hymn.* I 7.

12,5. multa esse voluit. — Cf. 22,7 : *fuit et voluit esse omnia.* L'Un ne veut pas être seulement Un, il veut être Tout en puissance. Sur cette volonté de l'Un, cf. Porphyre (2e livre *sur la Matière*) dans Simplicius, *in phys.* ; Diels, I, p. 231,5, cité par A.-J. Festugière, *Le Dieu inconnu*, p. 38.

12,8-10. — Cf. Cand. I 10,4-9.

12,11. — Cf. 11,6-11.

12,12-16. — Cf. 4,1-5.

13,1 — 14,5. Dieu, non-existant au-dessus de l'existant. — Ainsi des quatre modes des existants et des quatre modes des non-existants, un seul peut se rapporter à Dieu : le mode de non-existant au-dessus de l'existant. Cette définition de Dieu autorise une théologie négative qui ne cède en rien à celle qu'avait développée Candidus.

13,1-5. — Cf. 12,1-10.

13,4. causa. — Cf. *Corpus Hermeticum*, II 12 ; Nock-

Festugière, t. I, p. 37,7-8 : ὁ μηδὲ ἓν τούτων ὑπάρχων, ὧν δὲ καὶ τοῦ εἶναι τούτοις αἴτιος (voir la suite du texte, citée 6,8 n.).

13,5-12. — Autres développements de théologie négative, *adv. Ar.* I 49-50; IV 19 et 23. Voir également CAND. I 3,26-31 (*infinitum, incognoscibile. invisibile*) et 8,27 (*insubstantialis*).

13,10-11. — *De* implique idée de participation et *ex*, idée de réception.

14,1. — Cf. 4,5 et 11. Cf. Porphyre, *sentent.* XXVI ; Mommert, p. 11,10.

14,2. in ignoratione intellegibile. — Cf. Porphyre, dans K. Buresch, *Klaros, Untersuchungen zum Orakelwesen des späteren Altertums*, Leipzig, 1889, p. 117,19 : ἐστιν αὐτοῦ γνῶσις ἡ ἀγνωσία et *sentent.* XXV ; p. 11,4 : ἀνοησίᾳ κρείττονι νοήσεως. Docte ignorance qui provient de ce que la connaissance ne peut atteindre que des existants et des non-existants selon leurs différents modes ; or Dieu les transcende tous.

14,5. λόγος. — = *ratio*, cf. *adv. Ar.* II 4,7.

***

14,5-25. La génération de l'Existant. — Deuxième point du schéma décrit plus haut, 2,16-30 n. : Dieu a engendré l'Existant. Plus précisément encore, Victorinus montre maintenant la préexistence de l'engendré au sein de l'engendrant, de l'existant au sein du non-existant, et fait appel dans ce but à une notion qui jouera un grand rôle dans sa théologie de la trinité, la notion de puissance : le Non-Existant au-dessus de l'Existant est l'Existant en puissance. La puissance est un état de non-déploiement et d'occultation : autrement dit l'Existant est Non-Existant, tant qu'il n'est pas manifesté, et la manifestation de l'Existant est une automanifestation, une autoactuation (cf. plus bas, 16,24 : *a sua potentia in suo patre exsiluit*). Cette doctrine pense assurer la consubstantialité entre le Père et le Fils : le Père est le Fils en puissance, le Fils, le Père en acte. Remarquons d'ailleurs qu'en cette deuxième phase de l'exposé, les noms de Père et Fils n'apparaissent pas encore : on ne se meut encore que dans le domaine strictement rationnel. Ainsi pour Victorinus, et contre Candidus, la génération est actuation et manifestation. Victorinus ne prend pas la peine de discuter les objections de Candidus concernant les douze modes de génération, il se contente d'exposer sa propre théorie de la génération, comme manifestation de l'Existant en puissance dans le Non-Existant. C'est en même temps une réponse à l'objection arienne, conservée par Épiphane, *panarion* 69,71,3 ; Holl, p. 219,6 : est-ce l'existant ou le non-existant qui a a été engendré ? Réponse de Victorinus : l'existant préexistait dans le préexistant.

14,6-7. — Mêmes questions, *adv. Ar.* IV 21,1-2.

14,8. ut deo ... par. — L'autre que Dieu, d'où serait tiré l'Existant, est ou bien antérieur à Dieu, ce qui est impossible, ou bien un autre Dieu, ce qui n'est pas convenable (*par*).

14,9. verum. — Cf. 5,1.

14,11. quam. — Sans comparatif exprimé.

14,11. — Tournant décisif : le non-existant au-dessus de l'existant est existant caché. La génération est manifestation. Cette idée se trouve déjà chez Plutarque, *de Is. et Osir.* 62, 376 c ; Sieveking, p. 62,5 : « Le *Noûs* et *Logos* de Dieu, qui se trouvait dans l'invisible et le caché (ἐν τῷ ἀοράτῳ καὶ ἀφανεῖ), grâce au mouvement, s'est avancé vers la génération (εἰς γένεσιν ὑπὸ κινήσεως προῆλθεν). » L'idée semble s'être développée dans le néoplatonisme sous l'influence des *Oracles chaldaïques*, cf. W. Kroll, *de oraculis chaldaicis*, p. 16, surtout Damascius, *dubit. et solut.* 96 ; Ruelle, t. I, p. 244,15 : ἡ πρόοδος ...οὐκ ἔστι γέννησις, ἀλλ' ἔκφανσις μόνον καὶ διάκρισις... τῶν ἄνω κεκρυμμένων.

14,13-14. nihil ... in generatione. — L'axiome remonte à Platon, *Timée* 28 a.

14,16. vicinus. — Il y a probablement dans ce mot un souvenir du poème de Parménide, v. 81 : ἐὸν γὰρ ἐόντι πελάζει, avec cette idée que l'Existant en puissance est en continuité avec l'Existant en acte.

14,17-21. — La génération est autoactuation, cf. 22, 11-13.

14,21-22. — *Foris ... intus* correspondent à l'opposition entre l'acte manifesté et la puissance cachée, cf. 21,5-10 et 23,6-8. Opposition fondamentale dans la théologie trinitaire de Victorinus. Cf. à propos de l'Existant, *adv. Ar.* IV 18,62.

14,23. προόν. — Cf. 2,28 ; 3,7.

14,24. genus generale. — Cf. 15,5-6. L'identité d'expression montre bien qu'il s'agit ici, dans toutes ces expressions (même προόν) de l'Existant lui-même, mais de l'Existant au sein de Dieu, en un état de préexistence. Cet Existant est au-dessus de la classe des véritablement existants, il en est le sommet, cf. 7,7 : *unum et solum* ὄν (= 15,6). Il est au-dessus du *genus generale*. Ce *genus generale*, c'est l'existant, genre suprême obtenu par la division logique (cf. Sénèque, *epist.* 58,12). Il semble bien que Victorinus considère ici ce *genus generale* comme faisant encore partie des existants subordonnés au Premier Existant (cf. 15,5-6). Ainsi, de même qu'il y a un Logos *intus*, à l'intérieur de Dieu (cf. 20,10 sq.), de même, il y a un Existant *intus*, et sa préexistence au sein du Non-Existant transcendant assure sa consubstantialité avec lui.

***

14,25 — 16,17. L'Existant, engendré par le Non-Existant, est le Fils Jésus dont les noms scripturaires dérivent de celui d'Existant. — Les troisième et quatrième points du schéma énoncé plus haut (2,16-30 n.) sont ici réunis : la description philosophique de l'engendré et l'étude scripturaire de ses noms. Le style caractéristique du quatrième point du schéma (l'engendré, c'est le Fils) se reconnaît aisément : « Hic est Iesus Christus » (cf. 2,31 ; 23,5). Le chrétien reconnaît dans l'entité métaphysique décrite le Fils de Dieu objet de sa foi. Et il cherche alors si les noms que l'Écriture sainte donne au Fils de Dieu correspondent bien aux attributs de cette entité. Le troisième point du schéma (l'engendré est existence, vie, intelligence en acte) est passé sous silence ; tout au plus, Victorinus dira que l'engendré est ὄν en acte (15,10).

14,25-26. — Le texte de l'*Exode* est appliqué à Jésus en vertu du principe suivant : toutes les théophanies de l'Ancien Testament se rapportent au Fils (cf. Hilaire, *de trinitate* V 22 ; *PL* 10,144 a). Ainsi l'Écriture appelle bien du nom d'Existant le Fils de Dieu ; et la philosophie vient de démontrer que Dieu ne pouvait engendrer que l'Existant.

14,27. — Même liaison entre le nom d'Existant et l'éternité chez Hilaire, *de trinitate*, I 5 ; *PL* 10,28 c.

15,1-6. L'Existant est Monogène. — Le premier existant qu'est le Fils est monogène. Ce nom du Fils se trouve dans l'Écriture (*Ioh.* 1,18). Or ce nom découle de la notion de premier Existant. Le Préexistant n'a pu qu'engendrer un seul Existant premier, absolument parfait. Candidus aussi avait dit que Dieu a fait le Fils monogène parce qu'il l'a fait absolument parfait (CAND. I 10,5-7).

Mais évidemment, chez Victorinus, il s'agit d'une authentique génération. En tout cas, il est intéressant de voir de part et d'autre le caractère d'unique engendré du Fils, lié à son absolue perfection. Cela laisse bien supposer qu'ici encore il y a un rapprochement fait par Victorinus entre le vocabulaire scripturaire et des notions platoniciennes. On trouve par exemple chez Proclus, *inst. theol.*, *prop.* 22 ; Dodds, p. 26,1-2, la proposition suivante : « Tout ce qui existe primitivement et originellement en chaque ordre est un et il n'y en a pas deux ou plus de deux, mais il est seul de son espèce (μονογενές) », et *ibid.*, p. 26,16 : « Le premier Existant est un seul. » C'est exactement la doctrine rapportée par Victorinus, ce qui suppose que Proclus se fait l'écho d'une doctrine qui lui est antérieure.

15,2. — Cf. 2,25-29.

15,5-6. — Cette proposition est tout à fait analogue à celle de Proclus, qui vient d'être citée. Mais elle apporte quelques précisions. D'abord *unum et solum* ὄν représente une expression technique pour désigner le premier Existant, cf. 7,7, cf. Proclus, *ibid.*, p. 26,16 : ἕν ἐστι μόνον.

Il est d'ailleurs difficile de dire si *solum* est adjectif ou adverbe. Dans ce dernier cas, il signifierait μόνως ὄν, comme dans Syrianus, *in metaphys.*, Kroll, p. 55,6, c'est-à-dire l'existant en tant qu'existant.

Victorinus distingue, semble-t-il, l'existant universel de l'existant genre suprême (*genus generale* = γενικώτατος, cf. Sénèque, *epist.* 58,12). L'existant genre suprême est inférieur probablement parce qu'il n'est qu'un des intelligibles, ou parce qu'il n'a pas la plénitude de l'existence (vie + intelligence). En effet, je pense qu'il ne faut pas entendre *universale* au sens d'une universalité logique, mais au sens d'une plénitude, d'une totalité, au sens du παντελῶς ὄν du *Sophiste* 249 a (sur le sens de cette expression de Platon, cf. C. J. De Vogel, *Platon a-t-il ou n'a-t-il pas introduit le mouvement dans son monde intelligible ?* dans *Actes du XI*[e] *Congrès international de Philosophie*, Bruxelles, 1953, t. XII, p. 61-67). Il s'agit de l'Existant plénier (parce qu'il a en lui le mouvement, la vie, l'intelligence) et qui, en tant que plénier, ne peut être qu'un et monogène.

15,6-12. L'Existant est Image. — Après le nom de *Monogène* emprunté à saint Jean, un groupe de dénominations empruntées à l'épître aux Colossiens, 1,15-18 : *imago, ante omnia, per quem, in quo.* Après l'identification entre le Monogène johannique et le Monogène néoplatonicien, c'est l'identification entre le premier des Existants pauliniens et le premier des Existants néoplatoniciens.

En même temps, Victorinus reprend la doctrine exposée plus haut de la génération de l'Existant en acte par l'Existant en puissance pour y ajouter l'idée que le premier est l'image du second.

15,7. potentiam perfectam. — L'Existant en puissance n'est donc pas simple possibilité d'être, mais surabondance de puissance (cf. Proclus, *inst. theol.* 27 ; Dodds, p. 30,25 et Porphyre, *sentent.* XXXII 5 ; Mommert, p. 21,8 : τὸ ἐφ' ἑαυτοῦ μένειν καθαρὸν διὰ δυνάμεως περιουσίαν.

15,7. potentia. — Tantôt, 16,24 : *a sua potentia*, tantôt, 14,4 : *sua ipsius* (du Père) *potentia*. L'ambiguïté vient du fait que le Père est la puissance du Fils et que le Fils est en état de non-déploiement dans le Père : le Fils naît donc de sa propre puissance, il est en même temps engendré par sa propre puissance et par celle du Père.

15,8. ante omnia quae vere sunt et quae sunt. — Contamination entre formules paulinienne et néoplatonicienne, cf. Proclus, *in Tim.*, Diehl t. I, p. 230,31 : ἐπεὶ ὅτι γε τὸ ὂν τὸ πρώτως ὂν τὸ ἀκρότατόν ἐστι τοῦ νοητοῦ πλάτους (= *quae vere sunt*) καὶ ἡ μονὰς τῶν ὄντων ἁπάντων, et p. 231,6-9 (cité 2,30-35 n.), textes qui semblent faire corps, chez Proclus, avec la doctrine des modes des existants signalée plus haut (6,1 – 11,12 n.).

15,11. — Cf. le texte de Porphyre cité à propos de 15,7, *potentiam perfectam.* L'Existant en puissance est plus puissant justement parce qu'il reste en puissance, la procession étant actuation. Cf. W. Theiler, *Die chaldaische Orakel*, p. 15, n. 6.

16,1-5. L'Existant est Nom au-dessus de tout nom. — Après *Joh.* 1,18 et *Col.* 1,15-19, *Phil.* 2,9. C'est la même suite de dénominations qu'au chapitre 2,33-35. Candidus (Cand. I 10,5-7) avait lui aussi fait allusion à ce texte de saint Paul. En même temps, suivant un procédé de pensée identique à celui qu'il a utilisé pour le « Monogène » et pour l'« Image », Victorinus utilise l'enseignement philosophique sur l'Existant, cette fois considéré comme principe de tous les noms, cf. *in Ephes.* 1,21-23 ; 1251 c : « Et quidem quodam loco tetigimus quod nomen omne postgenitum est et est in ipsis nominibus nomen principale quod vere supra omnia est et unde omnia nomina sunt quod Graece ὄν dicitur. At vero Christus supra ipsum ὄν est, ergo et supra omnia nomina. » Le commentaire de Victorinus fait allusion à la même doctrine philosophique que la présente lettre à Candidus : l'existant est principe des noms. Il ajoute seulement la nuance suivante : Le Christ est au-dessus de l'Existant. C'est très probablement que le commentaire de l'épître aux Éphésiens, en parlant de l'Existant, fait allusion à l'Existant genre suprême au-dessus duquel se trouve l'Existant premier qu'est Jésus-Christ. Je pense que Victorinus fait allusion à l'un de ses traités de logique quand il affirme (16,4 et *in Ephes.* 1251 c 4) qu'il a déjà traité cette question.

16,5-17. Jésus est Logos et ne vient donc pas du néant. — Ici s'amorce la transition avec la deuxième partie de la lettre (Le Logos naît de Dieu, c. 17-23). C'est une exégèse métaphysique de *in principio* = *ex aeterno* qui permet de rejeter la doctrine de Candidus sur la production du Fils à partir du néant.

16,7. cerycem Iohannem. — Jean-Baptiste, héraut du Logos (cf. Clément d'Alexandrie, *Protreptique*, II 10,1 ; Stählin, p. 104, : ὁ κῆρυξ τοῦ λόγου), atteste qu'il est le Fils de Dieu (*Ioh.* 1,34).

16,8. daemones. — Eux aussi attestent qu'il est Dieu, en disant qu'il est Fils de Dieu, cf. *adv. Ar.* I 15,32 (= Luc 4,41). Même raisonnement, Hilaire, *de trinitate*, VI 49 ; *PL* 10,196 b-c, et texte cité 1,21-30 n.

16,9-15. — Utilisation de la définition de *principium* par Candidus, pour réfuter Candidus par lui-même. Il s'agit d'ailleurs d'une formule traditionnelle, cf. *Corpus Hermeticum* IV 10 ; Nock-Festugière, t. I, p. 53,2-3.

16,12-14. — Même raisonnement, *adv. Ar.* I 3,9-11.

***

16,18-27. Conclusion. — C'est un résumé qui reprend les termes mêmes de l'exposé initial (2,16-35 : *ineffabilis generatio, ex his quae non sunt*) en retenant les principaux aspects de l'argumentation. Il y a dans cette conclusion un syllogisme qui exprime tout cela : l'Existant est engendré par Dieu (Non-Existant au-dessus de l'Existant) ; or Jésus est l'Existant (d'après l'Écriture) ; donc il est engendré par Dieu, et ne vient pas du néant.

16,22-23. — Ou bien *antequam est* ὂν *esse*, avant que soit l'être Existant, ou bien plutôt *antequam est* ὄν, *esse* ; dans ce dernier cas, *esse* a le sens de τὸ εἶναι transcendant à l'ὄν (cf. *adv. Ar.* IV 19,6).

16,23-25. — Cf. 14,18-20.

16,26. divina ... generatio. — Cf. le titre de la lettre de Candidus à Victorinus.

***

17,1 — 23,10. Le Logos naît de Dieu, comme l'agir de l'être. — A l'opposition Préexistant-Existant, succède l'opposition *esse-agere* (probablement déjà introduite, 16,23), *Deus*-λόγος. *Esse* correspond d'ailleurs exactement à προόν (cf. *adv. Ar.* IV 19,6 sq.) et représente l'indétermination totale, la puissance transcendante non encore limitée et déterminée (cf. la notion d'*exsistentia* chez Candidus). L'*agere* représente d'ailleurs ce mouvement d'actuation et d'extériorisation déjà signalé à propos de la génération de l'Existant. On peut dire que le Logos est l'aspect d'*agir* de l'Existant, il est l'Existant considéré comme activité; par opposition à cet *agere*, le Préexistant apparaît comme *esse* pur.

Cette seconde partie a même structure que la première. De même que l'Existant est apparu caché en puissance dans le Non-Existant et confondu originellement avec lui, de même, Dieu va être présenté comme Logos caché, et le Logos sera engendré lors de sa manifestation pour faire exister les êtres. A l'autogénération de l'Existant répondra celle de l'Acte, à l'identification, Existant, Logos, Fils, l'identification finale Agir, Logos, Fils.

***

17,1-9. Définition du Logos. — Il est la puissance créatrice de Dieu : l'actuation de tout ce qui préexiste en Dieu, cf. 25,2-9.

17,2-9. — Cf. *adv. Ar.* IV 19,21-29. Il est possible qu'il y ait ici un souvenir du *Sophiste* 265 b : ποιητικήν... πᾶσαν ἔφαμεν εἶναι δύναμιν ἥτις ἂν αἰτία γίγνηται τοῖς μὴ πρότερον οὖσιν ὕστερον γίγνεσθαι, l'être en puissance remplaçant, dans la formule de Victorinus, les non-existants de Platon. Le Logos est défini ici comme puissance créatrice, la première formule (17,2) insistant sur l'autoactuation du Logos, la seconde (17,7) sur l'actuation des existants.

17,4. circa. — Sur ce sens de *Ioh.* 1,1, cf. *adv. Ar.* I 5,1-9 n.

17,5-7. — Cf. *adv. Ar.* I 5,5.

***

17,9 — 18,12. Dieu lui-même est Logos inengendré. — Nouvelle exégèse de *Ioh.* 1,1 : *in principio-ingenitus*.

Deux étapes : 1° (17,9-15) Utilisation littérale de *Ioh.* 1,1 : le Logos était Dieu (parce que « dans le principe », parce que confondu avec lui), donc Dieu était déjà Logos. 2° (18,1-12) Opposition entre le caractère relatif du Logos et le caractère absolu de Dieu. Le Logos crée quelque chose d'autre ; Dieu se pose lui-même et est donc Logos pour soi.

17,13. silens et requiescens. — Cf. *adv. Ar.* IV 20,7 ; III 10,24 ; I 55,33 ; I 33,28-29. Sur l'archaïsme de cette doctrine, cf. G. L. Prestige, *God in Patristic Thought*, p. 123 sq. (trad. fr., p. 114 sq.). Remarquer *Sophiste* 263 e, sur la pensée comme Logos intérieur et silencieux.

17,14. non genitum. — C'est justement ce qu'Arius reprochait à Alexandre d'Alexandrie, cf. CAND. II 1,22.

18,1-5. — Pour préciser la nature du Logos, Victorinus utilise la comparaison du logos humain, grâce auquel l'âme connaît. De même qu'il est relatif à quelque chose d'autre que lui, de même le Logos de Dieu crée d'autres existants que lui-même. On remarquera la forme dialoguée déjà présente dans les lignes précédentes.

18,2-4. — Cf. *Sophiste* 262 e : λόγον ἀναγκαῖον, ὅτανπερ ᾖ, τινὸς εἶναι λόγον. *Constituat*, dans le contexte présent, me semble exprimer le rôle du logos dans la connaissance, mais de façon à laisser entendre que le Logos de Dieu constitue réellement l'être des choses.

18,10-11. — Cf. CAND. I 1,7 et 3,10-14 ; *adv. Ar.* I 50,16.

***

19,1-10. Être et agir, c'est-à-dire Dieu et Logos sont père et fils. — Ici est simplement affirmée l'antériorité de l'être sur l'agir, et leur identité (l'être étant déjà agir tourné vers soi). Le comment de la génération sera ensuite étudié. Le présent développement ne se rattache pas nettement à ce qui précède, sinon par le mot *constitutiva* (potentia) : cette puissance créatrice absolument première, qu'est Dieu, et dont on vient de parler, c'est l'être en soi, antérieur à l'agir. Quant à l'idée d'agir, elle est évidemment contenue dans celle de Logos, grâce à la définition donnée 17,2-9.

19,1. moveri et intellegere. — Cf. 21,5.

19,2. esse ... primum. — Même expression, *adv. Ar.* III 2,12 ; IV 19,10.

19,2. constitutiva. — Cf. 18,4 et 9.

19,6. — Le Logos-agir se confond avec Dieu originellement, mais l'agir tend à se poser comme agir ; à ce moment il est engendré, se distinguant de l'être.

19,7-8. quod est pater, quod est esse, hoc ... — Les deux *quod* ont sens et fonction différents : le premier se rapporte à *ipsum* (*cet* être qu'est le Père), le second se rapporte à *hoc* (par *cela* même *qu*'il est être).

***

20,1 — 22,18. Le comment de la génération. — La question du comment de la génération du Fils est une pièce essentielle de la problématique trinitaire pour Victorinus, cf. *adv. Ar.* I 18,16 ; IV 24,40 ; *de homoousio recipiendo* 4,10. Comme le montre ce dernier texte, cette problématique est issue de la controverse arienne elle-même : déjà Eusèbe de Nicomédie (cf. Cand. II 2,11) dans sa lettre à Paulin de Tyr nie que le principe du Fils puisse être connu. La profession de foi de Sirmium (357) (cf. Hilaire, *de synodis* 11 ; *PL* 10,488 b) allègue *Isaïe* 53,8 : « Nativitatem domini quis enarrare potest », pour tirer cette conclusion : « Scire autem manifestum est solum patrem quomodo genuerit filium. » Les orthodoxes eux aussi avouent l'impertinence de cette recherche, Athanase, *contra arianos* II 36 ; *PG* 26,224 a. D'où les précautions de Victorinus.

Après avoir rappelé une seconde fois que le Logos est en Dieu, d'après *Ioh.* 1,1 et ainsi que l'agir est originellement dans l'être, Victorinus décrit en termes plus philosophiques (c. 21) ce repos de l'être tourné vers soi et animé d'une sorte de mouvement immobile. Mais ce mouvement intérieur porte en lui une exigence d'extériorisation.

L'acte ou l'agir naît donc de l'être, c'est-à-dire qu'il s'actue lui-même et, se distinguant de l'être, il fait exister tous les êtres. Comme la naissance de l'Existant, la naissance du Logos est mise en relation avec la volonté créatrice de Dieu. Comme la naissance de l'Existant, celle du Logos est une autoactuation.

20,2. unum et solum et simplex. — Cf. 19,9.

20,9. — Victorinus souligne le fait qu'il n'emploie pas la version officielle.

20,13. actionem. — Première apparition du terme ; jusqu'ici, *operatio* a été employé pour traduire ἐνέργεια.

20,13. esse primum. — Je sous-entends la copule *esse* ; d'après le sens, cf. *hymn.* I 51 (idée et vocabulaire analogues).

20,15. intellegentiam. — = ἐπίνοια, point de vue, considération de l'esprit.

21,2-6. — Cf. *adv. Ar.* I 50,1-3 et III 2,12, textes certainement empruntés à la même source.

21,3. — Opposition entre priorité ontologique et noétique.

21,4-5. — Cf. 19,1 : le « se mouvoir » et le « penser » précisent ce qu'est l'« agir » au sein de l'être ; l'origine dernière de cette conception de l'être comme doué d'un mouvement intérieur est certainement le *Sophiste* 249 a. Chez Numénius, *fr.* 24 ; Leemans, p. 140,12, il est question d'un mouvement du Premier, confondu avec le repos, cf. *adv. Ar.* IV 8,26-30.

21,4. in semet ipsum conversum. — Cf. Lydus, *de mensibus*, Wünsch, p. 21,15, citant un texte influencé par les *Oracles chaldaïques* (cf. W. Kroll, *de oraculis chaldaicis*, p. 16) : « L'ἅπαξ ἐπέκεινα est intellect substantiel (νοῦς οὐσιώδης) demeurant en sa propre substance et tourné vers soi (πρὸς ἑαυτὸν συνεστραμμένος), dans le repos et la permanence (ἑστὼς τε καὶ μένων). »

21,8. — Il y a une idée analogue chez Plotin (mais qui n'est pas exprimée dans les mêmes termes), *Enn.* V 1,6,30-40, qui se résume dans la formule : « Tous les êtres arrivés à l'état parfait engendrent. » La réalité engendrée tend vers l'extérieur (πρὸς τὸ ἔξω). L'opposition *intus-foris* me semble d'origine stoïcienne, cf. Némésius, *de natura hominis*, c. 2,29 ; Matthaei, p. 70,10 ; *PG* 40,540 a. Pour *omne*, cf. *in Ephes.* 1,4 ; 1241 a 12 : « Quae plenitudo nihil aliud est quam quod omne quod eius est, ipsius sit. » Si la plénitude consiste à posséder tout ce qui est propre à la substance, on peut admettre que la formule *omne quod est omne* correspond à la notion de plénitude.

21,9-10. in omni et in toto. — Cf. *adv. Ar.* IV 18,64-66 dans un contexte identique : « In deo an extra et in omnibus reliquis, an in utroque et ubique. »

22,1-3. — Sur la nécessité d'introduire une considération de succession, d'antérieur et de postérieur dans les choses divines ; cf. *adv. Ar.* IV 5,26. *Sine tempore*, cf. Porphyre, *hist. phil.* XVIII ; Nauck, p. 15,5 : οὐκ ἀπ' ἀρχῆς τινὸς χρονικῆς. Même idée, *adv. Ar.* I 57,17 : « In isto sine intellectu temporis tempore. » Cf. W. Theiler, c. r. de Benz, dans *Gnomon* (1934), p. 496.

22,3-7. — Cf. 12,4-7 : l'Un et Seul est et veut être Tout en puissance (ou intelligiblement : νοητῶς, W. Kroll, *de* *oraculis chaldaicis*, p. 19), l'Un-Être est Tout en acte, cf. *adv. Ar.* I 50,27-32 dans un contexte très proche.

22,4. supra omnimodis perfectus. — Cf. *adv. Ar.* I 50,4.

22,8. actione. — Cf. 25,8 : *operatione*. On pensera à Marcel d'Ancyre, *fragm.* 60 ; Klostermann, p. 190,5 : la génération du monde suppose un *acte* créateur, et Plotin, *Enn.* VI 7,13,28.

22,8. voluntate. — Cf. CAND. I 8,1-29. Chez Victorinus lui-même, il y a passage de la génération par la volonté à la génération comme volonté, cf. *adv. Ar.* I 31,27 et ici même, 22,11. C'est le même problème que celui que pose *potentia*, cf. 15,7 n. La puissance, l'acte, la volonté confondus avec l'être, dans le Père, s'hypostasient dans le Fils, conquièrent une existence propre. Le Fils est la volonté créatrice du Père qui se manifeste, donc qui s'actue.

Ici encore des rapprochements avec les spéculations issues de l'exégèse des *Oracles chaldaïques* sont possibles, par exemple avec Synésius, *hymn.* 4,6 ; Terzaghi : βουλᾶς πατρικᾶς ἄφραστος ὠδίς. Cf. W. Theiler, *Die chaldaische Orakel*, p. 14.

22,9. actio ... ipsa voluntas. — Thème très riche ; cf. *Corpus Hermeticum*, X 2 ; Nock-Festugière, t. I, p. 113,11 et la note.

22,10. in deo. — Cf. 23,8, formule tirée de *Ioh* 1,1 : *in principio... deus*. Le Logos est aussi en Dieu, acte, volonté, etc., confondus avec Dieu.

22,11. ex se genito motu. — = αὐτογόνῳ, cf. *adv. Ar.* IV 13,5 ; III 17,15. La notion est capitale dans la théologie trinitaire de Victorinus. La génération du Logos est une autogénération pour deux raisons, d'abord parce que le Logos, préexistant en Dieu, ne fait que s'extérioriser en naissant, ensuite parce que l'être divin doit rester absolument immobile en engendrant : il doit se contenter d'être lui-même, cf. Porphyre, *hist. phil.* XVIII ; Nauck, p. 14-15 : « Car la procession (du νοῦς) n'a pas eu lieu grâce à un mouvement de Dieu qui se serait mû pour engendrer le νοῦς, mais c'est celui-ci qui s'est avancé de son propre mouvement (παρελθόντος αὐτογόνως) à partir de Dieu » (voir la suite du texte, 22,1-3 n.).

22,12. in esse suum proprium. — La génération est, pour le Logos, conquête de son être hypostatique propre : il est Agir hypostasié.

***

23,1-10. Conclusion. — Les quatre points du schéma esquissé plus haut (2,16-30 n.) ont été, cette fois, appliqués au Logos. 1° Dieu est Logos caché (c. 17-18). 2° Le Logos est engendré par Dieu (19,1-22,10). 3° Le Logos est vie et intelligence en acte (22,10-18). 4° Cet engendré, c'est le Fils, c'est le Logos, c'est Jésus-Christ ; telle est la présente conclusion, qui, comme la conclusion de la première partie (16,26-27), rejette l'origine *ex nihilo* du Fils de Dieu, et défend de plus la consubstantialité du Père et du Fils.

23,2. — L'acte vient de l'être et non du néant.

23,3. ὁμοούσιον. — Première apparition du mot dans l'œuvre de Victorinus. C'est d'ailleurs une réponse à Candidus (cf. CAND. I 8,28). La consubstantialité est assurée ici par les rapports entre *esse* et *agere*. L'être, mouvement immobile, est déjà agir. L'agir, même distingué de l'être par son actuation, est encore être, dans la mesure même où il a son être propre, cf. *adv. Ar.* I 4,4-18.

23,3. substantiale. — Sorte d'étymologie de *consubstantiale*, cf. *adv. Ar.* II 10,21 sq. *Substantiale* = *esse* ; *con-* = *unum.*

23,4-5. — Il faut construire : ipsum esse et agere ipsum *sunt* et agere et esse.

23,5-7. — Cf. 2,30 ; 14,25 ; 16,18.

23,7. — Cf. 21,7, et 14,21.

23,9. — Il faut donner ici une valeur très forte à *et* = aussi. Qu'il soit en Dieu ou en soi-même, le Fils est en même temps *aussi* être et aussi *acte* : quand le Fils est en Dieu, il est être et aussi acte, et par là Dieu est aussi Logos ; quand le Fils est au-dehors, il est aussi être, et par là, il est aussi Dieu.

***

24,1 — 30,26. IV. Réfutation des objections ariennes. — Ces objections ne viennent pas toutes de Candidus. Leur réfutation utilise des notions déjà employées soit dans la partie concernant l'Existant, soit dans la partie concernant le Logos.

24,1 — 25,9. « Jésus vient du néant. » — Cf. CAND. I 10,7. La réponse utilise la critique de la notion de néant absolu effectuée plus haut (5,4-11 et les textes parallèles), avec une identification plus explicite entre la pensée du néant et l'erreur ; c'est exactement la doctrine du *So-*

phiste 260 c : « Le fait que ce sont des non-êtres qu'on se représente ou qu'on énonce, voilà, en somme, ce qui constitue la fausseté et dans la pensée et dans les discours. » Victorinus va plus loin (24,7 – 25,9). Il met le doigt sur la cause profonde de l'erreur qu'il attaque : on imagine que la puissance de Dieu est plus grande si elle tire les êtres du néant (comparer 24,7-9 et CAND. I 10,8-9). A cette doctrine, Victorinus oppose sa propre conception de la puissance divine. La puissance divine engendre ce dont elle est puissance. Les êtres sont cachés en Dieu, dans et avec l'Acte, avec le Logos qui, en s'actuant lui-même, les actuera.

24,2. aliud . . . ab alio. — Cf. 20,5-6.

24,9-13. — Les non-existants sont étrangers à la puissance de Dieu ; ils sont la seule chose, si l'on peut ainsi exprimer, qui ne puisse être en Dieu. Dieu ne peut donc rien en tirer.

25,1. nulla exsistente potentia. — Sur l'incapacité des non-existants à toute existence, cf. *Corpus Hermeticum* II 13 ; Nock-Festugière, I, p. 37,11-12 : τὰ γὰρ μὴ ὄντα οὐ φύσιν ἔχει τοῦ δύνασθαι γενέσθαι ἀλλὰ τοῦ μὴ δύνασθαί τι [τὸ] γενέσθαι.

25,6. — Cf. *in Ephes.* 1,4 ; 1242 b 4.

26,1-23. « Le Logos est auprès de Dieu et sur son sein. » — Le sens de *πρός* (*Ioh.* 1,1) et de *εἰς* (*Ioh.* 1,18) fonde pour les ariens la négation de l'intériorité du Fils au Père. Le Fils est *auprès* de Dieu, *sur* son sein. Le problème a déjà été évoqué, 20,9 où la traduction *apud deum* (= *penitus intus*) a été mentionnée. La réponse est assez analogue à la précédente ; tous les êtres viennent de l'intérieur de Dieu ; les êtres animés sont formés, quant à leur corps, à partir des éléments, qui sont des non-existants relatifs, des « non-véritablement non-existants » (cf. 9,20), des non-existants selon l'altérité (cf. 4,3), mais, en tout cas, pas des absolument non-existants. L'âme de l'homme vient directement de Dieu puisqu'elle est insufflée par lui. Mais ce souffle créateur de Dieu n'est-ce pas le Fils lui-même sortant du cœur de Dieu (*Ps.* 44,1) ?

26,11-23. — Le problème est : « D'où vient Jésus, vient-il de l'intérieur de Dieu ? » Réponse : la réalité totale de Jésus est Esprit, Ame, Corps, cf. *adv. Ar.* IV 7,10-11. Si Dieu a *fait* (comme le veulent les ariens) Jésus avant toutes choses, comment s'y est-il pris ? Il ne pouvait pas faire son corps avant toutes choses, puisqu'il n'a eu de corps qu'en entrant dans le monde. Par contre il avait une âme (préexistante comme toutes les âmes humaines).

Mais pour la créer, il aurait fallu que Dieu la souffle sur un corps, comme il a fait pour Adam. Or Jésus n'avait pas de corps avant son incarnation. Supposons quand même que Dieu ait soufflé quelque chose ; c'est ce souffle même qui est le Fils, et il vient de l'intérieur de Dieu. Le Fils n'est donc pas fait comme les autres créatures. Jésus n'est pas le résultat d'un souffle divin, il est ce souffle même.

26,24 — 27,17. « Le Fils est fait comme toutes choses. » — Toujours, le même principe : si Dieu fait tout par son Logos, ce Logos ne pouvait être antérieur au Fils, il ne pouvait être autre que le Fils, puisqu'il fallait qu'il sorte de Dieu avant toutes choses, cf. 30,20-26.

27,1-4. — Cf. 15,1-4. Mêmes attributs pour le Logos et pour l'Existant premier.

27,4-5. — Cf. 1,21-27 ; *adv. Ar.* IV 32,23-24.

27,5-12. — Sur cette exégèse de *Gen.* 1,1, cf. F. Sagnard, *Extraits de Théodote*, Paris, 1948, p. 65, n. 2.

27,16. ὁμοούσιον. — Transition avec l'objection suivante.

28,1-11. « Il ne peut y avoir d'ὁμοούσιον avant que n'existe la substance. » — Cette objection résume Cand. I 8,18-29. La substance est nécessairement postérieure à Dieu puisqu'elle implique composition. Réponse : substance est pris au sens impropre pour désigner l'être ; cf. 29,20.

28,1-6. — Cf. *adv. Ar.* II 3,23-27. Parenté d'expression avec Porphyre, *hist. phil.* XV ; Nauck, p. 13 : « Aucun nom ne convient à Dieu et aucune connaissance humaine ne peut le saisir ; les dénominations qui sont tirées de choses qui lui sont postérieures, ne lui sont attribuées que d'une manière impropre (τὰς δὲ λεγομένας προσηγορίας ἀπὸ τῶν ὑστερῶν καταχρηστικῶς αὐτοῦ κατηγορεῖν). »

28,8-9. — Cf. 4,11-16 ; *ut* = οἷον.

29,1-22. « Le Christ a été fait. » — Cf. Cand. I 11,1-8. A la liste de Candidus, Victorinus ajoute *Gal.* 4,4. Réponse : *factus* dans tous ces textes est employé avec un complément et non absolument. L'Écriture, dans tous ces textes, ne parle pas de la substance du Fils de Dieu, mais de l'économie du mystère du salut ; elle parle de son acte, non de sa substance. Athanase, *contra arianos* I 56 sq., connaît l'objection arienne et sa réfutation est identique ; tous les textes cités par les ariens se rapportent à l'économie du salut, cf. I 60 ; *PG* 26,137 c : εἰς τὴν τῆς διαθήκης διακονίαν ; I 62, 141 b : ὅτι οὐκ ἐπὶ τῆς οὐσίας τοῦ λόγου ἔλεγε τὸ γενόμενος, ἀλλ' ἐπὶ τῆς δι' αὐτοῦ γενομένης διακονίας ; I 64, 145 b : ἐπὶ τῆς διακονίας καὶ οἰκονομίας ; II 51, 256 a.

29,4. ad ita esse. — « Quant à son être de telle manière », c'est-à-dire dans l'ordre de l'accident, donc de l'économie.

29,18. ministrationem. — Διακονία ou οἰκονομία, cf. note précédente.

29,20. inpropria. — Cf. c. 28. Le mot *substantia* n'est pas pris au sens propre quand il est employé pour désigner *esse*, cf. *adv. Ar.* I 30,26-30. Construction : *substantia* (sujet de l'abl. abs.), intellecta in maiestate eius (= sua), inpropria significantia, exsistente substantia (attribut) secundum esse.

30,1-26. « Tout mouvement est changement. » — Cf. Cand. I 1,4-11. — Voir aussi *adv. Ar.* I 43,34-43. La notion de génération est très bien étudiée dans la lettre de Candidus. Mais celle de création n'est nullement explicitée. Candidus ne s'aperçoit pas qu'elle tombe sous les mêmes difficultés que la notion de génération. Créer est aussi un mouvement ; mais tout mouvement n'implique pas changement. Il y a un mouvement compatible avec l'immutabilité divine, un mouvement de l'être même : « Est enim movere ibi et moveri ipsum quod est esse » (*adv. Ar.* I 43,38). S'il en est ainsi, Dieu peut engendrer. Cf. Épiphane, *panarion*, 79,36,6 ; K. Holl, p. 184,31 sq.

30,10-11. agere. — Victorinus remplace *generare* par *agere*, parce qu'il conçoit justement la génération comme un passage à l'acte.

30,21-26. — Cf. 26,24-25. Si Dieu crée par le Logos, le Logos est donc antérieur à la création. Comme deux mouvements divins sont seuls possibles : génération ou création, le Logos est donc produit par génération, comme le νοῦς engendre, chez l'homme, le logos et ne le crée pas.

30,26. — *Quoniam* λόγος *Iesus* répond peut-être à *si* λόγος *est Iesus*, 17,1.

***

30,27 — 32,10. Conclusion. — On peut distinguer trois parties dans cette conclusion : 1° un court résumé sur les modes de génération ; 2° une note sur le Saint-Esprit et la Trinité ; 3° une prière finale.

1° Les modes de génération (30,27 – 31,3). Cette triade, *veritas, natura, positio*, est faite de deux couples : a) *veritas, natura*, la réalité intelligible opposée au devenir sensible ; b) *natura, positio*, la nature opposée à la convention (φύσις θέσις).

2° Note sur le Saint-Esprit et la Trinité (31,3-13). Sur le problème littéraire posé par cette note, cf. Introduction, t. I, p. 67.

3° La prière finale (32,1-10) reprend le thème de l'audace coupable de l'homme qui parle de Dieu, exposé dans le prologue.

30,30. simul et eiusdem. — Les deux sens du préfixe ὁμο-, cf. *adv. Ar.* II 10,21-28.

31,3-7. — La mission de sanctification et d'enseignement de l'Esprit-Saint se retrouve traditionnellement dans tous les symboles de foi depuis le synode des Encénies (341), le concile de Sardique (347). Les milieux ariens reprennent ces expressions et y ajoutent la dénomination de *créature*, ainsi Germinius, l'évêque arien de Sirmium, dans sa discussion avec Heraclianus, cf. *altercatio Heracliani laici cum Germinio* (366) dans C. P. Caspari, *Kirchenhistorische Anecdota*, I, Christiania, 1883, p. 134, *PL Suppl.* I, col. 345 ; les fragments ariens de Bobbio, *PL* 13,618, *fragm.* XIV : « Hic (= spiritus sanctus) est primus et maius patris per filium opus, *creatum* per filium, natura sanctum, sanctificantem possidens virtutem, ut *sanctificet* simpliciter credentes in patrem per filium dominum et deum nostrum Iesum Christum et ut doceat et commoneat et illuminet animas eorum » et *fragm.* III ; 601 a.

31,7-10. — La construction de la phrase et la doctrine sont très proches de celles du dernier chapitre de l'*adversus Arium* IV 33,26-42 : l'Esprit-Saint est au Fils comme le Fils est au Père, uns quant à l'être, différents quant à l'acte. Ils se distinguent *propria actione* ici, et *propria exsistentia* en *adv. Ar.* IV 33. Mais la distinction par l'acte propre se retrouve en *adv. Ar.* III 17,17-24 et *adv. Ar.* I 16,29 : s'hypostasier ou s'actuer sont identiques. C'est l'être même qui est doué de ce pouvoir d'autodifférenciation intérieure. Cette formule trinitaire correspond donc à une double dyade Père-Fils, Fils-Esprit-Saint, cf. *adv. Ar.* III 18,13-18. On trouve chez Athanase une problématique assez analogue, par exemple *ad Serap.* I 2 ; *PG* 26,533 ; trad. J. Lebon, Paris, 1947, p. 81 : « Pourquoi l'Esprit-Saint, qui possède avec le Fils la même unité que celui-ci avec le Père, le disent-ils créature ? » ; sur ce caractère dyadique de la théologie trinitaire d'Athanase, cf. S. Boulgakov, *Le Paraclet*, trad. C. Andronikof, Paris, 1946, p. 31-34.

31,8-9. filius cum ipse sit ... ipse qui sit pater. — Cf. *hymn.* III 139,178,190.

31,11-12. ἀντίθεα, ἄθεια. — C'est-à-dire ni homéisme, ni anoméisme ; la trinité ne doit pas comporter de termes qui ne soient que semblables à Dieu, ou qui ne soient pas

Dieu. Je n'ai pas trouvé l'origine de ces termes, mais pour l'idée on peut encore une fois comparer à Athanase, *ad Serap.* I 2 ; *PG* 26, 533 a ; trad. J. Lebon, p. 81 : « En séparant l'Esprit du Verbe, ils ne sauvegardent plus l'*unique divinité* dans la Trinité, la divisant, y mêlant une nature étrangère et d'autre espèce (ἀλλοτρίαν καὶ ἑτεροειδῆ φύσιν). »

31,12-13. tria unum ... solum est. — Cf. CAND. I 3,20. L'ennéade (3 × 3 = 1) de Candidus était purement conceptuelle. Celle de Victorinus assure, au contraire, l'unité de la trinité, cf. *hymn.* I 55, l'implication des trois dans les trois assurant leur unité. Formule analogue, *hymn.* III 248-250.

32,1-3. — Cf. Synésius, *hymn.* 1,113 : μάκαρ ἵλαθί μοι/πάτηρ, ἵλαθί μοι/εἰ παρὰ κόσμον/εἰ παρὰ μοῖραν/τῶν σῶν ἔθιγον.

32,3. humana voce. — Cf. Pseudo-Justin, *expos. rectae fidei*, Otto, p. 26,17 : γλώσσῃ πηλίνῃ.

32,3. venerari. — L'adoration porte sur l'existence de Dieu, tout énoncé, sur son essence ou son mode d'être, cf. A.-J. Festugière, *Le Dieu inconnu et la gnose*, p. 5-17.

32,5. partilem. — = μερικός, cf. Porphyre, *sentent.* XXII ; Mommert, p. 10,6. Alors que dans l'intelligence universelle tout est présent sous un mode universel, dans l'intelligence particulière, celle que l'âme a en partage, tout est présent sous un mode particulier. L'âme connaît donc réellement Dieu, mais à sa manière à elle.

32,6. ignorationem. — Cf. 14,2 ; *adv. Ar.* III 6,11.

32,7. fidem. — Ainsi la foi est mode de connaissance plus excellent que la théologie négative (*ignoratio*) et que la connaissance intellectuelle (*partilem*).

LETTRE DE CANDIDUS A VICTORINUS

Caractère général. — Candidus s'efface complètement devant les textes d'Arius et d'Eusèbe de Nicomédie. Il est difficile de dire s'il est l'auteur de la traduction des deux lettres ou s'il s'est contenté de transmettre à Victorinus des versions qui circulaient dans les milieux ariens d'Occident. En tout cas, cette traduction est extrêmement littérale : le traducteur fait exactement du mot à mot, ce qui rend très obscure, notamment, la lettre d'Eusèbe de Nicomédie.

1,4. argumenta et exempla. — Les deux parties intégrantes du raisonnement théologique : *ratio* et *auctoritas*.

1,5-6. natum non factum. — La première lettre de Candidus, CAND. I 9,17, avait conclu : *factum non natum*. Réponse de Victorinus, *ad Cand.* 30,19-21 : Jésus est *secundum generationem*, non *secundum effectionem*. Victorinus, *adv. Ar.* I 2,2, résumera encore la pensée d'Eusèbe : *filium factum esse, non natum*, et définira sa propre doctrine : *filium natum ... docebimus*. Derrière cette opposition il n'y a pas nécessairement l'opposition γεννητός-γενητός mais plutôt γεννητός-κτίστος.

1,18. exportat. — Décalque de ἐκπορθεῖ.

1,18. omne malum. — Cf. Épiphane, *panarion* 69,6,2 ; Holl, p. 156,25 : πᾶν κακόν.

1,30. quibus non insonuit. — = ἀκατηχήτων. J'ai gardé le mot grec dans ma traduction, parce qu'il est possible que les Latins aient été conscients de la correspondance entre l'idée de catéchèse et l'idée de parole qui résonne, cf. *in Galat.* 6,6 ; 1194 a : « κατηχίζειν est circumsonare vel iuxta assonare, quod contingit cum aliqui initio christianus incipit esse et illi deus et Christus assonantur et dicitur in aures eius atque in animum immittitur. »

1,42. non de exsistentibus. — Candidus semble bien avoir lu οὐκ ἐξ ὄντων ἐστίν, texte beaucoup plus ambigu (à peu près : il ne vient pas d'un sujet préexistant) que : il vient des non-existants. Cf. *adv. Ar.* I 1,34-35.

2,8. ὄν. — Ce mot grec non traduit est bien dans la manière de Candidus qui a hésité dans CAND. I 1,12 entre *exsistens* et ὄν. Le mot, qui n'a dans le texte grec qu'une valeur de participe, prend ici l'allure d'un substantif.

2,18. — Texte de *Prov.* 8,22 différent de CAND. I 11,5.

2,25. subsistentiam. — Je pense avec Opitz que le traducteur a lu ὑπόστασιν au lieu de ὑπόβασιν ou ὑπόφασιν. Ce fait laisserait supposer que *subsistentia* n'est pas une création de Victorinus.

CONTRE ARIUS

LIVRE PREMIER A

Caractère général. — Ce livre premier (I a) que je limite à 47,48 (cf. Introduction générale, p. 63) est à la fois une nouvelle réponse à Candidus (cf. 1,4-9 ; 27,23-29 ; 43,34-43), une réfutation des lettres d'Arius et d'Eusèbe communiquées par Candidus, enfin une réfutation des erreurs que le document homéousien reçu par Victorinus au moment de la composition de son livre lui a révélées : Marcel, Photin, les homéousiens eux-mêmes. Trois parties fondamentales : 1° preuves scripturaires en faveur de la génération du Fils de Dieu ; 2° discussion de la lettre des homéousiens ; 3° étude plus théologique sur les noms de Jésus (cf. II, III, IV dans l'analyse générale).

1,4 — 2,42. Prologue. — Le prologue situe le livre par rapport aux précédentes lettres de Candidus et de Victorinus (1,4-9), pose nettement les thèses de Victorinus et celles de ses adversaires ariens (1,9-40), annonce le plan du livre (2,1-5) et affirme la possibilité de connaître Dieu grâce au Fils et à l'Esprit-Saint (2,6-42).

1,4. sermone. — = 1re lettre de Candidus à Victorinus (Cand. I).

1,5. proposita atque tractata. — La méthode de Candidus posait des thèses et les confirmait par syllogisme ou réduction à l'absurde.

1,6. dissoluta sunt. — Par la lettre de Victorinus à Candidus (*ad Cand.*).

1,7. ex eorum ... voluimus. — Victorinus a-t-il demandé expressément à Candidus de lui envoyer ou de lui communiquer ces lettres d'Arius et d'Eusèbe ?

1,35. — Même si, dans la lettre d'Eusèbe (Cand. II 2,11), *principium* peut s'entendre au sens d'*origine*, Victorinus ici le comprend au sens de *principe*. Pour lui, le principe du Fils, c'est le Père et il est exact que ce principe est de soi inconnaissable. Mais, en affirmant que le Fils vient du néant et de la volonté du Père, Eusèbe définit les « principes » du Fils. Victorinus serait d'accord avec Eusèbe, si celui-ci reconnaissait que le principe du Fils est le Père et qu'il est inconnaissable (comme la lettre à Candidus a montré que le principe du Fils était le Non-Existant transcendant). Mais ironie : Eusèbe ne trouve comme principe du Fils, que le néant.

1,40. — C'est-à-dire : nous n'ajoutons rien à l'Écriture.

2,1-5. Plan du livre. — Deux parties : 1° enquête scripturaire qui montre que le Fils est réellement engendré (et non fait, créé par la volonté de Dieu) ; 2° réflexion théologique qui, méditant sur les noms du Christ (Logos, image, reflet, vertu et sagesse, vie, etc., tels qu'on les trouve dans les professions de foi, notamment celle des Encénies), montrera qu'ils ne peuvent s'expliquer que si le Fils est substantiellement Fils. Victorinus n'annonce pas la partie consacrée à l'examen de la lettre des homéousiens. L'équivalence *filium natum* = *substantialiter filium* se fonde sur la définition de la génération : production par la substance et non par la volonté. *Substantialiter filium* signifie à la fois Fils en sa substance et tiré de la substance divine. Il s'agit d'une filiation dans l'ordre substantiel.

Les deux parties du livre correspondent à deux verbes : *docere* (énoncer la doctrine de foi) ; *adserere* (prouver rationnellement, établir par raisonnement). Même plan chez Augustin, *de trinitate* I 2,4.

Triple opposition à Eusèbe : 1° de doctrine : pour Victorinus, le Fils est engendré; pour Eusèbe, il est fait; 2° de méthode : pour Victorinus, l'Écriture précède l'argumentation ; pour Eusèbe, c'est le contraire ; 3° d'utilisation de l'Écriture : pour Victorinus, toute l'Écriture; pour Eusèbe, cinq versets.

2,1. versiculis. — Cf. Cand. II 2,18.19.30.31.32.

2,6-42. Exorde. — Grâce aux textes scripturaires concernant la connaissance de Dieu (*Éph.* 3,14-21 ; *Ioh.* 1,18 ; 8,19; *Rom.* 1,20 ; *Ioh.* 14,26), Victorinus, contre Eusèbe, établit que la connaissance de Dieu est possible, que la connaissance du mode de génération est possible, justement parce que le Fils est réellement et substantiellement le Fils de Dieu. Sur le même sujet, cf. *adv. Ar.* I 18,30 ; *ad Cand.* 20,3 ; 30,35. Les deux sources de la connaissance théologique sont le Fils et l'Esprit-Saint ou plus précisément (2,41) l'Écriture et l'inspiration ; sur ce sujet, cf.

P. Séjourné, art. *Victorinus*, dans DTC, t. XV, 2; col. 2900 et sq.

2,23. dicere de deo. — Cf. *ad Cand.* 1,5 et 32,2.

2,27-30. — Spécificité de la foi chrétienne : Dieu est Père, le Christ est Fils, Fils consubstantiel, sorti de Dieu (incarné). Ce sont les articles fondamentaux de la profession de foi.

2,31-37. — La créature révèle un créateur, le Fils, un Père. Cette première réfutation de l'arianisme implique une intéressante distinction entre l'ordre de la nature et l'ordre de la personne, distinction qui, chez Victorinus, ne s'établit qu'entre la volonté créatrice et la substance divine. Ici est en germe la distinction entre les opérations divines *ad extra* et la vie intime de Dieu, qui apparaîtra clairement chez saint Augustin. Utilisation du même texte de saint Paul, mais en des sens différents, chez Athanase, *contra arianos* I 11-12; *PG* 26,36 et chez Astérius, dans Athanase, *contra arianos* II 37 ; *PG* 26,225 b et I 33 ; *PG* 26,81 a.

2,41. doctorem. — Cf. *adv. Ar.* III 6,17 : *intellegentiae magistrum.*

***

3,1 — 28,7. Sacra lectio. — L'utilisation massive de l'Écriture dans le but de prouver la réalité de la filiation divine du Christ est traditionnelle dans les traités trinitaires latins. Tertullien qui est ici le grand initiateur suit déjà l'évangile de saint Jean verset par verset, cf. *adv. Prax.* 20,1 – 25,4. Déjà il oppose, aux trois malheureux versets de Praxéas, *totum instrumentum utriusque testamenti*, comme, aux cinq versets d'Eusèbe, Victorinus oppose ici *sacra omnis lectio.* De même Novatien, *de trinitate*, Fausset, c. XIII-XVIII; *PL* 3,907 sq., aligne une abondante preuve d'Écriture.

Nous avons ici une lecture suivie du Nouveau Testament, dans l'ordre même du *codex* que possède Victorinus. La plupart du temps, Victorinus se contente de donner au verset ou au groupe de versets un titre qui en extrait la substance théologique : « Quod deus est filius ... quod vita est filius ... quod est filius, etc. » Parfois, pour certains textes, le développement est plus abondant, il y a comparaison avec d'autres textes scripturaires, discussion avec les hérétiques. Ces développements peuvent atteindre l'ampleur de plusieurs chapitres (19,1 – 20,67 ; 21-23). Il s'agit alors presque toujours de textes scripturaires que Victorinus a trouvé abondamment étudiés dans les œuvres de ses adversaires, presque exclusivement d'ailleurs dans les écrits homéousiens (*Phil.* 2,5-7 ; *Col.* 1,15-20).

Les adversaires sont ceux que lui révèlent d'ailleurs ces mêmes écrits homéousiens reçus probablement au retour de Libère à Rome : 1° les ariens d'autrefois, Arius et Eusèbe (15,24 ; 23,3-6 ; 27,7 ; 28,36 ; 45,3-4) ; 2° les néoariens (qui disent que le Fils est fait par l'Existant) (15,25 ; 45,4-5) ; 3° Marcel et Photin (10,9 ; 21,33 ; 22,21 ; 23,1 ; 27,6 ; 28,33-38 ; 45,7) ; 4° les homéousiens eux-mêmes (15,9 ; 20,66 ; 22,2 ; 23,7 ; 25,4 ; 28,8 – 32,15 ; 41,1-20 ; 43,5-33 ; 45,23-48) ; 5° les patripassiens qui sont d'ailleurs plutôt évoqués pour laver l'*homoousios* de tout soupçon de patripassianisme et écarter ainsi l'objection des homéousiens contre l'*homoousios*. On ne les trouvera que dans les anathématismes de la fin du livre, 45,1-2. Tout au long de sa preuve scripturaire, Victorinus pense sans cesse à ces hérétiques.

Dans cette lecture continue du Nouveau Testament, forcément peu unifiée, des lignes de forces se dégagent. De la lecture de saint Jean résulte l'identité entre le Logos, le Fils, le Christ, puis la consubstantialité du Père, du Fils et de l'Esprit-Saint. Avec saint Paul apparaissent les noms du Logos-Fils : *imago*, *forma* qui serviront à définir son rapport avec le Père (32,16 – 43,4 est déjà préparé dans l'étude scripturaire consacrée à saint Paul). Ici encore, ces noms de Jésus sont très probablement rappelés à Victorinus par le dossier homéousien qui contenait entre autres la formule de foi du synode des Encénies (341), laquelle présentait une liste de noms de Jésus assez longue, cf. la version latine d'Hilaire, *de synodis* 29 ; *PL* 10,502 b.

D'autre part, Victorinus ne se prive pas du plaisir de consacrer déjà de longs excursus philosophiques aux concepts d'*image* ou de *forme* qu'il trouve dans l'Écriture et dans la théologie adverse, cf. 19,1 – 20,67 ; 21-22.

***

3,1 — 15,12. Saint Jean. — 1° Le prologue de saint Jean enseigne l'identité du Logos et du Fils. 2° Les chapitres 3 à 7,29 de saint Jean, l'identité du Christ avec ces deux termes ; 3° La fin de l'évangile enseigne la consubstantialité du Père et du Fils avec l'Esprit-Saint. Cette théologie de saint Jean, ainsi dégagée par Victorinus, correspond à une problématique très courante à l'époque (cf. CAND. I

10,2-5 n. et *ad Cand.* 2,30-35 n.), que l'on retrouve aussi bien dans l'arianisme que chez Photin : il s'agit d'une distinction entre le Logos intérieur à Dieu et sans substance propre et le Fils lié à la création du monde dans l'arianisme, ou à l'homme-Jésus pour Photin, mais ayant alors (dans les deux cas) sa substance propre, cf. Athanase, *contra arianos* I 5; *PG* 26,21 et I 32,77; Épiphane, *panarion* 80,2,1; Holl, p. 251,3-18 (discussion de Basile d'Ancyre avec Photin). Tout le monde s'accorde, ariens, photiniens, orthodoxes, pour reconnaître, intérieurement à Dieu, une sagesse et un Logos cachés. Mais pour les ariens, et pour Photin, ce Logos intérieur n'est pas le Fils de Dieu : il n'y a pas de génération divine. Le Fils de Dieu est, pour les ariens, engendré de la volonté divine, pour Photin, engendré de Marie ; pour les premiers, il s'agit de la création du monde, pour le second, du salut. Proclamer l'identité Logos-Fils-Jésus-Christ, c'est donc affirmer que le Logos intérieur à Dieu a été engendré de la substance de Dieu et s'est réellement incarné ensuite, pour le salut du monde.

3,1 — 5,9. Le Logos est Fils. — 1° Dieu a un Logos créateur, éternel, puisqu'il était *dans le principe.* 2° Ce Logos est l'agir du Père qui est l'être, puisque tout a été fait par lui. 3° Ce Logos est engendré puisqu'il est identiquement le Fils de Dieu. Ce commentaire du prologue est très proche du commentaire de ce même prologue qui se trouve dans la lettre à Candidus, *ad Cand.* 16-23. On sent que Victorinus se meut encore dans la même atmosphère de pensée : Dieu est l'être, le Logos, son acte; être et acte sont consubstantiels. Il y a en même temps un schéma qui sera constant chez Victorinus, et qui consiste à opposer les premières lignes du prologue aux blasphèmes ariens, cf. 3,3-18 n.

3,3-18. — Même schéma, *in principio* de saint Jean contre *non erat aliquando* d'Arius, *ad Cand.* 16,8-15 ; 17,9-10; *adv. Ar.* I 22,9 ; I 23,37 ; I 34,45 ; II 10,29 (lié à l'étude grammaticale du mot ὁμοούσιον) ; *de homoousio rec.* 2,34 (lié également avec ὁμοούσιον). Raisonnement analogue, Ps.-Athanase, *contra arianos* IV 26 ; Stegmann, p. 74-10; *PG* 26,496 b 2 – 501 b 6.

3,7. ex nullo ... subiecto. — Cette expression tirée d'Arius, cf. Cand. II 1,36 sera remplacée à partir de 19,58 par *ex nihilo* ou *de his quae non sunt* (23,6) qui peut à la rigueur correspondre à Cand. II 1,42, mais qui vient plus vraisemblablement des anathématismes conciliaires.

3,8. semen. — Cf. *ad Cand.* 25,7 et 27,11.

3,12. non erat aliquando. — Doctrine attribuée à Arius par les anathématismes concilaires depuis Nicée, cf. II 10,34 sq.

3,19 — 4,25. — *Ioh.* 1,3 a déjà été interprété, *ad Cand.* 17,5-6, comme décrivant l'activité créatrice du Logos et a déjà servi de point de départ à une comparaison entre la causalité du Père et celle du Fils (*ad Cand.* 18,5-12) et d'amorce à un exposé sur les rapports entre l'être et l'agir (*ad Cand.* 19,1 sq.). C'est ici une reprise des idées exprimées dans la lettre à Candidus. Mais les noms johanniques du Logos : Fils, vie, lumière, vont être mis plus en évidence.

3,21. — Cf. *adv. Ar.* IV 19,26-29.

3,22-30. — Développement très proche, *adv. Ar.* I 13,9-16

I 3

aequalis quidem *patri* — causa enim principalis et sibi et aliis causa est et potentia et substantia causa exsistens — *praecausa* autem pater. Unde filius distabit hoc quod movetur et operatur in manifestationem, propter *magnam* divinitatem nobis incognoscibiliter operante patre. *Supra* enim *beatitudinem* est pater et idcirco *ipsum requiescere.* Operari enim, etiamsi *in perfectionem* operetur, *in molestia* motus. Ista beatitudo est, secundum quod est operari, perfecta.

I 13

aequalis patri, sed maior pater quod ipse dedit ipsi omnia et *causa* est ipsi filio ut sit et isto modo sit. Adhuc autem maior quod actio inactuosa; *beatior* enim quod *sine molestia* et inpassibilis et fons omnium quae sunt *requiescens*, a se perfecta et nullius egens. Filius autem ut esset accepit et in id quod est agere ab actione procedens, *in perfectionem* veniens, motu efficitur plenitudo, factus omnia quae sunt.

1° *Aequalis*, normal en 13,9, puisqu'il s'agit de commenter *Ioh.* 14,28 : « Pater maior me est », à l'aide de *Phil.* 2,6 : *aequalia deo*, est ici un peu inattendu. Ce terme qui n'avait pas été employé dans la lettre à Candidus trahit les préoccupations nouvelles de Victorinus qui veut répondre à la fois au *maior pater* des anoméens et au *similis filius* des homéousiens.

2° *Praecausa* correspond à *causa ipsi filio* : le Père est cause de la cause. Il y a égalité entre Père et Fils parce que la causalité substantielle passe tout entière dans le Fils, mais le Père est « précause » justement parce qu'il fait passer toute sa fécondité dans le Fils.

3° La distinction entre Père et Fils tient donc, *par rapport à nous*, à la diversité de leurs modes d'action : l'acte du Père est invisible, confondu avec la substance; l'acte du Fils s'extériorise dans des œuvres.

4° On peut faire correspondre *beatior* et *supra beatitudinem*. Dans les deux textes parallèles, en effet, il y a opposition entre le Fils qui est béatitude dans l'agir et le mouvement, et le Père qui est au-dessus de la béatitude, parce qu'il est repos. C'est d'ailleurs finalement l'idée déjà exprimée en *ad Cand.* 21,5 où Dieu garde sa béatitude à l'intérieur de lui-même, en un repos absolu. Le Fils étant acte, n'atteint la plénitude et la perfection que par un mouvement et un agir. *Supra beatitudinem* correspond à un superlatif, cf. ὑπερευδαίμων, par exemple, Plotin, *Enn.* V, 8,5,21. Il y a donc entre Dieu et son Logos la différence entre une activité absolument libre de tout contact avec autre chose qu'elle-même et une activité s'exerçant sur quelque chose d'autre qu'elle-même et par là même susceptible de rencontrer un obstacle (*molestia*). Cette opposition correspond tout à fait à celle des deux dieux de Numénius, cf. *fr.* 20 ; Leemans, p. 137.

5° Ces deux textes si proches s'inspirent probablement d'une source commune, elle-même parente de celle que supposent *ad Cand.* 21,1-6 et *adv. Ar.* I 50,1 sq.

3,26. in manifestationem. — Cf. *ad Cand.* 14,4 ; 14,19 ; 16,25. A la fois, la sortie du Logos (ou de l'Existant) hors de son état de puissance et la manifestation de tous les existants qui lui est liée.

3,29. in perfectionem. — CAND. I 10,12 : *etsi perfecta fecit.*

4,1-25. — Les deux concepts de repos et de mouvement sont réduits maintenant aux concepts d'être et d'agir, déjà étudiés dans *ad Cand.* 19-23, où l'on rencontre d'ailleurs la même identification, repos-être, mouvement-agir, dans un contexte qui, comme ici, fait penser au *Sophiste* 248 e-249 a. Ici apparaît par contre la notion de *declaratio*. L'être et l'agir sont originellement confondus. Mais le mouvement de génération, par lequel l'agir se pose lui-même en se distinguant de l'être, définit à la fois l'être et l'agir. Le Fils, ou Logos, étant ce mouvement et cet acte, est donc la définition, l'énonciation du Père qui est l'être. C'est *Ioh.* 1,18 : « Ipse enarravit » qui, certainement, est à l'origine de cette nuance nouvelle, cf. 4,14 : *declarans*, 4,17 et 5,7 : *declaratio*. Tout ceci est une traduction, en termes philosophiques, du prologue johannique : au commencement, l'agir était confondu avec l'être. Mais l'agir, se distinguant de l'être pour créer tous les existants, est devenu la révélation de l'être.

4,1. audi aliud. — Même transition, *ad Cand.* 2,1. Cet *audi* s'adresse très probablement à un lecteur imaginaire et rien n'exclut *a priori* que ce lecteur soit Candidus.

4,3. intus insitam operationem. — Cf. Numénius, *fr.* 24 ; Leemans, p. 140,12 : τὴν προσοῦσαν τῷ πρώτῳ στάσιν φημὶ εἶναι κίνησιν σύμφυτον.

4,4-5. — Cf. *Sophiste* 248 e-249 a : impossible que l'Existant plénier soit sans vie et sans intelligence, donc sans mouvement.

4,5-11. — Première utilisation de la notion de prédominance qui jouera un grand rôle dans la pensée de Victorinus, cf. *adv. Ar.* I 20,15. L'être n'est pas seulement être, mais il est aussi agir. Pourtant on l'appelle être, en tant qu'il est plus repos qu'agir, en tant que le repos lui est propre. Quant à l'agir, il est aussi être, mais on l'appelle agir, parce qu'il est extériorisé, car c'est le propre de l'agir d'être extériorisé, donc engendré.

4,10. — Sur cette autogénération, cf. *ad Cand.* 22,11 n.

4,13. simul ... simplex. — Cf. *ad Cand.* 20,2.

5,1-9. — Le même sujet est appelé par saint Jean Logos et Fils, dans son prologue. On peut donc rapporter au Fils tous les prédicats que saint Jean avait attribués au Logos au début du prologue. Le Logos, même dans son état d'identité avec le Père, est déjà Fils. Victorinus dépasse donc ici Marcel d'Ancyre, tout en restant dans la problématique de ce dernier qui avait écrit (*fragm.* 52 ; Klostermann, p. 194,10-16) : « En disant que « le Logos était dans le principe », saint Jean montre que le Logos était en puissance dans le Père (car le Principe de tout ce qui est engendré, c'est Dieu, « de qui sont toutes choses ») ; en disant que « le Logos était auprès de Dieu », il montre que le Logos était en acte auprès de Dieu (car tout a été fait par lui, et sans lui rien n'a été fait) ; enfin en disant que « le Logos était Dieu », il énonce qu'il ne divise pas la divinité, puisque le Logos est en Dieu et Dieu dans le Logos : il dit en effet : « Le Père est en moi et je suis dans le Père. » Victorinus distingue lui aussi entre l'état d'unité du Logos avec Dieu, selon l'être : *in gremio patris* (= *in principio*) et l'état de distinction du Logos, en tant qu'il est agir : *ad deum.* Il interprète donc *circa deum* ou *ad deum* (ses deux traductions de πρός τὸν θέον) dans le sens de la distinction (cf. *ad Cand.* 16,13 et 17,4-6). Mais, à la différence de Marcel, Victorinus appelle déjà Fils le Logos en Dieu, cf. *ad Cand.* 23,6.

5,10 — 7,24. Le Logos est Fils et le Christ est Fils. — Les derniers mots du développement précédent ont donné l'essentiel de l'évangile de Jean tel que l'entend Victorinus : les noms du Christ sont Logos, Fils, lumière, vie. Victorinus va maintenant glaner ces mêmes noms, verset par verset, jusqu'à ce qu'apparaisse l'Esprit-Saint, révélateur du Fils (*Ioh.* 7,37 = *adv. Ar.* I 8,2) comme le Fils était révélateur du Père, selon l'économie trinitaire que Victorinus découvre dans l'évangile de saint Jean. Il est possible que l'énumération des noms du Christ corresponde à une réfutation implicite de Marcel d'Ancyre qui prétendait qu'avant l'Incarnation, le Logos n'avait pas d'autre nom que Logos, cf. Marcel d'Ancyre, *fragm.* 43 ; Klostermann, p. 192, 17-27 et la réfutation de celui-ci par Eusèbe de Césarée tirée elle aussi de l'évangile de saint Jean, Eusèbe, *de eccles. theol.* I 20 ; Klostermann, p. 80 sq.

5,10. — Citant *Ioh.* 1,1 pour prouver que « deus est filius », Victorinus suppose sa démonstration précédente sur l'identité Logos-Fils.

5,13. spem. — Y a-t-il ici leçon particulière du *codex* de saint Jean utilisé par Victorinus, ou contamination avec I *Ioh.* 5,14, ou vestige d'une formule assez répandue liant espérance et vie à la foi orthodoxe, cf. *adv. Ar.* II 1,8, Hilaire, *de trinitate* III 14 ; *PL* 10,81 a ; *collectanea antiariana Parisina*, Feder, A I, p. 43,13.

5,25. veniens ... misit. — Cf. 6,14 à propos d'un autre *misit* : Victorinus veut sans doute dire que *misit* implique une distinction, mais qui est en même temps intériorité réciproque du Père et du Fils : *veniens*, le Fils était dans le Père ; *misit*, le Père reste dans le Fils.

5,37. — Raisonnement analogue, *ad Cand.* 1,27-29.

6,1-6. — Marius Victorinus remarque avec justesse que c'est dans cette *responsio ad Iudaeos* (*Ioh.* 5,19-47) que les vocables Père et Fils sont employés dans l'évangile de saint Jean avec le plus d'insistance.

6,6. — Le Logos est Fils : Victorinus identifie *quem misit ille* avec λόγον ; le Fils est Christ : *quem misit*, c'est celui qui parle, donc le Christ, et il est engendré, parce qu'envoyé.

6,8. filius. — Parce que *du ciel.*

6,10. non ab homine homo. — Cf. *hymn.* III 268 ;

adv. Ar. I 21,34. C'est donc la doctrine de Photin qui est ici rejetée. Peut-être, d'après le texte de saint Jean qui est cité ici, y a-t-il allusion à I *Cor.* 15,47 : « Le premier homme, issu de la terre, est terrestre; le second homme, lui, vient du ciel. »

6,13-20. — *Ioh.* 5,26 et 6,57 font l'objet d'une interprétation très précise des homéousiens dans les anathématismes du synode d'Ancyre, cf. Épiphane, *panarion* 73,10,8-9 ; Holl, t. III, p. 281,29-282,9 et, en version latine, Hilaire, *de synodis* 13-15 ; *PL* 10,491-492. C'est peut-être la raison de ce développement plus abondant. Sans doute, Victorinus veut-il rappeler aux homéousiens qui disaient (cf. les références précédentes) que la vie du Père et la vie du Fils étaient toutes deux des substances, que c'est le vivant qui est substance, et la vie sa qualité, et que cette dernière n'est substance que par le vivant, par le sujet qui a la qualité. La consubstantialité n'est autre d'ailleurs que l'identité du sujet avec sa qualité et de la qualité avec son sujet, comme on l'a entrevu, *ad Cand.* 10,19-24.

7,1-6. — Argumentation contre les photiniens accusés de dire que le Christ est *solum homo* ; cf. 6,10. Même genre de raisonnement tiré de la qualité de celui qui parle, *ad Cand.* 1,27-29 ; *adv. Ar.* I 5, 37.

7,18-24. — Ces lignes rompent la lecture suivie de saint Jean : elles témoignent d'une préoccupation très caractéristique du moment où écrit Victorinus. Contre la formule anoméenne de Sirmium (357) qui disait (dans Hilaire, *de synodis* 11 ; *PL* 10,489 a) : « Patrem honore, dignitate, claritate, maiestate et ipso nomine patris maiorem esse filio », une tendance générale se dessine, pour affirmer, dans tous ces ordres, une similitude entre le Père et le Fils. Mais, au sein de cette tendance, une opposition : les homéousiens ajoutent à cette liste le terme substance ; les homéens le rejettent. Le tableau de la page 744 aidera à comparer les diverses positions.

La formule homéenne de Germinius qu'il faut dater probablement de 366 est exactement l'opposé terme à terme de la formule de Sirmium 357. Dès 358, Basile d'Ancyre, dans le mémoire que Victorinus et Hilaire utilisent, semble connaître cette formule, puisqu'il affirme qu'il faut ajouter à la liste des ordres de similitude celui de la substance. Autrement dit, Germinius n'est que l'écho d'une tradition qui, triomphant dans la formule de Marc d'Aréthuse du 22 mai 359, avait déjà dû se manifester auparavant

Sirmium 357 = anoméens (cf. Hilaire, *de synodis* 11; *PL* 10,489 a)	Formules homéousiennes		Formule homéenne de Germinius, (cf. Hilaire, *coll. antiar. Par.* A III ; Feder p. 47, 22)
	Victorinus, *adv. Ar.* I 30,5 (= mémoire homéousien de l'été 358)	Hilaire, *de synodis* 74 ; *PL* 10, 529 a (= mémoire homéousien de l'été 358 ?)	
patrem honore, *dignitate claritate maiestate* et ipso nomine patris maiorem esse filio. + *divinitate* (dans Marius Victorinus, I 9,19, 20 ; Athanase, *de synodis*, 28; *PG* 26, 741 c 3).	dicis non solum *potentia dignitate divinitate* sed et substantia (*scil.* simile).	si secundum essentiam et *virtutem* et *gloriam* et tempus patris filius similis... (cf. 61,522 a ; 69,526 b).	*divinitate* caritate *maiestate claritate* vita, sapientia, scientia patri per omnia similem.

dans les discussions théologiques, peut-être, à Sirmium, en l'été 358.

Victorinus, au travers du mémoire de Basile, découvre les premières manifestations de l'homéisme, et s'y oppose, comme Basile lui-même, mais pour des raisons différentes. C'est ainsi que, dans l'excursus présent, il montre l'impossibilité d'une similitude *dignitate solum* ; en 9,13, d'une similitude *potentia solum*. On trouve également des traces de l'énumération des ordres de similitude, qu'Hilaire appelle (*de synodis* 15 ; *PL* 10,492 a) les *bona divinitatis*, en 13,8 ; en 15,39-40. Ordre de similitude doit s'entendre, au sens très large, de communauté entre le Père et le Fils. Alors que Victorinus s'efforcera d'employer un langage très technique, ses adversaires confondent plus ou moins similitude, égalité, communauté. Aussi Victorinus peut-il discuter ici de *dignitate solum* à propos de *Ioh.* 14,10 : « Le Père est en moi et je suis dans le Père », de *potentia solum* (9,13) à propos d'*aequalis*, ou énumérer les *bona divinitatis* (13,8 et 15,39-40) à propos de *Matth.* 11,27 : « *Omnia* mihi tradita sunt a patre. » Il s'agit, dans tous ces cas, d'une communauté non précisée, mais en tout cas opposée à la dissimilitude.

Le développement présent est donc dirigé contre les homéens que Basile visait dans son mémoire. Mais alors que Basile veut que l'on ajoute à la similitude d'honneur ou de puissance, la similitude en substance, Victorinus veut surtout faire remarquer que, seule, l'unité de substance peut rendre compte des affirmations scripturaires, toute autre considération, dignité, puissance, étant de l'ordre de l'accident. Par exemple ici, on ne peut dire que le Père est dans le Fils et le Fils dans le Père, par la gloire qu'ils se donneraient réciproquement; car, d'une part, le Père est plus grand que le Fils et a plus de gloire que lui, puisqu'il l'envoie, d'autre part, le Fils ne peut donner la gloire au Père comme si celui-ci ne l'avait pas, tandis que le Fils reçoit toute sa gloire du Père. Dans l'ordre de la substance, au contraire, le don total de la substance du Père au Fils assure leur unité et leur intériorité réciproque.

7,24. substantia. — Contre *A* et Σ, il faut corriger *substantiam* en *substantia* et relier ce mot à la phrase suivante. Jamais, en effet, Victorinus ne place *igitur* en tête de phrase. D'autre part, il est évident que Victorinus veut insister sur l'intériorité réciproque du Père et du Fils en une seule substance.

8,1. sed ista. — Formule de fin d'excursus, de caractère scolaire, cf. Plotin, *Enn.* VI 4,16,47 : ἀλλὰ περὶ μὲν τούτων ταῦτα· παλίν δὲ ἀναλαβόντες τὸν ἐξ ἀρχῆς λόγον λέγωμεν (et formules analogues, *Enn.* II 5,2,36 ; IV 3,7,1 ; IV 4,28,1 ; IV 4,17,37; VI 3,15,37 ; VI 7,28,20).

8,1 — 15,12. Le Père, le Fils et l'Esprit-Saint sont consubstantiels. — Désormais et jusqu'à la fin du commentai e sur l'évangile de saint Jean, le mot ὁμοούσιον revient comme un leitmotiv. Avec l'apparition de l'Esprit-Saint dans l'évangile, Victorinus trouve ces deux thèmes de sa théologie trinitaire : 1° le Fils et l'Esprit-Saint ont entre eux une identité analogue à celle qui existe entre le Fils et le Père ; 2° les trois, Père, Fils, Esprit-Saint, sont Esprit, donc consubstantiels.

8,1-18. — Ce développement initial annonce tout le contenu du commentaire de saint Jean tel que va l'entendre désormais Victorinus : avec la découverte de l'identité entre le Fils et l'Esprit-Saint, apparition du consubstantiel. L'exégèse de *Ioh.* 7,37-39 y conduit, grâce aux étapes suivantes : 1° le sein d'où coulent les fleuves d'eau vive, c'est celui qui reçoit l'Esprit ; 2° c'est l'Esprit lui-même (les fleuves sont alors ceux qui reçoivent l'Esprit) ; 3° c'est Jésus lui-même (les fleuves sont alors l'Esprit) ; 4° c'est le Père, finalement, source dernière de l'eau vive. Assimilation entre *venter* de *Ioh.* 7,37-39 et *gremium* de *Ioh.* 1,18. Sur l'identité Fils, Esprit-Saint, cf. 12,23.

8,19. — Le titre : « Quod non sit ex mundo », qui rappelle directement *Ioh.* 8,23, peut désigner sans doute tout le développement de l'évangile de saint Jean, 8,12-30 (peut-être aussi contamination avec *Ioh.* 9,5).

8,20. quamdiu oboedierit. — Paraphrase de *Ioh.* 8,12 : celui qui me suit aura la lumière de vie.

8,22-27. — Les trois sont Esprit : argument favori en faveur du consubstantiel, cf. 12,1-2 ; 17,32 ; 18,32 ; 18,56 ; *adv. Ar.* I 55,14 sq ; I 59,3 ; III 14,15 ; III 15,39 ; IV 4,32 ; IV 9,8-9. L'attention de Victorinus a pu être attirée sur cette notion par les documents homéousiens, cf. la lettre de Georges de Laodicée, dans Épiphane, *panarion* 73,16,1 ; Holl, p. 288,22-23, opposant les propriétés personnelles (= hypostases) à l'identité de l'Esprit que sont le Père, le Fils et l'Esprit-Saint, cf. également 73,18,4 ; p. 290,32.

8,24-25. spiritus manifeste. — Dieu, c'est-à-dire le Père, est Esprit; le Fils est aussi Esprit, parce que le connaître, c'est connaître la même substance que le Père ; quant à l'Esprit-Saint, il est Esprit, parce que son nom l'indique clairement, peut-être aussi parce qu'il révèle définitivement le Père et le Fils.

8,26. alii. — Cf. *adv. Ar.* IV 11,26 où il est question des esprits autres que ces Trois, différents de ces Trois parce qu'ils n'ont pas la vie en eux.

8,26. a deo ... ex deo. — Cf. *de homoousio rec.* 3,27, même opposition entre *a deo* et *de deo.* Peut-être y a-t-il ici une allusion à la lettre d'Eusèbe de Nicomédie, qui semble confondre les deux prépositions, CAND. II 2,39-40.

8,36 — 9,24. — Arrivé dans sa lecture de saint Jean, à *Ioh.* 10,30, un des textes de base du consubstantialisme, Victorinus trouve occasion d'insérer là un excursus important. Ce texte entraîne la citation de *Ioh.* 14,10 avec lequel il est presque constamment associé, cf. *ad Cand.* 1,26-27. Quant à *Phil.* 2,6, il est également lié à *Ioh.* 10,30, en 13,4, dans un contexte analogue à notre développement présent qui lui-même reprend en partie 7,19-24. On a ainsi une suite de développements apparentés : 3,21-30 ; 7,19-24 ;

8,36 - 9,24 ; 13,4 sq. Ce qui est commun à tous ces développements, c'est, d'une part, l'affirmation simultanée de *maior pater* et de *aequalis filius*, d'autre part, l'affirmation d'une communauté totale non seulement de dignité ou de puissance, mais de substance, entre le Père et le Fils. Le commentaire de *maior pater* est une mise au point de la formule de Sirmium 357. Le commentaire d'*aequalis filius* est une mise au point des formules homéousiennes. L'affirmation de la communauté de substance est une critique de l'homéisme, comme on l'a vu, 7,18-24 n. Voyant Basile d'Ancyre réfuter dans son mémoire les anoméens de Sirmium 357 et les homéens tout récents, par l'affirmation d'une égalité du Fils avec le Père, qui se réduit à une *similitude* de substance, Victorinus s'efforce dans ces essais successifs de montrer que, seule, la notion d'*unité* de substance permet de rendre compte du *maior pater*, de l'*aequalis filius* et de la communauté imprécise que les homéens reconnaissent entre Père et Fils.

9,3. rapinam. — Cette traduction est exigée par le raisonnement de Victorinus, cf. 23,42 : les biens qui viennent de la fortune sont l'objet d'une possession égoïste et jalouse parce qu'on craint de les perdre. C'est le sens traditionnel d'ἁρπαγμός. Cf. P. Henry, art. *Kénose*, dans *Supplément au Dictionnaire de la Bible*, p. 23-27, avec cette nuance, que Victorinus réunit en une seule notion les deux significations du mot : bonne fortune, possession égoïste.

9,3. aequalia. — Victorinus garde le neutre pluriel, d'une manière constante dans le livre I a. Le livre IV *adversus Arium* emploiera au contraire d'une manière constante *aequalis*. J'ai rendu par *égalité* la nuance que comporte ce neutre pluriel.

9,7. de toto totus. — Cf. 13,6 : *totus ex toto ; adv. Ar.* IV 29,18. La formule peut venir au travers du dossier homéousien du concile des Encénies, cf., dans Hilaire, *de synodis* 29 ; *PL* 10,502 b : *totum ex toto.*

9,10-12. — Cf. 13,5 : « Quod non diceret : me maior est pater, nisi fuisset aequalis. » Contre les anoméens de Sirmium 357, Victorinus affirme qu'une égalité de nature peut seule permettre une infériorité volontaire. Se souvient-il ici de son commentaire, *in Cicer. rhetor.* I 2 ; Halm, p. 164,20 : « Iustitia aequales homines esse fecit : hic iam et minores se esse patiuntur sua etiam voluntate », où l'on trouve, cette fois dans l'histoire de la civilisation, les deux états successifs : égalité naturelle, infériorité volontaire.

9,13. sed putavimus. — Ceux qui disent cela sont des homéens : 1° qui, comme les homéousiens eux-mêmes, admettent l'équivalence des termes *aequalis* et *similis*, cf. dans Épiphane, *panarion* 73,9,4 ; Holl, p. 279,27 – 280,4 ; *PG* 42,420 b, et surtout Hilaire, *de synodis* 72 ; *PL* 10,527 c : « Et quid aliud possunt esse similes quam aequales ? » ; 2° qui veulent s'en tenir à une similitude ou égalité de puissance. Sur l'existence de cette tendance avant mai 359, cf. 7,18-24 n. Si l'on considère la suite des développements apparentés énumérés en 8,36 – 9,24 n., il s'agit bien ici, pour Victorinus, des homéens tels que la critique homéousienne les lui révélait, et s'opposant eux-mêmes aux anoméens de Sirmium 357.

9,14-16. — Victorinus peut être d'accord avec ses interlocuteurs fictifs : cette égalité, même si on la limite à la puissance, ce n'est pas l'opinion d'Arius. Ce que Victorinus appelle ici l'opinion d'Arius, c'est en fait le « blasphème » de Sirmium (357) qu'il cite d'après une version plus complète que celle d'Hilaire, cf. 8,36 – 9,24 n. Mais Victorinus sait bien qu'Ursace et Valens, les responsables, sont des *reliquiae Arii* (I 28,40). En tout cas, on rencontre ici un courant de pensée qui s'oppose littéralement au blasphème de Sirmium. Victorinus ne peut que l'approuver.

9,16. istud. — Désigne d'abord la puissance, mais aussi tous les termes qui viennent d'être énumérés.

9,17. — Unité substantielle de ce qu'Hilaire, influencé par les homéousiens, appelle les *bona divinitatis*, *de synodis* 15 ; *PL* 10,492 a, et Basile d'Ancyre, les ἰδιώματα τῆς θεότητος, dans Épiphane, *panarion* 73,9,4 ; Holl, p. 279,28 ; *PG* 42,420 b.

9,20. ab alia substantia. — Si 9,14-16 semble bien faire allusion au « blasphème » de Sirmium 357, la présente formule : *ab alia substantia*, qui rappelle évidemment les doctrines d'Arius régulièrement condamnées par les conciles depuis Nicée, peut se rapporter aussi à Sirmium 357, comme chez Hilaire, *de synodis* 10 ; *PL* 10,486 b : « In ea scripta proxime apud Sirmium blasphemia ... id decretum esse, ut, aut ex nihilo ut creatura, aut *ex alia essentia*, ut consequentia creaturarum, et non ex deo patre deus filius natus confirmaretur. »

9,20-21. — Si par impossible on pouvait distinguer substance et accidents en Dieu, seule une substance égale à la substance divine pourrait recevoir de tels accidents. Or une substance venue du néant ou d'une autre substance que Dieu ne le pourrait pas, cf. *ad Cand.* 2,13.

10,4. — Cf. *ad Cand.* 2,1-9.

10,4-14. — Victorinus voulait certainement opposer les *filii dispersi* de *Ioh.* 11,52 au Fils de Dieu. Mais après avoir introduit son texte scripturaire par la formule : « Quod non sic filius quemadmodum nos », il lui vient à l'esprit que l'on peut peut-être quand même parler de *quadam adoptione* à propos du Christ. Tout de suite, il se corrige : on ne peut dire cela que par rapport à la chair du Christ. Aussi ne peut-on admettre la doctrine de Photin qui n'admet qu'un rapport d'adoption extrinsèque entre l'homme Jésus et le Logos.

10,6. quadam adoptione. — Victorinus admet que le Logos reçoit du Père le nom de Fils, lors de son incarnation (cf. 28,3 et surtout *in Phil.* II 7 ; 1210 b-c). Mais comme l'indique ce dernier texte, si le Christ reçoit le *nomen* du Fils quand le Père lui donne (au baptême ou à la résurrection), il a déjà éternellement la *res* : il est Fils par nature (cf. 5,1-9 n.). La *quaedam adoptio* est donc de l'ordre purement économique, *secundum carnem.* Voir à ce sujet R. Schmid, *Marius Victorinus Rhetor und seine Beziehungen zu Augustin,* Kiel, 1890, p. 58-59, qui réfute Harnack, *Lehrbuch der Dogmengeschichte,* t. III, p. 32, n. 250.

10,7. ego hodie genui te. — Ce texte du *Ps.* 2,7 était souvent lié à *Luc* 3,22 ou *Matth.* 3,17 dans certains manuscrits du Nouveau Testament, cf. M.-J. Lagrange, *Introduction à l'étude du Nouveau Testament. Critique rationnelle,* p. 171. Hilaire, *in psalm.* II 23-30 ; *PL* 9,274-279, interprète l'*hodie* dans un sens temporel : il s'agit pour lui de la résurrection. Victorinus ne précise pas à quel moment de l'existence temporelle du Christ il rapporte le texte scripturaire. Mais il l'entend, lui aussi, au sens temporel. Si l'on ne considérait que ce seul texte, Photin aurait raison, puisqu'il n'y aurait d'autre génération à partir de Dieu que celle de l'homme Jésus ; mais d'autres textes, comme *Ioh.* 8,58, témoignent en faveur de l'éternité du Fils.

10,14-20. — Les deux premiers textes pourraient faire croire que le Christ prie le Père comme nous. Aussi la véritable preuve qui établit que le Fils est *natura filius* se trouve moins dans les textes cités que dans le commentaire : « Propter corpus passionem induxit » et plus loin : « Propter mysterium ... inducitur et postulans aliqua. » Malgré les apparences, le Fils ne s'adresse pas au Père comme nous et les termes de Père et Fils qu'il emploie doivent être pris au sens propre. L'idée générale du passage est donc celle-ci : le Christ prend l'attitude de la prière, à cause de la foule qui l'entoure, et bien qu'il soit vrai Fils. Cf. Hilaire, *de trinitate*, X 71 ; *PL* 10,398 a-b.

10,16. ego ex ore patris. — Dans un groupe de citations aussi serrées, il est peu probable que Victorinus fasse appel à une paraphrase de *Ioh.* 16,27 ou 8,42 ; le texte de saint Jean utilisé par Victorinus en grec ou en latin devait comporter le verset ici cité, à la place de *Ioh.* 12,27 : διὰ τοῦτο ἦλθον.

10,18. deus. — Ou bien faute du copiste, écrivant *deus* à la place de *Iesus* ou lapsus de Victorinus lui-même, ou enfin allusion à la voix du Père lui-même annonçant la glorification du Fils.

10,20.22.24. mysterium. — Désigne l'ordre propre de l'incarnation, l'économie du salut.

10,22-23. — Rapprochement avec *Phil.* 2,7 : le mystère total, c'est la gloire totale et initiale du Fils auprès de Dieu, l'humiliation de l'Incarnation, puis la restauration de la gloire du Fils auprès du Père.

10,24. timens inducitur. — Sur cette question, cf. R. Schmid, *Marius Victorinus*, p. 60, qui parle de *versteckten Doketismus* et cite *in Philipp.* 2,7 ; 1208 d : « Vere non homo, sed deus, et carne et figura accepta quasi homo. » Mais il y a aussi un autre aspect de la christologie de Victorinus qu'exprime la formule *homo eius* (cf. 14,18 n.).

11,10-18. — 1° *Ioh.* 14,9-10, étant encore une fois un texte clé, introduit des précisions nouvelles sur la notion de consubstantiel. Victorinus pense déjà aux griefs homéousiens contre le consubstantiel, qu'il étudiera en 29,10 cf. Il essaie donc de définir un peu plus précisément le mot *homoousios* qu'il vient de commencer à employer. Comme les homéousiens, Victorinus confesse les noms de Père et de Fils, comme expression la plus adéquate de la foi, cf. 1,40 ; 19,41 ; 27,20 ; 41,37 ; *adv. Ar.* II 1,6-10 ; II 11,15 ; IV 33,32 ; comparer avec la lettre synodale d'Ancyre, cf. Épiphane, *panarion* 73,9,6 ; Holl, p. 280,12 et 13, et la lettre de Georges de Laodicée, *ibid.* 73,20,1 sq. ; p. 292, 20 sq. Les noms de Père et Fils assurent la distinction des hypostases ; leur implication réciproque dans le texte évangélique fonde leur consubstantialité, cf. *adv. Ar.* II 1,10 ; II 11,11 ; II 6,19. *Ioh.* 14,9-10 est vraiment le texte fondamental des consubstantialistes, cf. Hilaire, *de trinitate* III 1 sq.

2° Pour se défendre de l'accusation de patripassianisme, faite à l'*homoousios* par les homéousiens (cf. Hilaire, *de synodis* 81 ; *PL* 10,534 b 5 ; Victorinus, *adv. Ar.* I 41,27 ;

I 44,1), Victorinus rejette l'emploi du mot *persona*. Comme le fait remarquer G. L. Prestige, *God in Patristic Thought*, p. 113 (trad. franç., p. 145) le mot *prosopon* ou *persona* n'a rien de spécifiquement sabellien, bien que Basile de Césarée et Eusèbe de Césarée aient prétendu que les sabelliens concevaient la divinité comme *triprosopos*. En tout cas, Victorinus est un témoin de cette même interprétation du sabellianisme.

3° Pour se défendre de l'accusation selon laquelle l'*homoousios* supposerait une substance préexistante (cf. 29,10) et malgré la formule qu'il emploie lui-même : *ex una substantia*, Victorinus précise que l'identité de substance est assurée par le don de la substance du Père au Fils. C'est exactement la formule qu'il reprendra, 29,31 : « Patre dante substantiam filio », en l'attribuant aux homéousiens, et en leur reprochant de ne pas comprendre que l'*homoousios* lui aussi comporte ce don de la substance du Père au Fils. Sur ce don du Père au Fils, cf., dans Épiphane, *panarion* 73,10,9 ; Holl, p. 282,3-9, le 9e anathématisme de la synodale d'Ancyre.

11,19. — *Facit et faciet*, cf. *Ioh.* 14,12. *Resurgitis* provient d'une mauvaise lecture ou d'une faute du *codex* grec : ὅ τι ἂν αἴτητε (leçon marginale de Westcott-Hort) est devenu, par confusion du ι avec un σ lunaire : ὅτι ἀναστῆτε. Je verrais ici volontiers une faute de Victorinus lui-même lisant mal son texte grec.

12,13-32. — Première recherche sur les rapports entre Fils et Esprit-Saint ; c'est un sujet que Victorinus aborde ici pour la première fois, et qu'il continue à examiner, 13,22 - 14,1 ; 16,20-29, mais qu'il ne reprendra d'une manière approfondie que dans *adv. Ar.* I 56-58 et surtout III 8 ; III 14-16 ; IV 16 ; IV 33 et dans l'*hymne* I 50-73, où sera exposée la doctrine suivante : 1° analogie du rapport Fils-Esprit-Saint au rapport Père-Fils ; mais tandis que Père et Fils sont une seule *substance*, Fils et Esprit-Saint sont un seul *mouvement* ou un seul acte ; 2° cet acte unique a un double aspect : vivifiant, c'est le Christ ; illuminant les intelligences, c'est l'Esprit-Saint ; 3° on peut donc dire que Jésus, c'est l'Esprit manifesté, et que l'Esprit-Saint, c'est Jésus caché dans les âmes. Si, dans le passage présent, Victorinus semble dire l'inverse, c'est-à-dire parler d'occultation à propos du Christ et de manifestation à propos de l'Esprit-Saint, c'est à un point de vue différent ; l'action du Christ étant visible et charnelle, la vérité est cachée dans son enseignement et son action, sous des formes extérieures qui à la fois la signifient et la cachent. L'Esprit-Saint au contraire parle immédiatement à l'âme. La réalité hypostatique du Christ et de l'Esprit-Saint est plus difficile à établir rationnellement que celle du Père et du Fils. Beaucoup d'expressions de Victorinus ne laissent entendre qu'une distinction d'activités dans ce qu'il appelle lui-même la double puissance du Logos, 13,23.

12,15. verum intus. — Cf. Porphyre, dans Macrobe, *in somn. Scip.* I 3,17; Eyssenhardt, p. 488,14 : « Latet ... omne verum » et Marius Victorinus, *in Cicer. rhetor.* I 29 ; Halm, p. 232,39 : « Inter homines autem verum latet totumque suspicionibus geritur. » L'action du Christ s'exerçant dans le sensible, son aspect intelligible est caché et ne peut être atteint que par l'action intérieure de l'Esprit-Saint.

12,19. dixero. — Problème analogue, *adv. Ar.* III 15,60. Si le Christ annonce qu'il *parlera* après son retour auprès du Père, c'est-à-dire au moment où il aura laissé la place dans l'économie du salut, à l'Esprit-Saint, c'est ou bien que Jésus et l'Esprit-Saint sont identiques, ou que l'Esprit-Saint sera un second Jésus, ou que Jésus parlera dans l'Esprit-Saint. Victorinus retient cette solution qu'il avait d'ailleurs déjà annoncée, 12,9-10.

12,25. serie. — Le Père, le Fils et l'Esprit-Saint étant les uns dans les autres sont reliés ensemble comme les anneaux d'une chaîne. C'est leur ordre, leur économie, dirait Tertullien, qui les distingue et en même temps les unit, cf. 16,28 : *affectione.*

12,29-32. — Sur ces trois aspects de l'activité économique des Trois, cf. *hymn.* III 105-107.

12,29-32. mysterium. — Il s'agit de l'économie du salut : création et régénération, révélant l'économie trinitaire.

12,29. inoperans. — Cf. 13,11 : *inactuosa.* L'activité et la vie du Père reste tournées à l'intérieur, cf. *ad Cand.* 21,2-6.

12,32. in aliis. — Pour le problème littéraire posé par cette référence, cf. Introduction, t. I, p. 68.

13,1. λόγος hoc est Iesus vel Christus. — Formule dirigée tout spécialement contre Marcel d'Ancyre, cf. Marcel, *fragm.* 42 ; Klostermann, p. 192,10, où Marcel distingue entre le Logos sans la chair, et Jésus ou le Christ, noms que l'Écriture n'appliquerait qu'au Logos uni à la chair.

13,1-20. — Sur le sens général de ce passage, cf. 8,36 –

9,24 n. ; il s'inscrit dans le cadre de la lutte contre anoméens, homéens et homéousiens. La première phrase juxtapose, d'une manière grammaticalement incorrecte, textes et raisons militant en faveur de l'affirmation simultanée : *maior pater, aequalis filius*. Puis, contre les homéousiens, Victorinus affirme, 13,6-9, que le Fils n'est pas seulement *aequalis deo*, comme le voulait la lettre synodale d'Ancyre, cf. 9,13 n., mais *aequalis patri*. Les raisons en sont tirées des prémisses mêmes des homéousiens : *totus ex toto*, *lumen ex lumine* sont des expressions tirées de professions de foi qui leur sont chères, celle des Encénies (cf. Hilaire, *de synodis* 29 ; *PL* 10,502 b), de Sirmium (351) (*ibid.* 38,509 b) ; quant à toutes les choses que le Père donne au Fils, on reconnaît dans leur énumération, *substantia*, *potestas*, *dignitas*, la trace du mémoire de Basile, cf. 30,5. Si le Fils reçoit totalement tout de la substance du Père, il est égal en substance au Père.

Ensuite, mise au point du *maior pater* de saint Jean, cher aux anoméens. L'infériorité du Fils n'est plus seulement comme en 9,10-12, économique, mais ontologique, dans la mesure où le Fils, étant acte, est postérieur et inférieur à la substance. Ici l'opposition entre le Père et le Fils comme entités métaphysiques se précise par rapport aux premiers essais de l'*ad Candidum* qui les avait présentés comme Préexistant et Existant, comme être et agir. On reste dans l'opposition fondamentale de l'être et de l'agir, mais de nouvelles nuances apparaissent qui correspondent d'ailleurs à l'opposition traditionnelle entre le Premier et le Second Dieu, telle qu'on la trouve par exemple chez Numénius :

le Père	le Fils
actio inactuosa	in id quod est agere ab actione procedens
causa ipsi filio	ut esset accepit
inpassibilis	inpassibilis et passibilis
fons omnium quae sunt	factus omnia quae sunt
a se perfecta	in perfectionem veniens
nullius egens	motu efficitur plenitudo

13,12. fons ... a se perfecta. — Cf. *orac. chald.*, Kroll, p. 24 : αὐτοτελὴς πηγή.

13,17-18. plenitudo ... receptaculum. — Cf. *adv. Ar.* IV 29,11 : χώρημα-πλήρωμα où l'on retrouve également : *totus ex toto, lumen ex lumine*; voir également *adv. Ar.* I 24,46.

13,30-31. — Cf. *ad Cand.* 17,13.

13,38-40. — Première apparition de la triade *esse-vivere-intellegere*, schéma fondamental de la théologie trinitaire de Victorinus. Cette intervention de concepts métaphysiques, dans ce commentaire de l'évangile, laisse entendre que les grandes lignes du système théologique sont déjà présentes dans l'esprit de Victorinus. Même remarque concernant sa doctrine de l'Esprit-Saint.

14,2-18. — Dans la répétition : *a deo exivi ; processi de patre*, Victorinus veut voir une distinction : *a deo exivi*, c'est l'incarnation ; *processi de patre*, la génération éternelle. La première révèle la seconde, d'où l'ordre des paroles de Jésus.

14,18. homo eius. — J'ai voulu garder l'imprécision de la formule. Sans doute, le mot concret peut désigner la nature humaine en général, mais l'expression est trop traditionnelle pour que je me risque à l'interpréter, cf. (d'après A. Blaise, *Dictionnaire latin-français des auteurs chrétiens*, Strasbourg, 1954, p. 392) Tertullien, *de carne Christi* XVII 4 ; *PL* 2,782 a : « Si terreni non fuit census homo eius » ; *adv. Marc.* IV 10,13 ; *PL* 2,380 a : « Iudaei solummodo hominem eius intuentes » ; Grégoire d'Elvire, *de fide* 8 ; *PL* 20,48 b : « Deum homini suo sociatum. » Il faut donc laisser à l'expression sa saveur archaïque et son ambiguïté ; mais on peut traduire *eius* par *qui lui est propre*, en insistant ainsi sur le caractère très particulier de l'union entre l'homme Jésus et le Logos.

14,22. deus in homine. — Nouvelle formule du mystère de l'Incarnation : non plus appartenance, mais intériorité, cf. 35,25 : « Qui in eo qui de Maria. »

14,28. ex deo. — Cf. 8,26 n.

15,1-9. — Résumé de l'évangile de Jean : Victorinus y retrouve sa propre doctrine ; Père et Fils sont *vita* et *lumen* (= *intellegentia*), c'est-à-dire que la vie divine s'y révèle comme *esse, vivere, intellegere*. Et *vita* et *lumen* étant subtance, l'évangile enseigne la consubstantialité. Et en même temps, *vita* et *lumen* sont des expressions chères aux homéousiens, cf. la formule de Basile d'Ancyre qu'il ajoutera à la fin du Credo daté de 359, Épiphane, *panarion* 73,21,7 ; Holl, p. 295,24 : ζωὴν ἐκ ζωῆς, φῶς ἐκ φωτός, et Athanase, *de synodis* 41,6 ; Opitz, p. 267,15, faisant allusion au mémoire issu de la réunion de l'été 358, donc connu de Victorinus et d'Hilaire : πηγὴν εἰρήκασι τὸν πατέρα τῆς σοφίας καὶ τῆς ζωῆς.

15,9. — Victorinus pense à la réfutation qu'il consacrera spécialement à l'*homoiousion*, après l'exposé scripturaire.

15,10-12. — Compléments peut-être issus d'une seconde lecture. Même interprétation de *Ioh.* 18,37, chez Ambroise, *de Isaac et anima* V 46 ; Schenkl, 670,16 ; *de fide* II 12,103 ; *PL* 16,606 a ; *de sacramentis* V 22 ; Botte, p. 94,17.

***

15,13 — 17,8. Les Synoptiques. — Victorinus ne retient que quatre textes qu'il considère comme importants et commente assez abondamment. 1° *Le témoignage des démons* (les textes sont cités à la fois selon saint Matthieu et selon saint Luc). C'est un argument *ad hominem* contre les ariens. 2° *Le texte de saint Matthieu sur la connaissance mutuelle du Père et du Fils* : une telle connaissance suppose la consubstantialité. 3° *Le texte de saint Matthieu sur le blasphème contre l'Esprit-Saint.* C'est l'occasion d'un exposé très précis sur le consubstantiel. 4° *Le texte de saint Luc sur le Fils de David* : ajouté comme complément.

15,16-23. — L'argument se retrouve chez Hilaire, *de trinitate* VII 49 ; *PL* 10,196 b ; *in Matth.* IV 14 ; *PL* 9,936 b 12.

15,24. Arri ... Eusebi. — Allusion aux lettres contenues dans CAND. II.

15,25. ab eo quod est esse. — Cf. 45,4 ; *adv. Ar.* II 2,5. Il s'agit d'ariens qui veulent éviter l'accusation de faire sortir le Fils de Dieu du néant. Ils affirment donc que le Christ est fait par Dieu et que Dieu est existant : le Christ est donc fait par l'Existant ; mais ils ne précisent pas la notion de « faire », qui, en fait, suppose une origine *ex nihilo*.

15,39. — Encore une fois les *bona divinitatis*, cf. 7,18-24 n., vestige de la réaction contre Sirmium 357. Cette fois l'énumération se rapporte aux manifestations extérieures de la substance divine et doit être rapprochée de *Rom.* 1,20 cité 2,35-37 : « Aeterna ... virtus ac divinitas. » Les créatures ne peuvent connaître de Dieu le Père que sa gloire, sa puissance, son action extérieure et sa divinité. Reconnaissant cette divinité et cette puissance du Dieu créateur, elles l'adorent. Seul le Fils, parce qu'il est en elle, connaît la substance, cf. *adv. Ar.* II 5,14. Cette idée rejoint ainsi le thème bien connu : Dieu n'est pas connu en son *ousia*, mais en ses œuvres qui manifestent son existence (cf. A.-J. Festugière, *Le Dieu inconnu*, p. 6 sq.).

16,1-4. — Victorinus parle ici de Valentin parce qu'il veut assimiler l'enseignement arien à celui de Valentin. Ne sera-t-il pas rapporté au concile de Séleucie, en 359, qu'Eudoxe avait publiquement enseigné ceci : « A mesure que le Fils s'élance pour connaître le Père, celui-ci se dérobe d'autant plus à sa connaissance » ? Cf. Hilaire, *contra Constantium* 13 ; *PL* 10,592 a : « Quantum enim filius se extendit cognoscere patrem, tantum pater superextendit se ne cognitus filio sit » ; sur les blasphèmes d'Eudoxe, cf. Théodoret, *hist. eccl.* II 27. Ces déclarations peuvent avoir été faites en 358. Elles peuvent aussi avoir eu pour véritable auteur, Aëtius. La doctrine que Victorinus prête à Valentin, ne correspond pas tout à fait à celle que rapportent Irénée et Tertullien : pour Valentin, le Christ n'est pas le premier éon ; le premier éon n'est pas celui qui veut voir le Père ; Sophia, qui dans le mythe valentinien veut voir le Père, n'est pas le Christ. Peut-être cette assimilation de la doctrine anoméenne aux mythes valentiniens était-elle contenue dans les documents homéousiens utilisés par Victorinus ?

16,5-29. — Ce commentaire de *Matth.* 12,28-32 retient surtout la définition de l'Esprit comme *Spiritus dei* qui va poser à Victorinus le problème de la place de l'Esprit-Saint dans la Trinité.

16,5. — Sur le blasphème contre l'Esprit, cf. Athanase, *epist. ad Serap.* IV 8 ; *PG* 26,648 ; Hilaire, *in Matth.* XII 17 ; *PL* 9,989 b sq.

16,21. simul. — Et plus bas, 16,28 : *simul*, cf. *ad Cand.* 30,30 ; *adv. Ar.* II 10,21-29.

16,23. in quo ordine. — Le problème est posé par deux textes évangéliques : d'une part, *Matth.* 12,28 : « In spiritu dei » ; d'autre part, *Ioh.* 16,15 : « De meo accipiet. » Le premier semble placer l'Esprit-Saint immédiatement après le Père (= *deus*) ; le second semble au contraire le concevoir comme postérieur au Fils dont l'Esprit-Saint reçoit tout. Victorinus ne donne pas apparemment de réponse à sa question. Mais c'est qu'il admet en fait une intériorité réciproque du Fils et de l'Esprit-Saint qui apparaît plus clairement en I 57,7 sq., et qui correspond à sa conception d'une unité de mouvement entre le Fils et l'Esprit-Saint, cf. *adv. Ar.* IV 16,18. Fils et Esprit-Saint sont un seul Logos.

16,28-29. divina ... habentes. — Il faut lier *divina affectione secundum actionem* : l'ordre divin (διάθεσις, position des parties, Aristote, *metaphys.* V 19,1022 b 1) qui s'instaure selon l'acte, c'est-à-dire par la diversité des actes propres ; cf. *hymn.* I 55 : *progressu actuum.* Apparition de la notion d'hypostase, sans explication. Victorinus emploie ici *subsistentia* sans commentaire ; le terme est donc probablement déjà connu dans certains milieux, d'ailleurs cf. CAND. II 2,25 et *adv. Ar.* I 30,57 et 39,8. L'effort de formulation, amorcé en 11,10-18, se précisera encore, 18,42-57 ; 39,5-10 ; cf. également *ad Cand.* 31,7-13 ; *adv. Ar.* IV 33,26-43, et surtout *adv. Ar.* II 4,48 et III 4,35. Ces efforts sont, très probablement encore, les indices des réflexions de Victorinus sur le vocabulaire des homéousiens, cf. Épiphane, *panarion* 73,11,6 ; Holl, p. 283,13 ; 73,16,1 ; p. 288,21, qui définit la notion d'hypostase.

***

17,9 — 26,54. Saint Paul. — Jusqu'ici la vaste preuve scripturaire a parcouru deux étapes : 1° le Logos est Fils de Dieu et le Christ est Fils de Dieu ; 2° Père, Fils et Esprit-Saint sont tous trois Esprit, donc consubstantiels, mais avec un acte propre qui assure la distinction des hypostases. En ouvrant le codex des Épîtres de saint Paul, Victorinus reste d'abord dans l'atmosphère de cette seconde étape : les Trois sont Esprit. Les textes retenus dans l'Épître aux Romains, puis dans la première Épître aux Corinthiens concernent cette doctrine. Mais ensuite une troisième étape de la réflexion de Victorinus se dessine : les noms donnés par l'Écriture à Jésus impliquent sa consubstantialité avec le Père. Cette doctrine sera reprise d'une manière très développée dans toute la fin du livre (32,16 – 43,4), mais ici elle est exposée sous la forme d'un commentaire de textes significatifs de saint Paul. A vrai dire, d'une part les noms de Jésus étudiés ici, d'autre part les textes choisis trahissent les préoccupations de Victorinus aux prises avec le dossier homéousien. Les noms de Jésus d'abord : *imago*, *forma*, surtout le premier, servaient aux homéousiens à affirmer la similitude de substance ; les textes d'Écriture chers aux homéousiens étaient notamment *Phil.* 2,6 ; *Col.* 1, 15-20, justement les textes où se trouvent les noms *imago* et *forma*. Les mêmes préoccupations antihoméousiennes se trahissent dans la fréquence des réfutations de la notion d'*homoiousios*, 17,34 ; 20,66 ; 22,2 ; 23,6-40 ; 25,5, et dans la recherche plusieurs fois répétée (19,22-59 ; 20,8-23 ; 22,28-55 ; 24,9-18) d'un exposé clair et complet de la notion d'*homoousios* accompagné d'une description de la sortie du Logos créateur et rédempteur ; en avançant dans la lecture de saint Paul, Victorinus prête de plus en plus attention au « Mystère », c'est-à-dire à l'économie du salut dans le Christ, qui pose évidemment le problème de la passion du Christ et de l'impassibilité du Père, c'est-à-dire une des difficultés majeures de l'*homoousios* aux yeux des homéousiens. Le commentaire de l'Épître aux Colossiens et de l'Épître à Timothée, sur lequel se termine cette enquête paulinienne, est consacré à ce « Mystère » c'est-à-dire à la double descente du Logos, vivifiante, puis rédemptrice.

Victorinus, plaçant *Éph.* avant *Gal.*, est ici témoin d'un ordre des Épîtres de saint Paul auquel il fait allusion également *in Gal.* 1145 d : « Quidam illam (= aux Éphésiens) praemittunt epistolam, hanc (= aux Galates) ordinant consequentem », et que l'on retrouve par exemple dans le papyrus Chester Beatty P^{46} (iiie siècle). (Le professeur K. Th. Schäfer a bien voulu me confirmer par lettre le caractère relativement rare de cet ordre des Épîtres).

17,12. τὸ μὴ ὄν. — Dieu ne tire pas les existants du néant, mais de sa propre pensée, puisqu'il voit déjà les existants futurs et en parle comme s'ils existaient. Même idée : en Dieu, pas de place pour le néant, *ad Cand.* 6,8 ; 11,7 ; 24,4-5.

17,24-37. — Victorinus tire du texte paulinien une série d'équivalences, Esprit du Christ = Christ ; Esprit du Christ = Esprit de Dieu ; Esprit de Dieu = Dieu. Il cherche une fois de plus à montrer comment la substance du Père étant l'Esprit, les trois sont consubstantiels parce que tous trois sont Esprit.

17,24. mysterii virtus. — Le baptême représente le moment où le Mystère, c'est-à-dire la diffusion de la vie divine trinitaire dans le Christ, atteint l'âme individuelle, cf. *adv. Ar.* III 16,25-33.

17,37. progressi. — Cf. 22,49 : « In progressu passio. » Chaque exposé concernant l'*homoousios* sera ainsi accompagné de cette défense contre l'accusation de patripassianisme, cf. 22,43-55 ; 24,13-18 ; 28,5.

18,1-4. — Cf. 37,8.

18,7-32. — Trois exégèses du texte sont connues de Victorinus : 1° il s'agit du Christ ; 2° il s'agit de la parousie ; 3° il s'agit du monde intelligible. Mais Victorinus les ramène toutes à la première par un *a fortiori* : de toutes les choses difficiles à connaître, la génération du Fils de Dieu est certainement la plus inaccessible.

18,9. — Cf. *adv. Ar.* III 6,2-10.

18,18. quidam. — Cf. Origène, *de princip.* III 6,4 ; Koetschau, p. 285,28 ; Eusèbe, *praep. ev.* XI 38,7 ; Mras, t. II, p. 80,24.

18,25-28. — Ces objections contre l'*homoousios* se retrouvent *adv. Ar.* II 3,1 sq. ; IV 8,1-8 ; elles sont pratiquement communes à tous les adversaires de l'*homoousios* ; notamment on les retrouve plus ou moins développées dans le mémoire homéousien de l'été 358 cité par Hilaire, *de synodis* 81 ; *PL* 10,534. Dans le passage présent, les trois objections se ramènent à une accusation de patripassianisme, cf. 11,10-18 n. ; 17,35 ; 41,28 ; 44,1 ; de *homoousio rec.* 4,34.

18,30. modus divinae generationis. — Cf. *ad Cand.* 20,1 – 22,18 n. et le titre *de generatione divina* de la 1re lettre de Candidus à Victorinus. Sur le rôle de l'Esprit-Saint dans la découverte du mode de génération, cf. *ad Cand.* 31,2 ; *adv. Ar.* I 2,37 ; IV 21,14 ; *de homoousio rec.* 4,5. Tant que le mode de génération du Fils par le Père ne sera pas élucidé, la preuve de l'*homoousios* ne sera pas complète. Or cette étude n'est vraiment faite que dans les livres I b, III, IV.

18,32. — Cf. Ambroise, *de sacramentis* VI 9 ; Botte, p. 100,4-16, notamment la conclusion tirée par saint Ambroise de ce même texte de saint Paul : « Et illud tenete ipsum esse spiritum sanctum, ipsum spiritum dei, ipsum spiritum Christi, ipsum spiritum paraclitum. » Victorinus, pour sa part, conclut que les Trois sont Esprit. Cf. *hymn.* III 1-17.

18,39-57. — 1° Le Père est Esprit (cf. I *Cor.* 12,12 : *unus spiritus*), donc substance. 2° Fils et Esprit-Saint reçoivent du Père sa propre substance = l'Esprit, et leurs actes propres (cf. 53-54). 3° L'acte propre du Père consiste donc à répartir les actes propres du Fils et de l'Esprit-Saint. 4° L'acte propre de l'Esprit-Saint : répartir les « grâces » (charismes ?) qu'il reçoit du Père. 5° L'acte propre du Fils : *ministerium*, cf. *adv. Ar.* I 52,14 : « Per ministrantem λόγον, *hoc est per vitam* » ; il s'agit de l'*économie* de la création et du salut. 6° Chaque acte propre, qu'il soit du Père, du Fils ou de l'Esprit-Saint, représente une appropriation de la substance commune issue du Père : l'Esprit. 7° Cette appropriation de la substance commune prend le nom d'*existentia* (= ὕπαρξις) ou simplement de *substantia sua* (48). Victorinus renonce ici à *subsistentia*, employé en

16,29, en faveur de *exsistentia*, employé aussi en IV 33,32 ou de *substantia*, employé en 41,25. Victorinus connaît les distinctions sémantiques entre ces termes, cf. 30,21 ; II 4,1 sq., mais n'en tient pas toujours compte.

18,53. esse, operationis causa. — Cf. *ad Cand.* 20,12.

19,1 — 20,67. Le Christ image de Dieu. — Apparition d'un nouveau thème : les noms scripturaires de Jésus impliquent sa consubstantialité avec Dieu, cf. 17,9 – 26,54 n. Ici, le Christ, image de Dieu. Victorinus doit faire face à des notions que jusqu'ici il n'a qu'effleurées : Candidus (Cand. I 6) a rapidement critiqué la notion d'image comme mode de génération. Dans sa réponse à Candidus, Victorinus n'a fait qu'une rapide allusion (*ad Cand.* 15,10) au nom d'*image* propre à l'Existant en acte. L'importance du développement présent sur l'image s'explique donc : il représente une réponse un peu retardée à la critique de Candidus, il représente aussi une critique très serrée de l'*homoiousios*. La *réponse à la critique de Candidus* et en même temps à l'arianisme représente donc une *première partie* (19,3-59) qui commence par distinguer *image dans le monde sensible et image dans le monde intelligible* (19,6-22), puis montre l'*intériorité réciproque* de la puissance et de l'acte, c'est-à-dire de l'*être et de l'image* (19,22-59), donc leur consubstantialité. Suit la *réfutation de l'homéousianisme* (20,1-67) : Victorinus se tourne vers *Gen.* 1,26 qui emploie aussi *imago*, mais en même temps *similitudo*. Peut-on, comme les homéousiens, confondre les deux termes ? Si, contre Candidus, il a été prouvé au chapitre précédent que l'image était substance dans le monde intelligible, tandis qu'elle n'était que faux-semblant dans le monde sensible, cette fois-ci, contre les homéousiens, on opposera image et ressemblance comme l'ordre de la substance à l'ordre de la qualité. Ainsi apparaîtra pour la première fois la critique fondamentale de Victorinus à l'*homoiousios* : la notion de substance semblable est contradictoire en soi, car la similitude n'est pas de l'ordre de la substance mais de l'ordre de la qualité et suppose altérité.

19,3. non ex his quae non sunt. — Ce titre montre bien que le texte de saint Paul introduisant la notion d'image de Dieu est d'abord utilisé contre les ariens en général et Candidus en particulier, cf. la conclusion, 19,57-59. Ici, Victorinus fait front commun avec les homéousiens, contre les anoméens, cf. note suivante.

19,7-9. — Ceci est une objection d'origine anoméenne,

que Victorinus avait déjà rencontrée chez Candidus (CAND. I 6) et qu'il pouvait également connaître par les documents homéousiens, cf. 7e anathématisme de la synodale d'Ancyre, dans Épiphane, *panarion* 73,10,7 ; Holl, p. 281,25-28, qui parle d'un « dissemblable en substance ». C'est bien l'*aliud secundum substantiam* (19,9). Le terme *imaginale* est emprunté à Candidus, et c'est probablement un mot d'origine arienne. Victorinus y renoncera aussitôt que sera terminée sa discussion avec les anoméens (dernier emploi 19,53) et le remplacera par la périphrase *is cuius imago*, par exemple *adv. Ar.* IV 8,50.

19,10-22. — Candidus et, d'une manière générale, les anoméens, ne conçoivent l'image que sous le mode du monde sensible. Avec les homéousiens, Victorinus conçoit l'image comme une substance douée d'une vie intelligible. On peut comparer (19,18) : « Primum esse et per semet esse ... et viventem ... et vivefacientem et semen omnium quae sunt ; λόγος enim... », avec Acace, dans Épiphane, *panarion* 72, 7,9 ; Holl, p. 262,15 : εἰκὼν ἄρα ἐστὶν ὁ λόγος θέος, ζῶσα σοφία, ὑποστατική, λόγος ἐνεργὴς καὶ υἱός, αὐτὴ οὐσιωμένη, et 72,9,8 ; p. 264,10 : εἰ οὐσίας ἐστὶν εἰκὼν ζῶσα, αὐτοουσία δύναται εἶναι καὶ ἔστιν dans un écrit d'ailleurs dirigé contre Marcel d'Ancyre (accusé de nier la substantialité de l'image de Dieu) et qui doit être rapproché, au point de vue des formules, de la profession de foi des Encénies (341). En effet, en niant le caractère substantiel de l'image, on peut soit nier la substantialité du Fils, comme Marcel d'Ancyre, du moins si l'on en croit ses adversaires, soit nier la substantialité de la ressemblance entre Père et Fils, et n'accepter qu'une ressemblance toute extérieure, comme les anoméens. Affirmer la substantialité de l'image, c'est donc combattre en même temps deux hérésies opposées.

19,11-17. — L'image dans le monde sensible. Elle a toutes les caractéristiques de l'image telle que l'a conçue Candidus (CAND. I 6). Même description de l'image chez Plotin, *Enn.* VI 4,9,37-41 : elle ne peut subsister, séparée du modèle (et *Enn.* VI 4,10,12, inspiré par *Republ.* VI 510 e).

19,13. reflexionem. — Il s'agit de la réflexion sur une surface plane de la lumière qui émane des corps, cf. Sénèque, *natur. quaest.* I 3,7 ; Gercke, p. 16,7 : « Ab omni, inquit (*scil.* Aristoteles), levitate acies radios suos replicat. Nihil autem levius aqua et aere. »

19,14. imaginalis. — Cf. CAND. I 6,2 : *illud* (*scil.* imaginale) *ut substantia.*

19,21-22. — Démonstration un peu rapide de l'*homoousios* : si l'on a dit de Dieu aussi qu'il était, qu'il était vivant et intelligent, (cf. *ad Cand.* 21,4-5 et Candidus lui-même, CAND. I 3,16), l'image qui est, qui vit, qui connaît est donc consubstantielle. La même idée va être plus abondamment développée (19,23-29).

19,22-59. — Après avoir précédemment affirmé le caractère substantiel de l'image, Victorinus se pose la question : « En quoi est-il rationnellement justifié de donner au Logos le nom d'image ? » La réponse reste parfaitement cohérente avec le schéma métaphysique que nous avons décelé jusqu'ici, mais elle l'enrichit : Dieu est puissance de l'être ; le Logos est son acte ; ils sont intérieurs l'un à l'autre ; l'acte manifeste la puissance. Donc l'acte est image de la puissance, l'agir, image de l'être. L'affirmation se trouvait déjà dans *ad Cand.* 15,10 ; de même *adv. Ar.* I 4,17 avait appelé le Logos *declaratio eius quod est esse.* Mais ici, le rapport entre être et image est approfondi. Plan du développement : 1° Le Logos est acte, donc il révèle la puissance qu'est Dieu, et notamment il « spécifie » tout ce qui se trouve dans la puissance (19,23-29). 2° Aussi peut-on ramener le rapport entre Dieu et son image, au rapport entre *esse* (ou *substantia*) et *species* (19,29-43). 3° On peut donc distinguer un ordre de l'être, dans lequel Père et Fils sont consubstantiels et un ordre de la puissance opposée à l'acte, dans lequel il y a génération et intériorité réciproque.

19,25. vita et cognoscentia. — Ici se précise la doctrine de l'*esse, vivere, intellegere,* esquissée en *ad Cand.* 2,22 ; 21,4-5 et en *adv. Ar.* I 4,4-5 et 13,38-40 : le contenu de la puissance, sa substantialité, consiste dans l'existence, la vie, l'intelligence, c'est cette triade contenue en puissance en Dieu, qui s'actue dans le Logos et se répand ensuite dans tous les existants.

19,26. manifesta. — Cf. *in manifestationem* 3,26. La création est assimilée à une révélation.

19,28. speciem perficiens. — Très probablement εἰδοποιός, cf. Boèce (très influencé par Victorinus en sa première édition), *in Isag. ed. prima,* II 1 ; Schepps-Brandt, p. 87,5 : « Speciei huius ... perfectrices atque ideo specificae (differentiae) nominantur. » Le rôle du Logos est ici analogue à celui de l'espèce qui fait passer à l'acte les différences contenues en puissance dans le genre (Porphyre, *Isag.*, Busse, p. 11,3-5).

19,29-43. — 1° Liaison *imago-species.* Il y a certainement ici liaison entre l'idée d'espèce logique (qui développe le genre) et l'idée d'aspect extérieur qui révèle la substance intime ; ce qui permet cette confusion, c'est l'idée stoïcienne de mouvement substantiel : la substance est douée d'un mouvement vers l'extérieur qui la détermine et la révèle, et d'un mouvement vers l'intérieur qui assure sa cohérence et sa substantialité. L'autodétermination, l'autodéfinition de la substance est donc à la fois une opération logique de définition, une spécification, et une opération physique ou métaphysique de révélation et de rayonnement. Cette conception stoïcisante apparaît souvent chez Plotin, par exemple *Enn.* V 1,6,30-37 : « Tous les êtres d'ailleurs tant qu'ils subsistent, produisent nécessairement autour d'eux, de leur propre essence, une réalité qui tend vers l'extérieur et dépend de leur pouvoir actuel ; cette réalité est comme une *image* des êtres dont elle est née... Les objets odorants surtout en sont la preuve : tant qu'ils existent, il vient d'eux tout alentour une émanation, réalité véritable dont jouit tout le voisinage » (ou encore, *Enn.* IV 5,7,13-17). On retrouve une doctrine analogue dans Victorinus, *in Cicer. rhet.* I 2 ; Halm, p. 165,32 : « Omne perfectum bonum ... duobus ad plenum constat, re ipsa et *specie* atque *imagine* sui. Ut puta, mel habet rem, scilicet dulcedinem ; habet speciem, id est colorem atque aspectum, quo quasi facie, ita ut est, dulce credatur. » Si ce dernier exemple semble insinuer que *species* correspond à l'aspect extérieur, le contexte montre que le mot a une signification plus riche ; il s'agit de cette sorte de dédoublement par lequel la substance se révèle et se spécifie.

2° Sur *species*, pour désigner le Fils, cf. Hilaire, *de trinitate* II 1 ; *PL* 10,51 : « Infinitas in aeterno, *species* in imagine, usus in munere » ; Athanase, *contra arianos* III 6 ; *PG* 26,332 c : τὸ γὰρ εἶδος τῆς τοῦ πατρὸς θεότητός ἐστιν ὁ Υἱός.

19,30. esse ... speciem. — Cf. W. Theiler, *Porphyrios und Augustin*, Halle, 1933, p. 12, qui montre d'une manière assez convaincante l'origine porphyrienne de ce thème chez Augustin, par exemple *de vera religione* 18,35 : « Quidquid est quantulacumque specie sit necesse est », et qui signale (W. Theiler, *Die chaldaische Orakel und die Hymnen des Synesios*, p. 16) comme probablement influencées par les *Oracles chaldaïques* (commentés par Porphyre) les expressions très caractéristiques des Hymnes de Synésius pour désigner le Fils ; *hymn.* 5,42 et 9,64, Terzaghi : πρωτόσπορον εἶδος ; 1,135 : πρωτοφανὲς εἶδος. Il peut y avoir ici un écho de ce vocabulaire.

20,1-67. — Recherche du sens d'*imago* dans l'Écriture par l'exégèse de *Gen.* 1,26 où *imago* et *similitudo* sont rapprochés. Plan de cette étude : 1° *Faciamus* : distinction entre Père et Fils (20,3-4). 2° *Secundum imaginem* : donc le Christ est image (20,4-7). 3° *Imaginem nostram* : ils sont consubstantiels (20,7-23). 4° *Hominem* (20,24-36) : en fait il s'agit de l'âme. 5° *Iuxta imaginem et similitudinem* (20,37-67) : l'âme est à l'image du Logos parce qu'elle est rationnelle (= logique), c'est-à-dire selon sa substance ; elle est à la ressemblance de Dieu et du Logos, dans l'ordre de la qualité. Donc on ne peut parler de substance semblable.

Cette étude de *Gen.* 1,26 s'inscrit dans une tradition qui remonte à Philon, et passe par Clément d'Alexandrie, pour atteindre ensuite certains Pères grecs, cf. le livre de H. Merki, ῾ΟΜΟΙΩΣΙΣ ΘΕῼ (*Paradosis* VII), Fribourg (Suisse), 1952. Les points principaux de l'exégèse de Victorinus sont traditionnels. 1° Distinction entre *imago* et *iuxta imaginem*, cf. Philon, *leg. alleg.* III 31,96, Cohn, p. 128 ; Clément d'Alexandrie, *Protrept.* 98,4 ; Stählin, p. 71,24 : « Le Logos est l'image de Dieu ... et l'homme véritable, c'est-à-dire l'intelligence qui est dans l'homme, est l'image du Logos » (cf. *imago imaginis, adv. Ar.* I 61,5) ; Origène, *in Ioh.* II 3, Preuschen, p. 55 ; *in Gen. hom.* I 13, Baehrens, p. 15,8 ; Athanase, *contra gentes* 2, *PG* 25,8 a 1 ; *de incarnat.* 6, *PG* 24,105 d ; 13, *PG* 24,120 b. Saint Augustin connaît cette distinction, l'admet dans *de divers. quaest.* 83, *quaest.* 51, 4 ; *PL* 40,33, mais la rejette dans le *de trinit.* VII 6,12. 2° Restriction d'*hominem* à l'âme, cf. Philon, *de opif. mundi* 69 ; Cohn, p. 23,7, qui restreint même à l'intelligence de l'âme et *leg. alleg.* I 12,31 ; Cohn, p. 69,2, qui restreint à l'homme céleste ; Clément d'Alexandrie, dans le texte cité ci-dessus. 3° Distinction entre *iuxta imaginem* et *iuxta similitudinem.* Celle-ci est d'autant plus caractéristique que le néoplatonisme ne distingue pas nettement image et ressemblance, par exemple, Plotin, *Enn.* V 3,8,47 ; V 3,9,8. Or la tradition des Pères grecs distingue nettement entre le fait d'être à l'image, qui se situe dans l'ordre de la nature, de la substance spirituelle et le fait d'être à la ressemblance, qui se situe dans l'ordre du progrès spirituel (cf. H. de Lubac, *Surnaturel*, Paris, 1946, p. 189). On peut citer Clément d'Alexandrie, *Strom.* II 22,131,5 ; Stählin, p. 185,

25-28 ; *PG* 8, 1080 : « Le « selon l'image » se réalise immédiatement par la génération ; le « selon la ressemblance » se réalisera par la suite, grâce à la perfection (cf. Victorinus, 20,63 : *futura perfecta*) » ; Origène, *de princip.* III 6,1 ; Koetschau, p. 280,12 : « L'homme a reçu, dans sa première création, la dignité de l'image mais la perfection de la ressemblance est réservée pour la fin » ; Basile, *de hominis structura*, I, c. 21 ; *PG* 30,33 a 7 : « Tu as le « selon l'image » par le fait d'être « rationnel » ; deviens « à la ressemblance » en revêtant la bonté. » La chute pour Victorinus a été perte de la ressemblance, mais non de l'image, cf. Irénée, *adv. haer.* V 16,2 ; *PG* 7,1167 ; donc la chute, puis le salut se situent pour lui dans l'ordre de la qualité, non de la substance.

20,3. cooperatori. — Cf. l'anathématisme 13 du synode de Sirmium (351) contre Photin, dans la version latine d'Hilaire, *de synodis* 38 ; *PL* 10,510 c : « Si quis, faciamus hominem, non patrem ad filium dixisse, sed ipsum ad semet ipsum dicat deum locutum, anathema sit. »

20,8. imago una. — Si l'on entend par *imago*, la substance déterminée, spécifiée, le Père et le Fils ne forment qu'une seule substance ainsi déterminée.

20,15-16. — Déjà entrevue à propos des rapports entre l'être et l'agir, 4,5-11, la notion de prédominance est ici clairement exprimée. Depuis *ad Cand.* 19, chaque nouveau couple de concept, *substantia-imago*, *substantia-species*, bientôt *substantia-forma*, est simplement ramené au schéma primitif : *esse-agere*. Mais ici Victorinus explique la propriété de l'être, la propriété de l'agir par la notion de prédominance ; on est ce qu'on est le plus : l'être est aussi agir, mais il est *plus* être. Ce même principe sera appliqué au rapport *potentia-actio*, *adv. Ar.* II 3,41 ; au rapport *esse-vivere-intellegere*, *adv. Ar.* IV 5,40 ; IV 18,52 ; IV 21,27-29. Cette prédominance est une sorte d'appropriation active par laquelle chaque hypostase *est*, selon son mode propre, les autres hypostases, cf. Porphyre, *sentent.* X ; Mommert, p. 2,17 : πάντα μὲν ἐν πᾶσιν, ἀλλὰ οἰκείως τῇ ἑκάστου οὐσίᾳ.

20,33. rationalem. — = λογικός : qui participe au Logos.

20,35. — L'âme participe aussi à la vie qu'est le Logos. *Totum* est inattendu.

20,37-67. — Le schéma suivant dont chaque ligne sera commentée ci-dessous permet de se représenter le raisonnement de Victorinus :

1. ....SUBSTANTIA		.............QUALITAS (accidentalis)
2. ..ANIMA....	..IUXTA IMAGINEM	..IUXTA SIMILITUDINEM
3.	...rationalis	perfecte rationalis
4.	...a se se movens	
5. substantia..	...qualitas (substantialis)	
6. substantia..	...definitio	
7. esse	...λόγος	

1. Il s'agit d'opposer l'ordre de la substance à l'ordre de la qualité accidentelle pour montrer le caractère contradictoire de la notion de substance semblable (le semblable ne pouvant être que de l'ordre de la qualité). 2. Il s'agit donc d'introduire une distinction entre *iuxta imaginem* et *iuxta similitudinem*, le premier étant de l'ordre de la substance, le second de l'ordre de la qualité, donc de l'accident. 3. Or ce qui dans l'âme est *iuxta imaginem*, c'est ce qui est image de l'image, l'image étant le Logos ; c'est donc le « rationnel ». Par contre ce qui est *iuxta similitudinem*, c'est la perfection (cf. 55-65), le mode selon lequel l'âme sera « rationnelle ». Il faut donc montrer que *rationalis* doit être rangé dans l'ordre de la substance. 4. Victorinus ramène alors le problème à celui du statut ontologique de l'*a se se movens* (cf. 44-51) parce que, traditionnellement, dans le platonisme, l'αὐτοκίνητον et le λογικόν sont les attributs inséparables de l'âme. Ils sont déjà rapprochés dans *ad Cand.* 10,20-21, où Victorinus les appelle *qualitates* et les déclare identiques à la substance, comme, dans la matière, les *qualitates* sont identiques à la substance. 5-6. Ce vocabulaire, employé par Victorinus dans l'*ad Candidum*, ne contredit pas celui qu'il emploie ici et selon lequel ne sont pas des qualités le « rationnel » ou le « se mouvant par soi ». Il faut en effet distinguer entre qualité accidentelle et qualité substantielle, et l'on comprendra en même temps comment le « rationnel », le « iuxta imaginem », est de l'ordre de la substance. La distinction entre qualité accidentelle et qualité substantielle est porphyrienne. Elle est issue d'un compromis entre catégories aristotéliciennes et catégories stoïciennes ; les premières comportent une division fondamentale en substance et accident, la qualité faisant partie des accidents ; les secondes comportent une division fondamentale entre le réel et l'« incorporel », la qualité faisant partie du réel, cf. le schéma suivant :

	SUBSTANCE	ACCIDENT
Aristote	Substance	Accident (qualité)
Stoïciens	Substance-Qualité	Manière d'être. Relation.

Ainsi la qualité accidentelle de Porphyre correspond à la manière d'être stoïcienne, et sa qualité substantielle à la qualité stoïcienne, spécification de la substance. Un autre nom de la qualité substantielle, chez Porphyre, c'est la différence constitutive de la substance, cf. Porphyre, *Isagoge*, Busse, p. 10,5-21 ou Jamblique, à la suite de Porphyre, selon ce que nous dit Simplicius, *in categ.*, Kalbfleisch, p. 80,10 : ἡ διαφορὰ, κατὰ τὸ οὐσιῶδες, συμπληρωτικὴ τῆς οὐσίας ἐστὶν καὶ μέρος οὐσίας γίνεται, ἐπεὶ ὡς ποιότης θεωρουμένη οἷον ὡς λογικότης, ὡς ἐν ὑποκειμένῳ καὶ αὐτὴ ἔσται ; cf. aussi, p. 112,23-25 ; 48,23-25, et Plotin *Enn.* VI 2,14,12. Aussi un autre nom de cette qualité substantielle sera encore et tout simplement la *définition*, cf. Porphyre, cité par Simplicius, *in categ.*, Kalbfleisch, p. 213,15-17, donnant comme exemple de définition substantielle, « l'âme est une substance qui se meut par soi » (cf. Victorinus 47 : *dicimus... substantialiter*). Le « se mouvant par soi », le «rationnel» définissent substantiellement la substance. 7. Donc rien d'étonnant à ce que, pour rendre compte du *iuxta imaginem*, Victorinus prenne exemple du Logos lui-même. Il y a le même rapport entre le Père et le Logos qu'entre l'âme et ce qui en elle est l'image du Logos. C'est le rapport de la substance à la définition qui l'exprime, qui la révèle, qui est donc son image. Victorinus comprend donc bien le Logos comme la définition du Père, et le *logikon* comme la définition substantielle de l'âme.

20,53. nomen qualitatis declarativum. — Cf. Aristote, *categ.* 11 a 17 : « Semblable ou dissemblable se dit uniquement des qualités. Une chose n'est semblable à une autre pour rien d'autre que ce par quoi elle est qualifiée. » Il ne faut pas oublier, cf. note précédente, que *qualitas* est pris ici au sens strictement aristotélicien de qualité accidentelle, tandis qu'il peut être pris ailleurs, par exemple *ad Cand.* 10,23, au sens stoïcisant de spécification de la substance. *Declarativus* et plus bas (56) *significativus* traduisent des termes qui sont employés par Porphyre dans son commentaire des Catégories, *in categ.*, Busse, p. 109,23 : τοῦ ποσοῦ δηλωτικά ; p. 106,35 : σημαντικὸς τοῦ ποσοῦ.

20,55. perfectionem. — Cf. *ad Cand.* 7,19. La perfection est de l'ordre qualitatif parce qu'elle est un *habitus*, cf. *categ.* 8 b 27.

21,10-26. Épîtres aux Éphésiens et aux Galates. — Presque tous les textes cités ici s'opposent aux photiniens : le Christ est Dieu ; il existait avant d'être dans la chair.

21,27. — Il faut peut-être suppléer *spiritus* après Christus.

21,28 — 23,47. Le Christ, forme de Dieu. — Après le développement sur *imago*, dirigé contre anoméens, d'une part, homéousiens, d'autre part, voici un nouveau nom du Christ : *forma*, impliquant comme *imago* la consubstantialité, et qui s'oppose aux photiniens et aux homéousiens. L'apparition de ce nouveau nom est due évidemment au fait que Victorinus arrive au commentaire de *Phil.* 2,5-7. D'une manière constante, Victorinus a compris *in forma dei existens* comme équivalent de *forma dei*, c'est-à-dire comme un ablatif d'état. Ici d'ailleurs (21,31) le *in* est tombé, peut-être volontairement. Sur cette question, cf. P. Henry, art. *Kénose*, dans *Supplément au Dictionnaire de la Bible*, p. 115 et 129. Pour l'ensemble de l'interprétation de *Phil.* 2,5-7 cf. Marius Victorinus, *in Philipp.* 2,5-7 ; 1207-1211, probablement postérieur à notre *adv. Ar.* I.

Employé déjà par Eusèbe de Césarée, contre Marcel d'Ancyre (*de eccles. theol.* I 20 ; Klostermann, p. 90,30 sq.) pour prouver la préexistence du Christ, ce texte de saint Paul servait aux homéousiens pour illustrer la notion de substance semblable qu'ils opposaient à celle de substance identique (dans Épiphane, *panarion* 73,9,4 ; Holl, p. 279,27 ; voir également la lettre de Georges de Laodicée, *ibid.* 73, 17,2 ; p. 289,23, déjà plus proche des positions orthodoxes). Victorinus reprend d'abord (21,28-39) contre Photin, l'affirmation de la préexistence du Christ, impliquée par le texte de saint Paul et traditionnellement utilisée par les orientaux. Mais il se retourne ensuite (21,39 – 22,10) contre les homéousiens : *aequalis* n'est pas *similis*. Puis, comme les homéousiens qui éclairaient le *forma dei* par le *formam servi accipiens*, il se retourne encore une fois vers Photin et Marcel d'Ancyre, incapables, s'il n'admettent pas la préexistence du Fils, d'expliquer ce texte (22,10-29). De l'exégèse de *forma servi* se conclut donc que la forme est substance, autrement dit que le Fils est consubstantiel au Père (22,29-55). Occasion pour Victorinus d'essayer (après 19,23-59 ; 20,9-23) une présentation de l'*homoousios* exempte de patripassianisme (22,29-55). Une longue conclusion (23,1-47) réfute arianisme, photinisme et surtout homéousianisme. Ce dernier fait l'objet d'une réfutation d'ordre strictement philosophique, qui développe le thème déjà esquissé en 20,65-67.

21,28. simul potens. — Probablement ὁμοδύναμος, cf. 8,36-37 et 21,40 : il y a une liaison constante entre l'affirmation simultanée : même substance, même puissance, et la citation de *Phil.* 2,5-7.

21,33. hominem. — Cf. synode de Sirmium (351) contre Photin, anathématisme 9, dans Hilaire, *de synodis* 38 ; *PL* 10,510 b.

21,35-39. — Cf. *adv. Ar.* IV 32,30-45.

21,39 — 22,10. — Sur l'interprétation homéousienne d'*aequalia deo*, cf. 9,13 n. Victorinus continue ici sa réfutation de l'homéousianisme par les *Catégories* d'Aristote, cf. 20,37-67, et spécialement 20,53 n. Les homéousiens ne sont pas de bons philosophes, non seulement parce qu'ils ont forgé le concept absurde de substance semblable, mais parce qu'ils confondent égal et semblable. En effet si le semblable, selon les *Catégories* d'Aristote, est propre à la qualité, l'égal, selon ces mêmes *Catégories*, est propre à la quantité, cf. *categ.* 6 a 27 ; cf. *in Cicer. rhetor.* I 28 ; 228,5-7 : distinction entre *par* et *simile*, le premier étant de l'ordre de la quantité, le second, de la qualité. Mais cette précision logique ne suffit pas à réfuter les homéousiens. Il faut prouver (comme plus haut, pour *imago*) qu'*aequalis* se situe dans l'ordre de la substance. La preuve donnée par Victorinus se rattache également au commentaire des *Catégories* d'Aristote : les commentateurs discutaient sur l'ordre des *Catégories* ; fallait-il placer la quantité ou la qualité immédiatement après la substance, cf. Plotin, dans Dexippe, *in categ.* III 1 ; Busse, p. 64,15 sq. (texte absent des Ennéades) ; Simplicius, *in categ.*, Kalbfleisch, p. 120,27 ? Porphyre, *in categ.*, Busse, p. 100,14-29, répond que la quantité se place immédiatement après la substance, parce que c'est l'accident qui, parmi tous les autres, a le plus de points communs avec la substance. Comme dit Simplicius, p. 120,29 : συνυφίσταται τῷ ὄντι τὸ ποσόν. Ainsi, conclut Victorinus, saint Paul disant le Christ égal à Dieu, lui attribue un prédicat qui est de l'ordre de la quantité, donc concrètement identique à la substance, et non un prédicat de l'ordre de la qualité, beaucoup plus accidentel, comme « semblable ». Victorinus nous livre peut-être ici (21,41-45), un fragment de commentaire des *Catégories*. Sur la même doctrine, cf. 32,24.

21,43. qualitas. — Il s'agit de la qualité accidentelle, ἐπεισοδιώδης (*a foris veniens*, comme dit Victorinus, en sa traduction de l'*Isagoge*, dans Boèce, *in Isag.*, *ed. prima* II 29 ;

Schepps-Brandt, p. 129,6) par opposition à la qualité substantielle, constitutive de la substance, comme *rationalis* (cf. 20,37-67 n.). Cette qualité accidentelle venant de l'extérieur ne tire pas son être de la substance. La quantité au contraire est inséparable de la substance elle-même.

22,2-4. — Cf. Simplicius, *in categ.*, Kalbfleisch, p. 290,26-31 : « Mais pourquoi le semblable et le dissemblable sont-ils des propres de la qualité ? C'est que, comme on l'a dit, la qualité est introduite du dehors (ἐπείσακτος) et, à cause de cela, la communauté selon la qualité constitue une sorte de faux-semblant (παράχρωσιν). Car chaque genre possède une sorte propre de communauté : les choses qui ont communauté de substance sont liées par l'identité : c'est pourquoi elles sont « mêmes ». La communauté selon la quantité, c'est l'« égal », la communauté selon la qualité, le « semblable ». En tant qu'adventice (ἐπεισοδιώδης), la qualité n'est pas en totalité son sujet, mais, par rapport à un aspect de ce sujet, il advient un certain caractère à l'extérieur de la substance, caractère qui produit la ressemblance ; et, en effet, est ressemblance, la participation adventice de la forme du Même, comme il est montré dans le *Parménide* (139 e – 140 a), et dissemblance, la participation adventice de la forme de l'Autre. »

Athanase lui aussi, *de synodis* 53 (Opitz, p. 276,26 ; *PG* 26, 788 b-c), oppose aux homéousiens le même argument : le semblable ne se dit pas de la substance, mais de la qualité.

22,6-55. — Pour prouver que la forme est substance, donc que le Logos « forme de Dieu » est consubstantiel au Père, Victorinus rapproche de *forma dei* l'expression *forma servi*. Ce faisant, il suit l'exemple des homéousiens qui éclairaient l'une par l'autre, cf. Épiphane, *panarion* 73,9,1 sq. ; Holl, p. 279,16 sq. et 73,17,1-2 ; p. 289,23-25. Mais il conclura à la consubstantialité : la réalité de l'Incarnation affirmée contre Marcel d'Ancyre garantit la consubstantialité sans pourtant entraîner de patripassianisme.

22,7. forma autem substantia. — Cf. 22,28, conclusion du raisonnement. Même raisonnement, s'appuyant sur la signification de *forma servi*, chez Basile de Césarée, *adv. Eunom.* I 18 ; *PG* 29,552 c, chez Grégoire de Nysse, *adv. Eunom.* IV ; *PG* 45,672 a, textes cités par P. Henry, art. *Kénose*, p. 79-80.

22,8. forma et imago. — Cette identité μορφὴ-εἰκὼν se trouve chez Athanase, *contra arianos* III 5-6 ; *PG* 26,332 b, cf. P. Henry, *ibid.* p. 70. Les deux noms du Christ seront désormais liés d'une manière constante chez Victorinus, cf. 29,16 ; 31,21 ; 40,33 ; 41,47 ; 47,38 ; *adv. Ar.* III 6,6 ; IV 8,48 ; IV 28,4 ; IV 30,4.

22,13-16. — C'est parce que, prenant la forme, il a pris la substance que le salut a été effectif.

22,21. o Marcelle aut Photine. — Même rapprochement issu du dossier homéousien, 28,33. La doctrine qui leur est ici prêtée vient probablement de la même source. Effectivement Marcel avait employé l'expression ἀναλαμβάνειν τὸν ἄνθρωπον (*fragm.* 117; Klostermann, p. 210,29-30). L'expression par elle-même n'était pas hérétique, Victorinus luimême l'emploiera, *adv. Ar.* III 3,46 ; Hilaire également, *in Psalm.* 51,16 ; *PL* 9,517 c, *de trinit.* IX 38 ; *PL* 10, 309 a-b ; mais ce qui reste à préciser, c'est le mode d'union qui résulte de cette assomption. D'après le fragment 117 de Marcel (Klostermann, p. 211,6), Marcel considérait que la « forme d'esclave » (*Phil.* 2,6) assumée par le Logos ne pouvait lui rester unie, à la fin des temps, quand toutes choses seraient délivrées de « la servitude de la corruption ». Donc concluaient ses adversaires, l'union entre le Verbe et l'homme Jésus n'est qu'accidentelle. Ils font deux, et ainsi l'homme Jésus est un *quartum quod.* L'accusation ainsi formulée peut bien venir des milieux homéousiens, cf. 28,40 : « Esse triadem extra Iesum » ; 45,11 : « Quartum autem filium id est hominem. » Eusèbe de Césarée, dans ses ouvrages contre Marcel d'Ancyre, ne l'emploie pas encore. On la trouve dans le Ps.-Athanase, *contra arianos* IV 21 ; Stegmann, p. 67-68. Victorinus continue, 22-24, à rapporter la doctrine prêtée à Marcel d'Ancyre et à Photin. L'assomption de l'homme se réduit à un choix et l'union entre le Logos et l'homme à une inspiration spéciale de l'homme par le Logos. Hilaire, *de trinit.* X 50-51 ; *PL* 10,383, signale une opinion analogue, probablement photinienne : « Aut omnino nec fuerit Christus homo natus (c'est-à-dire qu'il n'y a pas d'Incarnation du Verbe) quia in eo dei verbum modo spiritus prophetalis habitaverit », et plus bas, 384 a : « Homo quem extrinsecus protensi sermonis (= le Verbe) potestas ad virtutem operationum confirmaverit. » On trouve ici, en effet, la même conception : l'homme Jésus est inspiré dans son action par le Verbe. Victorinus, en 45,12 et *adv. Ar.* II 2,18, semble bien rapporter sous une autre forme la même doctrine : le Verbe dirige l'homme Jésus, sous-entendu, de la même manière que l'Esprit dirigeait les prophètes.

22,25-28. — La théorie propre de Victorinus (cf. P. Henry, art. *Kénose*, p. 115) sur l'Incarnation du Logos et sa kénose utilise les notions néoplatoniciennes se rapportant à la *parousia* de l'Incorporel dans le sensible. Par exemple Plotin, *Enn.* VI 4,16,8-9.24-25 et Porphyre, *sentent.* XXXVII; Mommert, p. 33,18, parlent d'une « kénose » de la puissance de l'âme, quand elle se tourne vers la matière. Développements plus abondants sur l'Incarnation, *adv. Ar.* III 3,27 sq. et surtout IV 32,14 et III 12,21 sq.

22,27. λόγος carnis. — Cf. *adv. Ar.* I 58,20 ; III 3,30 ; *hymn.* II 10.

22,28-55. — Petit traité *de homoousio*, cf. 19,22-59 ; 20,8-23 ; 24,9-18 ; IV 29,39 – 33,25 : comment le Logos, s'il est forme de Dieu, est à la fois Fils de Dieu et consubstantiel à Dieu, sans pourtant que le Père subisse de passions.

22,28. forma substantia. — *Forma*, μορφή, est pris au sens de forme spécifique, synonyme d'εἶδος ; cf. Aristote, *metaphys.* VIII 2,1043 a 26 ; 3,1043 a 31 (lié à ἐνέργεια), *phys.* II 7,198 b 3 (lié à τὸ τί ἐστιν). Cf. sur les deux sens de μορφή, chez Aristote, Simplicius, *in categ.*, Kalbfleisch, p. 261,28. Comme *species* (cf. 19,30 n.), *forma* se retrouve comme nom du Fils chez Synésius, par exemple *hymn.* 3, 59, Terzaghi : χαίροις, ὦ πατρὸς μορφά, et W. Theiler a raison d'évoquer (*Die chaldaische Orakel und die Hymnen des Synesios*, p. 18 et n. 2), comme pour εἶδος, les sources « chaldaïques » possibles de cette idée, par exemple le témoignage de Proclus, *in Cratyl.*, Pasquali, p. 31,12, qui lie *formation* et *procession* (cf. *adv. Ar.*, IV 15,22), et de signaler Victorinus comme témoin de cette tradition (*hymn.* III 151 sq.).

22,29-30. — Comme en 19,38, la consubstantialité s'établit entre une première et une seconde substance, un premier et un second être. Il ne s'agit pas de deux substances distinctes, mais de deux appropriations d'une seule substance, plus exactement encore, d'une seule substance donnée et reçue. Comparer *potentialiter priori* à 19,37 : *iuxta causam primum*, et *praestat formae esse* à 19,35 : *praestat speciei ipsum quod est esse.* Victorinus reprend le même schéma.

22,36. semper pater. — Cf. 27,19.

22,42. potentia. — Puissance équivaut ici à influx, à vertu efficiente, créatrice et sanctificatrice, cf. 44,22 et *adv. Ar.* IV 11, 8. *Potentia* a donc, ici, un sens différent de *potentia* désignant le Père par opposition à l'*actio* qu'est le Fils. D'ailleurs, un peu plus bas (45), la *potentia* est appelée *actio.*

22,43. facit et generat. — Cf. 39,12.

22,44. praecedere. — Peut avoir le sens de *procedere*, par exemple, Cassiodore, *instit.* 2,7,2 (définition de *praecedentia* : précession des astres = προποδισμός).

22,44-55. — L'exposé sur l'*homoousios* s'achève par la réfutation de l'accusation de patripassianisme. Ébauchée en 17,35, cette réfutation sera reprise plusieurs fois : 24,16 ; 32,57-78 ; 40,19-32 ; 44,1-50 ; 47,18-26 ; IV 31,35-53. La solution proposée par Victorinus consiste à localiser les passions dans l'activité du Logos. C'est-à-dire : 1° que le Père qui est l'être ou la substance est impassible ; 2° que le Fils, en tant qu'il est agir ou acte ou forme de la substance, est également impassible : il appartient à l'ordre substantiel ; 3° que le Fils n'*est* pas seulement un acte, mais *a* un acte, une puissance créatrice et sanctificatrice, qui découle de lui, qui se termine à l'extérieur, dans le monde créé ; 4° que c'est cet acte du Logos qui subit les passions ; 5° que ces passions sont finalement situées dans les êtres qui perçoivent l'activité du Logos avec plus ou moins de docilité, qui mettent obstacle à l'effusion de la vie divine. L'idée d'une localisation de la passion dans les êtres qui subissent l'activité est aristotélicienne, cf. *de anima* III 2 ; 426 a 6.

22,45. iuxta materias et substantias. — Cf. 44,42 ; IV 22,2. Cf. Plotin, *Enn.* III 6,4,36 : τὴν δὲ ὕλην αὐτοῦ ἐν τῷ πάθει γίγνεσθαι.

22,46. proprium. — Le Logos joue le rôle de forme universelle, cf. 19,28 ; 44,23 ; IV 19,28-29. La passion de l'acte du Logos vient donc de l'écart entre la forme hiérarchique que les êtres reçoivent du Logos et la manière dont ils réalisent subjectivement cette forme ; la passion est ainsi située dans les sujets qui reçoivent la forme.

22,47. inversabili et inpassibili. — Cf. 44,17 ; 47,17. Cf. également la profession de foi du synode des Encénies (341), version latine, dans Hilaire, *de synodis* 29 ; *PL* 10,502 b : « Inconvertibilem et immutabilem. »

22,47. universali. — Le Logos reste impassible, dans la mesure où il reste universel. Mais en se tournant vers l'« extérieur » (action transitive = *progressio*, cf. notes suivantes), le Logos se particularise ; il devient Logos des esprits particuliers, puis Logos de l'âme, puis Logos de la chair. Ainsi la création de tout l'univers correspond à une particularisation de plus en plus accentuée. C'est, pour le Logos, une kénose progressive (cf. 22,25-28 n.) qui atteint son extrémité dans le fait de devenir Logos de la chair, puisque la chair qu'il vient animer doit mourir. La passion croît donc avec la particularisation, mais le salut est dans l'universalisation, cf. *adv. Ar.* III 3,47-50.

22,49. inpassibilis et passibilis. — Cf. 13,18-19; 44,36-38 ; 47,19-21.

22,49. in progressu. — Cf. Cand. I 6,17 sur le *progressus* comme acte transitif.

22,51. illa enim passiones non dicuntur. — L'acte immanent, à la différence de l'acte transitif, n'est pas susceptible de passions, puisqu'il se termine à lui-même, et non à quelque chose d'étranger; c'est l'autodéfinition de la substance; c'est cet acte immanent que caractérisent les trois termes : *generatio a patre*; c'est le mouvement qui pose le Logos dans son être même ; *motus primus*, il est également essentiel au Logos de sortir du repos de l'être ; *creatorem esse omnium* : il s'agit de l'acte créateur, non encore déployé, confondu avec la substance du Logos même. Le Logos contient en lui tous les *logoi*, c'est-à-dire toutes les définitions substantielles des êtres, c'est-à-dire toutes les substances en puissance. La procession du Logos sera donc, en même temps, l'actuation de tous ces *logoi*, actuation non exempte de passion,

23,1-47. Conclusion contre les ariens, les photiniens et les homéousiens. — La pièce essentielle de cette conclusion est la réfutation très développée de la notion d'*homoiousios*. Voir la structure p. 775.

Pour le 1°, cf. 22,2-4 n. Les substances ne pouvant être semblables que par leurs qualités, il faut deux substances différentes pour que leurs qualités soient semblables. Pour le 2°, cf. 22,2-4 ; 20,53 n. Pour le 3°, cf. 20,53 n. Pour un néoplatonicien, *dissimilis* fait immédiatement penser à la « région de la dissemblance » où l'âme s'enfonce comme dans un bourbier (Plotin, *Enn.* I 8,13,16). Le 4°, dont le plan (*genres différents* ou *identiques*) peut avoir été emprunté à Aristote, *top.* I 17; 108 a 7, exige des précisions de la part des homéousiens : *a*) si les deux substances sont dans le même genre, elles participent à une substance commune générique ; on tombe dans l'objection même des homéousiens, contre le consubstantiel, cf. 29,27 ; *b*) s'il s'agit de similitude au sein d'une unique substance, il faut, pour sauvegarder l'altérité nécessaire à la similitude, que la substance se divise en deux ; on retombe encore dans une objection faite par les homéousiens, à l'*homoousios*, cf. Hilaire, *de synodis* 68 ; *PL* 10,526 a, ou alors on revient à l'hypothèse de la substance préexistante : l'identité des deux « semblables » vient de la génération

	Hypothèse		Conséquence incompatible avec la foi.
La similitude	1° suppose l'altérité de substance............ (7-9)		Mais Père et Fils ne doivent pas être de substance différente.
	2° suppose l'ordre de la qualité................ (10-12)		Or il s'agit de définir le rapport du Père et du Fils dans l'ordre de la substance.
	3° suppose que ce qui est semblable peut être dissemblable............. (12-22)		C'est incompatible avec la divinité. Le « dissemblable » est condamné.
	4° se situe : *a*) en deux substances *de même genre*........... (23-28)		Il faut supposer qu'elles viennent d'une substance préexistante.
	b) en une même substance.... (28-33)	*a*) engendrée d'une substance supérieure.	Donc deux sujets différents.
		b) divisée en deux......	Aucune n'est parfaite.
	c) en deux substances de *genre différent*........ (34-40)		Alors ou l'une vient du néant ou il y a deux principes.

par une substance commune qui leur est supérieure ; dans ce cas, ils ne sont pas principes, ils sont tous deux subordonnés à cette substance supérieure et sont un sujet différent d'elle ; ou bien *c*) les deux « semblables » sont en des genres différents. On tombe alors dans l'arianisme. Donc impossibilité logique absolue de l'*homoiousios*.

23,8. — J. H. Waszink, *Tertulliani de anima*, Amsterdam, 1947, p. 393, compare ce passage avec Tertullien, *de anima* 32,9 où Tertullien distingue entre substance (*substantia*) et qualité (*natura substantiae*) et considère qu'il n'y a similitude de qualité que lorsqu'il y a dissimilitude de substance.

23,30. et. — = aut ; cf. Ernout-Thomas, *Syntaxe latine*, p. 377.

23,32. a perfecto perfectum. — Cf. les professions de foi, par exemple celle du synode des Encénies (341) dans Hilaire, *de synodis* 29 ; *PL* 10,502 b : « Perfectum de perfecto. »

23,33. — Construire : non igitur quippe et similitudo in similitudine ipsa, *ipsa* étant à comprendre comme un adjectif : la similitude qui est en identité (c'est l'hypothèse 4° b, du tableau donné plus haut). Cela veut dire tout simplement : il n'y a pas de ressemblance avec soi-même. C'est la conclusion de tout le raisonnement qui précède.

23,36. — L'unité du principe des choses sera encore utilisée en 25,10-11, comme argument contre l'homéousianisme.

23,40-47. — L'opposition fondamentale est ici *natura-fortuna*, cf. Sénèque, *epist.* 8,10 ; Hense. p, 17,27 : « Non est tuum fortuna quod fecit tuum. »

24,1 — 26,54. Épître aux Colossiens. — Première Épître à Timothée. Les deux générations du Fils. — L'étude des termes scripturaires *imago*, *forma* a conduit Victorinus à l'exposé de la consubstantialité du Père et du Fils, conçue comme consubstantialité de la substance avec sa définition, sa qualité substantielle, sa forme, en un mot son Logos. Mais le Logos ayant un rôle créateur et rédempteur, le problème des rapports entre les passions du Logos et la substance du Père a été posé. Désormais, dans l'examen des deux dernières épîtres de saint Paul, c'est ce problème du Logos créateur et rédempteur qui passe au premier plan. C'est ce que Victorinus appelle le « Mystère » (cf. 10,20.22.24 n.), c'est-à-dire très exactement le rayonnement extérieur du Logos, l'acte second qui résulte de l'acte substantiel qu'est le Logos. L'acte d'autogénération du Logos s'accompagne immédiatement de la création du monde intelligible ; celle-ci est comme l'auréole du Logos. Mais l'acte extérieur du Logos ne s'arrête pas : il s'étend jusqu'à la matière et se termine à l'Incarnation. C'est pourquoi, pour exposer le « Mystère », Victorinus doit décrire les deux générations du Logos : la première, génération éternelle par le Père, se traduit par la création du monde intelligible ; la seconde : génération selon la chair, se traduit par l'Incarnation et le salut de l'homme. Victorinus reconnaît dans l'Épître aux Colossiens une description de l'aspect « économique » de la première génération, c'est-à-dire de la première phase du « Mystère »; dans la Première à Timothée, par contre, une description de la seconde génération, c'est-à-dire de la seconde phase du Mystère : l'Incarnation.

La lutte contre l'*homoiousios* reste centrale : contre lui, Victorinus affirme que, seul, l'*homoousios* peut assurer la signification dernière du « Mystère » : l'unité de tout en Dieu (25,2-13).

24,1 — 26,9. Épître aux Colossiens : la première génération et la création du monde intelligible. — Après une introduction définissant les deux générations et résumant les exposés sur l'*homoousios* qui ont précédé, Victorinus tire de l'Épître aux Colossiens un certain nombre de textes se rapportant à l'aspect créateur et cosmologique de la génération du Logos. C'est d'abord *Col.* 1,15-20 qui révèle notamment trois noms cosmologiques du Logos : *plénitude*, *réceptacle*, *source de vie éternelle* ; puis *Col.* 2,9 qui révèle le nom d'*acte* de toutes choses ; enfin *Col.* 2,19 décrit l'unité des existants qui vient de Dieu au travers du Fils. Tous ces textes sont interprétés par rapport à la création *ab aeterno* liée à la génération éternelle du Logos.

24,1-18. Introduction : les deux générations et la consubstantialité. — *Ante omnia* tiré de *Col.* 1,17 exprime bien l'essentiel de la doctrine tirée de l'Épître aux Colossiens : si Jésus-Christ est avant toutes choses, c'est parce qu'il est engendré par le Père avant toute création et que sa génération selon la chair n'est qu'une seconde génération. Victorinus vise peut-être Marcel d'Ancyre qui interprétait *Col.* 1,15-20 comme se rapportant à la « seconde économie, selon la chair », cf. Marcel d'Ancyre, *fragm.* 3-8 ; Klostermann, p. 186,4-30. Même intention probablement : la seconde génération n'est pas vraiment génération, alors que, pour Marcel, elle était la seule vraie génération, cf. Marcel d'Ancyre, *fragm.* 33 et 36 ; Klostermann, p. 190,10 et 29.

24,6. acceptio. — La seconde génération est addition de quelque chose d'étranger, et non actuation, parce que le Logos n'était pas en puissance dans la chair, comme il était en puissance dans le Père. Le Logos ne devient pas Fils par cette assomption (contre Marcel d'Ancyre).

24,10. cum substantia. — Cf. 22,28.

24,11-13. substantia a substantia. — Cf. 22,33-35.

24,12. declarationem intus potentiae. — Cf. 4,17.

24,14. festinans. — Cf. I 51,13.

24,14-15. vita ... et intellegentia. — Ce thème encore discret, cf. 19,25 n., prendra une importance de plus en plus grande, cf. 32,64 ; 39,11-12 ; 27,15, surtout à partir du livre I b.

24,15. processit. — C'est la *progressio* de 22,42 sq., c'est-à-dire l'acte extérieur du Logos. Pour l'expression, cf. CAND. I 7,8.

24,16. actio. — Cf. 22,45.

24,17. inbecillitatem. — Cf. Clément d'Alexandrie, *strom.* VII 2,8,6 ; Stählin, p. 8,7 ; *PG* 8,412 c : δία τὴν ἀσθένειαν τῆς σαρκός.

24,30. ὁμοούσιος. — Cf. 24,9.

24,34. primigenitus. — Remarquer la version différente dans le commentaire et dans la citation (24,25).

24,34-40. — Contre Marcel d'Ancyre, cf. 24,1-18 n.

24,41-48. plenitudo ... receptaculum. — Cf. CAND. I 11,17 ; *adv. Ar.* I 13,17-18 ; 37,24-26 ; IV 29,11-18.

25,2-10. — Si le Fils n'est qu'*homoiousios* au Père, il ne peut y avoir de plénitude, et le Fils ne peut être plénitude de toutes choses. Car la plénitude, c'est la simultanéité de tous les existants ne faisant qu'un dans le Logos. Mais l'*homoiousios* suppose l'altérité de substance. Toutes choses ne seront donc pas ensemble, puisque le Père et le Fils seront distincts. Cf. Plotin, *Enn.* VI 5,4,18.

25,3-4. simul omnia. — A la fois définition du consubstantiel (cf. IV 29,37) et définition de la plénitude, c'est-à-dire de la *préexistence* de toutes choses dans le Logos. L'ὁμοῦ ὄν définit, pour Porphyre, le monde intelligible, cf. *sentent.* XI ; Mommert, p. 3,6, et l'ὁμοῦ πάντα, ce même monde intelligible, pour Plotin, *Enn.* V 9,10,10 : « Le lieu là-bas, c'est l'intériorité réciproque des notions. Puisque là-bas *tout est à la fois*, ce qu'on peut en percevoir est toujours une essence intellectuelle » ; de même V 8,7,47. Consubstantiel et plénitude étant ainsi liés, il s'ensuit finalement que toutes choses préexistent dans l'unité de la substance de Dieu et du Logos. Victorinus va insister vigoureusement sur cet *unum omne* qui, pour lui, est tout le Mystère.

25,4. plenitudo [2]. — *L'homoiousion* n'autorise qu'une plénitude comme celle qui peut exister en des êtres déjà divisés comme les âmes et le reste des choses créées. Mais cette plénitude, c'est-à-dire cette unité, n'a rien à voir avec l'unité originelle parfaite qu'assure l'*homoousios*.

25,7. illius ... potentiae. — « Cette puissance-là » désigne le Père.

25,10-24. — Après l'unité originelle, l'unité finale, cf. *Col.* 1,20 : « Reconvertere omnia *in ipsum* », texte lié d'ailleurs comme en 39,1-34 à I *Cor.* 15,28 : « Deus omnia in omnibus. » Le retour à l'unité est d'abord retour à la vie : « Primigenitus a mortuis », nom qui, pour le Logos éternel, correspond à celui de « source de vie éternelle ».

25,25-34. — La plénitude, c'est-à-dire la simultanéité intelligible de tous les êtres, se trouve en puissance dans le Père, mais s'actue dans le Fils ; c'est ainsi que Victorinus comprend *corporaliter* (exégèse un peu différente, *adv. Ar.* II 3,34). Comparer avec la doctrine d'Origène dans les principaux textes cités par R. Cadiou, *La jeunesse d'Origène*, p. 212-219.

25,32. omne quod in actionem exit. — Cf. 19,27.

25,35 — 26,9. — La plénitude, en acte dans le Fils, se déploie ensuite en un rayonnement extérieur, acte second du Logos qui est l'ordre économique. C'est le corps de l'univers dont parle saint Paul, selon Victorinus, en *Col.* 2,19. Ce corps de l'univers nourri par cette tête qu'est le Christ, garde, en son extension, l'unité qu'il avait dans la plénitude primordiale. C'est la chaîne des êtres.

25,37. subministratum ... productum. — En grec ἐπιχορηγούμενον καὶ συνβιβαζόμενον. A cause de 25,44 : « Subministrata plenitudo quippe producta », j'ai traduit : tire son économie et son développement. *Subministrata*, comme son correspondant grec, autorise la première traduction, cf. *ministratio, ad Cand.* 29,18, *minister*, *hymn.* III 11. Le mot *productum* traduit mal son correspondant grec; toutefois, il est évident que Victorinus songe au déploiement, à la croissance de la plénitude.

25,38. unum ... omnia. — Ce thème très riche se retrouve notamment dans *Corpus Hermeticum* XVI 3 ; Nock-Festugière, II p. 233,2 : « Car le plérôme de tous les êtres est un et il est dans l'Un » ; voir la note de la même édition, p. 238, n. 12.

25,42. catena. — Sur les degrés d'unité, cf. déjà Sénèque, *natur. quaest.* II 2,1 ; Gercke, p. 44,7 et 44,1 : commissura, continuatio (= catena), unitas. L'image de la chaîne (Homère, *Iliade* VIII 19) est très répandue dans le néoplatonisme, dans la tradition des *Oracles chaldaïques* (cf. W. Theiler, *Die chaldaische Orakel und die Hymnen des Synesios*, p. 27, n. 4).

25,43. deus ... corporalia omnia. — Cf. *ad Cand.* 7,3.

25,44. — *Plénitude*, parce que totalité unifiée, ayant sa source dans l'Un ; *qui a une économie* : la hiérarchie s'établit en elle par la participation à l'acte du Logos qui l'organise ; *parce qu'elle a un développement* : elle est le déploiement dans le temps et l'espace de l'ordre universel concentré dans le Logos.

26,2-3. insubstantiatum ... consubstantiatum. — Opposition entre ἐνούσιον et ὁμοούσιον. Les existants sont ἐνούσια dans le Logos, parce qu'ils ont en lui leur vraie substance originelle, leur idée éternelle : ils sont contenus dans sa plénitude. Il y a donc une *communauté* entre ces existants qui leur vient du fait que leur substance originelle est commune au sein du Logos. Mais la *consubstantialité* représente un degré supérieur d'unité : c'est l'identité totale et sans écart, de la substance, pour les deux hypostases : Dieu et Logos. Les êtres qui ont leur substance originelle dans le Logos s'écartent tous plus ou moins de cette réalité intelligible. J'ai traduit *insubstantiatum* par *en substance* pour garder l'idée exprimée par le préfixe, et en même temps ne pas ajouter trop au sens fondamental d'ἐνούσιος qui signifie simplement « réellement existant », cf. *adv. Ar.* II 1,24.

26,5-8. — Définition du rapport entre être divin et être créé : l'*être* divin est l'*être* créé, mais selon un état causal ; c'est déjà le κατ'αἰτίαν de Proclus, *elem. theol.* 65 ; Dodds, p. 62,13. Le *primum esse* et l'*image* ne sont pas des quasi-substances ; ce sont les existants qui n'ont de substance réelle qu'en Dieu et le Logos et qui ne sont par eux-mêmes que des quasi-substances, comme l'univers sensible pour les platoniciens, cf. Plotin, *Enn.* VI 3,8,32. Ironie peut-être contre l'*homoiousios* : « Semblant de substance. »

26,10-54. Première à Timothée : la seconde génération. — La seconde génération, c'est l'Incarnation, dont Victorinus reconnaît les différentes phases dans l'hymne paulinien. « Iustificatum in spiritu », c'est l'état du Logos encore « intelligibiliter et intellectualiter ». « Apparuit angelis », c'est la première descente du Logos, c'est-à-dire la création du monde intelligible, liée à sa génération par le

Père. « Manifestatum in carne », c'est tout le mystère de l'Incarnation, dont la première condition est la création de la matière. « Praedicatum in gentibus », c'est l'annonce de sa venue. « Creditum in mundo », c'est sa reconnaissance par les hommes. « Receptus in gloria », c'est sa glorification finale. C'est un grand mystère, justement parce qu'il est consubstantiel à Dieu.

26,15. deus. — Il faut peut-être lire *Christus*.

26,17. fatum. — Cf. *in Galat.* 4,4; 1175 b 2 : « Ut in sideribus quorum conversione, hominum vita vel in necessitatem ducitur. »

26,25-26.— Ces quatre modes d'existence correspondent aux quatre modes d'être distingués en *ad Cand.* 6,1 – 11,12 (cf. la n.).

26,26-43. — L'Incarnation est liée au caractère de « source de vie » qui est propre au Logos. Deux étapes dans la vivification universelle, 1° celle du monde intelligible, liée à la génération éternelle du Logos, c'est la *prima descensio* ; 2° celle du monde sensible, qui exige, pour s'achever, l'Incarnation ; c'est la *secunda descensio*, cf. III 3, 12-26; IV 11,7-23 ; I 51,31-43.

26,36. effecta est materia. — Voici donc les phases de la « seconde descente » : 1° élan de la vie du Logos qui déborde en dehors du monde intelligible ; 2° pour déborder ainsi, l'élan de la vie se crée un objet : la matière ; 3° la matière reçoit vivification : c'est l'apparition du monde sensible ; 4° mais elle utilise les formes qu'elle a reçues pour séduire et fasciner l'âme et la faire tomber du monde intelligible ; 5° le Logos doit donc descendre lui-même pour rendre la vie à l'homme. Il ne s'agit d'ailleurs pas d'un ordre temporel : ces phases sont plutôt des aspects différents et inséparables de la « secunda descensio » et on peut même dire qu'ils se conditionnent mutuellement. D'où les présentations assez différentes de l'apparition du monde sensible, *ad Cand.* 9,5-15; *adv. Ar.* I 51,38-43; IV 31,49-53; IV 11,7-23; *in Ephes.* 1,4; 1238 b 13 – 1242 c 14.

26,37. malitias. — L'idée d'une séduction de l'âme par la matière se retrouve dans Synésius, *hymn.* 1,576, Terzaghi : ὕλα με μάγοις ἐπέδησε τέχναις. Mais l'idée n'est pas non plus étrangère à Plotin, qui parle, *Enn.* IV 4,44,29-33, de la γοητεία de la nature. Peut-être le récit biblique de la tentation par le serpent évoque-t-il cette fascination, cf. *Enn.* IV 4,40,29 : ὅταν γοητεύῃ ὄφις. De même le vol, par la matière, de la vie divine, *Enn.* I 8,14,48.

26,40. tenebris. — Cf. *adv. Ar.* IV 31,52.

26,40. apparere. — Convenance de l'Incarnation, cf. Athanase, *de incarn.* I 43; *PG* 25,172 d : « Puisqu'ils ne pouvaient pas lever les yeux vers sa présence invisible, ils pourraient au moins le comprendre et le contempler dans un être semblable à eux » (trad. P. Th. Camelot, p. 292).

26,42. omnia ergo effectus. — Cf. *ad Cand.* 29,3; *adv. Ar.* I 45,18; I 57,1. Le Logos qui était toutes choses sous un mode intelligible, devient toutes choses et est présent en toutes choses sous un mode sensible.

26,46-54. — *Isaïe* 45,14-15 illustre à la fois « praedicatus est gentibus » et « creditus est in mundo ». Il est possible qu'il faille restituer *est gentibus*; *creditus* entre *praedicatus* et *ergo* (ligne 50).

27,1 — 28,7. Conclusion de toute la partie scripturaire. — Le texte d'Isaïe qui vient d'être cité semble à Victorinus un excellent résumé de toute la doctrine de l'Écriture sur le Fils de Dieu. Victorinus développe ensuite sa conception de la consubstantialité : unité de la substance divine, distinction du Père et du Fils, comme repos et mouvement. Un appendice (28,1-7) énumère d'autres enseignements que l'on pourrait encore extraire de l'Écriture.

27,1-5. — Comparer « *vide autem* ... in isto verbo omnes haereses *praedicit* » avec Marcel d'Ancyre, *fragm.* 55 ; Klostermann, p. 195,1-2 : ὁρᾷς ὅπως πρόρριζον ἀνατρέπει τὴν τῶν ἑτεροδιδασκαλούντων ἔντεχνον κακουργίαν. Voir, pour l'utilisation d'*Isaïe* 45,14, Hippolyte, *contra haereses* 2 ; Nautin, p. 237, 19-241,25 ; Athanase, *epist. ad Serap.* II 4; *PG* 26,616 a ; Cyrille de Jérusalem, *catech.* 11,16 ; *PG* 33,709 b ; Hilaire, *de trinit.* IV 38; *PL* 10,124 sq. ; Grégoire d'Elvire, *de fide* 7; *PL* 20,44 b. Même utilisation par Victorinus, *adv. Ar.* II 12,15-19.

27,5-8. — Contre les ariens, les photiniens (et les Juifs qui leur sont traditionnellement associés). Les homéousiens viendront en 28,8, en vue d'une discussion serrée.

27,8-20. — Suite de noms tirés de l'Écriture et des professions de foi : λόγος (8), *virtus*, *sapientia* (11-16), *effulgentia*, *refulgentia* (18) ; on les retrouvera (33,1 – 34,48 ; 40,1-35). Les trois premiers termes se trouvent réunis dans les professions de foi de Sardique (347) et de Sirmium (351), probablement jointes dans le dossier homéousien, cf. Hilaire, *de synodis* 34 ; *PL* 10,507 a 13, et 38,509 b 13. Quant à *effulgentia*, nous savons par Athanase, *de synodis* 41,6 ; Opitz, p. 267,16, qu'il était utilisé (= ἀπαύγασμα) par les homéousiens. Ces noms définissent à la fois la consubstantialité et la génération du Fils. La consubstantialité, car le *Logos* était *Dieu*, selon saint Jean ; car la *vertu* et la *sagesse* de l'Être qu'est Dieu sont elles-mêmes Être; (cf. 40,20: « Et virtus et sapientia dei ipse deus »). La génération en même temps, parce que *vertu* et *sagesse* sont équivalentes à *vie* et *intelligence*, c'est-à-dire à l'acte de l'Être, au rayonnement (*effulgentia*) qui émane de lui. Cette suite de noms n'est pas un résumé de la partie qui se termine, puisque, à part *Logos*, ils sont employés seulement à partir du présent chapitre. Il y a là certainement le témoignage d'une attention croissante portée au dossier homéousien que Victorinus va aborder expressément. Les « non est alius », « non est alter » ne visent pas seulement les anoméens, mais les homéousiens, coupables d'introduire l'altérité en Dieu par le mot « similis » et ignorant la valeur des noms qu'ils donnent au Fils.

27,19. semper pater. — Cf. 34,8.

27,20. pater tantum pater. — Cf. 11,13-14.

27,22. causa. — Cf. 19,41.

27,23-29. — Détermination de ce que les homéousiens appellent l'ἰδιότης τῶν προσώπων, cf. Épiphane, *panarion* 73, 11,5 ; Holl, p. 283,13 et 73,14,3 ; p. 286,22-27. Pour Victorinus, cette distinction hypostatique s'établit entre le « se reposer » et le « se mouvoir », cf., d'une part, 3,25; d'autre part, 43,34-43 (ce dernier passage se rapportant assez explicitement à la lettre de Candidus). La problématique reste celle de Marcel d'Ancyre, cf. Eusèbe, *de eccles. theol.* II 9 ; Klostermann, p. 109,3-7 (ἡσυχία opposée à ἐνέργεια), mais Victorinus insiste sur la subsistance propre du Logos : le Logos est un mouvement, mais automoteur comme celui de l'âme dont il est le modèle, donc un mouvement substantiel, qui a sa réalité hypostatique propre : « Subsistens in se ipsa. »

27,26. quae animae est. — Cf. IV 13,5 sq.

***

28,8 — 32,15. Contre une lettre émanant du parti homéousien. — Sur les hypothèses que l'on peut faire au sujet de cette lettre, cf. Introduction, t. I, p. 36. Victorinus en réfute les points qu'il considère comme les plus importants. 1° A l'affirmation : l'*homoiousios* est traditionnel dans l'Église, Victorinus répond : on n'en a rien dit à Nicée; c'est une doctrine d'invention récente (28,8–29,7). 2° A l'objection homéousienne selon laquelle l'*homoousios* suppose une substance préexistante, Victorinus répond en retournant l'argument : l'*homoiousios* s'expose au même danger (29,8-33). 3° A la notion de *substance semblable*, Victorinus répond par une critique à la fois scripturaire et philosophique de la notion (29,34 – 30,11). 4° A la notion homéousienne d'*image* confondue avec la ressemblance, Victorinus répond par un exposé des rapports entre substance et image (30,11 – 32,15), qui montre le caractère substantiel de l'image. A l'exception du premier point de cette discussion, et du développement final sur la notion de volonté, toute cette argumentation contre l'homéousianisme a déjà été développée précédemment dans les Commentaires sur saint Paul. Il n'y a ici qu'une synthèse d'éléments jusque-là épars.

28,8-9. — En fait la question a déjà été traitée (20,65 ; 22,2 ; 23,7 ; 25,2-7). Il s'agit, semble-t-il, d'une transition facile, pour introduire, après la longue enquête scripturaire, la lettre de Basile.

28,9-11. — Mouvement analogue d'Hilaire, *de synodis* 78 ; *PL* 10,530 d, mais dirigé contre l'anoméisme : « At vero nunc publicae auctoritatis professione haeresis prorumpens, id quod antea furtim mussitabat, nunc non clam victrix gloriabatur. »

28,13. olim. — Sur cette ancienneté de l'*homoiousios*, selon Basile, cf. Épiphane, *panarion*, 73,2,2-3 ; Holl, p. 269,5-11, et 73,12-3 ; p. 285,1-6 : la tradition homéousienne remonterait aux Pères qui condamnèrent Paul de Samosate, puis passerait par le synode de Constantinople (336), le Synode d'Antioche (Encénies 341), le synode de Sardique (343), le synode de Sirmium (351). Dans le mémoire que Victorinus cite présentement, Basile reprenait cette histoire. Cette prétendue ancienneté n'impressionne nullement Victorinus : évidemment si elle remontait à l'origine du monde ou à la naissance du Christ, elle pourrait donner à réfléchir. Mais comme il n'en est rien, il suffit à Victorinus que Basile remonte au-delà de Nicée : en faisant cela, Basile ne peut que s'accuser lui-même de dissimulation, ainsi que Victorinus va le démontrer.

28,14. ab aeone. — Cf. *Ioh.* 9,32 : ἐκ τοῦ αἰῶνος.

28,15-24. — Ou bien l'*homoiousios* est antérieur à Nicée ; mais alors on n'en a pas entendu parler à Nicée ; ou bien il lui est postérieur, et il est donc d'invention récente (cf. 28,12 : *nunc inventum*).

28,17. trecentos et plures. — En *adv. Ar.* II 9,47, 315 évêques. Hilaire, dans *collect. antiar. Par.* B II 9,7 ; Feder, p. 149,23, parle lui aussi de « trecenti vel eo amplius episcopi ». Par contre Hilaire parle des 318 évêques (nombre égal à celui des serviteurs d'Abraham) dans *de synodis* 86 ; *PL* 10,538 b 13.

28,18. Arrionitas. — Peut-être faut-il corriger en *Arriomanitas* ?

28,22-24. — Basile d'Ancyre, le chef du parti, ne fut évêque qu'en 330 ou 336 après la déposition de Marcel d'Ancyre par le concile de Constantinople. Victorinus ne veut d'ailleurs qu'insinuer une vraisemblance, et insister sur la dissimulation du parti homéousien : aucun des partisans de Basile n'a élevé la voix à Nicée !

28,22. patrone dogmatis. — Cf. Hilaire, *de synodis* 2 ; *PL* 10,482 a : « Patronos huius haereseos. »

28,24-25. toto tempore postea. — Ce n'est pas l'avis de Basile qui pense au contraire avoir toujours professé la même doctrine depuis le synode de Constantinople de 336 (cf. 28,13 n.). Mais Victorinus parle du mot *homoiousios*, qui pour lui résume toute la doctrine : il n'en a entendu parler pour la première fois que lorsque l'empereur est venu à Rome, en avril-mai 357. Cf. J. Gummerus, *Die homöousianische Partei, bis zum Tode des Konstantius*, Leipzig, 1900, p. 175. A partir de cette visite, 1° on a entendu parler d'*homoiousios* ; 2° Basile d'Ancyre s'est opposé au parti d'Ursace et Valens. Autrement dit, Basile s'est peu à peu démasqué, se détachant de la masse générale, confuse pour Victorinus, des adversaires de l'orthodoxie.

28,24-29. — Jusqu'en 357, Basile est resté en communion avec ceux que le synode d'Ancyre (Pâques 358) va excommunier sous son impulsion : Ursace et Valens. Or à Sardique (343) comme au synode de Sirmium de 351 réuni contre Photin, Basile a siégé avec Valens et Ursace, et d'une manière générale il ne s'est pas opposé encore à eux. Le concile de Constantinople (360) reprochera à Basile sa duplicité d'attitude envers Ursace et Valens (Sozomène, IV 24,6). Victorinus cherche des motifs à ce revirement de Basile. Ce sont ou bien l'orgueil ou bien la crainte : l'orgueil, si Basile se sépare d'Ursace et Valens parce que ceux-ci viennent de promulguer (été 357) une profession de foi, qu'ils ont rédigée sans lui ; la crainte, s'il a dû se démasquer sous la pression du pouvoir.

28,28. coactus a magistris. — Sur le rôle des *magistri*, cf. Hilaire, dans *collect. antiar. Par.* B I 4 ; Feder, p. 101,10 : « Officiales magistri volitant. »

28,28. legatus. — Il s'agit de la légation de Basile d'Ancyre, Eustathe de Sébaste, Éleusius de Cyzique à la cour de Sirmium, qui va être à l'origine du synode d'où émanent les documents que Victorinus a présentement en mains (Sirmium été 358) et dont résultera le retour de Libère à Rome. Victorinus ne comprend pas pourquoi l'empereur Constance, favorable à Ursace et Valens, reçoit cette délégation d'Orientaux. Il suppose donc qu'ils ont été convoqués pour se justifier, et conclut sans doute que leur habileté les a fait triompher du parti anoméen. L'hypothèse de Victorinus pouvait lui sembler d'autant plus vraisemblable que, depuis le voyage de Constance à Rome et surtout depuis la publication du « blasphème » de Sirmium (été 357), il savait que l'empereur, favorable à Ursace et Valens, était hostile à l'emploi du mot *homoiousios*.

28,29-30. — Les homéousiens opposaient discrètement les Pères d'Antioche qui avaient condamné Paul de Samosate et, selon eux, rejeté l'*homoousios*, aux Pères de Nicée qui l'avaient admis. De cette argumentation homéousienne, contenue dans la lettre *de homoousio et homoeusio* de l'été 358, sont témoins Hilaire, *de synodis* 86 ; *PL* 10,538 b 15 : « Octoginta episcopi (= Antioche) olim respuerunt sed trecenti et decem octo (= Nicée) nuper receperunt », et Athanase, *de synodis* 43,1-3 ; Opitz, p. 268,20 : « Il serait inconvenant de mettre les Pères (ceux d'Antioche et ceux de Nicée) en contradiction avec eux-mêmes ; tous en effet sont des Pères. Il n'est pas permis de juger de nouveau comment il se fait que ceux-ci ont décrété justement de telle manière, ceux-là de la manière contraire ; tous maintenant dorment dans le Christ. Il ne faut donc pas apporter un esprit de discorde ni comparer le nombre des participants, afin que le plus grand nombre ne paraisse pas cacher la minorité et il ne faut pas non plus mesurer le temps, afin que ceux qui sont venus les premiers ne paraissent pas anéantir leurs successeurs. Car, comme on l'a déjà dit, tous furent nos Pères dans la foi. » C'est à la même argumentation homéousienne, tirée de l'antériorité d'Antioche sur Nicée et du nombre des participants aux conciles d'inspiration homéousienne, que Victorinus se réfère ici.

28,30. — Tous ces calculs sont inutiles parce que le symbole de Nicée suffit. Il a été fixé une fois pour toutes contre les hérésies et le terme *homoousion* suffit à se protéger de toutes. Cf. Hilaire, dans *collect. antiar. Par.* B II 11,5 ; Feder, p. 153,8-9; A IX 3 ; p. 97,5 : « Contra Arrianam haeresim et ceteras. » Sur l'idée de la permanence de la foi depuis les origines jusqu'au temps présent par l'intermédiaire de la foi de Nicée, cf. la définition des évêques orthodoxes de Rimini, *collect. antiar. Par.* A IX 1 ; Feder, p. 95,8-13, notamment « usque nunc permanet ».

28,32-43. — Mais l'*homoiousios* aussi prétend être un rempart contre toutes les hérésies. Ici Victorinus cite une seconde fois la lettre de Basile ; l'énumération des hérétiques mis en déroute est d'ailleurs bien homéousienne et se rapporte aux différents conciles dans lesquels le parti voyait sa tradition (Antioche contre Paul de Samosate, Constantinople contre Marcel ; Sirmium contre Photin ; Ancyre contre Ursace et Valens). Réponse de Victorinus : 1° cette énumération ne prouve rien contre l'*homoousios,* car aucun de ces hérétiques ne l'a professé, mais chacun a inventé son blasphème propre ; 2° Basile croit avoir triomphé de ces hérétiques avec son *homoiousios,* mais la vraie cause de leur perte, c'est qu'ils n'ont pas confessé l'*homoousios.*

29,1-7.— Troisième citation de la lettre de Basile : après l'unanimité dans le temps, l'unanimité dans l'espace. La foi homéousienne serait celle de l'Orient et de l'Afrique.

29,3. scribis. — La lettre actuellement citée par Victorinus pouvait être adressée également aux Africains. D'ailleurs quatre évêques d'Afrique : un certain Athanase, Alexandre, Sévère et Sévérien signèrent avec le pape Libère le formulaire homéousien de Sirmium (été 358). Dans la lettre que Victorinus cite actuellement, Basile pouvait avoir commis l'illogisme de prétendre que tous les Africains étaient d'accord avec lui, parce que quatre d'entre eux avaient signé le formulaire, et de demander en même temps à ce même épiscopat d'Afrique son adhésion. On sait d'autre part par le concile de Constantinople (360) que Basile avait « calomnié » Ursace et Valens auprès des évêques d'Afrique (Sozomène, IV 24,6).

29,3. dicunt. — Il me semble nécessaire de supposer ὁμοιούσιον comme complément de *dicunt.* Si tous les Africains pensent comme Basile, il prêche des convertis : inutile de leur écrire. Maintenant, s'ils avaient besoin d'être convertis, il aurait fallu s'y prendre autrement.

29,5. iussione. — Cf. Lenain de Tillemont, *Mémoires pour servir à l'histoire ecclésiastique des six premiers siècles,* Paris, 1693-1712, t. VI, p. 128 : « Victorin qui étoit de ce pays... nous apprend que les ennemis de la consubstantialité se vantoient que les Africains et tous les Orientaux estoient de leurs sentiments. Et néanmoins, pour la faire recevoir en Afrique, ils avoient été obligés, non seulement d'y écrire qu'il falloit rejeter de l'Église le consubstantiel et recevoir la ressemblance de substance, mais aussi d'accompagner leur lettre d'un commandement impérial pour suppléer au défaut des bonnes raisons et des autorités de l'Écriture. » La lettre de Basile était accompagnée d'un mandat impératif de l'empereur.

29,7-33. L'objection de Basile : l'homoousios suppose une substance préexistante, se retourne contre l'homoiousios. — Quatrième citation de la lettre de Basile : l'*homoousios* supposerait une substance préexistante d'où proviendraient le Père et le Fils. Cf. Hilaire, *de synodis* 81 ; *PL* 10,534 a : « Primum idcirco respuendum pronuntiastis quia per verbi huius enuntiationem substantia prior intelligeretur quam duo inter se partiti essent » (cf. *ibid.* 68 ; *PL* 10,525 c). Voir à ce sujet Athanase, *de synodis* 45,4 ; Opitz, p. 270, 1 sq. et 51,3-4 ; p. 275, 3 sq. ; Basile, *epist.* 52,1. Réponse de Victorinus : l'*homoiousios* tombe sous le coup de la même objection ; ou alors, s'il a droit à une interprétation qui l'élude, il en sera de même de l'*homoousios*, cf. plus haut, 23,29. Plan de la réponse : 1° l'*homoousios* n'implique pas de substance préexistante (29,11-26) ; 2° ou alors l'*homoiousios* l'implique également (29,26-33). Cf. *adv. Ar.* II 2,29-49, réfutation parallèle.

29,10-26. — Petit traité *de homoousio* comparable à ceux que l'on a rencontrés dans le commentaire de saint Paul, cf. 22,28-55 n., mais présenté de manière à écarter toute idée de substance préexistante. Le rapport entre Dieu et son Logos est présenté d'ailleurs, comme dans les exposés précédents, comme le rapport de la substance et de sa qualité substantielle (cf. 20,37-67 n.), cette dernière étant, comme précédemment, son *image* et sa *forme*, mais portant aussi cette fois le nom de *sic esse*, cf. *adv. Ar.* III 1,21 (*ita esse*) ; IV 12,17 ; I 55,26. L'idée déjà développée dans la partie précédente consacrée à saint Paul revient également ici : les noms du Fils, tels que les symboles de foi chers aux homéousiens les énumèrent : image, lumière, etc. impliquent la consubstantialité du Fils. Ce thème fera l'objet spécial de la suite de notre livre (32,16 – 43,4).

29,14. substantiae principium. — Cf. *adv. Ar.* II 2,42 (*origo*) ; I 55,19-20 (*generator*).

29,16. in ipso et cum ipso. — Cf. *adv. Ar.* II 2,44 : *cum eo et in eo* ; le mouvement de la phrase est d'ailleurs tout à fait identique.

29,16-17. forma, imago, character. — Cf. 40,32-35 ; 41,46 ; et surtout 47,38, qui montre bien que cette énumération se rattachait dans l'esprit de Victorinus à la profession de foi.

29,18. intellegentia. — *intellegentiam* *AΣ* : si la leçon des manuscrits est bonne, il y a peut-être un souvenir de *I Cor.* 2,9 (cf. 18,11) : « In cor hominis non ascendit » ; mais il faudrait alors ajouter *in* devant *intellegentiam.* La fréquence de la confusion de l'ablatif avec l'accusatif dans *A* semble autoriser la correction.

29,18-20. — Ces formules montrent bien que Victorinus conçoit l'image, la forme, le Logos comme la qualité substantielle de l'être divin, cf. *ad Cand.* 10,19-24 à propos des qualités substantielles de l'âme et de la matière, et *adv. Ar.* I 20,37-67 n.

29,22. sic esse, esse. — Cf. Eusèbe de Césarée, *eccl. theol.* I 11 ; Klostermann, p. 69,22-23 : αὐτῷ τε τῷ υἱῷ τοῦ εἶναι καὶ τοῦ τοιῷδε εἶναι γεγονὼς αἴτιος, et lettre du même Eusèbe à Euphration de Balanée (Opitz, *Urkunden*, p. 4,10). On retrouve la notion chez Plotin, *Enn.* VI 8,9,38 sq. qui oppose οὕτως εἶναι à ἀόριστον. Il s'agit bien de la qualité substantielle qui détermine l'indétermination de l'être.

29,31. patre dante. — Cf. 11,10-18 n. (3°). Athanase, *de synodis* 41,2; Opitz, p. 266,32 ; *PG* 26,765, paraît laisser entendre que la lettre de Basile de l'été 358 admettait l'ἐκ τῆς οὐσίας τοῦ πατρός. Cf. *adv. Ar.* I 55,27 ; II 2,43 (*a patre accepta substantia*) ; I 31,42-44 n.

29,34 — 30,11. Critique de la notion d'homoiousios. — Trois critiques : 1° le semblable étant un relatif, il faut dire que le Père est semblable au Fils (29,34-39) ; 2° *Isaïe* 43,10 exclut toute notion de *Dieu semblable* (29,39 – 30,5) ; 3° Il n'y a pas de substance semblable, il n'y a que des qualités semblables (30,5-11). Mêmes critiques, *adv. Ar.* II 2,27-35.

29,34. substantiam. — Cf. II 10,3 ; II 9,8. Deux lignes de « front commun » avec l'adversaire, contre Ursace et Valens qui voulaient éliminer le mot *substantia* de la théologie, cf. le « blasphème » de Sirmium (été 357) dans Hilaire, *de synodis* 11 ; *PL* 10,488 a. Victorinus va y revenir, 30, 36-59.

29,35-39. — Cf. 7,18-24 n. Victorinus s'attaque à la notion de similitude, qui implique que le Père est semblable au Fils, de même que l'égalité de gloire au c. 7 impliquait que le Père recevait sa gloire du Fils.

29,37. ad aliquid. — Le semblable comme relation, Aristote, *metaphys.* V 15,1021 a 9 ; le caractère réciproque de toute relation, Aristote, *categor.* VII, 6 b 29.

29,39 — 30,5. — Cf. *adv. Ar.* II 2,29-35. Le Logos ne peut être avant Dieu ; s'il est après Dieu, il ne peut être semblable, en vertu du texte d'Isaïe : après Dieu, personne n'est semblable à Dieu. Dernière hypothèse : est-il semblable avec Dieu ? Non, car qui dit semblable, dit différent, cf. 25,6.

30,5-11. — Jusqu'ici, 29,34 - 30,5, Victorinus n'a critiqué que la notion de « semblable ». Basile peut se défendre : je parle de semblable en substance. Il s'agit d'ailleurs ici, 30,5-6, d'une cinquième citation de la lettre de Basile, qui montre bien qu'il s'opposait à la fois à Ursace et Valens, partisans d'une supériorité du Père *potentia, dignitate, divinitate*, et aux homéens partisans d'une similitude, mais excluant la notion de substance, cf. le tableau, 7,18-24 n. Mais la notion de semblable en substance est pour Victorinus un scandale logique, cf. 20,53 ; 22,2-5 ; 23,1-40.

30,8-10. — Énumération conforme aux *Catégories* d'Aristote ; *colore, categ.* VIII, 9 b 10-12 = παθητικὴ ποίοτης, *habitu, categ.* VIII, 8 b 27 = ἕξις; *affectione, categ.* VIII, 8 b 28 = διάθεσις; *virtute, categ.* VIII, 9 a 16 = δύναμις ; *forma, categ.* VIII, 10 a 12 = μορφή. Ce sont toutes les espèces de la qualité.

30,11 — 32,15. L'image de Dieu est consubstantielle à la substance de Dieu. — Une sixième citation de la lettre de Basile viendra marquer, vers la fin du développement 32,1, que la discussion avec lui continue. Mais elle prend la forme d'un assez long exposé sur la notion d'*image*. En lisant cet exposé, on voit comment le livre I *adv. Ar.*, au travers des commentaires de la sainte Écriture, était déjà orienté tout entier vers la réfutation de Basile. En effet, en lisant les textes d'Écriture les plus divers, Victorinus est revenu sans cesse à la définition de la substance de Dieu comme Esprit et à la définition du Logos comme image de la substance. Les homéousiens conçoivent l'« image » de Dieu comme une substance semblable à la substance du Père, cf. la synodale d'Ancyre, dans Épiphane, *panarion* 73, 7,6 ; Holl, t. III, p. 277,23. Victorinus conçoit l'image comme la différence spécifique, la qualité substantielle intérieure à la substance : comme l'autodétermination de la substance (31,19 : *ipse se ipsum circumterminavit*). Seulement, cette image n'est pas qu'une notion logique, elle est vivante et pensante, et, nouveauté en ce livre I, elle est volonté (31,22). Cette définition de l'image comme volonté permettra de lui donner un caractère plus nettement hypostatique.

Plan du développement : 1° opposition de *imago* à *similitudo* (30,11-17); 2° définition de la substance de Dieu. Cette définition se fait en trois étapes : *a*) définition de la notion de substance (30,18-35) ; *b*) preuve scripturaire de la légitimité de l'emploi de *substantia* à propos de Dieu (30,36-59) ; *c*) définition de la substance de Dieu, comme lumière et esprit (31,1-17); 3° définition de l'image, comme volonté (31,17 – 32,15).

30,11-12. — Cf. IV 30,27-29. Dieu se dédouble en image et substance, tout en gardant son unité.

30,18 — 31,17. Définition de la substance de Dieu. — Si l'on dégage ce développement des considérations scripturaires (30,36-59) et philosophiques (30,18-35), on découvre un schéma théologique qui va devenir constant chez Victorinus et qui est fondé (comme la spéculation sur les noms de Jésus) sur le vocabulaire d'une profession de foi, cf. *adv. Ar.* II 2,24 : « De vero lumine, verum lumen... de spiritu, spiritum » (cf. II 2,22-26 n.). On retrouve ce schéma, *adv. Ar.* I 55,3 ; I 56,1 ; II 3,10-11 ; II 5,6 ; II 7,4 sq. ; II 10,5 ; III 1,15,18 ; III 6,20-35 ; IV 4,7 ; IV 16,2-6 ; IV 24,22 ; IV 29,27 ; *de homoousio recipiendo* 1,24-25. Dans tous ces textes, partant de la notion commune suivant laquelle Dieu *est* quelque chose, Victorinus définit la substance divine comme lumière et esprit (cf. également 31,37-38).

30,21-26. — Cf. Cand. I 2,18-22. L'existence est l'être pur, qui n'est ni sujet, ni en un sujet ; la substance, le composé de l'être et de ses déterminations. Un seul texte grec, très postérieur, exprime la même doctrine, c'est celui de Damascius, *dubit. et solut.* 120 ; Ruelle, I, p. 312,11 : « L'existence (ὕπαρξις) se distingue de la substance comme l'être considéré en soi par rapport à l'être considéré en même temps que d'autres choses (ἡ τὸ εἶναι μόνον καθ' αὑτὸ τοῦ ἅμα τοῖς ἄλλοις ὁρωμένον). » Et *ibid.* 121 ; p. 312,16 (trad. Chaignet, t. II, p. 115) : « L'hyparxis, comme le terme même l'indique, signifie le premier commencement de chaque hypostase : c'est, pour ainsi dire, une sorte de *fondement* (θεμέλιον), de *substructure*, qu'on pose préalablement au-dessous de toute construction et de la construction entière. » La source immédiate de Victorinus me semble un commentaire des *Catégories* d'Aristote, dans lequel il a puisé la définition classique et traditionnelle de la substance, et dans lequel il a lu ensuite la précision complémentaire sur la distinction entre *existentia* et *substantia*. Candidus et Victorinus puisent très probablement à la même source (cf. CAND. I 2,25 : « In solo quod est esse, his existentibus » et Victorinus, 30,23 : « Puris et solis ipsis quae sunt in eo quod est solum esse, quod subsistent »).

30,21. — *Existentialitas* est aussi rapprochée d'*exsistentia* chez Candidus (CAND. I 2,15).

30,22. subsistentiam. — J'ai traduit par fondement initial pour garder l'idée de commencement impliquée par ὕπαρξις, et l'idée de substructure impliquée par ὑπόστασις qui correspond certainement dans la source grecque à *subsistentia*.

30,23-24. — Je construis : puris et solis ipsis (*scil.* exsistentibus) quae sunt in (= consistent en) eo quod est solum esse (sous-entendu : in eo) quod subsistent (en tant que ces choses subsisteront, c'est-à-dire sont appelées à constituer ensuite la substance). En somme l'existence, c'est l'être pur (*solum esse*) qui est la substance en puissance.

30,25. inseparabiliter. — Les accidents inséparables sont le signe de la substance concrète, cf. Porphyre, *Isagoge*, Busse, p. 21,22 ; trad. J. Tricot, p. 48 : « Un caractère commun au propre et à l'accident inséparable, c'est que, sans eux, les sujets dans lesquels on les considère ne peuvent subsister. »

30,26. in usu. — Cf. le conseil de Cicéron, *de invent.* II 17,53 : dans la controverse portant sur un mot, définir le mot en question *ex opinione hominum*, selon son usage courant.

30,28. in aeternis . . . in mundanis. — Cf. 31,4-5.

30,30. quod est esse. — Cf. I 55,3 sq. Contre ceux qui refusent l'usage du mot *substantia* (cf. 30,36), Victorinus montre donc que l'usage courant emploie les mots *substantia* ou *exsistentia* pour désigner ce qu'est une chose. Même mouvement chez Basile, dans Épiphane, *panarion*, 73,22,7 ; Holl, p. 295,23 qui remplace οὐσία par ὑπόστασις, ὕπαρξις, εἶναι.

30,30-35. — Toujours, contre les adversaires du mot *substantia*, qui voulaient réserver le mot aux choses sensibles (cf. IV 4,10-12), définition de la notion de substance dans le monde intelligible ; la substance intelligible est constituée par les genres suprêmes, être, mouvement, repos, cf. Plotin, *Enn.* VI 2,7 ; VI 2,15,1-4 ; III 7,3,8-11.

30,36-59. — Les adversaires sont ici avant tout Ursace

et Valens (cf. 29,34 n.), et d'une manière générale une tendance qui triomphera dans l'homéisme, avec le *Credo* daté du 22 mai 359. Nous rencontrons ici pour la première fois une argumentation scripturaire qui reviendra quatre fois encore dans l'œuvre de Victorinus. Voir les citations utilisées, dans le tableau de la page suivante.

Dans toutes les preuves scripturaires orthodoxes concernant l'emploi du mot *substantia* dans l'Écriture, on retrouve comme texte de base, *Hierem.* 23,18-22, cf. Athanase, *ad afros* 4; *PG* 26,1036 b; Grégoire d'Elvire, *de fide* 4; *PL* 20,40 b-c. Mais l'utilisation en est assez ambiguë. Car le texte grec porte au verset 18 : ὑποστήματι et au verset 22 : ὑποστάσει. Sans doute, le texte latin porte-t-il, dans les deux cas, *substantia*. Mais pour quelqu'un qui, comme Victorinus, connaît le grec, la difficulté subsiste. D'où la nécessité de prouver que οὐσία = ὑπόστασις parce que toutes deux identiques à *esse*, c'est l'objet de 30,52-59, mais aussi de *adv. Ar.* II 4,1 et sq.

30,40. — Cf. *adv. Ar.* II 8,2-15. L'identité *substantia-vita* est une idée homéousienne, cf. dans Épiphane, *panarion*, 73,10,9 ; Holl, p. 282,6-7.

30,46. oblatione. — Sur le problème posé par cette citation, cf. *adv. Ar.* II 8,34 n.

30,52. subsistentia. — C'est-à-dire que le texte grec porte ὑπόστασις.

31,6-11. — De cette liste de noms, Victorinus ne retiendra pour l'instant que *lumen* et *spiritus.* On reconnaît dans cette énumération la doctrine déjà présente dans *ad Cand.* 2,21-23, et qui sera constante chez Victorinus : Dieu est puissance de l'être, de la vie et de l'intelligence. Chaque fois qu'il l'utilise, c'est pour introduire un schéma « théogonique », dont j'ai donné le plan, *ad Cand.* 2,16-30 n. Ici, par exemple, il va décrire la naissance de la volonté, puis identifier cette volonté à Jésus-Christ. On peut remarquer l'équivalence entre *esse* et *potentia eius quod est esse*, etc., qui permet d'ailleurs d'appeler *substantia* le Père, en tant que *potentia substantiae.* Sur cette variété d'appellations du Père, cf. également 41,42-50.

31,13. — Cf. Plotin, *Enn.* VI 8,9,24 : « Ce qui arrive, arrive à l'être, mais l'être lui-même n'est pas un accident. »

31,16-17. incompositum. — Ce mot qui n'est employé qu'ici chez Victorinus, peut trahir lui aussi une influence homéousienne, cf. ἀσυνθέτως dans Épiphane, *panarion*,73,6,8 ; Holl, p. 276,18 ; 73,8,7 ; p. 279,3-5.

Preuves de l'emploi de *substantia*	I 30	I 59	II 3–7	IV 4	*de hom. rec.* 2
1° par la présence des dérivés d'οὐσία					
a) ἐπιούσιος	*Matth.* 6,11	*Matth.* 6,11	*Matth.* 6,11		
b) περιούσιος	*Tit.* 2,14 *oblatio*	*Tit.* 2,14	*Tit.* 2,14 *oblatio*		
2° par l'emploi d'ὑπόστασις	*Hierem.* 23,18-22	*Hierem.* 23,18-22	*Hierem.* 23,18-22	*Hierem.* 23,18-22	*Hierem.* 23,18-22
		Hebr. 1,3	*Hebr.* 1,3		*Hebr.* 1,3
		Luc. 15,12	*Luc.* 15,12		
			Ps. 138,15		*Ps.* 138,15

31,17 — 32,15. L'image de Dieu est volonté de Dieu. — Nous touchons ici au centre de toute l'argumentation antihoméousienne de Victorinus. Il oppose sa notion de la génération de l'image à celle de Basile, dont il résume la doctrine, 32,1-3, en une sixième citation de la lettre qu'il réfute. Pour Basile, 1° l'*imago* est *similitudo* ; 2° l'*imago* est le produit d'une *conlisio*, d'un choc entre l'activité créatrice et l'activité génératrice du Père. Sur le problème d'authenticité « basilienne » de cette *conlisio*, cf. 45,23-48 n.

Pour Victorinus, la génération du Fils est une autodéfinition volontaire de la substance divine. En effet, à la place de la similitude, Victorinus veut une identité, ce sera celle de la substance avec sa définition et son image ; pour assurer une réelle génération, et une distinction hypostatique, cette image sera conçue comme la volonté elle-même du Père, donc, d'une part, enfantée par lui, d'autre part, enfantée par elle-même, parce que toute volonté est autonome. Ainsi l'antinomie nature-volonté, que la *conlisio* basilienne cherchait à réduire, sera-t-elle dépassée.

Plan du développement : 1° génération de la volonté (31,17-32) ; 2° double aspect du Logos-volonté : *a*) il est la forme des existants (31,32-36), *b*) il est la forme de Dieu (31,36-37) ; 3° le Logos est lumière de lumière, esprit d'esprit, substance de substance (31,37-40) ; 4° l'autogénération de la volonté en Dieu assure à la fois la consubstantialité et la distinction des hypostases (31,40 – 32,15).

31,18-19. — Pour l'opposition entre *necessitas naturae* et *voluntas*, cf. l'anathématisme de Sirmium (351) contre Photin, dans Hilaire, *de synodis* 38, *anathem.* 25 ; *PL* 10,512 a : « Si quis nolente patre natum dicat filium, anathema sit. Non enim nolente patre coactus pater vel *naturali necessitate* ductus, cum nollet genuit Filium, sed mox voluit, sine tempore et inpassibiliter ex se eum genitum demonstravit. » Ce texte faisait partie du dossier homéousien de l'été 358.

31,19. magnitudinis. — Cf. *in Ephes.* 1,1 ; 1236 b 6 : « Deum esse ipsam potentiam, *magnitudinem*, substantiam plenitudinis totius. »

31,19. circumterminavit. — C'est l'autodéfinition de la substance, cf. *in Philipp.* 2,5 ; 1207 c 2 sq. : « Circumformatur enim et definitur quodam modo id est in considerationem et cognoscentiam devocatur quod sit illud esse, quod invisibile et incomprehensibile. » Est sous-entendue la triade qui jouera un grand rôle dans l'*hymne* III 151 sq. : *substantia-forma-notio*. Cette autodétermination est pour le Père relation immédiate à soi-même ; c'est son être même qui est sa forme et sa connaissance, mais cette forme intérieure s'engendre elle-même et devient le Fils, cf. IV 18,44–33,25 n.

31,21. filio. — J'ai traduit « par le Fils » pour conserver l'ambiguïté du latin : Dieu est connaissable par l'intermédiaire du Fils et en même temps n'est intelligible que pour le Fils.

31,22. voluntas patris. — Cf. *ad Cand.* 22,8, où la notion de volonté joue un rôle important. Dans le livre I, c'est, ici, la première allusion à cette notion. Comme dans le passage en question de l'*ad Candidum*, il y a ici transition de la génération *par* la volonté à la génération *de* la volonté, cf. *ad Cand.* 22,8 n. Transition d'ailleurs qui permet aux orthodoxes la réfutation de la doctrine de la génération par le bon vouloir divin. On retrouve exactement le même mouvement chez Athanase, *contra arianos* III 59-64, contre Astérius. D'autre part, ce mouvement est dans la logique du système de Victorinus, pour qui la génération du Fils est le mouvement par lequel le Logos, ou la forme, ou la volonté, confondus avec le Père, conquièrent leur autonomie propre. Le Logos, l'image, la forme, la volonté, autant de noms qui correspondent à la relation immédiate du Père de soi-même à soi-même, à son acte d'être, absolument simple. Cf. Synésius, *hymn.* 1,242, Terzaghi : ἰόταтι πατρός, ἰότας σὺ δ' ἀεὶ παρὰ σεῖο πατρί.

31,22-25. alter ... filius ... unigenitus. — Étapes identiques de la démonstration et même liaison universalité-unicité, dans *ad Cand.* 15,1 (au sujet de l'existant) ; *adv. Ar.* I 19,53-55 ; III 2,30-31 et 50-51 ; III 8,1-5 ; IV 10,16-31.

31,23. progenies. — Cf. *in Ephes.* 1,1 ; 1236 c 5 (texte dans l'ensemble analogue au développement présent) : « Quasi quodam partu mentis cogitatione prorumpit velle conceptum et effunditur. Etenim cogitationes animae quasi filii sunt animae. » La notion de volonté n'est pas opposée à celle d'intelligence ou de pensée : c'est l'intention, le plan, le dessein.

31,25. totius plenitudinis. — Cf. *in Ephes.* 1,1 ; 1236 b 7 : « Deum esse ipsam potentiam, magnitudinem, substantiam *plenitudinis totius.* » Si le Père est la puissance du plérôme, le Fils en est le Logos, c'est-à-dire le décret créateur, l'acte déterminant et révélateur.

31,25. prosiluit. — Cf. *ad Cand.* 22,8 : *exsiluit* ; *adv. Ar.* I 50,22 : *proexsiluit.*

31,26. λόγος exsistens. — Le Père est déjà Logos, acte, forme, image, volonté, mais tournés vers lui-même, confondus avec son acte d'être (cf. *ad Cand.* 17-18 ; 21 ; *adv. Ar.* IV 20).

31,32. locutio. — Cf. III 8,15. Ici Victorinus se retrouve en accord avec les homéousiens pour affirmer la réalité substantielle du Logos-Fils, cf. la lettre de Basile et Georges de Laodicée, dans Épiphane *panarion*, 73,12,6 ; Holl, p. 285,22-23, opposition entre ἐνέργεια λεκτική et οὐσία.

31,33. confabulans. — = διαλέγων, très probablement ; *confabulans* garde l'idée de dialogue, mais laisse de côté l'idée de répartition, de division.

31,34. ὀντότητος. — = *essentialitas* ou *essentitas*, cf. *adv. Ar.* IV 5,36 ; IV 6,5 ; III 7,12.

C'est le Logos lui-même qui est puissance d'essentialité, c'est-à-dire qui produit la détermination ontologique des existants. Cf. 22,46 sur le Logos spécifiant.

31,36. cognoscentia. — Cf. 31,19 n. (*circumterminavit*) ; *ad Cand.* 18,1-5.

31,37. ad deum. — Cf. 5,1-9 n.

31,39. prima et secunda. — Cf. 22,29-30 n.

31,41. effulgentia. — Cf. 27,8-20 n. et 34,33-48 n. Se rattache à ce qui précède par la notion de « lumière de lumière ».

31,42-44. — Thème du mouvement qui s'engendre lui-même, déjà rencontré en *ad Cand.* 22,11 n., essentiel pour la sauvegarde de la distinction hypostatique. On peut comparer, comme suite de notions analogues

adv.Ar. I 31,42-44 :	I 51,1-7 :	I 55,23-27 :
ipse, lumen exsistens,	vita, motio infinita...	iuxta... perfectionem...
operatur omnia,	effectrix aliorum	
exsistens λόγος	exsistens λόγος	
	ad id quod est esse quae sunt omnia	
a se se movens	a se semet movens	a se se moventem
et quae semper movetur	semper in motu...	se semper moventem...
copiam habens illud patris omnipotentem esse	sic enim scriptura divina dicit (*Ioh.* 5,26) quod *dedit* ipsi pater deus in ipsa esse vitam esse	ipsum hoc quod sic est esse et ipsum quod est esse patre *dante.*

Il ressort de cette comparaison : 1° que Victorinus relie ensemble les notions de Logos, de mouvement par soi, et de mouvement éternel ; 2° que ces notions assurent pour lui la distinction hypostatique du Fils ; 3° qu'il relie ces notions à *Ioh.* 5,26 ; le Père a donné au Fils d'avoir la vie en soi : le mouvement auto-engendré du Fils a donc pour source (*copia, patre dante*) la vie autonome du Père (cf. 41,50 - 42,11). Or ce texte évangélique qui, désormais, jouera un grand rôle dans la pensée théologique de Victorinus est un texte cher aux homéousiens, cf. Épiphane, *panarion* 73,10,8-9 ; Holl, p. 281,29 - 282,9. Mais tandis que Basile considère surtout dans *Ioh.* 5,26 le οὕτως dans lequel il reconnaît évidemment une preuve scripturaire de la similitude de substance, Victorinus s'arrête surtout à « vie en soi-même », et y trouve la description la meilleure du « consubstantiel » tel qu'il le conçoit : mouvement autonome et intérieur du Père, mouvement autonome et extérieur du Fils, don de ce mouvement du Père au Fils. C'est à la lumière de ce texte qu'il faut comprendre ici *copiam habens* : l'être tout-puissant du Père est le fonds, la source inépuisable dans laquelle le Fils puise sa propre autonomie de mouvement.

La phrase de Victorinus présente plusieurs difficultés grammaticales ; 31,42, *ipse* désigne *effulgentia*, soit parce que Victorinus pense à ἀπαύγασμα, soit parce qu'il pense à λόγος qui va venir ; 31,43, *quae semper movetur* : *quae*, cette fois-ci, est au féminin, bien que l'antécédent soit *ipse*, soit par retour à *effulgentia*, soit par influence inconsciente de *copiam*. Je joins *copiam habens*, ayant comme puissance, comme ressource. Je pense qu'il faut voir une opposition entre *operatur omnia* et *omnipotentem esse*, le Fils fait toutes choses, parce que le Père est puissance de toutes choses.

32,5-6. — Cf. Proclus, *in Tim.*, Diehl, t. I, p. 372,8 : τὸ γὰρ αὐτόγονον ... τῆς βουλήσεώς ἐστι.

32,11. propria et eadem. — Propre, puisque ce mouvement est « par soi », identique, puisque le mouvement du Père est aussi « par soi », et que le mouvement du Père et le mouvement du Fils sont confondus dans la substance.

32,12-15. substantia, motio, voluntas. — Cf. 42,9 sq., et surtout *adv. Ar.* I 52,28 sq. Il n'y a pas ici une triade analogue à *exsistentia, vita, intellegentia*, c'est-à-dire définissant par son contenu même des distinctions hypostatiques. Mais on peut dire que la volonté a pour substance le mouvement : on doit donc distinguer la volonté en tant que substance et la volonté en tant que mouvement.

***

32,16 — 43,4. L'homoousion démontré par les noms du Fils. — Tel est bien d'après sa conclusion (43,3-4) le sujet de cette partie. Sans étudier tous les noms du Fils, elle en développe quelques-uns, et en donne plusieurs listes. On peut comparer listes et développements dans le tableau de la page suivante.

Les huit premiers sont d'origine scripturaire, mais surtout viennent des professions de foi réunies par le dossier homéousien, cf. 27,8-20 n., 29,10-26 n. Pour λόγος, *virtus*, *sapientia*, *vita*, cf. les professions de foi de Sardique et de Sirmium (351) ; pour *imago*, cf. la profession de foi des Encénies (341) et les textes homéousiens, déjà cités ; pour *refulgentia*, cf. également le texte d'Athanase concernant les homéousiens, *de synodis* 41,6 ; Opitz, p. 267,16 : τὸν δὲ Υἱὸν ἀπαύγασμα φωτὸς ἀϊδίου (εἰρήκασι). Les autres noms *intellegere*, etc.) correspondent beaucoup plus aux propres conceptions de Victorinus : sur *vita*, *intellegere*, cf. *adv. Ar.* I 54,6 ; sur *motio*, cf. 42,9 sq., 51,2 ; sur *species*, cf. 19,30 ; sur *effatum*, cf. I 55,28-35. On retrouvera une liste également très complète en *adv. Ar.* IV 29,24 sq.

Ces noms servent à prouver à la fois la consubstantialité du Fils et sa « génération » inengendrée (43,3-4). Ils définissent en effet une identité de substance avec le Père (lumière de lumière, etc.) mais également indiquent des modes de génération, qui, tous, sauvegardent à la fois l'impassibilité de l'engendrant et la distinction hypostatique de l'engendré. Ainsi soucieux de prouver aux homéousiens que les professions de foi qu'ils invoquent mènent logiquement à l'*homoousion*, Victorinus retrouve ici Candidus, auquel son livre est primitivement destiné. Candidus avait critiqué, entre autres modes de génération, *refulgentia*, *imago*, *character*, *motus*, *voluntas*, *actio* (cf. Cand. I 4-8). En prouvant que ces modes sont compatibles avec l'immutabilité divine et impliquent une génération consubstantielle, Victorinus réfute donc Candidus sur un terrain qu'il n'avait pas abordé dans sa lettre à Candidus. Les homéousiens n'en sont pas oubliés pour autant. Ils sont visés directement (41,8) ou indirectement (41,20 : attaques de Basile contre le ταὐτοούσιον ; c. 35-39 : polémique homéousienne contre Marcel) et l'ensemble de toute cette partie constitue un *de homoousio* qui s'oppose au *de homoousio et homoeusio*

I 40,32	41,42	43,1	(47,38)	33-34	35-39	40	41-43
λόγος	λόγος	λόγος	λόγος	λόγος	λόγος		
refulgentia	effulgentia	effulgentia	refulgentia	refulgentia			
forma	forma		forma	forma			
imago	imago		imago	imago	imago	imago	
virtus	virtus		virtus		potentia	virtus	
sapienta	sapientia		sapientia		sapientia	sapientia	
character	character		character				
vita	vita						vita
	intellegere						
	vita et intellegere						
	motio						motio
	species						
	actio			actio			actio
	effatum	effatum					

(Hilaire, *de synodis* 81 ; *PL* 10,534 a-b) de Basile. Mais, cette fois, il n'y a plus de dialogue avec l'adversaire, plus de vocatifs ni d'invectives ; l'exposé veut être positif.

Après une introduction décrivant un type de « consubstantiel », l'âme et son mouvement substantiel (32,16-78), c'est d'abord le nom de *Logos* qui est étudié : Dieu, le Dieu de l'Écriture qui est déjà *actuosus*, est lui-même Logos substantiel, et le Logos, son Fils, est son image et son acte (c. 33-34). Reprenant ensuite la polémique des homéousiens, contre Marcel, Victorinus montre que le Logos est Fils, puisque, des deux, l'Écriture dit : « En lui, par lui, pour lui. » Mais ce mode de raisonnement doit être étendu au rapport entre le Père et le Fils, puisque, des deux, l'Écriture dit aussi : « Par lui et pour lui » (c. 35-39). De même il faut admettre l'identité entre Dieu et sa *puissance et sagesse* (I *Cor.* 1,24). Victorinus prouve cette identité par l'analogie de l'identité entre la puissance de vision et la vision (c. 40). Seulement, que signifie exactement cette identité ? Faut-il la concevoir comme une *ipséité*, ainsi que font les homéousiens, qui reprochent ensuite aux orthodoxes d'être patripassiens ? Non, le consubstantiel est un mode spécial d'identité, qui est à la fois ipséité et identité. Ceci peut se montrer à propos de la *vie* que sont, suivant leur mode propre, le Père et le Fils (c. 41-42). En tout ceci Victorinus est l'héritier, avec presque tous ses contemporains, de la méthode théologique des *epinoiai* (cf. R. Cadiou, *La jeunesse d'Origène*, p. 158-162). Seulement il y apporte une méthode philosophique originale, celle même que Plotin avait utilisée dans son étude des *genres de l'Être*, *Enn.* VI 2, pour rendre compte de l'unité multiple de l'Être. Sans qu'il y ait de rapport littéral entre Plotin et Victorinus, il y a une analogie générale de démarche intellectuelle : 1° premier type d'unité multiple : le corps (*Enn.* VI 2,4 = *adv. Ar.* I 32,16-27); 2° deuxième type d'unité multiple dans lequel on distingue être, vie, mouvement : l'âme (*Enn.* VI 2,5-7 = 32,27-78) ; 3° description du rapport entre les genres (*Enn.* VI 2,7-8 = c. 42). Si l'on se souvient que déjà 30,30-33 faisait allusion aux genres de l'être, on pensera que Victorinus utilise la pensée néoplatonicienne concernant les genres de l'être, pour concevoir la consubstantialité. Il y a au moins filiation doctrinale.

***

32,16-78. L'homoousion dans l'âme. — Le rapport entre l'âme et sa définition a déjà été utilisé, 20,37-67 (n.), comme analogie, pour décrire la consubstantialité du Logos avec Dieu. Ici on retrouve la même idée fondamentale, développée en fonction, d'une part de la notion néoplatonicienne de l'âme, d'autre part de la conception que Victorinus se fait du consubstantiel.

1° Identité de la substance de l'âme et de son mouvement substantiel, qui est sa définition (= consubstantialité de Dieu et du λόγος) 32,16-39. 2° Description du mouvement substantiel : deux puissances en un seul mouvement (= les deux puissances du Logos, le Christ et l'Esprit-Saint) 32,40-57. 3° L'« incarnation » du mouvement substantiel : la vie et l'intelligence aux prises avec le monde sensible (= l'incarnation du Logos) 32,57-78. Le plan de cet exposé est assez analogue à celui des exposés sur l'*homoousion* que l'on a déjà rencontrés, cf. la liste citée en 22,28-55 n.

Évidemment, il n'y a pas distinction hypostatique entre l'âme et ses deux puissances, mais Victorinus y trouve un type de composition analogue à celui qui existe entre Dieu et son Logos : l'âme est elle-même, en tant que sujet, vie et intelligence.

32,16-27. — Le corps est déjà une unité multiple, mais sa définition, c'est la quantité. La tradition de la spécification de la matière par la quantité est solidement établie chez les commentateurs d'Aristote, à partir de Porphyre, cf. Porphyre, *in categ.*, Busse, p. 100,14 : τὸ σῶμα, ἵνα μὲν σῶμα ᾖ, τριχῇ διαστατὸν εἶναι ὀφείλει ; cf. Asclepius, *in metaphys.*, Hayduck, p. 104,34 sq. ; Ammonius, *in categ.*, Busse, p. 54,4 ; Philopon, *in categ.*, Busse, p. 543,29 : τῇ γὰρ ἀνειδέῳ ὕλῃ πρῶτον εἶδος ... ἐπιγίνεται τὸ μέγεθος ; Elias, *in categ.*, Busse, p. 154,34 : ἡ ἀνείδεος ὕλη προϊοῦσα ἐκ τῆς οὐσίας πρότερον εἰδοποιεῖταί πως τὰς διαστάσεις προσλαμβάνουσα ποσουμένη. On touche ici aux origines de la doctrine scolastique de la *materia quantitate signata.* La phrase de Victorinus 32,21-27 est formée d'une suite de parenthèses.

32,27-29. — L'idée d'une puissance vivante et pensante de l'âme remonte au moins au moyen platonisme, cf. Tertullien, *de anima* 15,1 ; Waszink, p. 18,28 : « An sit aliqui summus in anima gradus *uitalis* et *sapientialis* quod ἡγεμονικὸν appellant, id est principale », et 15,4 ; p. 19,25 : « Esse principale in anima ... id est vim sapientialem atque vitalem. »

32,29. bipotens, gemini luminis. — Ces deux termes

trahissent très probablement la présence, derrière le texte de Victorinus, d'une source grecque influencée par le vocabulaire des *Oracles chaldaïques*. Hécate-Rhéa qui, dans les Oracles, correspond à l'âme, cf. W. Kroll, *de orac. chald.*, p. 29, porte en effet les noms d'ἀμφιφαής, ἀμφιπρόσωπος par exemple Proclus, *in Tim.*, Diehl, t. II, p. 130,24.

32,31. innatum. — L'intelligence est en puissance dans la substance de l'âme. Cf. Tertullien, *de anima* 12,1 ; Waszink, p. 16,2 : « Suggestum animae ingenitum et insitum et nativitus proprium. »

32,33. secundum subiectum. — Cf. Plotin, *Enn.* VI 2,6,9 : « C'est le substrat lui-même qui est un ; il est un, non sans être aussi deux ou même plusieurs, non sans être tout ce que l'âme est primitivement. »

32,35. species. — Cf. 19,30 n.

32,35. definitur. — Le mouvement spontané est la définition de l'âme (cf. 20,37-67 n. ; 42,6 n.) ; et en même temps, l'âme se détermine dans le mouvement. La définition n'est donc pas conçue logiquement mais ontologiquement.

32,36. unum ὄν. — Cf. Plotin, *Enn.* VI 2,6,15 : ἓν μὲν ὄν, ποιοῦν δὲ ἑαυτὸ ἐν τῇ οἷον κινήσει πολλά.

32,38. duo in una motione. — Cf. 13,37 ; III 8,26.42 ; 18,16 ; IV 16,24. Victorinus enseignera constamment que l'Esprit-Saint est engendré avec le Fils.

32,40. prima potentia. — Des deux puissances qui constituent le Logos de l'âme, c'est la vie qui est la première, c'est-à-dire la plus proche de la substance.

32,40. cum. — La préposition *cum* est caractéristique du rapport des genres de l'être, les uns avec les autres : elle leur laisse à chacun leur consistance propre : l'âme est vie, et pourtant ne se confond pas avec la vie, mais la vie est avec elle, cf. Plotin, à propos du rapport du mouvement à l'être, *Enn.* VI 2,7,17 : οὔτ' ἐπὶ τῷ ὄντι, ἀλλὰ μετὰ τοῦ ὄντος.

32,40-42. — Pour l'identité entre la vie et l'être, dans l'âme, cf. Plotin, *Enn.* VI 2,6,6-8 : « Il faut que l'être même de l'âme ait en lui la source et le principe de tout ce qu'elle est ou plutôt qu'il soit tout ce qu'elle est ; il faut donc qu'il soit une vie, vie et être ne faisant qu'un (καὶ ζωὴν τοίνυν καὶ συνάμφω ἕν). »

32,42-44. — Cf. Plotin, *Enn.* VI 2,6,10-12 : « Si le substrat possède la vie, c'est qu'il n'est pas lui-même en vie et que sa vie n'est pas (par elle-même) dans son essence. D'autre part, si on ne peut dire que l'une possède l'autre, c'est que ces deux choses n'en font qu'une. » Cf. *adv. Ar.* IV 11,26.

32,44-45. — Identité de l'être et du mouvement, tirée de celle de l'être et de la vie, cf. Plotin, *Enn.* VI 2,7,16-20. Pour les conséquences théologiques, cf. 43,34-43.

32,51. prima potentia. — La vie est la première puissance du mouvement (cf. 32,40), c'est-à-dire le début de l'actuation qui ne se terminera qu'avec l'intelligence. Cf. un texte tardif, mais dont les sources peuvent être antérieures, Simplicius, *in physic.*, Diels, p. 289,26 : « Le premier bouillonnement, si l'on peut dire, qui part de l'existant premier pour aller vers la distinction de l'hypostase spécifiée (ἡ ἀπὸ τοῦ πρώτου ὄντος οἷον ἀνάζεσις εἰς διάκρισιν τῆς εἰδητικῆς ὑποστάσεως) et la sortie de l'être vers l'agir (καὶ ἡ ἀπὸ τοῦ εἶναι εἰς τὸ ἐνεργεῖν ἔκστασις), c'est la première puissance et la vie première, se réalisant selon le premier mouvement de l'existant (ἡ πρώτη ἐστὶ δύναμις καὶ ἡ πρώτη ζωὴ κατὰ τὴν πρώτην τοῦ ὄντος κίνησιν ὑποστᾶσα). »

32,51. forma. — Cf. I 53,23; IV 8,41. La vie, étant mouvement d'extériorisation, est définition. Victorinus dit le contraire, *adv. Ar.* I 56,36.

32,53. motio. — Faut-il corriger en *notio*, d'après le contexte, et *hymn.* III 153 : « Substantia, forma, notio. » Si l'on garde *motio*, il faut l'entendre comme le mouvement en acte, achevé dans l'intelligence. Chez Plotin aussi, l'intelligence apparaît comme le terme dernier du mouvement de l'âme, cf. *Enn.* VI 2,6,16-20, plus exactement, acte et mouvement étant identiques, comme la perfection du mouvement, cf. *Enn.* VI 2,8,24. L'âme se définit pour se connaître.

32,54-57. — *Innata* : cf. 32,31 ; *ad Cand.* 7,18. L'âme n'engendre qu'un seul mouvement, qui doit être un, pour être image de la substance une. Ce mouvement, en sa première puissance, est vie. L'intelligence est donc engendrée dans la vie, par l'intermédiaire de la vie, cf. 32,38. *Substantia* : Victorinus veut retrouver dans les puissances de l'âme les distinctions hypostatiques trinitaires. La procession de la vie et de l'intelligence est donc conçue comme une communication de la substance de l'âme, que la vie s'approprie, et ensuite l'intelligence : la substance propre de l'intelligence se tire, se dérive elle-même de la substance propre de la vie. Cette substantialité de la vie et de l'intelligence dans l'âme annonce la substantialité de l'amour et de la connaissance, chez Augustin, *de trinitate* IX 4,5 :

« Non amor et cognitio tanquam in subiecto insunt menti, sed substantialiter etiam ista sunt, sicut ipsa mens, quia et si relative dicuntur ad invicem, in sua tamen sunt singula quaeque substantia. »

32,57-78. — Notre traité de l'*homoousion* transposé dans le domaine de l'âme aborde maintenant le problème de l'acte extérieur de la vie et de l'intelligence, qui correspond dans la théologie trinitaire, au mystère de l'Incarnation, et le résout selon des principes analogues : 1° impassibilité de la substance (32,57-61) ; 2° passions dans la vie et l'intelligence, parce qu'elles impliquent un rapport à l'extérieur (32,61-72) et sont menacées par une chute dans le monde sensible ; 3° possibilité de retour vers la substance première, de rédemption après la chute (32,72-78). Mais les données du problème sont assez différentes, justement parce qu'il s'agit de l'âme : ce qui pour le Logos est descente, est pour l'âme une chute qui appelle justement la descente du Logos. En tout cas, il apparaît nettement que la structure et la destinée de l'âme ne servent pas seulement à concevoir le mystère trinitaire, mais également le mystère de l'Incarnation.

32,58. — Sur l'impassibilité de l'âme en sa substance, cf. Plotin, *Enn.* I 1,2,6-30.

32,60-61. — Cf. 22,45 ; 24,16.

32,61-65. — Victorinus entend par *passion* l'altération, le changement de disposition, cf. Plotin, *Enn.* VI 1,22,7, d'ailleurs fidèle à l'usage aristotélicien, cf. Aristote, *phys.* VII 3,246 a 3.

32,65-76. — En tant que mouvement substantiel, vie et intelligence ne subissent aucune passion. Mais en tant que ce mouvement, au lieu de rester tourné vers la substance de l'âme, recherche un objet extérieur à vivifier et à connaître, il subit des passions, mais qui sont localisées exactement dans le sujet qui reçoit l'acte, c'est-à-dire, pour l'âme, dans le corps. Le mouvement subit des passions parce que son activité est gênée, n'obtient pas son effet naturel.

32,66. indiget alterius. — Cf. 26,35 ; III 2,22-23.

32,67. particeps. — C'est le corps qui participe à la vie de l'âme ; mais la vie de l'âme, participée par le corps, subit dans le corps les affections du corps, y compris la mort ; c'est donc la vie participée par le corps qui subit les passions, mais la vie de l'âme reste impassible dans l'âme.

32,69. indigens. — Cf. III 2,22-23, mais surtout *in*

Ephes. 1,4 ; 1240 a 2 sq. : « Carnalibus enim et foraminibus (= les « pores » des sens) et sentiendi virtutibus, quasi quidam intellectus nascitur et fallax et multiplici fuco decipiens integram intellegentiam et laedens quodam modo per imagines veritatem. Cum sit igitur animae naturale ut intellegendi quidem potens sit, intellegentia tamen facile *labi* et *cadere* in vicinam virtutem possit atque imaginem intellegendi id est sensum... » La chute de l'intelligence de l'âme provient, pour elle comme pour la vie, du fait qu'elle a besoin d'un objet. Son objet naturel, c'est la substance de l'âme elle-même et les intelligibles. Mais si l'âme se détourne du monde intelligible pour vivifier le monde sensible, son intelligence est entraînée dans la connaissance sensible, qui l'égare. Là encore la puissance intellectuelle de l'âme est toujours identique en la substance de l'âme, mais son activité est désordonnée. Sur cette chute de l'âme, cf. I 61,10 sq.

32,71. fantasiam. — Cf. Porphyre, *sentent.* XL 1 ; Mommert, p. 36,3-4 : κάλυμμα λαβὼν τὴν ὑποδραμοῦσαν ὑπονοίας φαντασίαν.

32,74. in semine motionis. — Le reste de la phrase suppose plutôt la métaphore de l'étincelle, cf. I 61,22. A vrai dire « semence » et « étincelle » sont traditionnellement liées, cf. Cicéron, *de finibus* 5,18 ; Synésius, *hymn.* 1,560-562, Terzaghi, pour exprimer une réalité susceptible de prendre ou de reprendre son développement.

32,76-78. — Cf. I 58,18-24. Le retour à l'intérieur est toujours retour à la source : pour la vie et l'intelligence de l'âme, cette source, c'est le Logos, vie et intelligence, Christ et Esprit-Saint. Sur l'âme à l'image du Logos, cf. non seulement 20,38-55, mais aussi I 63-64, où la trinité de l'âme est également décrite.

***

33,1 — 34,48. Le Logos, étant acte, image, reflet de Dieu, est Fils consubstantiel au Père. — Tous les détails de l'exposé précédent sur l'*homoousion* dans l'âme vont être désormais à peu près oubliés. Toutefois l'idée centrale de cet exposé : le mouvement de l'âme n'est pas en elle un accident, mais lui est consubstantiel, est avec elle pour former une unité multiple, en un mot, le Logos de l'âme est consubstantiel à la substance de l'âme, demeure le thème central des développements consacrés désormais à l'*homoousion* en Dieu. Le thème de la consubstantialité des genres de l'être dominera d'ailleurs les chapitres 33 à 43, cf. 32,16 – 43,4 n. C'est d'abord le nom de *Logos* qui va être étudié, et à propos de qui la consubstantialité va être exposée : 1° Le Père est à la fois être et agir, donc Logos confondu avec la substance (33,1-34). 2° Mais l'être est Père, l'agir est Fils. Tant que le Logos est confondu avec la substance, le Fils est dans le Père ; quand le Logos se met en acte pour créer, le Père est dans le Fils (34,1-12). 3° Pour expliquer cette intériorité réciproque du Père et du Fils, Victorinus recourt à deux notions : *a*) le Fils est *universale*, le Père est *supra universale* (34,12-33) ; *b*) le Fils est reflet de la lumière (34,33-48). Les grandes lignes de cet exposé sont tout à fait identiques à *ad Cand.* 17,1 – 23,10 (n.).

33,4-23. — Victorinus veut montrer que Dieu est *déjà Logos*, c'est-à-dire qu'il est *en acte* ; et il oppose pour cela la doctrine biblique du Dieu vivant et créateur à la doctrine d'un Dieu passant de la puissance à l'acte, inventée par certains philosophes.

33,4. primum inquirendum. — Cf. Plotin, *Enn.* I 1,2,1-2 : πρῶτον δὲ ψυχὴν ληπτέον πότερον ἄλλο μὲν ψυχή, ἄλλο δὲ ψυχῇ εἶναι (cité par P. Henry, *Plotin et l'Occident*, Paris, 1934, p. 59). Plotin se pose cette question à propos de l'âme, parce qu'il recherche si l'âme peut être sujet des passions. Si l'être de l'âme est différent de l'âme, l'âme est composée d'une forme (l'être de l'âme) et d'une matière (telle âme recevant la forme). Étant composée, rien n'empêche qu'elle soit passible. Si au contraire l'être de l'âme est identique à l'âme, c'est qu'elle est une forme pure, un acte, et elle est donc impassible. Comme dit Plotin, *Enn.* I 1,2,6-9 : « Mais si l'âme est identique à l'être de l'âme, elle est une forme ; elle n'admet donc en elle aucun des actes qu'elle est capable de produire en un sujet différent d'elle (c'est exactement la solution de Victorinus au problème du patripassianisme) ; elle a un *acte immanent et intérieur* à elle-même. » En introduisant cette distinction, Plotin se réfère d'ailleurs à Aristote, *metaphys.* VIII 3,1043 b 1, qui pose, comme le traité de Plotin, la question : qu'est-ce que l'animal (1043 a 34) ? On pourrait concevoir que Victorinus qui vient de parler de l'âme au chapitre précédent, élève la question plotinienne au plan de Dieu, pour pouvoir affirmer en Dieu, comme en l'âme, *un acte immanent et intérieur* (συμφυᾶ ἔχον τὴν ἐνέργειαν ἐν ἑαυτῷ = 33,22-23 : *actione ... sed interna*). Toutefois, je pense que la question de la distinction entre la quiddité de Dieu et Dieu lui-même était posée pour elle-même par certains philosophes, et que Victorinus la pose à son tour, pour affirmer sans doute l'existence d'un acte intérieur à Dieu (son Logos), mais, en même temps, pour éluder l'hypothèse d'une substance préexistante à Dieu, qui, selon les homéousiens, serait exigée par l'*homoousion*, cf. note suivante.

33,4. si idem est deus et deo esse. — On retrouve cette distinction chez Proclus, rapportant l'opinion de philosophes antérieurs (Proclus, *in Parmen.*, Stallbaum, p. 864; Cousin, 1864, p. 1106,33 – 1107,9) : « Il y en a d'autres qui ont pensé qu'il fallait distinguer Dieu et l'être de Dieu et attribuer au Premier l'être de Dieu (διακρίνειν... θεὸν καὶ τὸ θεῷ εἶναι καὶ ἀπονέμειν τῷ πρώτῳ τὸ θεῷ εἶναι); l'être de Dieu pourrait ainsi être présenté comme cette propriété de l'Un (ὡς ταύτην ἰδιότητα ... τοῦ ἑνός) (Proclus énumère en effet, dans le contexte, les doctrines philosophiques qui cherchent à définir une nature et une propriété de l'Un). Il faut demander à ces gens-là comment admettre qu'il y ait un être de Dieu, puisque Platon enlève à l'Un même le « Il est » (*Parmen.* 141 c). Et comment distinguer en ces choses l'individu et l'être de l'individu et transférer ces schémas, des choses composées aux choses simples et divines qui, parmi toutes les autres, ont le plus d'unité. Car nous ne pouvons admettre qu'on dise qu'autre est l'âme, autre l'être de l'âme (cf. les textes de Plotin cités à la note précédente), et de même pour les autres formes. Combien plus refuserons-nous d'admettre pour les dieux de telles distinctions ! Et comment donc l'Un pourra-t-il être différent de l'être de l'Un ? Car nous ferons inconsciemment de l'Un, un Non-Un, s'il est séparé de l'être de l'Un et qu'il participe à un existant supérieur ! » En somme les philosophes dont parle Proclus essaient de rendre compte de la distinction du *Parménide* 137 c et 142 b entre l'Un et l'Un qui est ; l'Un pur, la première hypothèse, est conçu par eux comme l'*être de l'Un qui est*, c'est-à-dire comme l'idée préexistante de l'Un, comme la forme que l'*Un qui est* réalise. (Sur cette doctrine, cf. É. Bréhier, *Etudes de Philosophie antique*, Paris, 1955, p. 262.) Comme Victorinus, lui-même, Candidus a refusé une telle doctrine, cf. Cand. I 3,11-25 (n.), parce que, pour lui, admettre une génération de Dieu, c'était admettre une pareille distinction. C'est au fond le même argument qu'emploient les homéousiens contre la génération consubstantielle, en affirmant qu'elle suppose une substance préexistante. Pour réfuter à son tour la distinction entre être de Dieu et Dieu, Victorinus se contente d'opposer le témoignage de l'Écriture, qui parle d'un Dieu créateur, donc agissant. La génération en Dieu ne sera donc pas réception d'une forme préexistante, mais autonomie de la forme et de l'acte intérieurs à Dieu. Mais, en fait, la doctrine de Victorinus, dans l'ensemble de son œuvre, oscille entre la doctrine biblique du Dieu-Logos et la doctrine néoplatonicienne du Dieu préexistant à toute actuation ontologique.

33,7. in potentia. — L'être de Dieu est en puissance par rapport à Dieu. En saine doctrine aristotélicienne, la forme est acte. Mais, dans la perspective platonicienne, l'idée préexistante est la puissance de tous les existants qui participent à elle. Cf. *ad Cand.* 2,24-25.

33,8-9. potentia ... praeexistens. — Cf. I 49,39-40.

33,9. praeprincipium. — Cf. 39,3 ; I 49,28 ; 60,10 ; 63,33.

33,9. ante est quam vere ὄν. — Cf. 33,7-8 ; I 49,9 ; 49,13-15 ; IV 19,4.

33,9-14. — Deux idées dans la citation : 1° immobilité absolue de « l'être de Dieu »; 2° l'« être de Dieu » est connu par une « préconnaissance ». Ne possédant pas la source exacte de la citation, nous sommes réduits à signaler les directions possibles de recherches. Sur l'immobilité du premier Dieu, cf. Numénius, *fragm.* 24; Leemans, p. 140,8 : ὁ μὲν πρῶτος θεὸς ἔσται ἑστώς, et *fragm.* 21, p. 138,14 : ἀργὸν εἶναι ἔργων ξυμπάντων, mais aussi les gnostiques, cf. Tertullien, *adv. Valent.* VII 4 : « Se < det > itaque Bythos (appelé quelques lignes avant προαρχήν = *praeprincipium*, Victorinus 33,9) iste infinitis retro aevis *in maxima* et altissima *quiete*, in otio plurimo placidae et, ut ita dixerim, stupentis divinitatis, qualem iussit Epicurus. » Quant à la « préconnaissance », elle rappellerait plutôt le verbe προνοεῖν employé par Porphyre pour caractériser la connaissance du Non-Existant, transcendant à l'Existant, dans *sentent.* XXVI ; Mommert, p. 11,9-10 (cf. *ad Cand* 4,1 – 5,16 n.). La phrase citée par Victorinus fait en quelque sorte l'étymologie de πρόνοια : pré-connaître, c'est connaître que quelque chose pré-existe ; cf. *adv. Ar.* IV 19,15-16 n. Il me semble ainsi que la citation présente et la distinction précédente entre Dieu et l'être de Dieu se rattachent à une tradition déjà assez ancienne, distinguant entre un premier Dieu immobile et un second Dieu créateur, le premier étant en quelque sorte l'idée du second. A cette conception d'un premier Dieu complètement immobile, Victorinus va maintenant opposer le Dieu déjà Logos, doué d'un acte intérieur, tel qu'il le trouve dans l'Écriture.

33,11. in motu. — Mouvement qui n'existe que dans les existants : Dieu meut comme cause finale.

33,13. quae ipsa per semet nihil est. — Comme l'imagination des non-existants, dans *ad Cand.* 5,9.

33,14-34. — Victorinus fera appel, de la même façon, au récit de la *Genèse*, pour défendre le caractère substantiel de Dieu, *adv. Ar.* II 1,34 sq. (remarquer de part et d'autre, 33,20 et II 1,35, la même suite d'existants, ciel, terre, etc.). Il a bien le sentiment du caractère vivant et existentiel du Dieu de la Bible et de l'Évangile. Et pourtant sa théorie de l'acte d'être lui permet en même temps de réintroduire le Dieu immobile et ἀνούσιος qu'il prétend rejeter, cf. *in Ephes.* 3,9 ; 1266 a 6 : « Ergo creator licet deus accipiatur, sed per Christum tamen creator deus. Creator enim non convenit deo sed convenit Christo et sic per Christum deo ; ille enim genuit Christum. Christus creavit omnia ipse, deo operante et per se creante. Ita unum est quod creata sunt omnia et ab uno creata sunt, si quidem dei patris opera, per Christum creata sunt omnia. » L'activité créatrice de Dieu consiste à engendrer l'acte créateur qui est en lui-même.

33,14. omnis intellegentia. — = κοινὴ ἔννοια. Comme plus haut, à propos du terme *substantia*, Victorinus revient à l'opinion commune, à l'emploi usuel du langage, en laissant de côté les distinctions techniques des philosophes, tout à l'heure la distinction entre *exsistentia* et *substantia* (30,20-26), maintenant entre *deo esse* et *deum esse.*

33,15. esse[1]. — Sur ce premier point de tous les exposés trinitaires de Victorinus, cf. *ad Cand.* 2, 16-30 n..

33,15. ante ipsum nihil esse. — Cf., philosophiquement, 29,11-14 et, théologiquement, 29,39 - 30,5 (= *Isaïe* 43,10). Voir *hymn.* II 14.

33,17. actione. — Cf. *ad Cand.* 22,8 ; 25,8.

33,19. actuosum. — En tant qu'il a un acte intérieur, qui s'extériorisera, cf. 13,11 : actio *inactuosa* ; 12,29 : *inoperans* operatio ; ces expressions ne contredisent pas le présent adjectif, mais correspondent au caractère tout intérieur de l'acte divin, cf. 33,34 : *intus* operatur.

33,21-23. potentia et actione. — Cf. 19,23 et 20,13-23, avec la même idée de prédominance : le Père est plus puissance, parce qu'acte caché, le Fils, plus acte, parce que manifesté.

33,23-30. — Cette liste de noms est identique à la liste des noms de Jésus donnée par Candidus, CAND. I 11,12 : *substantia*, *actio*, λόγος, reprise par Victorinus, *ad Cand.* 2, 10-16 et surtout 2,32-35, et que l'on retrouvera, *adv. Ar.* I 56, 15-18. Rien d'étonnant dans le fait que la liste des noms de Jésus soit en même temps la liste des noms du Père : ce qui les distingue, c'est que, dans le Père, ces déterminations sont confondues avec l'être, dans le Fils, avec l'acte.

33,25-30. — Cf. *adv. Ar.* I 55,22-25 ; IV 5,15-18. Suite analogue de déterminations, Lydus, *de mens.* II ; Wünsch, p. 21,8 : ἡ δὲ μονὰς ἀμερὴς καὶ ἀμετάβολος καὶ αὐτοκίνητος καὶ ὡσαύτως ἔχουσα.

33,28-29. substantialis ... λόγος. — C'est-à-dire confondu avec l'être, cf. *ad Cand.* 17, 13 n.

33,29. non ut aliud aliquid. — Cf. 29,19.

33,30. coexistens. — Cf. 34,9. La consubstantialité consiste avant tout en cette coïncidence originelle du Logos et de l'être. *Simplicitate* et *unitione* s'opposent évidemment comme l'unité et l'union, cf. 34,12 ; I 50,21 ; en IV 2,6, Victorinus refusera tout rapport d'union entre le vivre et la vie.

33,30-33. — Cf. 20,39 ; 27,12-14 ; 34,21.

34,1-11. La génération du Logos. — Suivant le même plan que l'exposé de l'*ad Candidum* sur l'*esse* et l'*agere*, cf. *ad Cand.* 17,1 - 23,10 n., après avoir montré la coïncidence originelle de l'être et du Logos, Victorinus démontre ensuite qu'ils sont pourtant Père et Fils, cf. *ad Cand.* 19,1-10 n., pour la raison que l'acte est postérieur à l'être. On retrouve même ici, comme dans l'*ad Candidum* (19,9-10), l'idée de l'implication réciproque du Père et du Fils : si l'*esse* est déjà Logos, et que le Logos est Fils, le Fils est alors dans le Père ; quand le Logos se distingue de l'*esse* en se posant comme acte, à ce moment c'est le Père qui est dans le Fils.

34,1. — Sur ce caractère révélateur de l'acte, cf. 4,17 : *declaratio* ; 19,27 : *imago* ; 24,12 : *declaratio* ; 25,32 : *imago*.

34,4. — Cf. 19,29 : *exsistens per semet* ; Victorinus s'oppose ici à la critique du mode de génération selon l'image que l'on trouve chez Candidus, CAND. I 6,4, cf. *adv. Ar.* I 19,1 - 20,67 n.

34,6-9. — La citation d'Alexandre est introduite par *ineffabili generatione* : cette expression, que Victorinus emploie aussi *ad Cand.* 2,22 ; 16,26 ; *adv. Ar.* I 47,36-37, éveille probablement le souvenir des formules paradoxales qu'Arius reprochait à Alexandre d'Alexandrie, cf. CAND. II

1,21-25 : « Semper genitus, ingenitogenitus », qui supposaient que le Fils était le terme d'une génération éternelle et inengendrée. Peut-être Victorinus reconnaissait-il dans ces formules les formules néoplatoniciennes de Porphyre, *sentent.* XXIV ; Mommert, p. 11,1-2 : ἀγένητα ἄρα καὶ ἄφθαρτα καὶ ἀγενήτως καὶ ἀφθάρτως γεγονότα κατὰ τοῦτο à propos de la procession des vivants incorporels.

34,8. et dicitur. — Victorinus veut dire que la formule d'Alexandre est toujours reprise contre Arius, même par les homéousiens, cf. Épiphane, *panarion* 73,14,2 ; Holl, p. 286, 23-26 : τὸν πατέρα πατέρα ἀεὶ ὄντα... τὸν δὲ υἱὸν υἱὸν ὄντα ἀεὶ... ἀεὶ <ὄντα> δὲ λεγόμενον διὰ τὸ ἄχρονον καὶ ἀκατάληπτον τῆς ὑποστάσεως.

34,9-12. — Deux états du Logos : consubstantialité-ipséité, le Fils est dans le Père, le Logos confondu avec l'être ; consubstantialité-identité, le Père est dans le Fils, l'acte qu'est le Logos se distingue du Père, en lui restant identique. Sur la différence entre identité et ipséité, cf. 41,20 sq. Expressions analogues, cf. *hymn.* I 5-6.

34,11-48. — **Le comment de la génération.** — Essai en partie nouveau, pour rendre compte du mode de génération du Fils et de l'intériorité réciproque du Père et du Fils.

34,11-33. L'universel et l'au-dessus de l'universel. — Si le Logos s'identifie avec l'universel, c'est-à-dire avec l'idée et l'intelligible, le Père est un suruniversel.

34,13-18. — Opposition des causalités de Dieu et du Logos : Dieu est cause de l'être, le Logos, cause de la « subsistence », c'est-à-dire de la détermination ; Dieu est puissance de l'être, le Logos est l'être même. Cf. IV 26,20-21. La causalité du Logos est donc plus restreinte que celle de Dieu.

34,14. eius quod et esse potentia. — *Et* est pléonastique, *potentia,* ablatif.

34,18-20. — C'est-à-dire que le tout, réparti suivant genres, espèces, individus, reçoit à la fois son être commun et l'être propre à chaque détermination, grâce à l'unité de Dieu et du Logos, c'est-à-dire de la cause de l'être et de la cause de la détermination.

34,20-26. — Le Logos, en tant qu'il *est* Tout, vient de ce qui est au-dessus de tout.

34,26-27. — Il y a consubstantialité, parce qu'il y a communication d'être, et parce que ce qui est au-dessus du Tout, contient le Tout en puissance.

34,28. progressio. — Cf. 27,17, lié à *refulgentia* (et plus bas 34,33).

34,31-33. — Explique le « filius in patre ». Le Tout, sortant du Père, subsiste par soi, c'est-à-dire a son hypostase propre, mais il est enraciné dans le Père.

34,33-48. La lumière et son reflet. — Le nom du Fils *refulgentia*, déjà évoqué 31,41 et 27,18, fait ici l'objet d'un exposé un peu plus développé. C'est une réfutation de la critique de Candidus, concernant la génération *iuxta effulgentiam* (Cand. I 4,9) ; sur cette réfutation de Candidus, cf. 32,16 – 43,4 n. Candidus concevait ce reflet d'une manière physique : « Motus est et adsignat tempus » (Cand. I 4,9). Victorinus répond : « Non igitur neque motu locali neque inmutatione. » La distinction est définitive (*semper pater, semper filius*), et pourtant elle n'aboutit pas à une division de la substance, parce qu'il y a intériorité réciproque de la lumière et de son reflet : le reflet a en lui la lumière, et il est déjà dans la lumière, puisqu'il resplendit à partir d'elle. On ne voit pas bien ce qui relie cette notion de *refulgentia* au développement précédent sur l'être qui est le Tout et l'être qui est au-dessus du Tout, sinon le schéma général de procession.

34,34. enata. — Opposition entre ἔκφυσις et σύμφυσις, entre une production adventice et une production naturelle.

34,38-40. — Distinction dans les noms du Fils : *imago, forma* marquent plus d'intériorité du Fils au Père, *refulgentia*, la procession.

34,41. splendor. — Cf. Cand. I 4,15.

34,43-48. — Le reflet (donc le Logos) est-il *ad* deum ou *in* deo ? Cf. la discussion sur *circa deum, ad Cand.* 26,1-23. Victorinus semble ici interpréter *in principio* = *in lumine, ad deum* = *ad lumen.* Pour Victorinus *ad* et *in* ne s'opposent pas : le reflet environne la lumière, mais, venant d'elle, il est donc déjà en elle. Voir une image analogue chez Plotin (mais sans l'affirmation d'une présence du reflet dans la lumière), *Enn.* V 1,6,28-37, notamment les expressions περίλαμψιν, περὶ αὐτό ; cf. plus haut, 19,29-43 n.

35,1 — 39,34. Par le Logos et pour le Logos, par Dieu et pour Dieu sont toutes choses. — Nous sommes ici définitivement dans la théologie des prépositions ou des syllabes, comme dirait saint Basile, *de spiritu sancto* I 2 ; *PG* 32,69 b. Il s'agit bien d'elle en effet : les anoméens considéraient que les particules employées par l'Écriture (par qui, pour qui, en qui, de qui, etc.) exprimaient des substances différentes ; nous le savons justement par saint Basile, *de spiritu sancto* II 4 ; *PG* 32,73 a-c (trad. B. Pruche, p. 111-112) :« Ils ont pour eux un vieux sophisme, découvert par Aèce, le chef de leur secte, qui a dit quelque part dans une de ses lettres : « Les êtres de nature dissemblable sont énoncés de façon dissemblable » (τὰ ἀνόμοια κατὰ τὴν φύσιν ἀνομοίως προφέρεσθαι), et, réciproquement, « les êtres énoncés de façon dissemblable sont de nature dissemblable. » A l'appui de ce dire, Aèce tire à lui la parole de l'Apôtre : « Un seul Dieu le Père, *de qui* viennent toutes choses et un seul Seigneur Jésus-Christ, *par qui* sont toutes choses. » Ainsi, d'après lui, les natures signifiées par les mots sont dans le même rapport que les mots entre eux. Or l'expression *par qui* n'est pas semblable à l'expression *de qui.* Le Fils n'est donc pas semblable au Père ; cf. Théodoret, *hist. eccl.* II 27,6 ; Scheidweiler, p. 160,1-4. Basile ne nous signale pas seulement la source prochaine de cette doctrine : Aèce, mais la source dernière, la classification philosophique des causes (cf. W. Theiler, *Die Vorbereitung des Neuplatonismus*, p. 19) rapportées aux différentes prépositions. W. Theiler rapproche le texte de Basile, de Sénèque, *epist.* 65 ; Hense, p. 192,13 : « Id ex quo, id a quo, id in quo, id ad quod, id propter quod », énumérant les cinq genres de causes selon Platon (prétend Sénèque), et de Porphyre dans Simplicius, *in phys.*, Diels, p. 10,25 : ἀφ' οὗ, ὑφ' οὗ, δι' ὅ, ἐξ οὗ, πρὸς ὅ (= παράδειγμα), δι' ὅ (= ὀργανικόν) qui réunit les quatre genres de cause d'Aristote, et les deux causes de Platon (paradigme et instrument).

Comme le fera Basile, Victorinus retourne l'argument anoméen. Puisque l'Écriture emploie les mêmes prépositions au sujet du Père comme au sujet du Fils, c'est donc que ces prépositions, expressions propres de la substance, désignent, *par leur ensemble*, une substance commune. Victorinus utilise cet argument contre deux adversaires opposés, d'une part contre la doctrine prêtée à Marcel d'Ancyre, selon laquelle le Logos n'aurait été Fils de Dieu qu'au moment de l'Incarnation, d'autre part, contre les adversaires de l'*homoousios.* Voici la structure de l'argumentation.

I. Logos = Fils (35,1 – 37,3) : Par qui, en qui, pour qui.
1° *Fils de Dieu = Fils de Marie,* parce que
saint Paul dit en même temps du Fils qu'il

est *image de Dieu* et qu'il nous a rachetés *par son sang*. — *Col.* 1,14-15

2° *Logos = Fils de Dieu*, parce que, de tous deux, on dit : *par* qui, *en* qui, *pour* qui sont toutes choses. — *Col.* 1,16-17 = *Ioh.* 1,3 (*I Cor.* 15,28)

II. Père = Fils (37,4 – 39,34) { De qui, par qui, pour qui. / En qui, par qui, pour qui. }

1° « *Par qui* sont toutes choses » se dit des deux. — *Rom.* 11,36 = *Col.* 1,16-17

2° « *De qui* sont toutes choses » se dit proprement du Père. — *Rom.* 11,36

3° « *En qui* sont toutes choses » se dit proprement du Fils. — *Col.* 1,16-17

4° « *Pour qui* sont toutes choses » se dit des deux. — (*Rom.* 11,36) = *I Cor.* 8,6 = *Col.* 1,16-17 = *I Cor.* 15,28

On voit l'argumentation dangereuse que manie Victorinus : si elle sert à identifier totalement Logos et Fils, sert-elle également à identifier totalement Père et Fils ? Heureusement « de qui » et « en qui » sauvent la distinction hypostatique entre Père et Fils. En tout cas, il s'agit bien d'un effort d'analyse de la causalité divine au travers des textes d'Écriture : la conclusion sera d'ailleurs la communauté d'action entre Père et Fils, signe de leur communauté de substance. C'est ce que Victorinus appelle le « mystère », *hymn.* I 68-69.

L'argumentation de Victorinus est avant tout dirigée contre les anoméens, nous le savons par le texte de Basile, cité plus haut. On remarquera que le symbole des Encénies (Antioche 341) rapportait le *de quo omnia* au Père, le *per quem omnia* au Fils, cf. Hilaire, *de synodis* 29 ; *PL* 10,502 b. Aétius, dans le texte cité par Basile, pouvait lui-même opposer à ses adversaires, homéens ou homéousiens, son syllogisme rejetant toute *similitude* entre des réalités désignées par des expressions comportant des conjonctions différentes.

35,1. dicemus et alia. — Cf. 40,1.

35,10. in eo qui ex Maria erat. — Cf. 35,25 ; 35,37. Formules qui pourraient faire douter de l'efficacité de la démonstration de Victorinus : être dans le Fils de Marie, ce n'est pas être soi-même le Fils de Marie. Formule analogue, *in Ephes.* 1,1 ; 1236 b 7 : « Christum vero, id est λόγον eum qui *in Christo* fuit, dei voluntatem », et 1,2 ; 1237 b 12 : « Nam et ante Christum, idem dei filius, id est λόγος, id est Christus, et fuit et semper est et erit et per ipsum condita sunt omnia. Sed idem ipse *in Christo* fuit id est Iesu et tunc subvenit saluti omnium hominum. » Ce dernier texte est intéressant parce qu'on voit Victorinus employer *Christus* pour désigner à la fois le Logos et Jésus, de telle manière que l'on aboutirait presque à la formule : Christus in Christo, ou Christus ante Christum. Victorinus distingue tout simplement entre le Christ préexistant, identique au Logos, et, d'autre part, ce qu'il appelle le *Christus carnalis* IV 7,16 ou *Christus in carne*, cf. I 13, 24 ; III 18, 20-21, et il lui arrive de commettre le lapsus qui consiste à confondre *Christus in carne* avec l'humanité du Christ, bien plus avec son corps animé. L'Incarnation du Christ rentre pour Victorinus dans le problème général du rapport de l'incorporel au corporel : l'âme n'est pas le corps, elle est dans le corps, et pourtant l'homme est un ; cf. Augustin, *tract. in Ioh.* 19,15 ; *PL* 35,1553.

35,20-39. — Sur l'interprétation que Marcel d'Ancyre donnait de *Col.* 1,15-20, cf. 24,1-18 n.

35,35-39. — Victorinus ne veut pas dire que le Fils de Marie n'est pas Fils de Dieu — toute sa démonstration veut prouver le contraire — mais il veut dire que le Fils de Marie n'est pas Fils de Dieu seulement au moment où il est engendré par Marie, mais le Fils éternel de Dieu forme avec le Fils de Marie une unité indissoluble. Cf. Sirmium 351, dans Hilaire, *de synodis* 60, *anathem.* 27 ; *PL* 10,521 c.

36,1 — 37,3. — Comparer avec le commentaire de *Col.* 1,15-20, en 24,1 – 26,9. Toute l'attention de Victorinus est ici portée sur les prépositions.

36,13. in confessione. — Cf. la profession de foi des Encénies, dans Hilaire, *de synodis* 29 ; *PL* 10,503 a 4.

36,19-22. — Ici le raisonnement ne s'appuie pas sur la comparaison de textes d'Écriture, mais sur la notion philosophique de Logos, cf. 22,54-55.

36,22-26. — Cf. 25,10-24 n.

36,26. spiritalia. — Cf. 39,25.

37,6. in uno. — Dans *ex ipso* omnia. Sur l'« honneur » des prépositions, cf. saint Basile, *de spiritu sancto* V 8; *PG* 32,81 c : « Les deux prépositions auront même dignité (ὁμότιμοι) du fait qu'on les entend pareillement de Dieu » (trad. B. Pruche, p. 121).

37,24. locus. — Cf. 24,41-48 n.

37,34-36. — *I Cor.* 8,6 (dont Victorinus semble connaître une leçon différente : *in ipsum* au lieu de *per ipsum*) était justement le texte retenu par les anoméens pour prouver la différence de nature du Père et du Fils à partir de la différence de préposition, cf. Basile, *de spiritu sancto* II 4; *PG* 32,73 b.

37,42 — 39,34. — Illustration de l'*in ipsum*, par le commentaire de *I Cor.* 15,24-28. Double preuve de l'*homoousios*, d'abord par l'application de *in ipsum* au Père et au Fils (cause finale de l'univers, ils lui assurent l'unité par leur propre unité), ensuite par le contenu doctrinal propre de *I Cor.* 15,24-28 qui insinue l'unité d'activité du Père et Fils. On remarquera que le texte avait été évité par Victorinus dans la partie scripturaire, cf. 19,1 – 20,67. Ce texte de saint Paul était déjà célèbre dans la controverse théologique ; les anoméens l'entendaient du Fils engendré avant les siècles et en concluaient à l'infériorité de celui-ci par rapport au Père, cf. le « blasphème » de Sirmium (357) dans Hilaire, *de synodis* 11 ; *PL* 10,489 a : « Subiectum cum omnibus his quae ipsi pater subiecit » ; Marcel d'Ancyre, dans son livre cité par Hilaire sous le titre *de subiectione domini*, dans *collect. antiar. Par.*, Feder, B II 9,3 ; p. 147,3, l'avait entendu de l'homme-Jésus, mais, selon ses adversaires, en avait conclu à une fin du royaume du Christ, à un retour de l'acte créateur dans l'unité divine, cf. Eusèbe de Césarée, *de ecclesiast. theologia* III 17,6 ; Klostermann, p. 177,6. Hilaire, *de trinitate* XI 25 ; *PL* 417 b résume excellemment les interprétations hérétiques possibles du texte de saint Paul : « Trois questions se posent selon l'ordre même des paroles de saint Paul : d'abord la fin, ensuite la remise (du royaume), enfin la soumission; est-ce que, par là, le Christ cesse avec la fin, ou bien est-ce qu'il perd son royaume, en le remettant au Père, ou bien enfin est-ce que soumis à Dieu, il se trouve ainsi hors de la substance de Dieu (aut desinat Christus in fine, aut regnum tradendo non teneat aut extra dei naturam deo subiectus exsistat) ? » Hilaire lui-même rapporte le texte de saint Paul à l'économie (dispensation), et interprète la soumission du Fils au Père comme une transfiguration du corps du Christ et du corps des rachetés dans la gloire du Père (*de trinitate* XI 21-49 ; *PL* 10,414-433). C'est finalement une spiritualisation universelle, *de trinitate* XI 49 ; *PL* 10,432 b : « Subiectio enim illa corporis, per quam quod carnale ei est, in naturam spiritus devoratur, esse deum omnia in omnibus, eum qui praeter deum, et homo est, constituet. » C'est la même interprétation qu'adoptera Victorinus, mais il insistera beaucoup plus sur le caractère relatif de l'économie (c'est-à-dire de l'acte extérieur du Fils-Logos) qui prendra fin, quand elle aura triomphé de toute opposition.

38,3. virtute ... paterna. — Cf. 39,24 : « Potentia paterna » ; *in Phil.* 3,21 ; 1227 a 9 : « Ergo ubi dixit « potentiae suae » (*scil.* « secundum operationem potentiae suae »), illic intellegitur deus, cui scilicet subdit universa et propter hoc operatur ut possit etiam universa illi subdere. »

38,14. rex omnium. — Cf. Platon, *Lettres* II 312 e : τὸν πάντων βασιλέα.

38,15. potentia et sapientia. — Apparition de nouveaux noms du Fils qui feront l'objet du prochain développement, 40,1-35.

38,16. regnare primum sapientiam. — Victorinus ne rapporte donc pas le « royaume » au seul Fils incarné, mais au Logos-Sagesse. Cette sagesse par son règne « polémique », si l'on peut dire, doit précéder le règne universel et « irénique » de Dieu, qu'elle prépare en soumettant toutes choses.

38,18-27. — L'ambiguïté du texte sacré se tourne en preuve de l'*homoousios.* Le Père et le Fils peuvent indifféremment être sujets de *ponat* et désignés par *eius.* A s'en tenir au sens du *Psaume* 110,1, cité par saint Paul, c'est le Père qui soumet les ennemis au Fils.

38,31. patrem subicere. — Victorinus explique le renversement paulinien : le Fils soumet toutes choses au Père, le Père soumet toutes choses au Fils, par l'antériorité de l'être, cause de l'agir : le Père est la cause dernière de la victoire du Fils.

39,1-34. — Victorinus dégage l'essentiel de la doctrine contenue pour lui dans le fameux passage de saint Paul : 1° le Père agit, en tant que cause première, en tant que principe de la puissance — il est donc déjà Logos, cf. 33, 28 sq. ; 2° le Fils agit également ; 3° l'acte du Père et du Fils est donc commun, en sorte que saint Paul peut établir une parfaite réciprocité entre les actes du Père et ceux du Fils.

Première conclusion : il y a donc intériorité réciproque entre Père et Fils ; ils ont une seule substance et chacun leur hypostase propre (39,1-10). Puis, description de l'acte propre au Fils : 1° double fonction de cet acte : il est vie et intelligence (39,10-15) ; 2° l'acte du Fils ne commence pas avec son incarnation, mais il a agi auparavant en tant que Logos (39,15-25) ; 3° le repos final de l'acte : quand la puissance adverse sera détruite, l'acte du Logos se retournera vers le Père, pour se reposer en lui, avec tous les existants, qui seront spiritualisés. Bien que les mots ne soient pas employés, il s'agit ici de l'opposition entre l'action, liée à la création et à l'incarnation, et la contemplation finale, liée au retour de toutes choses vers Dieu. C'est le sens de l'opposition entre vie et intelligence.

39,3. ipse facit omnia. — Hilaire donne le même sens à la réciprocité des formules pauliniennes, *de trinitate* XI 33 ; *PL* 10,421 a : « Omne per hoc opus eius, *dei in eo esse opus* testans », et 421 b : « Dum ita agit ut ea deus agat et tamen ipse ea quae deus egerit, agat. » Même conclusion chez Augustin, *de trinitate* I 8,15 : « Inseparabilis enim operatio est patris et filii. »

39,7. nihil alterum quod in uno alterum. — Premier énoncé d'un principe qui jouera un grand rôle dans IV 1,15 ; IV 5,45-47.

39,8. subsistentia. — Cf. 16,28-29 n.

39,12. regenerat. — Cf. 12,32. C'est la double fonction du Logos, cf. également 12,13-32 n.

39,19-20. de Maria filius. — Cf. 35,10. Vocabulaire propre aux chapitres 35-39 : on reste toujours dans la même problématique.

39,20-25. — Le synode de Sirmium (351), dirigé contre Photin et versé au dossier homéousien de l'été 358, énumérait la lutte de Jacob avec l'« Ange », le déluge, l'incendie de Sodome et Gomorrhe comme des actes propres au Fils, faits par la volonté du Père, cf. Hilaire, *de synodis* 38, *anathem.* 14-17 ; *PL* 10,511 a-b. Les théophanies étaient traditionnellement rapportées au Fils. La doctrine de Photin, liant filiation et incarnation, obligeait à les rapporter au Père. Victorinus, contre Photin et Marcel d'Ancyre (le Marcel que lui révèlent les documents reçus d'Orient), veut affirmer que l'activité du Fils dans le monde est antérieure et postérieure à son séjour sur la terre. Il faut voir très probablement dans cette allusion présente au déluge et à Sodome et Gomorrhe un souvenir du dossier homéousien utilisé par Victorinus. Même souvenir du concile de Sirmium dans *fragm. arianorum* VI; *PL* 13,610 a : « Sive diluvium, sive incendium Sodomae et Gomorrhae et cetera omnia quae semper fiunt et reguntur iubente patre. »

39,22. triumphavit. — Cf. 28,4 et *hymn.* II 47-50 n.

39,26. evacuatis omnibus. — Cf. *in Phil.* 3,21; 1127 b 9 : « Superatis enim omnibus, quae aut carnalia sunt aut creaturae, et mutatis, subdita universa redduntur potentiae dei per quam Christus operatur. »

39,27. requiescit activa potentia. — *Activa potentia* désigne le Logos, cf. 37,16 ; 39,10 ; *ad Cand.* 17,2 et 7, et veut dire que le Logos est agissant, qu'il est acte. Le Logos est lui-même acte, et il *a* un acte, il est lui-même puissance agissante et il *a* une puissance créatrice (cf. 22,42 n.). C'est la distinction qu'il faut établir entre l'acte substantiel du Logos et son acte extérieur, cf. 22,49 : *in progressu* (n.) et 22,51 n. Ainsi le repos de la « puissance agissante » ne signifie pas la fin du Logos en tant qu'acte de la puissance paternelle, mais la fin de son acte extérieur, c'est-à-dire de l'*économie* ou du *mystère*, fin qui n'est d'ailleurs pas une pure cessation, mais un accomplissement, le but du mystère étant justement l'unité de tout l'univers et des âmes dans l'unité divine, *in Phil.* 3,21 ; 1226 b 13 : « Omne enim mysterium et omnis actio Christi hoc operatur, hoc complet secundum potentiam suam ut nos in unum conveniamus, cum et anima et corpus et spiritus erunt ut ipse spiritus est. » En s'appuyant sur la notion de *spiritus*, sur la notion d'*intellegentia*, conçue comme retour, on peut concevoir ce repos du Logos comme un acte contemplatif. C'est ainsi que le concevra saint Augustin, *de trinitate* I 8,17 : « Haec enim nobis contemplatio promittitur *actionum omnium finis* atque aeterna perfectio gaudiorum. » La doctrine évangélique et paulinienne rencontrait ici, peut-être consciemment dans l'esprit de Victorinus, la doctrine du second Dieu de Numénius (*fragm.* 25 Leemans), qui, après la « démiurgie », devient purement contemplatif. Voir aussi déjà Sénèque, *epist.* 9,16 ; Hense, p. 22,3.

39,32. manebunt. — Cf. Hilaire, *de trinitate* XI 28 ; *PL* 10, 418 a : « Tendunt enim ad finem omnia, non ut non sint, sed uti in eo ad quod tetenderint, maneant » ; 418 c : « Finis itaque est indemutandae constitutionis mansura perfectio. » L'état final de repos n'est donc pas anéantissement, mais spiritualisation et transfiguration.

***

40,1-35. Le Fils consubstantiel, parce que force et sagesse de Dieu. — Deux nouveaux noms du Christ, cf. 32,16 – 43,4 n. et 38,15 n. Victorinus comprend ce couple inséparable de noms comme désignant l'acte de la puissance du Père, et compare le rapport entre Dieu et sa puissance et sagesse à celui de la faculté de voir avec sa vision. Ici s'introduit donc un nouveau rapport analogique destiné à rendre compte de la génération consubstantielle du Fils. Tout le livre a été dominé jusqu'ici par le rapport entre la substance et sa qualité substantielle, et ce schéma dominait encore l'analogie tirée de l'âme, 32,16-78. Cette fois, il s'agit du rapport entre la faculté et son acte.

40,1. — Cf. 35,1.

40,2. Christum Iesum. — Cf. IV 18,28 ; *hymn.* I 3.

40,4-5. non ipse deus ? — Le double nom : *virtus et sapientia* était utilisé par les ariens pour affirmer la différence de substance entre le Père et le Fils, cf. Augustin, *de trinitate* VI 1,1 : « Non est pater ipse virtus et sapientia, sed genitor virtutis et sapientiae » ; cf. Arius, dans Athanase, *contra arianos* I 5 ; *PG* 26,21 b : ἡ σοφία γὰρ φησὶ τῇ σοφίᾳ ὑπῆρξε σοφοῦ θεοῦ θελήσει. Les homéousiens, eux aussi, prennent bien garde de parler du Père comme σοφός, et du Fils comme σοφία dans Épiphane, *panarion* 73,6,8 ; Holl, p. 276,17, pour ne retenir qu'une similitude entre la substance du Père qui est sage, et du Fils qui est sagesse. Réponse de Victorinus : Dieu est force et sagesse en puissance, et le Fils est force et sagesse en acte. *Virtus* et *sapientia* s'identifient donc à Dieu dans l'ordre de la puissance.

40,5-9. — Dans le monde des corps, l'acte a besoin d'un milieu extérieur pour se réaliser : l'œil a besoin de lumière pour voir ; le feu a besoin de l'air, pour que son acte, la lumière, se réalise.

40,9-23. — Il s'agit de montrer que, dans l'âme, l'actuation se fait sans intermédiaire extérieur et que l'acte est identique à la puissance dont il procède. Victorinus choisit, pour montrer cela, le rapport qui existe entre la puissance de vision et la vision. L'acte y procède entièrement de la faculté sans être produit par l'action d'un agent extérieur. L'idée de la consubstantialité de la faculté de vision avec sa vision se trouve chez Plotin, *Enn.* III 6,2,34-37 : « De même que la vision, en puissance ou en acte, est substantiellement la même (ὥσπερ γὰρ ἡ ὄψις καὶ δυνάμει οὖσα καὶ ἐνεργείᾳ ἡ αὐτὴ τῇ οὐσίᾳ) et que son acte n'est point une altération, mais que, sitôt rapprochée d'un objet correspondant à son essence, elle est vision actuelle et connaît sans pâtir, de même la partie raisonnable de l'âme... » Chez Porphyre, le caractère immanent de la vision est encore plus fortement marqué, cf. Némésius, *de natura hominis* 7,80; Matthaei, p. 182,4; *PG* 40,641 b : « Porphyre, en son traité *de la Sensation*, dit que la cause de la vision n'est ni le cône ni le simulacre (οὔτε κῶνον οὔτε εἴδωλον) ni quelque chose d'autre, mais que c'est l'âme elle-même qui, rencontrant les choses visibles, se reconnaît elle-même comme étant elle-même ces choses visibles (τὴν ψυχὴν αὐτὴν ἐντυγχάνουσαν τοῖς ὁρατοῖς ἐπιγιγνώσκειν ἑαυτὴν οὖσαν τὰ ὁρατά) en tant que l'âme contient en elle-même tous les existants et qu'elle est toutes choses. » Et il précise, *sentent.* XVI ; Mommert, p. 5,3-8, que l'âme possède les raisons de toutes choses et « elle se met en acte » (ἐνεργεῖ) selon ces raisons. Si elle se laisse entraîner vers l'extérieur, elle connaît selon ces raisons, mais selon le mode de la sensation; si elle se tourne vers l'intérieur, elle retrouve ces mêmes raisons de toutes choses, mais selon la connaissance intellectuelle. (Comparer ce double mouvement de l'âme avec le mouvement du Logos décrit 39,27 n.). La sensation, et spécialement la vision, est donc, pour Porphyre, un mouvement de l'âme se tournant vers l'extérieur, sans pourtant sortir d'elle-même.

Victorinus reprendra la comparaison, III 5,1-31 (triade *visio, videre, discernere*). Ici, il se contente d'affirmer la consubstantialité de la faculté et de son acte, et de localiser les passions dans l'acte, selon le schéma maintes fois rencontré.

40,12. unigenita. — Cf. 32,39, même souci de parallélisme avec les caractéristiques propres de la génération du Fils de Dieu.

40,13. ad potentiam visionis. — Cf. 34,44 : *ad lumen* (n.), transposition de *Ioh.* 1,1 *ad* deum. Cf. plus bas, 40,29.

40,18. passiones circa visionem. — Cf. Plotin, *Enn.* I 1,3,9 : βλάβαι περὶ τὸ ὁρᾶν. La vision pâtit quand elle rencontre un obstacle, qui n'empêche pas son acte propre, mais qui empêche le *résultat* de son acte : la visibilité de l'objet.

40,30-31. — Cf. 39,11-15, la double fonction du Logos, vie et intelligence.

40,32-35. — Sur l'importance de cette énumération, cf. 32,16 – 43,4 n.

***

41,1 — 43,4. Le Fils est consubstantiel au Père ; parce qu'il est vie. — Sur ce dernier nom du Christ, cf. 32,16 - 43,4 n. C'est, par excellence, le nom du Fils pour les homéousiens (*vie de vie* pour Basile, dans Épiphane, *panarion* 73,22,7 ; Holl, p. 295, 24). C'est le texte scripturaire le plus cher aux homéousiens qui est en question, *Ioh.* 5,26, cf. Épiphane, *panarion* 73,10,8 - 73,11,2 ; Holl, p. 281-282. Ce texte est, pourrait-on dire, révélé à Victorinus par le dossier homéousien : à partir de maintenant, ce sera l'un des textes de saint Jean les plus fréquemment cités, cf. I 51,7 ; II 7,18 ; III 3,6 ; III 6,27 ; III 7,47 ; III 10,16 ; IV 14,16 ; IV 30,39 ; *hymn.* II 25. Les homéousiens ont raison de voir dans la *Vie*, la *substance* du Père et du Fils (ici encore, influence décisive de leur dossier sur la pensée de Victorinus qui désormais définira la substance de Dieu comme la Vie par soi, cf. 42,1-2 ; I 52,49 ; tout le début du livre IV), mais on doit reconnaître l'harmonie de l'évangile et de la philosophie : le Père a la vie en soi (par soi, dira même Victorinus à partir de III 3,6) ; le Fils a la vie en soi ; c'est la définition philosophique de la vie, un mouvement immanent et spontané. Ayant même définition, ils ont même substance : il n'y a pas similitude, mais identité. Reste à préciser le mode d'identité. Ici Victorinus s'attaque à une des difficultés majeures de l'*homoousios* : signifie-t-il une seule individualité, ou bien une seule substance possédée en commun par plusieurs sujets ? La distinction entre *ipse* et *idem*, que Victorinus introduit pour rendre compte de cette distinction de sens, 41,5 ; 41,21-22 ; 42,16, correspond à la distinction ταυτούσιος-ὁμοούσιος que les homéousiens ne veulent pas admettre, cf. Épiphane, *panarion*, 73,11,10 ; Holl, p. 284,4-5, puisqu'ils prétendent que l'*homoousios* implique le patripassianisme. La réponse de Victorinus consiste à distinguer un état d'*ipséité* et un état d'*identité* de la substance divine. Voici donc le plan de ce développement sur le nom de Vie : 1° la dénomination de Vie appliquée au Christ implique son identité avec le Père, 41,1-8 ; 2° il n'y a donc pas similitude entre le Père et le Fils, comme le voudraient les homéousiens, s'appuyant sur *Ioh.* 5,26, parce que la similitude n'a de sens que dans l'ordre de la qualité, 41,8-20 ; 3° il n'y a pas cependant pure *ipséité*, comme les homéousiens le reprochent aux orthodoxes, 41,20-29 ; 4° ni pure *identité*, selon une autre interprétation de l'*homoousios* qui prête également le flanc aux critiques des homéousiens qui prétendent qu'elle implique une substance préexistante ou scission dans la substance divine, 41,29-40 ; 5° il faut donc conclure qu'il y a là à la fois *ipséité* et *identité* entre le Père et le Fils, 41,42-50 ; 6° en examinant la notion de vie, on s'aperçoit, en effet, qu'il y a un état d'*ipséité* de la vie où confondue avec la substance, elle n'est autre qu'elle-même, 41,50 – 42,11 ; mais, dans la mesure même où elle se *meut* elle-même, surgit la distinction entre la vie et le mouvement ; on ne peut plus parler alors d'ipséité, mais seulement d'*identité*, 42,11-41 ; 7° en conclusion, on peut affirmer que le même raisonnement peut s'appliquer à tous les noms du Christ, 43,1-4.

41,5. simul ... idem. — Les deux sens du préfixe ὁμο-, cf. *adv. Ar.* II 10,21 sq.

41,8. aliquis. — Le dialogue avec Basile est terminé, cf. 28,8 – 32,15. Mais Victorinus se réfère ici nettement à l'anathématisme d'Ancyre (Pâques 358) dans Épiphane, *panarion* 73,10,9 ; Holl, p. 282,9 : τὸ « οὕτως » τὴν ὁμοιότητα τῆς οὐσίας πρὸς οὐσίαν σημαίνει.

41,12-18. — Les éléments sont consubstantiels parce qu'ils ont la même matière. Cf. Simplicius, commentant *categ.* 10 b 12 (la contrariété appartient aussi à la qualité), *in categ.*, Kalbfleisch, p. 283,19-25 : « Puisque certains pensent qu'Aristote admet aussi une contrariété selon la substance, en tant qu'il parle d'une contrariété de l'eau vis-à-vis du feu, de la terre vis-à-vis de l'air, les éléments, terre, feu, eau, air, étant substances, il faut savoir que les éléments n'ont cette contrariété que selon les qualités qui leur sont inhérentes... Ils n'ont donc pas de contrariété selon la substance (car *ils sont en une seule substance* qui est la substance matérielle, ἐν μιᾷ γάρ εἰσιν τῇ ἐνύλῳ οὐσίᾳ), mais seulement selon les qualités qui les constituent. » Victorinus applique ce raisonnement non à la contrariété, mais à la similitude. Ranger la *gravitas* et la *densitas* dans la qualité, c'est également un problème traditionnel chez les commentateurs, cf. É. Bréhier, dans sa notice d'introduction aux Traités de Plotin, *sur les Genres de l'Être*, *Ennéades*, t. VI 1, Paris 1936, p. 18-19. Victorinus semble se rattacher ici assez nettement à la tradition d'Andronicus, qui admettait un cinquième genre de qualité dans lequel il rangeait densité et rareté, légèreté et pesanteur, subtilité et grossièreté (cf. Simplicius, *in categ.*, Kalbfleisch, p. 263,19-22) ; Andronicus donnait, semble-t-il, l'exemple de la dissemblance entre l'air et l'eau du point de vue de la légèreté, Victorinus parle de la dissemblance entre la terre et l'eau du point de vue de la densité.

41,20. numero unum. — L'unité numérique est une unité accidentelle, cf. Aristote, *metaphys.* V 6,1015 b 16 sq.

41,20-35. — Cf. chez Hilaire, *de synodis* 68 ; *PL* 10, 525 b 11 – 526 a 10, les vestiges d'une argumentation homéousienne contre l'*homoousios* ; notamment 526 a 1-7 : « Aut *unum* qui duas *nuncupationes* habeat subsistentem significat (= Victorinus, 41,28 : *ipsa* substantia) aut *divisam* unam substantiam, duas imperfectas fecisse substantias (= Victorinus, 41,31 : aut ab eadem, vel *scissione* vel emissione partis, eadem ipsa facta est) aut tertiam *priorem* substantiam quae a duobus et usurpata sit et assumpta (= Victorinus, 41,30 : aut *praeexistente* substantia duo). » D'ailleurs le synode d'Ancyre (Pâques 358), dans Hilaire, *de synodis* 20, *anathem.* 8 ; *PL* 10,496 c, les résume bien. Victorinus articule ainsi ces objections :

ipsa substantia	= patripassianisme
eadem substantia	*a*) ou bien préexistence d'une substance antérieure, *b*) ou bien scission ou projection d'une partie au sein d'une substance identique.

41,27. tres personas. — Cf. 11,10-18 n.

41,33-34. — Cf. 23,32. Ces formules font toujours partie de l'objection homéousienne, telle que Victorinus l'adopte un moment.

41,35-36. — Toujours l'objection homéousienne : on ne peut parler d'identité à propos de deux sujets réellement existants. Réponse de Victorinus : Le Père et le Fils sont un, sans que pourtant le Père soit le Fils, ni que le Fils soit le Père. Or si l'on rejette leur identité, ils ne seront plus un.

41,36-38. — Sur ce point, Victorinus et ses adversaires sont d'accord, cf. Épiphane, *panarion* 73,14,2-3 ; Holl, p. 286,20 sq.

41,42-50. — Sur cette liste, cf. 32,16 – 43,4 n. Victorinus est donc conscient de la relativité des schémas employés pour rendre compte du mystère trinitaire. Il s'agit de faire comprendre un rapport, en s'aidant du plus grand nombre d'analogies possibles.

41,50 — 42,41. — Victorinus va donc appliquer sa théorie de l'ipséité-identité au rapport entre le Père et le Fils considéré comme rapport entre *esse* et *vita*, cf. 41,39-

40. L'être et la vie représentent ce mode spécial d'ipséité et d'identité : ils s'impliquent mutuellement. L'exposé de Victorinus se complique d'ailleurs en progressant : parti du rapport *esse-vita*, il s'oriente ensuite sous l'influence de *Ioh.* 5,26, vers le rapport *vita-motus*. Le Père est d'abord l'être, le Fils, la vie. Puis Victorinus affirme que tous deux sont vie (42,1-5). Mais la définition de la vie, c'est le mouvement par soi. Jusqu'ici nous étions dans l'ipséité : le Père était la Vie, le Fils était la même et identique Vie en soi. Mais au moment où apparaît la définition de la Vie, l'esprit découvre une distinction entre la Vie et le Mouvement qui la définit comme Vie. A partir du moment où cette distinction apparaît, il n'y a plus ipséité pure, mais identité. L'identité est donc très proprement pour Victorinus le rapport entre deux termes qui s'impliquent mutuellement. La Vie est mouvement, le mouvement est Vie. Il n'y a pas ipséité totale, puisqu'il y a différence, mais il n'y a pas altérité, puisqu'il y a implication mutuelle. Victorinus reviendra plus abondamment sur cette conception de l'identité, I 48 ; IV 1,3. La définition de Dieu comme *vita* marque d'ailleurs une certaine évolution chez Victorinus ; jusqu'ici, il a toujours défini Dieu comme être. C'est sans nul doute sous l'influence du dossier homéousien que Victorinus parvient à cette notion de Dieu.

41,54-55. a se orti, a se potentes. — Cf. *de homoousio rec.* 3,15-16 qui nous donne les mots grecs correspondants.

41,56-58. — Cf. 19,47.

42,6. — Cf. 20,38-49. Le Logos joue ici encore le rôle de définition substantielle. Par un parallélisme logico-métaphysique, la définition de la vie est le mouvement, et le mouvement définit la vie.

42,12. adintellegit. — Ce conceptualisme est analogue à celui qui, chez Plotin, préside à la déduction des genres de l'être, cf. *Enn.* VI 2,8,1-2 : « Il nous faut les poser comme trois, puisque l'intelligence a de chacun d'eux une idée séparée (ὁ νοῦς χωρὶς ἕκαστον νοεῖ). » Cf. III 4,6 – 5,31 n.

42,12. non perfecte aliud. — Cf. IV 1,11 : *non ut pure duo.* C'est l'altérité dans l'identité, cf. *adv. Ar.* I 48,27, et 54,14-19 où l'on retrouve la distinction entre *ipsa* et *eadem.*

42,13. vivere. — Ne semble pas distinct ici de *vita* comme il le sera en IV 1.

42,13. mixtione. — Cf. IV 5,44 : *quasi mixta* ; IV 1,15, sur l'implication mutuelle de l'*autre.*

42,14-16. unum ... aliud unum. — Double sens

d'individualité et d'unité : la vie, impliquant le mouvement, est distincte du mouvement impliquant la vie. Ils forment donc deux unités ou individualités. Mais la vie forme avec le mouvement qu'elle implique une unité, et le mouvement forme avec la vie qu'il implique une unité, leur unité intérieure unifie donc les deux individualités. Cf. encore une fois *adv. Ar.* IV 1.

42,22. causa. — Même procédé pour identifier le Père, mais cette fois avec *vivere*, par opposition à *vita*, IV 3,26.

42,22-26. magis. — C'est la prédominance qui assure l'individualité : le Père est vie et mouvement, mais *plus* vie ; le Fils est vie et mouvement, mais *plus* mouvement, vie et mouvement étant eux-mêmes dans le rapport de la substance à sa définition.

42,24-26. — Cf. 4,7-11 ; 19,24-26.

42,26-33. — Ces lignes qui répètent à peu de choses près les lignes précédentes sont un retour au thème initial, *Ioh.* 5,26, notamment le *dante patre.*

42,34. inseparabilis separatio. — Formule paradoxale désignant ici l'intériorité réciproque. On retrouve des formules de même genre dans les *Oracles chaldaïques*, cf. Synésius, *hymn.* 1,207, Terzaghi : προχυθεὶς δὲ μένεις/ἀτόμοισι τομαῖς μαιευόμενος, lié à la métaphore de l'accouchement, cf. W. Theiler, *Die chaldaische Orakel*, p. 11.

42,35-38. — Ce résumé éclaire 41,50 – 42,2, c'est-à-dire le passage opéré plus haut de *esse* à *vita.* Le Père est la *vie*, prise en son être, et donc confondue avec l'être ; le Fils est la *vie*, prise en son acte, c'est-à-dire en sa définition, c'est-à-dire en mouvement.

42,39. manifestationem. — Cf. 3,26 ; 19,26.

43,1-4. — Cf. 32,16 – 43,4 n. Sur *ingenita generatio*, cf. 34,4-9.

***

43,5-33. Conclusion contre les homéousiens. — Après cette longue démonstration qui, à propos des principaux noms du Christ, a montré comment ils impliquaient le consubstantiel, Victorinus se retourne vers ses adversaires. Puisque la similitude suppose une altérité de substance, les homéousiens doivent être considérés comme des anoméens (43,5-14) ; puis, nouvel argument tiré d'un nom du Fils, si le Fils est *vérité*, il ne peut y avoir de similitude entre le Père et le Fils, car le Père ne serait que *vraisemblable*, il ne peut y avoir qu'identité de substance (43,15-33).

43,5. habet locum. — Même conclusion d'argumentation, *ad Cand.* 24,2.

43,6. dicitur. — C'est l'expression même de la foi, cf. II 1,9 ; III 18,27-28.

43,6. mysterium. — L'objet de la foi.

43,9-10. — Différence entre l'altérité dans l'identité (c'est-à-dire l'*homoousios*) et l'identité dans l'altérité (c'est-à-dire l'*homoiousios*), cf. *adv. Ar.* I 48. S'il n'y a que similitude entre les termes qui sont autres, il n'y a qu'une identité dans l'altérité, l'altérité prédomine.

43,13. diversae opinionis. — Cf. Cand. II 1,10 : *recta opinanti* = ὀρθοδόξῳ.

43,16. veritas. — Dans la profession de foi du synode des Encénies, (341), dans Athanase, *de synodis* 23,3 ; Opitz, p. 249,16 : ἀλήθειαν. (Hilaire, *de synodis* 29 ; *PL* 10,502 b : *viam veram.*)

43,21-23. — Cf. *in Cicer. rhet.* I 29; p. 232,39 : « Inter homines autem verum latet totumque suspicionibus geritur. »

***

43,34-43. Conclusion générale. — Cette conclusion qui couronne le livre — tout ce qui suit ne sera qu'appendices — nous ramène à la polémique contre Candidus, polémique que la discussion avec les homéousiens n'a jamais complètement éclipsée, cf. 32,16 – 43,4 n. On retrouve en effet ici la conclusion de l'*ad Candidum* 30,16-17, qui réfute la majeure partie du raisonnement de Candidus, Cand. I 1,4 : tout mouvement n'implique pas un changement, le mouvement divin est substantiel et impassible, donc la génération consubstantielle ne contredit pas à l'immutabilité et à l'impassibilité divines. A vrai dire, le premier livre *adversus Arium* n'apporte guère d'arguments nouveaux par rapport à ce problème, sauf la description du mouvement spontané qui définit la vie, 41,50 – 42,41 n. Victorinus pense que toutes les allusions qu'il a faites à ce mouvement qui s'engendre lui-même, 27,25-29 ; 32,3-6 ; 32,44-46 ; 41,54, suffisent à autoriser sa conclusion.

43,36-38. — Cf. 27,23-29.

43,39. intellectu in uno. — La considération de l'unité qui confond totalement être et se mouvoir, s'oppose à la considération de la causalité ou de l'altérité, qui les distingue, cf. 42,11-16 ; *ad Cand.* 20,15.

***

44,1 — 47,48. Appendices. — On doit considérer tout ce qui suit comme des compléments que Victorinus, toujours soucieux d'être complet, ajoute successivement à un livre qui, de soi, est parvenu à son achèvement. La réfutation de l'accusation de patripassianisme reprend des développements antérieurs. Puis la liste d'anathèmes (45,1-50) constitue la conclusion inévitable d'un ouvrage polémique. Ensuite, le c. 46 correspond à l'impression qu'éprouve Victorinus de n'avoir pas traité le mystère de l'Incarnation. Aussi la profession de foi finale (c. 47) avec les lignes qui l'introduisent (46,16-26) essaie de compenser les lacunes possibles par la plénitude de ses formules.

***

44,1-50. Réfutation de l'accusation de patripassianisme. — Sur cette accusation elle-même, cf. 11,10-18 n. ; 18,25-28 n. ; 41,20-35 n. ; II 3,3-4 ; *de homoousio rec.* 4,34. Réfutation analogue, 22,44-55 (n.), où l'on trouvera les parallèles et les grandes lignes de la solution de Victorinus.

44,2-10. — La différence entre la doctrine orthodoxe et le patripassianisme « classique » consiste en ceci : les consubstantialistes affirment la réalité du Père et du Fils.

44,9. unum et unum. — *Unum* désigne ici l'individu. On retrouve l'ambiguïté signalée plus haut, 42,14-16.

44,10-12. — Cf. 4,1-25 n. ; 42,22-24 ; IV 8,26-29.

44,13. in motionis potentia. — Ou bien : « Qui consiste en une puissance de mouvement » (cf. la définition du Logos comme puissance créatrice, *ad Cand.* 17,2 ; *adv. Ar.* 39,10 ; *potentia* désigne alors plutôt une force), ou bien : « Qui se trouve dans la puissance du mouvement », la puissance du mouvement étant le Père, cf. 32,74 : *in semine motionis.*

44,15-20. — C'est la conception néoplatonicienne de la causalité : la cause demeure immobile en son être, tout en étant présente en ses effets, cf. Plotin, *Enn.* IV 8,6,10 ; Porphyre, *sentent.* XXIV, Mommert, p. 10,14 ; Proclus, *elem. theol.* 30, Dodds, p. 34,12 (et note de Dodds, p. 217). C'est elle qui permet à Victorinus de localiser les passions dans les effets et de sauvegarder l'impassibilité de l'essence divine dans le Père et le Fils.

44,17. inversibilis et inmutabilis. — Cf. 47,17 ; 22,47.

44,18. iuxta genera. — Cf. 47,22 ; IV 31,44.

44,20-23. — Sur cette appropriation hiérarchisée de la vertu du Logos, cf. IV 31,13; IV 22,2 ; IV 12,10. Cette hiérarchie correspond déjà chez Origène à l'enchaînement progressif des vues des esprits sur le Logos, cf. R. Cadiou, *La jeunesse d'Origène*, p. 161.

44,23-25. — Cf. IV 10,45 - 11,20 n. Sur la distribution des propriétés des existants, cf. 22,46.

44,27. — La passion se localise dans la chair assumée par le Logos, cf. 22,50-51.

44,27. secundum spiritum. — L'esprit désigne ici la substance divine avec laquelle le Fils est consubstantiel, cf. I 51,39 n.

44,29-32. — Sur le mouvement substantiel, cf. 43,34-43 n.

44,35-36. — Cf. Plotin, *Enn.* V 9,4,12 : « Si l'âme est passive, il faut bien qu'il y ait aussi quelque chose d'impassible (sans quoi tout périrait par l'effet du temps). »

44,40-45. — On retrouve ici encore la doctrine des *epinoiai*, cf. 44,20-23 n. ; voir également les textes d'Origène cités par J. Daniélou, *Origène*, p. 254-257. Le Logos apparaît selon les dispositions de chacun. La représentation de l'activité divine qui autorise cette doctrine de la diversité des participations à l'unique acte divin est celle du don qui ne s'épuise pas en se communiquant, cf. E. R. Dodds, *Proclus' Elements of Theology*, p. 213-214. Cf. Pseudo-Denys, *de divin. nomin.* II 6; *PG* 1,644 b : un même sceau peut donner une multitude d'empreintes différentes ; Origène, *de princip.* III 1,11; Koetschau, p. 212,3; *PG* 11,268 a et III 1,19 ; Koetschau, p. 235,19-20 ; *PG* 11,294.

44,45-50. — De même que l'âme, en s'adjoignant le corps animé, ne devient pas passible pour cela, de même le Logos, en s'incarnant, ne devient pas lui-même passible. Il s'agit toujours de la même idée fondamentale : l'âme donne la vie, tout en restant en elle-même. C'est le sujet du premier traité de la première *Ennéade* de Plotin, et d'Aristote, *de anima* I 4 ; 408 b 1-29 (*anima utens corpore* = *Enn.* I 1,3,3 ; *corpus animatum* = *Enn.* I 1,10,6 ; *iuxta sensum* = *Enn.* I 1,7,6 ; cf. Macrobe, *comm. in somn. Scip.* II 12,8-9, résumant Plotin d'une manière assez analogue).

***

45,1-45. Anathèmes. — Même suite d'hérésies, *adv. Ar.* II 1-2. On ne trouve pas de listes analogues d'hérésies, contemporaines de Victorinus, réunissant ainsi les cinq tendances erronées.

45,1-2. — Cf. 44,2-10.

45,2. iuxta motum in hyle. — *Motus = progressus*, cf. 22,50. *In hyle = in carne*, cf. 22,51. Le Fils est passible d'une manière extrinsèque, quand l'extrémité de son activité extérieure atteint le monde sensible, c'est-à-dire quand il s'incarne.

45,3-4. — *Natura* s'oppose à l'idée de création ou d'adoption, cf. 24, 40 ; 28,3 ; 47,4. Une allusion à *Col.* 1,15 semble suffisante à Victorinus pour réfuter l'arianisme.

45,4-6. — Sur cette doctrine, cf. 15,25-27 ; II 2,6-7. Victorinus reproche à ces adversaires de ne pas admettre une véritable génération ni l'intériorité du Père et du Fils.

45,7-23. — Cf. exposé analogue de leur doctrine, 22,20-25. L'incarnation est, pour Marcel et Photin, une simple inhabitation : il s'ensuit, aux yeux de Victorinus, que, si le Fils est simplement l'homme né de Marie, le Logos n'est pas engendré. L'hérésie christologique est, en même temps, hérésie trinitaire. La réfutation consiste ici simplement à rappeler *Philipp.* 2,5-7, cf. 22,10-28.

45,13. rexit. — Cf. 22,23-24.

45,13. sedem. — Jusqu'à la fin du monde, cf. Marcel d'Ancyre, *fragm.* 110 ; Klostermann, p. 208,30 : σύνθρονον.

45,13. exciderunt. — Cf. Athanase, *ad Serap.* IV 6 ; *PG* 26,645 a : ἔξω μὲν τῆς ἁγίας τρίαδος. Ils sont sortis de la mesure parfaite qu'était la trinité, pour en venir à une tétrade.

45,14-16. — Sur l'identité du Logos et de l'homme-Jésus, cf. 35,1-39.

45,16-17. corruptus ... conversus. — Cf. Sirmium (351) dans Hilaire, *de synodis* 47 ; *PL* 10,516 a : « Si quis : verbum caro factum est, audiens, verbum in carnem translatum putet, vel demutationem sustinentem accepisse carnem dicat, anathema sit. » Il s'agit ou d'une interprétation de la doctrine photinienne, ou d'une tendance particulière de certains photiniens, cf. Hilaire, *de trinitate* X 50 ; 383 a : « Aut defecisse omnino deum verbum in animam corporis volunt ut non idem fuerit Iesus Christus hominis filius qui et dei filius et aut de se defecerit deus verbum dum corpus officio animae vivificat » ; cf. 51,383 b : « Aut deus verbum in animam defecerit nec permanserit deus verbum. » Cf. Grégoire d'Elvire, *Libellus fidei*, *PL* 20,50 b 4 et Ambroise, *de incarn.* VI 55-61.

45,18. omnia effectus. — Cf. 26,42. Si le Logos est tout dans le monde intelligible, il faut qu'il soit aussi tout dans le monde sensible.

45,19. in carne. — Cf. 22,15 ; 22,51.

45,19. totum hominem. — *Totus* doit se comprendre en compréhension et en extension : c'est la totalité de la nature humaine (âme et corps) et la totalité de l'espèce humaine, cf. III 3,47 et le contexte.

45,23-48. — Victorinus insiste ici, beaucoup plus qu'il ne l'avait fait plus haut (32,1-3), sur un des aspects particuliers de la doctrine homéousienne : Basile, dans la synodale d'Ancyre, affinait, puis unissait ensemble les deux notions de génération et de création pour rendre compte de la génération du Fils de Dieu, cf. 31,17 – 32,15 n. Je pense que le mot même de *conlisio* a été amplifié et caricaturé par Victorinus. Basile a bien employé le mot παρέπλεξεν, cf. Épiphane, *panarion* 73,3,6 ; Holl, p. 272,2, pour dire que l'Écriture entremêle les deux notions. Mais Victorinus l'a ou mal lu (παρέπληξεν au lieu de παρέπλεξεν) ou mal compris, et l'entrelacement des notions est devenu un choc. Victorinus ne connaît qu'un modèle de génération par choc : le choc du fer et de la pierre qui fait jaillir l'étincelle. Il peut donc donner libre cours à son ironie et à sa critique. Les homéousiens avec une telle conception en reviennent à Arius (45,29-38). Ils imaginent des conflits dans la substance divine (45,38-48).

45,23. ὁμοιούσιοι. — Peut-être faut-il corriger en ὁμοιουσιανοί ? Ou bien, jeu de mot : Basile et ses semblables ?

45,27. a patre habere substantiam. — Cf. Athanase, *de synodis* 41,2 ; Opitz, p. 266,32 ; *PG* 26,765 : ὁμολογοῦντες ἐκ τῆς οὐσίας τοῦ πατρός.

45,28-30. — D. Petau, *Theologica Dogmata*, t. II, p. 344, rapporte ce passage de Victorinus en ajoutant qu'il ne connaît pas de textes parallèles citant également cette doctrine.

45,37. praeexsistit. — Athanase, *contra arianos* III 60 ; *PG* 26,448-449, remarque lui aussi qu'une génération par la volonté de Dieu suppose la préexistence de la volonté par rapport au Fils, et ramène ainsi l'arianisme au gnosticisme.

45,39. compulsio. — Sous-entendu : « Pour engendrer le Fils, si le Fils est antérieur. »

45,39. et hoc Arrii. — C'est-à-dire qu'Arius suppose lui aussi une volonté créatrice antérieure au Fils, cf. Cand. II 1,37.

45,40. voluntatum. — Basile parle d'une ἐνέργεια γεννητική et d'une ἐνέργεια κτιστική, dans Épiphane, *panarion* 73,5,3; Holl, p. 274,22-33.

***

46,1-15. Ce qui resterait à exposer. — Victorinus dit ici clairement que son livre est terminé. Mais il énumère toutes les questions qui pourraient encore se poser. On a déjà rencontré un scrupule analogue, 28,1-7. Ces compléments souhaités porteraient sur les actes du Logos incarné. Je pense que l'on peut reconnaître assez clairement mais dans un ordre différent les articles du symbole des Encénies, concernant l'économie du Logos incarné, nouvelle preuve de l'utilisation du dossier homéousien de l'été 358 par Victorinus. Cf. le tableau où les numéros correspondent à l'ordre d'apparition des articles.

Victorinus	Concile des Encénies (Hilaire, *de synodis* 29 ; *PL* 10,503 a).
1. procedit.	
2. descendit.	descendit desursum 2.
3. ascendit.	ascendit 5.
4. mittitur.	qui me misit 4.
5. facit quae voluntatis sunt patris.	ut facerem ... voluntatem eius 3.
6. in dextra sedeat dei.	sedet in dextera patris 6.
7. per quem facta sunt omnia.	per quem omnia facta sunt 1.
8. nihil factum est sine ipso.	
9. quae facit, voluntate patris facit,.	cf. 3.
10. ut inperfectus, corpus accepit.	
11. semper genitus et a se genitus.	

La comparaison faite par J. Wöhrer entre ce chapitre et les dernières pages du livre IV *adversus Arium* afin de prouver que Victorinus traite toutes ces questions en son dernier livre (cf. *Studien zu Marius Victorinus*, Wilhering, 1905, p. 29-34) suffit par elle-même à prouver le contraire de ce que veut Wöhrer; les rapports sont lointains ou s'expliquent par des raisons très simples. Victorinus fait toute cette énumération pour faire entendre ceci : tous les actes du Logos incarné qu'énumère le symbole des Encénies et qui marquent si clairement la distinction entre le Père et le Fils, tous ces actes donc mériteraient d'être contemplés en détail afin de voir, à propos de chacun, comment le changement qu'il semble apporter au Logos incarné est compatible avec la doctrine de l'*homoousios*. Mais, avec un peu de réflexion (*si quis dignus sit intellegere*), le lecteur trouvera dans le livre qui s'achève (*in isto libro*) la solution de ces problèmes, puisque Victorinus a traité abondamment la doctrine de l'impassibilité du Logos et de la distinction entre le Père et le Fils.

46,10. inperfectus. — Cf. *in Galat.* 4,4 ; 1177 a 5 : « Accepit et illam partem quae imperfectum eum redderet et nobiscum se parem faceret id est vel carnem vel mundum. »

46,11. spiritale. — Cf. I 64,16. Le *nunc corpus fert* est dirigé contre Marcel et Photin.

46,14. definiunt. — Tout ce qui précède marque la distinction entre le Père et le Fils et semble donc délimiter les bornes de l'*homoousios*, donc le restreindre. Par exemple, le corps du Christ n'est pas consubstantiel au Père.

* * *

46,16 — 47,48. Profession de foi. — Le livre s'achève définitivement sur une confession de foi consubstantialiste, avec tous les détails que Victorinus juge indispensables pour la rendre parfaitement explicite. Une introduction (46,16-26) l'annonce, qui, après avoir appelé l'aide de Dieu, affirme que tous les termes en sont scripturaires (46,16-19), puis insiste sur l'un des problèmes majeurs de la théologie biblique : l'Écriture ne parle que de Dieu et de Jésus-Christ, autrement dit ne s'exprime qu'en langage économique (46,19-26). La profession de foi de Victorinus énoncera successivement la théologie et l'économie.

46,17-18. — Souci de n'employer que des termes *lecta*, cf. *adv. Ar.* II 7,1-13. Cf. Philon, *de opif. mundi* 6,25 ; Cohn, p. 7,14 : τὸ δὲ δόγμα τοῦτο, Μωυσέως ἐστιν, οὐκ ἐμόν.

46,19. multae haereses. — L'arianisme rapporte au Logos ce qui est dit du Logos incarné, et Marcel d'Ancyre rapporte au Christ ce qui doit se comprendre du Logos.

46,19-22. — En affirmant que l'Écriture ne parle que d'une manière économique, Victorinus sous-entend qu'il faut savoir distinguer entre les œuvres propres du Logos et les œuvres propres du Logos incarné, c'est-à-dire de Jésus-Christ, ainsi que s'exprime Athanase, *contra arianos* III 35 ; *PG* 26,397 b-c.

Cette règle d'interprétation qui permet de déjouer les objections ariennes deviendra classique dans la controverse orthodoxe, cf. H. S. Seldmayr, *Der Tractatus contra arianos in der Wiener Hilarius-Handschrift, Sitzber. d. K. Akad. d. Wiss. in Wien, Philol. Hist. Klasse, CXLVI*, Vienne, 1903, p. 11,8, opposition entre *substantia adsumptrix et substantia adsumpta.* Augustin, *de trinitate* I 7,14 : « Erraverunt homines minus diligenter scrutantes vel intuentes universam seriem scripturarum et ea quae de Christo Iesu secundum hominem dicta sunt ad eius substantiam quae ante incarnationem sempiterna erat et sempiterna est, transferre conati sunt. »

46,22-26. — La raison de cette manière « économique » de s'exprimer : l'Écriture parle du salut et le salut nous est venu par Jésus-Christ, le Logos incarné. La connaissance salutaire se résume dans le Christ crucifié. Autrement dit, la foi de l'homme égaré dans le monde sensible porte sur le Christ présent dans le monde sensible.

47,1-48. Profession de foi. — Cette profession de foi se présente à la fois comme une paraphrase du symbole de Nicée et comme la reprise de plusieurs formules du symbole des Encénies, dans la mesure d'ailleurs où ces dernières ne sont elles-mêmes que des expressions scripturaires. La profession de foi de Victorinus juxtapose une formule trinitaire (47,1-33) et une formule christologique (47,34-48). Sur ce genre de juxtaposition, cf. J. de Ghellinck, *L'histoire du symbole des apôtres. A propos d'un texte d'Eusèbe*, dans *RSR*, 18 (1928), p. 118 sq.

Voici la structure générale :

I. Partie trinitaire (47,1-33) :
1. deum patrem omnipotentem (Nicée, Encénies)
2. filium unigenitum Iesum Christum (Nicée, Encénies).

a) noms du Fils :
deum de deo (Nicée, Encénies)
lumen verum de vero lumine (voir la note *ad. loc.*)
formam dei
qui habet substantiam de dei substantia (Nicée)
natura, generatione, filium
simul cum patre consubstantiatum (Nicée)
primogenitum ante constitutionem mundi (Encénies).

b) noms du Logos (toute l'économie étant rapportée au Logos) :

λόγον — omnium qui sit universalis λόγος
ad deum (ENCÉNIES)

économie { in postremis temporibus incarnatum (ENCÉNIES)
cruce vincentem mortem et omne peccatum
salvatorem nostrum
iudicem omnium }

semper cum patre consubstantialem
potentiam activam
vita aeterna
dei virtus et sapientia (SARDIQUE, SIRMIUM 351)
inversibilem, ininmutabilem (ENCÉNIES)
ut fons aquarum...

3. sanctum spiritum
ex deo patre omnia habentem
4. esse haec tria... ὁμοούσια.

II. Partie christologique (47,33-48) :
ineffabili potentia et ineloquibili generatione filium dei Iesum Christum
qui sit ad deum
imaginem,
formam
characterem
refulgentiam
virtutem et sapientiam } noms du Fils.
per quae appareat... deus... agens omnia secundum actionem filii.

quem

économie { incarnatum
crucifixum
resurgentem a mortuis
ascendentem in caelos
sedentem ad dexteram patris
iudicem futurum venire et viventium et mortuorum
patrem omnis creaturae
salvatorem. } ENCÉNIES.

47,1. confitemur. — Remplace dans toute la profession de foi *credimus in*.

47,3. lumen verum de vero lumine. — Cf. II 2,24. La formule ne se retrouvera textuellement qu'au concile de Rome de 368, condamnant Auxence, cf. Mansi, t. III, 460 c.

47,3. formam dei. — Cette formule semble propre à Victorinus.

47,5-6. simul ... appellant. — Cf. version latine du symbole de Nicée dans *coll. antiar. Par.* B II 10 ; Feder, p. 150,11 : « Unius substantiae cum patre quod Graeci dicunt ὁμοούσιον. »

47,7. ante ... reviviscendi. — Hellénisme, *ante* avec génitif traduit πρό. Ces deux lignes commentent *ante omnem creaturam* : la création est un acte qui comprend l'appel à l'existence (= la génération), la régénération (= l'ordre du salut), la réanimation et la résurrection (= son état final).

47,9. omnium universalis λόγος. — Expression propre à Victorinus, cf. 22,26 ; 25,14 ; 26,34, etc.

47,13. potentiam activam. — Cf. la définition du Logos, 37,16 ; 39,10 ; 39,27.

47,13-16. — Reprise de 47,7-9, c'est-à-dire de la description de l'activité créatrice : appel à l'existence (*substantiam exsistendi*), génération (*generationem*, peut-être pour le parallélisme faut-il corriger en : *regenerationem* ?), résurrection.

47,16. — L'activité créatrice du Logos est rapportée à ses noms de vie et de vertu et sagesse, c'est-à-dire finalement à son double caractère de vie et d'intelligence, cf. 39,10-15.

47,16-26. — Cf. 44,36-38 ; 22,47-51. Pour la comparaison du fleuve, cf. IV 11,8, et surtout IV 31,31-53. L'image est traditionnelle, cf. Tertullien, *adv. Prax.* 29 ; *PL* 2,194 c. Elle pénétrera assez tardivement dans le symbole, cf. C.-P. Caspari, *Kirchenhistorische Anecdota* I, Christiania, 1883, p. 310, *Codex Ambros. D* 268 (VIIIe siècle ?) : « Ut puta de fonte est grediens flumen. Non idem dicitur flumen ac fons, sed egrediens de fonte flumen dicitur et tamen fons plenus manet in (eo ?). »

47,19. iuxta in hyle actionem. — Cf. 45,2.

47,20. inpassibiliter patientem. — Cf. *hymn.* III 84-85.

47,26-31. — Cf. *hymn.* III 30-32 : *fons, flumen, inrigatio,*

47,33-46. — C'est la même phrase qui résume la foi trinitaire et qui développe la notion de génération du Fils de Dieu. A vrai dire, les deux choses sont liées, cf. 43,4 : « Et ὁμοούσιον apparet et ingenita generatio ». Cette phrase unique essaie donc d'enserrer tout l'essentiel de la foi consubstantialiste, notamment les noms du Fils qui implique la génération consubstantielle.

47,38-39. — Cf. 32,16 – 43,4 n.

47,41. agens omnia. — Cf. 39,3. Dieu, puissance, agit par l'acte du Fils.

47,45. patrem. — Cf. *ad Cand.* 18,5.

CONTRE ARIUS

LIVRE PREMIER B

Caractère général. — Ce traité, nouveau (cf. Introduction générale, t. I, p. 64), est peut-être le chef-d'œuvre de composition de Marius Victorinus. Nulle part, dans son œuvre, n'apparaît mieux sa manière subtile, si étrangement apparentée à la composition musicale. Voilà un traité, probablement fait comme tous les autres, « de pièces et de morceaux » empruntés à la tradition néoplatonicienne et à la tradition exégétique chrétienne ; les chapitres 49-50 sont très probablement traduits du grec, du grec de la tradition scolaire, néoplatonicienne ou hermétique ; les chapitres 57-58 peuvent également en certaines parties venir de commentaires anciens sur *Luc* 1,35. Mais l'unité du livre est fondée, matériellement, sur cinq mots-thèmes énumérés dès le début et répétés tout au long de l'ouvrage (cf. 48,1 ; pour aider le lecteur, ces mots sont imprimés en italique tout au long de la traduction) et fondée, au point de vue formel, sur le rythme identité-altérité ; unité originelle dans la substance, distinction et altérité dans le mouvement et l'acte, retour à l'identité dans la connaissance de soi. Ce rythme fondamental qui unifie le traité se modifie parfois et devient opposition entre masculinité et féminité : comme la génération charnelle du Fils mâle qu'est Jésus-Christ suppose l'incarnation dans le sein de la Vierge, donc une phase d'existence féminine pour Jésus, de même la génération éternelle du Fils mâle de Dieu suppose une phase féminine dans le mouvement du Logos. Composition musicale : je verrais une sorte de prélude en 48,1-28 qui définit à l'avance les modes possibles d'identité et d'altérité, puis l'exposition du thème fondamental en 49,1-7 : Deux Uns, le Père et le Fils ; Deux en Un : le Fils et l'Esprit-Saint ; ensuite le développement de ce thème, avec l'apparition d'autres thèmes, (être, vivre, penser ; masculinité-féminité, etc.) de 49,8 à 58,35 ; ensuite, grandiose réunion de tous ces thèmes, dans l'affirmation de la consubstantialité du Père, du Fils, de l'Esprit-Saint (59,1-28). Alors commence une sorte de postlude qui, gardant les cinq mots-thèmes du traité (c. 60) et le même rythme identité-altérité, réexpose tous les thèmes du livre sur trois plans analogiques : Esprit, âme, corps, l'âme reflétant la triade être-vivre-penser qui constitue l'Esprit, le corps reflétant l'androgynie du Logos. La manière de composer de Victorinus s'apparente à un certain type de structure qui peut se retrouver dans le domaine musical, comme dans d'autres domaines et dans lequel on trouve à la fois une unité matérielle fortement soulignée (ici les cinq mots-thèmes) et des rapports formels habilement dissimulés (d'où l'extrême variété des développements en cet écrit assez court).

Distinct de l'*Opus* qui précède, le traité prolonge pourtant la fin de cet *Opus* en continuant la réflexion sur les noms divins qui s'y amorçait (cf. I 32,16 – 43,4 n.).

48,4-5. — Faut-il ajouter, comme en 54,2 et 55,2, *sanctus spiritus* aux cinq termes ici énumérés ? Il est implicitement contenu dans νοῦς et *sapientia* et on peut légitimement hésiter à le restituer contre la tradition manuscrite.

Ces cinq termes sont des termes scripturaires : *spiritus*, *Ioh.* 4,24 ; λόγος, *Ioh.* 1,1 ; νοῦς, *Rom.* 11,34 ; *sapientia*, *Rom.* 1,16 et I *Cor.* 1,24 ; on peut ajouter *sanctus spiritus*, *Luc* 1,35 ; quant à *substantia*, Victorinus s'est efforcé de montrer en I 30 qu'il était scripturaire, mais ces termes sont aussi des termes employés dans les symboles de foi, depuis le symbole des Encénies jusqu'aux récents symboles homéousiens (pour *spiritus*, cf. I 30,18 – 31,17 n. ; sur λόγος, *sapientia*, cf. 32,16 – 43,4 n. ; pour *substantia*, cf. entre autres *adv. Ar.* III 1,16-18) ; cf. IV 21,19-23.

La question est la suivante : ces termes sont-ils identiques ou différents ? C'est-à-dire : 1° sont-ils équivalents à *substantia* ; 2° sont-ils identiques entre eux ? La question se rapporte à la controverse homéousienne et ainsi le livre I b s'insère nettement à la suite du livre I a. On trouve en effet une problématique analogue dans la lettre de Georges de Laodicée (dans Épiphane, *panarion* 73,16,2 ; Holl, p. 288,22) : « Si le Père est Esprit, le Fils, Esprit, et le Saint-Esprit, Esprit également, il ne s'ensuit pas que le Fils soit considéré comme Père, ou l'Esprit, comme Fils, mais l'Esprit-Saint a son hypostase propre. » C'est tout le problème de la distinction entre substance et hypostase, entre noms substantiels et noms personnels, qui est ici posé. Tout en admettant qu'*Esprit* était un nom substantiel, et que le Père, le Fils, l'Esprit-Saint étaient Esprit, les homéousiens n'admettaient pas que le Père, le Fils et l'Esprit-Saint fussent consubstantiels : chacun d'eux, ayant son hypostase propre, n'était que semblable aux autres en substance (cf. 73,17,5 ; Holl, p. 290,5). Victorinus lui aussi prouvera que les Trois sont Esprit (c. 55) et aussi que les Trois sont Logos (55,28 – 56,35). Il prouvera aussi que le mot *Esprit* désigne la substance (55,3-14), mais il conclura que les Trois sont consubstantiels, et pas seulement semblables en substance (cf. également II 7,1-21 ; *de hom. rec.* 2,15-20). Pour parvenir à cette conclusion, il ne suffit pas de reconnaître, en *spiritus* ou *sapientia*, des noms substantiels, il faut également admettre l'identité entre les quatre premiers termes, *Esprit*, *Logos*, νοῦς, *sagesse.* Toutefois admettre une identité absolue serait nier la distinction des hypostases. Il faut donc chercher le type d'identité entre ces termes qui, sauvegardant leur altérité, c'est-à-dire leur caractère de *noms propres*, rendra compte de leur identité, de leur caractère de *noms communs.* Telle sera la solution de Victorinus (c. 54-55-56) : les Trois sont Esprit, les Trois sont Logos, et on pourra continuer, les Trois sont Sagesse, mais *un seul est Esprit, ou Logos ou Sagesse, par prédominance.* C'est la même solution qui explique ailleurs (IV 5,40-41 ; IV 21,28) les rapports entre être, vivre, penser. Augustin (*de trinitate*, livre V et VI) opposera noms substantiels et noms *relatifs* (= hypostatiques) ; Victorinus affirme que les noms communs, donc substantiels, sont, *en même temps*, noms *prédominants*, caractérisant l'hypostase de chacun.

48,5-28. Les modes possibles d'identité et d'altérité. — Un développement philosophique précise immédiatement l'aporie initiale. Voici les modes possibles :

identité	selon la totalité de leurs significations........	Hypothèses possibles.	.... ipséité.
	selon certains caractères communs......		.... altérité dans l'identité.
altérité	selon le rapport de sujet à accident........		.... identité dans l'altérité.
	altérité absolue.....	Hypothèse exclue.	

On retrouve l'opposition entre altérité dans l'identité et identité dans l'altérité dans les *Sententiae* de Porphyre, cf. plus bas 48,22-28 n. Le problème du mode d'identité est déjà posé en I 41,1 – 43,4 (cf. n.) dans la polémique avec les homéousiens et Victorinus a distingué alors *ipse*, *idem*, *alter*. Ici la logique néoplatonicienne lui fournit des distinctions encore plus précises, mais ne change pas la solution fondamentale.

48,5-6. communione ... universitate. — Si les termes susdits sont identiques, ils sont synonymes. Cette synonymie peut être fondée soit sur l'identité d'une partie de leurs définitions (*communione quadam*), soit sur l'identité de la totalité de leurs définitions, cf. Porphyre, commentaire sur les Catégories, cité par Simplicius, *in categ.*, p.34,14-15 : καθὸ κοινοῦ τινος μετέχει πάντα.

48,6-7. quid primum, quid ex alio. — Ces questions, posées par les commentateurs d'Aristote à propos des paronymes (Simplicius, *in categ.*, p. 37,31) peuvent tout aussi bien être posées à propos des synonymes, car ils peuvent se rapporter plus ou moins immédiatement à une cause unique, le même genre.

48,8. differentia, communio. — Ces questions semblent oiseuses dans le cas d'une identité totale de définition. Toutefois il faut expliquer la différence des noms eux-mêmes. Porphyre affirme bien que l'on peut appeler synonymes les noms différents rapportés à une chose unique (Simplicius, *in categ.*, p. 36,16 sq.).

48,9. subiectum ... accidens. — Cf. CAND. I 2,5 ; *ad Cand.* 7,21. *In alia* (AΣ) est impossible, *in* et l'accusatif ne pouvant exprimer l'inhérence d'un accident à un sujet.

48,11. ἑτερώνυμα. — Cf. Simplicius, *in categ.*, p. 22,30 : nom et définition différente.

48,12. nihil ... alterius substantiae. — Exclusion radicale de tout anoméisme : il n'y a pas de substance absolument différente d'une autre, ni dans les choses, ni, sous-entendu et à plus forte raison, dans les choses divines. Autrement dit, toute altérité est déterminée, donc corrélative d'une identité. C'est l'enseignement du *Sophiste* de Platon : pas plus d'altérité absolue que de non-être absolu. Autres aspects de la même doctrine de l'unité fondamentale de substance, I 26,2-3 (n.) et I 41,12-18 (n.).

48,12-22. — Théorie aristotélicienne de l'analogie de l'être, mais présentée en termes platoniciens. C'est cette analogie qui assure, entre tous les existants une *communio* *quaedam* (cf. 48,6 et 18), un minimum d'identité dans l'altérité et exclut l'altérité absolue. Sans doute, s'il y a synonymie, entre l'existant véritable et les existants véritables, il y a néanmoins homonymie entre l'existant véritable et le seulement existant (c'est-à-dire entre l'existant par soi et l'existant par un autre, entre substance et qualité ou accident). Mais cette homonymie n'exclut pas pourtant une communauté, qui reste d'ailleurs à préciser. On rapprochera le développement présent, de Porphyre, *Isag.*, p. 6,2-12 et de la traduction de Victorinus-Boèce, *in Isag.*, p. 74,17-75,7. Le schéma de Victorinus est celui-ci :

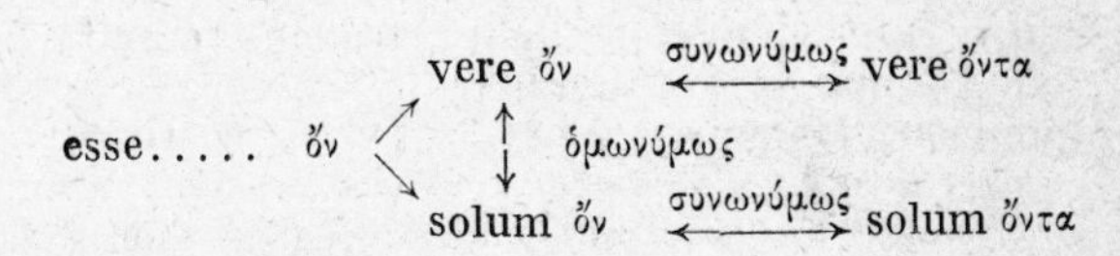

Pour ce schéma, cf. *ad Cand.* 11,1-12 n.

48,13. magis genus. — = γενικώτατον, cf. Victorinus, dans Boèce, *in Isag.*, p. 69,7.

48,14. esse. — Cette distinction entre εἶναι et ὄν, comme genre suprême et genre intermédiaire, se retrouve, mais dans l'ordre inverse, chez Sénèque, *epist.* 58,17 et 15 (*quod est*, et *per excellentiam esse*). Cf. IV 19,6 et sq. sur les deux modes de l'*esse*.

48,14-15. vere ... solum. — Cf. *ad Cand.* 8,20-21.

48,19-22. — Ici, une fois de plus, le commentaire des *Catégories* se relie au commentaire du *Sophiste*. La doctrine aristotélicienne (*categ.* 3 b 23) selon laquelle la substance n'a pas de contraire rejoint la théorie du *Sophiste* (258 b) selon laquelle il n'y a pas de non-être absolu, cf. Simplicius, *in categ.*, p. 109, 7 : « Si le non-être, que nous opposons à l'être comme son contraire, n'a aucune espèce d'existence, il n'aura aucun rapport à son opposé, n'étant rien du tout. » Avec l'idée de non-être absolu, l'opposition, donc la relation et l'altérité s'évanouissent, cf. Albinus, *didasc.* 35 ; Hermann, p. 189,15 : τῷ γὰρ ὄντι οὐκ ἀντίκειται τὸ μὴ ὄν.

48,19. quod τῷ ὄντι est. — Deux hypothèses : ou bien *quod est* (= huic quod est) redouble τῷ, c'est une maladresse de traduction de Victorinus ; ou bien τῷ ὄντι = *vere*, suivant l'hellénisme assez fréquent. Ce qu'il y a de plus contraire à l'être absolu, c'est le non-être absolu.

48,20. contrarium secundum privationem. — La liaison entre contrariété et privation est aristotélicienne, cf. *metaphys.* IV 6,1011 b 18 ; IV 2,1004 b 27. Certains commentateurs d'Aristote semblent avoir employé l'expression, Simplicius, *in categ.*, p. 107,32 : καὶ τὰ κατὰ στέρησιν εἴωθεν κοινότερον ἐναντία λέγειν ὁ Ἀριστοτέλης.

48,22-28. — L'hypothèse de l'altérité absolue étant écartée, Victorinus ne parle plus que d'un seul mode d'identité possible : selon une communauté déterminée. Il laisse de côté purement et simplement les autres hypothèses (cf. 48,5-28 n.) énumérées. Les noms divins seront identiques selon une communion déterminée. Les deux modes possibles de communion qu'il distingue ensuite (48,24-28) sont connus de Porphyre, *sent.* XXXVI et XXXVII notamment, Mommert, p. 31,5 : ἡ ἑνότης ἐν ἑτερότητι (= *eadem in alteritate*), ... προηγουμένης ... ἐν αὐτοῖς τῆς ἑτερότητος, et 31,7 : ἡ μὲν ἑνότης προηγεῖται καὶ ἡ ταυτότης ; c'est une doctrine qui remonte en dernière analyse à *Timée* 36 c, cf. Plutarque, *de animae procr.* 1024 e ; Hubert, p. 160, 20 sq. Pour Victorinus, la prédominance de l'identité sur l'altérité correspond à l'*homoousios* (53,1-2), la prédominance de l'altérité sur l'identité, comme pour Porphyre, à l'unité propre au monde sensible. Syrianus, *in metaph.*, Kroll, p. 137,13 sq. et p. 122,3 sq., distingue lui aussi entre prédominance de l'identité (τῆς ταυτότητος ἐπικράτειαν) et prédominance de l'altérité (τῆς ἑτερότητος ἐπικράτειαν).

***

49,1 — 53,31. Définition des termes énumérés dans l'aporie initiale. — Avant de répondre à l'aporie, définition des cinq termes, par leur genèse, c'est-à-dire par leur place dans le mouvement de la vie divine, c'est-à-dire finalement par l'étude des rapports entre Dieu et le Logos. La thèse initiale (49,1-8), sous une forme malheureusement très obscure, explique le rapport entre le problème posé au début du livre et l'exposé qui commence maintenant au sujet de Dieu et du Logos. Cet exposé tend à montrer que *Esprit*, *Logos*, *Sagesse* etc. peuvent être en puissance ou en acte (49,9 – 51,43) ou encore être et mouvement (52,1 – 53,31). Ainsi se prépare la solution de l'aporie initiale (résumée notamment en 59,7) : l'altérité entre les noms divins n'apparaît que dans l'acte.

***

49,1-8. Thèse initiale. — Le *necesse igitur* (49,7) indique ce que Victorinus veut prouver : *ista idem esse. Ista* ne désigne aucun mot de la phrase. On est obligé de remonter jusqu'à l'aporie initiale (48,4) : *ista* désigne les noms énumérés au début, et Victorinus répond ainsi à la question posée en 48,4 : ils sont identiques. Cette identité va résulter de tout l'exposé (49,9 – 53,31) parce qu'on comprendra par lui le rapport entre *les termes en question* et *la Trinité*, Père, Fils, Esprit-Saint. Voici le schéma que suppose Victorinus :

Noms posés au début	Trinité	Rapports trinitaires
Spiritus	Pater	duo unum (Pater, Filius)
λόγος	Filius	in uno duo (Filius, Sanctus Spiritus)
Sapientia	Sanctus Spiritus	

En montrant le rapport entre *Spiritus* et *pater*, *sapientia* et *sanctus spiritus*, l'exposé qui va venir permettra de conclure à l'*identité* entre tous les noms qui font problème.

49,2. sufficienter dictum. — Bien que la formule *duo unum, in uno duo* ne se trouve littéralement qu'en III 18,13-18, rien n'oblige à voir ici une allusion à ce passage. Ici, comme en III 18,12, il s'agit d'un résumé d'une doctrine abondamment développée. On reconnaîtra par exemple l'*in uno duo*, en I 13,23 et 37 ; et le *duo unum* correspond à tous les *ambo unum* (par exemple I 30,59) qui expriment, pour Victorinus, la consubstantialité du Père et du Fils. Cela revient à dire : j'ai suffisamment développé, dans le livre précédent, l'unité du Père et du Fils et celle du Fils et de l'Esprit-Saint. Sur la conception de la Trinité, comme double dyade, cf. *ad Cand.* 31,7-10 n. Par rapport à l'exposé qui va suivre, la signification de *duo unum* et *in uno duo* est la suivante : le Père est Un pur, le Fils est Un en qui il y a une dyade, mais l'Un pur et l'Un-dyade sont Un. C'est le sens de I 49,9-51,43. Voir aussi I 30,15.

49,4-7. — Je construis : « Si igitur ' quae duo unum ' (l'unité du Père et du Fils) et ' in uno duo ' (l'unité du Fils qui est Christ et Esprit-Saint) duo unum sunt, quoniam ' illud unum in quo sunt duo ' (l'unité du Fils qui est Christ et Esprit-Saint) cum illo (désigne la première unité, celle du Père et du Fils) est et ex aeterno cum ipso (= illo), semperque simul sunt sibi invicem eadem (les deux unités), necesse est igitur ista (= les termes placés au début du livre) idem esse.

49,7. ista idem esse. — Les termes du début s'appliquent les uns au Père, les autres au Fils, les autres à l'Esprit-Saint ; il s'agit donc de distinguer ces noms, comme propres à chacune des hypostases, pour les réunir ensuite comme noms communs, et reconnaître ainsi leur identité finale (c. 54-55).

49,9 — 50,32. Les deux Uns. — Ces deux Uns, ce sont les deux premières hypothèses du *Parménide* de Platon, hypostasiées suivant l'exégèse néoplatonicienne traditionnelle, cf. *hymn.* I 7-16 et *ad Cand.* 12,5-7 n., l'Un purement Un et l'Un qui est. L'*allure générale* du morceau rappelle non pas Plotin, comme le voulait M. Bouillet, *Les Ennéades de Plotin*, t. II, Paris, 1867, p. 562-564, mais, à cause de la théorie des deux Uns, Jamblique, *de mysteriis* VIII 2, utilisant très probablement des sources pythagoriciennes (cf. Festugière, *Le Dieu inconnu*, p. 23), tout en rapportant cette doctrine à Hermès.

49,9. ante omnia quae vere sunt. — Cf. Jamblique, *de mysteriis* VIII 2 ; Parthey, p. 261,9 : πρὸ τῶν ὄντως ὄντων καὶ τῶν ὅλων ἀρχῶν ἔστι θεὸς εἷς.

49,9. unalitas. — ἑνάς ou μονάς. Victorinus ne distingue donc pas comme Jamblique entre l'Un et la monade.

49,11. imaginationem alteritatis. — Cf. IV 23,17.

49,13. per concessionem. — Cf. Plotin, *Enn.* VI 8,13,47 et VI 9,5,32 et 39 sur la nécessité de nommer l'Un.

49,13-40. — Plan de ce long morceau de théologie négative : 11-17, *antériorité* à toute chose, si simple soit-elle ; 17-26 : *négation* de toute détermination, si haute soit-elle ; 26-40 : *transcendance* par rapport à tous les opposés.

49,17-26. — Cette suite d'épithètes suppose des correspondants grecs en ἀ- privatif, parfois traduits également par *sine.* Suites analogues, Cand. I 3,26-31 ; *ad Cand.* 13,8 ; *adv. Ar.* IV 20,15.

49,18. — *Sine vita* a probablement été oublié, cf. IV 23, 24 et IV 26,9 où l'on retrouve la même énumération, avec les termes grecs correspondants. Négation de la triade *être, vivre, penser.*

49,18. supra enim haec. — Cf. IV 23,26 : *per supralationem* ; *ad Cand.* 2,23 ; 13,5-6 : *per eminentiam.* Liaison entre la *via negationis* et la *via eminentiae*, cf. A.-J. Festugière, *Le Dieu inconnu*, p. 136. Dans la tradition chrétienne, expressions analogues, Irénée, *adv. haer.* II 13,4 ; *PG* 7,744 b : « Est autem et super haec et propter haec inenarrabilis. »

49,18-23. — Cf. IV 19,13 ; IV 24,28 ; *hymn.* III, 172 sq. *Indiscernibile* = ἀδιάκριτος, cf. IV 20,15. Un témoin très intéressant de la théologie négative traditionnelle, l'écrit gnostique intitulé *Apocryphon Johannis* et qui commence, comme notre présent traité, par un long morceau de théologie négative dit lui aussi : « Il est indistinct parce qu'il n'y a personne avant lui pour lui imposer une distinction » (cf. W. Till, *Die gnostischen Schriften des Koptischen Papyrus Berolinensis* 8502, Berlin, 1955, p. 86,17 : le texte copte garde ἀδιάκριτος). Aussitôt après, l'*Apocryphon* ajoute : « Il est l'Incommensurable (= *inmensum*)... l'Invisible (= *invisibile* 49,19). » Pour la détermination et la connaissance par soi, cf. *Asclepius* 34, p. 344,24 : « Ipsi soli sensibile atque intellegibile » ; *Corpus Hermet.* XIII 6, p. 202 : τὸ αὐτῷ καταληπτόν ; Minucius Félix, 18,8 ; Waltzing, p. 25,16 : « Soli sibi tantus, quantus est, notus. »

49,21. exsistentia. — Idée d'une connaissance substantielle, non actuée, confondue avec l'acte d'être, cf. IV 20,7-9 et IV 29,2 (intelligence confondue avec l'être).

49,22. consistentia. — = σύστασις. Vocabulaire stoïcien, cf. Diog. Laert., VII 85 ; l'individu a d'abord sa constitution, ensuite la connaissance de sa constitution. Mais l'Un transcendant est à lui seul cette constitution et cette connaissance.

49,23-26. — C'est le couplet platonicien, traditionnel dans ce genre littéraire. *Inpartile undique* = *Sophiste* 245 a 8 : ἀμερὲς ... παντελῶς. — *Sine figura* = *Parménide* 137 d 9 : ἄνευ σχήματος (cf. *Phèdre* 247 b : ἀσχημάτιστος). — *Sine colore* = *Phèdre* 247 b : ἀχρώματος. Sur les suites d'épithètes analogues dans l'hermétisme (C. H. XIII 6 ; *exc.* VIII 2,1 ; II A 15,1) ou chez les platoniciens (Maxime de Tyr, Hobein, XI 11, p. 143,12) cf. Festugière, *Le Dieu inconnu*, p. 72 et 115.

49,24. sine qualitate... — Cf. Albinus, *didasc.* 10 ; Hermann, p. 165,11 : οὔτε ποιόν, οὐ γὰρ ποιωθέν ἐστι καὶ ὑπὸ ποιότητος τοιοῦτον ἀποτετελεσμένον, οὔτε ἄποιον, οὐ γὰρ ἐστέρηται τοῦ ποιὸν εἶναι ἐπιβάλλοντος αὐτῷ εἶναι ποιῷ. Sur le texte et le sens de cette phrase d'Albinus, cf. A.-J. Festugière, *Le Dieu inconnu*, p. 99 et n. 1 : « Dieu n'est pas un ἄ-ποιον, car le dire tel, ce serait marquer qu'il a été privé de quelque chose qui eût dû lui revenir. » Même genre de raisonnement, à propos de la matière, chez Plotin, *Enn.* II 4,13,7-26. Deux aspects : 1° l'Un n'est pas qualifié (*quale*) par l'absence de qualité (*inqualitate*) ; 2° l'Un n'est pas un qualifié, privé de la qualité qu'il devrait avoir (*quale sine qualitate*) et qualifié alors par l'absence de qualité (*inqualitate*). Autrement dit, il est complètement étranger à l'ordre de la qualité ; la privation serait encore une qualité, il faut concevoir une privation absolue. Même négation simultanée d'opposés dans l'*Apocryphon Johannis*, Till, p. 88,9-20.

49,25-26. — Cf. Plotin, *Enn.* V 5,6,1-5 et surtout VI 7,28,28 : τὴν ἀνείδεον φύσιν, ἀφ' ἧς τὸ πρῶτον εἶδος.

49,26-29. — Cf. I 29,15 ; I 39,3. La transcendance de l'Un se fonde sur son caractère de principe radical.

49,27. prima causa. — Cf. Macrobe, *in somn. Scip.* I 2,14 ; Eyssenhardt, p. 482,11 ; Arnobe, *adv. nat.* I 31 ; Reifferscheid, p. 20,29.

49,28. omnium principiorum praeprincipium. — Cf. *Corpus Hermetic.* I 8 ; p. 9,10 : τὸ προάρχον τῆς ἀρχῆς τῆς ἀπεράντου. Le terme est employé par les gnostiques (Irénée, *adv. haer.* I 1,1 ; *PG* 7,445 a), mais on remarquera aussi Jamblique, *de mysteriis* VIII 2 ; Parthey, p. 261,9 : πρὸ ... τῶν ὅλων ἀρχῶν.

49,29. praeintellegentia. — Cf. 50,1.

49,29-40. — La transcendance de l'Un, fondée sur son caractère de principe radical, peut s'exprimer par le dépassement des oppositions entre les contraires. La source dernière de ce mode de pensée se trouve dans le *Parménide* 137 c-142 a où l'Un purement Un n'est ni en mouvement ni en repos, ni identique, ni différent, etc. Albinus, *didasc.* 10 ; Hermann, p. 165,4 sq. reprend ces oppositions pour les appliquer à la connaissance de Dieu. Mais ici, à la négation simultanée des opposés, se substitue l'affirmation simultanée des contraires : Dieu est le maximum de mouvement, et le maximum de repos. Il y a ainsi une combinaison entre la méthode de négation et la méthode de transcendance. On peut identifier cette méthode avec la σύνθεσις ἡ ἐπὶ τὰ ἄλλα, la méthode de composition des opposés, une des trois voies de la connaissance de Dieu signalée par Celse (dans Origène, *contra Celsum* VII 42), cf. A.-J. Festugière, *Le Dieu inconnu*, p. 117 et 119-123. On la retrouvera plus tard, transformée par le génie de Nicolas de Cues, comme une des sources de la pensée moderne (cf. M. de Gandillac, *La Philosophie de Nicolas de Cues*, Paris, 1941, p. 204-244, notamment p. 230, n. 6).

49,30-32. — Sur la coïncidence repos-mouvement, cf. III 2,35 sq. ; IV 8,26. Voir *Asclepius* 31 ; Nock-Festugière, p. 339,20 : « Stabilitatis etenim ipsius in magnitudine est inmobilis agitatio », et p. 340,1 : « Fertur enim in summa stabilitate et in ipso stabilitas sua. »

49,30. ipsa motione celebrior. — Cf. *Sagesse* 7,24 : πάσης γὰρ κινήσεως κινητικώτερον σοφία. *Celebrior*, archaïsme, cf. Accius, dans Nonnius Marcellus, *compend. doct.*, Lindsay, I, p. 127 : « Celebri gradu. »

49,32-37. — La suite des opposés est la suivante :

Continuité	—	Discontinuité
Fini	—	Infini
Pureté	—	Mélange
Tout	—	Partie.

49,34. magnitudine. — Grandeur au sens d'infinité, par opposition à la délimitation dans un corps.

49,34-35. — Les incorporels sont formes, ne se mélangent pas ; donc ils sont purs. Les intelligences et les corps sont matières des idées ou des formes, donc pénétrables et ouverts à tout. Dieu unit le *summum* de l'impénétrabilité au *summum* de la pénétrabilité.

49,35-36. omnium ... potentiarum. — Victorinus résume ici le sens du présent développement : Dieu est le maximum de chaque « vertu », de chaque puissance. A ce propos, on peut rappeler le développement de Novatien, *de trinitate* II ; Fausset, p. 9,14 ; *PL* 3,890 c, présentant Dieu comme le maximum de toutes les vertus morales : « Minora enim sint necesse est omnium genera virtutum eo ipso qui virtutum omnium et deus et parens est. » Cf. également *Corpus Hermetic.* I 31 ; Nock-Festugière, p. 18,8 : πάσης δυνάμεως ἰσχυρότερος.

49,36-40. — Opposition entre l'universel et le particulier. Les lignes 36-37 développent une seule idée : il est le plus universel de tous les universels, tels que le genre, l'espèce et, d'une manière générale, les véritablement existants, les intelligibles (cf. *ad Cand.* 7,1-7). Même idée, IV 19,13 : *universalium omnium universale.*

49,36-37. vere ὄν. — L'expresssion est apparemment incompatible avec la transcendance de l'Un ; mais, d'une part, elle est en quelque sorte à la deuxième puissance : l'Un est le véritablement existant des véritablement existants ; d'autre part, l'expression est corrigée par la ligne 39 : il est, sous un mode absolument pur, par une ineffable puissance, les véritablement existants. Cf. *Corpus Hermetic.* V 9; p. 64,1 : ἔστιν οὗτος καὶ τὰ ὄντα αὐτὸς καὶ τὰ μὴ ὄντα.

50,1-21. L'Un est Dieu et Esprit. — Cette succession de déterminations positives accompagnant un développement de théologie négative est elle aussi traditionnelle. Cf. Albinus, *didasc.* 10, p. 164,27 sq.; de même, l'*Apocryphon Johannis*, Till, p. 90,12 - 94,4. Le terme important, ici, est le mot *Esprit*, le premier des termes énumérés au début du traité. Mais les autres termes apparaissent également, explicitement ou par leur synonyme. L'idée générale est la suivante : Dieu est *Spiritus*, λόγος, νοῦς, *sapientia* (= *beatitudo*), *substantia* (= *exsistentia*), mais tournés vers lui-même, confondus avec son acte d'être. Il y a équivalence entre ces noms divins et la triade être, vie, intelligence (= béatitude) et Dieu est cette triade en puissance, par son être même, sans aucun déploiement dans l'acte. D'où les expressions : « *spiritus* spirans in semet ipsum » (50,6) ; « λόγος sui ipsius » (50,16) ; « beatitudinem suam (= *sapientiam*)... custodiens » (50,2); « potentia exsistentiae (= *substantiae*) » (50,14) ; à propos de cette équivalence *exsistentia* = *substantia*, on remarquera que, dans le présent livre I b, la distinction technique entre ces deux termes, qui avait été affirmée en I 30,21-26, probablement à cause de l'importance du mot-thème *substantia*, s'estompe. C'est pourquoi j'ai souvent traduit *exsistentia* par substance, et quand j'ai employé : *existence* dans la traduction, je l'ai souvent souligné, lorsqu'il avait valeur de mot-thème équivalent à *substantia* (cf. 50,23 = 51,20). L'ensemble du développement est parallèle à *ad Cand.* 21,2-10 (l'*esse* tourné vers soi) ; *adv. Ar.* III 2,12 (mouvement intérieur et tourné vers soi) ; I 52,3 ; IV 21,26 (Dieu puissance des trois puissances : être, vie, pensée). Ce développement s'insère d'ailleurs parfaitement dans l'ensemble du livre, puisqu'il montre les cinq termes du début, tels qu'on les trouve dans l'état de puissance originelle que représente l'Un purement Un.

50,3. semet ipsum. — Bien que le sujet soit *praeexsistentia*, Victorinus pense à *deus* ou à *esse*.

50,3-4. non indigens aliorum. — Cf. Albinus, *didasc.* 10; Hermann, p. 164,28 : ἀπροσδεής. Sur l'autonomie de l'Un inspirée par l'autonomie du sage stoïcien, cf. V. Goldschmidt, *Le système stoïcien et l'idée de temps*, Paris, 1953, p. 154.

50,4. perfectus super perfectos. — Remarquer le

parallèle *ad Cand.* 22,3-4 (dans un contexte, c. 21, analogue à notre présent développement) : « Omnimodis perfectus et supra omnimodis perfectus », qui serait en faveur de la leçon de *A* et rappelle Albinus, *didasc.* 10 ; p. 164,30 : παντελής, πάντη τέλειος. Peut-être faudrait-il corriger *A* en *semper perfectus* (faute analogue, CAND. I 7, 16-17), cf. Albinus, *ibid.* : ἀειτελής.

50,4. tripotens. — Cf. 52,3; 56,5 ; IV 21,26. Le mot, très fréquent chez les gnostiques, ne signifie pas chez eux, comme chez Victorinus, la triple puissance de l'existence, de la vie et de la pensée.

50,5-8. — Ces lignes expliquent pourquoi Dieu est *supra spiritum.* La notion de *spiritus* suppose une relation à un objet extérieur, cf. IV 9,10 : « Spiritus autem vivificat » (= *II Cor.* 3,6). La notion d'esprit est liée à celle de vie (IV 6,36 : « Spirare autem vivere est »). Tout ceci suppose, peut-être sous l'influence du vocabulaire évangélique, la permanence, chez Victorinus, de la notion stoïcienne de *pneuma.* Le pneuma stoïcien a un mouvement tonique, c'est-à-dire tourné vers l'intérieur et vers l'extérieur, cf. les textes cités en *adv. Ar.* III 2,31-40 n. Dieu, comme pneuma, reste tourné vers lui-même : *spirans* (cf. *Ioh.* 3,8 : τὸ πνεῦμα ... πνεῖ) *in semet ipsum. Ut sit spiritus* : on pourrait traduire : pour se faire esprit ; mais il s'agit plutôt du *pneuma* tourné vers l'extérieur, et avec lequel le *pneuma* tourné vers l'intérieur est en continuité. D'où *inseparabilis a semet ipso,* cf. 55,15 ; idée éminemment stoïcienne, cf. Cicéron, *de natura deorum* II 7,19 : « Uno divino et continuato spiritu »; Sénèque, *natur. quaest.* II 6,6 : liaison *intentio-unitas* et II 9,4 : « Nusquam divisus est. » Cf. K. Reinhardt, *Kosmos und Sympathie*, Munich, 1926, p. 112. Importance de l'*unitas spiritus, Ephes.* 4,3 dans le Nouveau Testament. Sur la liaison *spiritus-substantia,* cf. I 55.

50,8-9. — L'unité de l'Esprit avec lui-même, surtout lorsqu'il reste tourné vers lui-même, s'exprime par l'idée, traditionnelle également, de l'identité en Dieu du contenant et du contenu, cf. CAND. I 3,14 (n.). Cf. Tertullien, *adv. Prax.* 5 ; *PL* 2,160 a : « Ipse sibi et mundus et locus et omnia. »

50,9. in semet ipso manens. — Cf. IV 24,32 ; *ad Cand.*15,12.

50,9. ubique ... nusquam. — Cf. Porphyre, *sent.* XXXVIII; Mommert, p. 34,12 : πανταχοῦ ... οὐδαμοῦ : « Quand les Anciens disent qu'il est partout, ils ajoutent qu'il est nulle part. » Plotin, *Enn.* III 9,4,4.

50,10-11. — Répétition de *tripotens in unalitate spiritus.*

50,10. couniens. — Le mot, comme *counitio* (50,18 et 21) est propre à notre traité (= συνενοῦν). Cf. 53,1-2 (n.).

50,11. exsistentiam, vitam, beatitudinem. — 1° Ce sont trois *puissances*, cf. I 31,7-10 ; I 52,3 ; IV 5,35 ; IV 21,26, puissances, au pluriel, signifiant déjà un progrès vers la détermination, par rapport à *potentia*, singulier ; 2° la triade *exsistentia, vita, beatitudo* est propre à notre traité I 48-64 et à III, tandis que I a et IV emploient *exsistentia, vita, intellegentia.* Victorinus identifie d'ailleurs explicitement I 52,4-5 : *beatitudo* et *intellegentia.* Il faut certainement voir en Augustin, *de civit. dei* VIII 6 ; Dombart, p. 291,15-21 : « Esse ... vivere ... intellegere ... beatum esse », une trace de ce dédoublement de l'*intellegere* en *beatum esse.*

50,11-15. — Pour cette identité de la vie et de l'intelligence avec l'être, cf. *ad Cand.* 19,6-10 ; 21,1-10 ; *adv. Ar.* III 2,12 sq ; IV 20,4-9.

50,18. divinitas, substantialitas. — Même suite, Albinus, *didasc.* 10 ; Hermann, p. 164,30 : θειότης, οὐσιότης. *Beatitudo*, qui suit, est certainement synonyme de *intellegentialitas.* On a encore ici la triade *substantia, vita, intellegentia.*

50,20. universaliter ... omnia. — Reprise de 49,39. On peut rapprocher d'*orac. chald.*, Kroll, p. 19 : πάντ' ἐστὶ γάρ, ἀλλὰ νοητῶς.

50,22-32. L'Un qui est. — Le développement qui lui est consacré affirme son jaillissement au-dehors et définit ses rapports avec l'Un purement Un, comme ceux de l'acte avec la puissance. L'exposé reprendra en 51,1-43 pour montrer que l'Un qui est, est double, Vie et Sagesse.

50,22. isto igitur uno exsistente. — Cf. Jamblique, *de mysteriis* VIII 2 ; Parthey, p. 261,17 : ἀπὸ δὲ τοῦ ἑνὸς τούτου ὁ αὐτάρκης (αὐτοπάτωρ Scott) θεὸς ἑαυτὸν ἐξέλαμψε.

50,22. proexsiluit. — = ἐκπροθορών, cf. Synésius, *hymn.* 1,408, Terzaghi ; Proclus, *hymn.* VII 2 : ἐκπροθοροῦσα à propos d'Athéna.

50,22. unum unum. — Cf. 51,1. Cette expression exprime à la fois le caractère monadique et le caractère dyadique de l'Un qui est.

50,23. in substantia ... in motu. — L'Un prend substance et se met en mouvement ; cf. *Anonyme de Turin*, XII 6-10 ; Kroll, *Rhein. Museum* 47 (1892), p. 615 : οὐσιωμένον δὲ ἕν (cf. le οὐσίας ... μετέχειν de *Parménide* 142 b).

50,23-24. — Même axiome, 57,20.

50,24-26. — Opposition entre l'Un qui est et l'Un qui n'est pas, cf. *Anonyme de Turin* XII 5-6 ; Kroll, p. 615 : ἓν ἀνούσιον... ἓν ἐνούσιον.

50,27-32. — Explique *secundum potentiam.* L'*ad Candidum* avait conçu le rapport Père-Fils sur le modèle être-agir. En *adv. Ar.* I 19,23-29, le modèle être-agir se précise en *potentia-actio.* En I 40, il apparaît nettement que ce rapport *potentia-actio* est celui de la faculté à son exercice. Ici même, on voit que la puissance est déjà active et que l'acte reçoit sa force de la puissance. La puissance est Force ; l'acte, Forme. Cette interpénétration mutuelle sera à nouveau énoncée en *adv. Ar.* II 3,34-44 et en III 1,30-35. Les deux Uns sont donc dans le rapport de la puissance à l'acte ; le premier donne force à l'être ; le second lui donne forme.

50,29. est. — Cf. 49,39 ; 50,20. La puissance est, éminemment, selon un mode transcendant, ce que l'acte sera, selon un mode déployé et révélé. *Sine molestia,* cf. I 13,12, et 3,22-30 (n.). La passion est en effet liée à l'acte ; cf. I 40,19.

50,31-32. — Chiasme : potentia ... potens, actio agit, agens.

50,32. unalitas. — Cf. 49,9 et 50,20. Cette répétition marque l'unité de tout le développement. L'Un est monade transcendante qui est tout en puissance, cf. *theol. arithm.,* Falco, p. 1,9 : ἐκ τῆς πάντα δυνάμει περιεχούσης μονάδος.

51,1-43. Les Deux en Un. — Cf. Thèse initiale, 49,1-8 n. L'Un-Un issu de l'Un va se révéler double : Vie et Sagesse. Les cinq termes objets du traité vont donc apparaître, non plus dans un état de conversion vers soi, *en puissance,* comme dans le premier Un, mais *en acte,* en mouvement, dans un mouvement de sortie et de retour. L'Un-Un est vie, donc *Logos* (51,3), donc *substance* (51,20), *sagesse* (51,23), et finalement *Esprit* (51,27), mais tout cela en un seul mouvement de sortie et de retour, de descente et de remontée, qui se manifeste dans l'Incarnation (51,28-43). Ainsi, après le Père et le Fils (49,8 – 50,32), nous avons maintenant le Fils et l'Esprit-Saint (51,1-43).

51,1-19. L'Un-Un est Vie et Logos. — Première identification aux termes de l'aporie initiale : le second Un est *Logos.* Il est donc le Fils. Victorinus montre qu'il est engendré en montrant qu'il est Vie, et qu'en tant que Vie, il a dû *apparaître* au-dehors. La génération est toujours manifestation.

51,1-3. vita ... motio infinita. — Première affirmation chez Victorinus du caractère infini de la vie, cf. 56,32; III 3,20. Dans un texte de Plotin, également (*Enn.* VI 7,17,15 sq.), ce qui sort immédiatement de l'Un, c'est la vie infinie (qui se définira par sa conversion vers l'Un). Cf. également *Anonyme de Turin* XIV 21 ; Kroll, *Rhein. Museum* 47 (1892), p. 617 : ἀόριστος <ὁ> (= νοῦς) κατὰ τὴν ζωήν.

51,3. λόγος. — L'identité entre Logos et vie, impliquée par l'évangile de Jean, est assez courante en philosophie, cf. Plotin, *Enn.* VI 7,11,43.

51,4-6. — Définition de la vie par l'automotion : I 42, 9-11. Même suite αὐτοκίνητος, ἀεικίνητος : *ad Cand.* 10,20-21 ; *adv. Ar.* I 31,42-44 n. Cf. Platon, *Lois* X, 895 e.

51,7. iste filius est. — Identification parallèle à *hic est deus, hic pater* (50,1) et très caractéristique chez Victorinus, cf. *ad Cand.* 2,30-35 n.

51,10. a semet mota motione. — Cf. *ad Cand.* 22,11 n.

51,10-15. — La génération de la vie est sa manifestation au-dehors ; pour le principe, cf. *ad Cand.* 14,11 n. ; sur la vie « au-dehors », cf. I 57,33.

51,10-12. — Grammaticalement, le sujet de l'ablatif absolu devrait être différent de *ista motio* ; ce pourrait être *potentia*, la puissance du Père. Mais il est difficile d'admettre que la puissance du Père s'avance. C'est au contraire parce cette puissance du Père demeure immobile que la vie s'avance. Il faut donc supposer que l'ablatif absolu a le même sujet que la principale. Le mouvement se trouve d'abord dans un état de puissance, confondu avec le Père. Il sort de cet état de puissance, d'immobile préexistence. Pour le sens, cf. I 42,22-26 ; I 52,17-37.

51,12. nusquam requiescens. — Cf. *adv. Ar.* IV 8,36 n.

51,15-17. motio ... exsistentia. — Cf. 50,23 : *substantia ... motu.*

51,16. vitali praeexsistentia. — La vie préexiste dans le Père, sous un mode non-substantiel, mais elle devient la substance de toutes choses, en se manifestant, dans son mouvement de vivification, créateur du monde.

51,18. iuxta potentiam. — Cf. 49,39. Ces universels, ce sont les intelligibles, les véritablement existants.

51,19. — Aspect révélateur de la vie : le monde intelligible qu'elle engendre révèle le préintelligible.

51,21. — Cf. Proclus, *in Tim.*, Diehl, t. I, p. 220,4, liaison entre conversion et masculinité, procession et féminité;

Damascius, *dubit. et solut.* n° 221 ; Ruelle, II, p. 100,16 : ἡ γὰρ ζωή ἐστιν οἷον θήλεια οὐσία ; n° 198 ; II, p. 78,1 : θηλύτης ἡ ἑτερότης. La vie est puissance féminine, parce qu'elle a le désir de vivifier, cf. Clément, *strom.* III 13,93,3; Stählin, p. 239,7 : ἐπιθυμίᾳ θηλυνθεῖσαν. Sur les aspects pythagoriciens de l'opposition entre masculinité et féminité, cf. A.-J. Festugière, *Le Dieu inconnu*, p. 43-51.

51,22-28. — Le Second Un, le Logos est également *Sagesse*, et *Esprit* en acte. Le mouvement du Logos est double en effet : procession, conversion ; vie-sagesse ; féminin-masculin. Quand le mouvement de retour du Logos vers l'Un est achevé, le Logos est lui-même Esprit, parfait, en acte. Même idée chez Plotin, *Enn.* VI 7,17,25 (cf. *adv. Ar.* I 51,1-3 n.) : « La vie qui a reçu une limite (en se convertissant vers l'Un) est l'intelligence. »

51,23. conversa. — La vie se retourne vers la sagesse, c'est-à-dire passe de la vivification à la contemplation ; mais cette contemplation est elle-même tournée vers l'existence paternelle (ici, il vaut mieux traduire *exsistentia* par existence, malgré l'équivalence *exsistentia-substantia* reconnue en 50,23, parce qu'*existentia* désigne quelque chose de plus simple et de plus pur que la *substantia*). Et finalement c'est le mot *puissance* qui désigne le mieux le terme de la conversion.

51,25. retro motae motionis. — Cf. Novatien, *de trinitate* XXXI, Fausset, p. 122,12 : « Reciprocato meatu. » Le mouvement de la sagesse s'exerce dans la direction opposée par rapport au mouvement de la vie.

51,26. vir effecta est. — Sur la liaison conversion-masculinité, cf. 51,21 n.

51,27. — La vie est condescendance, tendance à s'abaisser vers les inférieurs; la sagesse, remontée vers la source.

51,28. in uno duo. — Cf. 49,3 sq.

51,28-43. État féminin et état masculin du Logos. — Le mouvement unique du Logos, vie et sagesse, descente et remontée, féminité et masculinité, est révélé par le mystère de l'Incarnation. La révélation chrétienne concorde avec l'enseignement philosophique : si toute chose sensible est le signe de l'intelligible, la naissance charnelle de Jésus révèle le mode de sa génération éternelle. Victorinus se sent ici capable de répondre au difficile problème du mode de génération éternelle du Fils de Dieu. Si la naissance charnelle suppose une première *période féminine* : conception virginale, naissance virginale, et vie terrestre (car la vie terrestre est un mode d'existence féminin, cf. *in Galat.* 4,4 ; 1177 a à propos de *editum ex femina*) se terminant à la mort du corps, la génération charnelle du Fils de Dieu n'est achevée réellement que par la *phase masculine* qui succède à la phase féminine et qui correspond à la résurrection, à l'ascension, au règne éternel. Cela veut dire que l'Homme-Dieu n'est vraiment Homme-Dieu que lorsqu'il est glorifié, que lorsqu'il est retourné auprès du Père ; sa naissance virginale n'est que le début de son enfantement. Il n'est Fils parfait de Dieu, pleinement développé, que lorsqu'il est devenu *Esprit* transfigurant en soi l'*âme* et la *chair*. Bien que Victorinus n'y fasse pas allusion explicite, cette doctrine peut s'appuyer sur l'exégèse traditionnelle de *Ps.* II 6 : « Ego hodie genui te » qui rapportait ce texte à la résurrection et à l'ascension du Christ, par exemple Hilaire, *in psalm.* II 27 ; Zingerle, p. 57,13 sq. (*PL* 9,277a), et dont l'origine dernière était *Act.* 13,33. Pour Victorinus, notre propre résurrection (*in Galat.* 4,4 ; 1177 a) sera, elle aussi, passage de la féminité à la masculinité. Cette spéculation sur le caractère féminin de la vie d'ici-bas et le caractère masculin de la vie spirituelle est très répandue dans le gnosticisme, cf. Clément d'Alexandrie, *strom.* III 13,92,2 ; Stählin, p. 238,23 ; *PG* 1192 d – 1193 a et III 13,93,3 ; Stählin, p. 239,7 : « L'âme d'en haut, qui était divine, s'est efféminée par le désir et elle est tombée ici-bas dans la génération et la corruption », et *exc. ex Theodoto* 21,1-3, et 22,3. De même le thème du retour au Père est fortement gnostique, cf. Irénée, *adv. haer.* I 2,3 ; *PG* 7,457 a : ἐπὶ τὸν πατέρα ἀναδραμεῖν.

Pour Victorinus, la génération éternelle est le modèle de la génération temporelle. Il faut donc supposer que, pour être engendré par Dieu, le Fils de Dieu doit d'abord passer par un état féminin : celui de la vie, mouvement de descente, d'expansion vivificatrice ; puis, après cet éloignement de la source paternelle, il doit passer de l'état féminin à l'état masculin, en se retournant vers le Père, par la sagesse. Ainsi à la naissance virginale et à la vie terrestre correspond le mouvement éternel de la vie ; à la résurrection et à l'ascension, le mouvement éternel de la sagesse. Le Logos n'est Fils de Dieu que par ce double mouvement : quand ce double mouvement est achevé, le Logos est Esprit en acte, comme le Père était Esprit en puissance. Cette spéculation n'est pas étrangère au sujet du livre. On a vu (49,9 – 50,32) que, dans le Père, les cinq termes posés au début : *Esprit*, *Logos*, *sagesse*, etc. étaient dans un état de puissance, donc d'unité. Dans le Fils, ils sont en acte et en mouvement (51,1-28). Ils se distinguent donc, et sont, on le verra plus loin (54,1-19), autres au sein de l'identité. Ils ont donc un premier mouvement de distinction, un second, d'identification. Ces deux mouvements (cf. 57,20) correspondent à l'état féminin et à l'état masculin du Logos. Cette androgynie du Logos assure son autogénération (64,25-27). Le thème de l'Incarnation, image de la génération éternelle, reviendra sous une forme légèrement différente en 56,36 – 58,36.

51,28. exsistente vita prima exsistentia. — La vie est d'abord l'existence première, c'est-à-dire, suivant le schéma *exsistentia*, *vita*, *intellegentia*, qu'elle est confondue avec le Père, avec la *vitalis praeexsistentia* (51,16). Pour s'engendrer, elle doit donc d'abord s'éloigner du Père, entrer dans l'état féminin.

51,29. in virginalem potentiam subintrare. — L'expression désigne un mouvement qui s'exerce dans le monde intelligible, tout en pensant à son image temporelle : l'Incarnation au sein de la Vierge. *Subintrare*, comme *subintroire*, chez *Arnobe* VI 12 ; Reifferscheid, p. 224,13, c'est revêtir la forme. C'est le mode d'être qui est ici visé : naître du sein d'une femme, c'est entrer dans un état féminin ; et désirer engendrer — ce qui est propre à la vie — c'est également prendre une forme féminine (cf. 51,21).

51,30. masculari virginis partu. — L'enfantement mâle, dans l'éternité, c'est la transformation du Logos féminin en Logos mâle ; l'enfantement est autogénération, cf. 64,25-27, le Logos se donnant à lui-même le double mouvement de la vie qui l'éloigne du Père et de la sagesse, qui l'y ramène. Sur le caractère virginal de la vie, cf. *Orphica*, *fr.* 192 ; Kern, p. 218 (= Proclus, *in Tim.*, Diehl, t. III, p. 223,3) sur Korè (ζωοποιὸς αἰτία) qui reste vierge, tant qu'elle reste l'épouse de Zeus (cité par A.-J. Festugière, *Le Dieu inconnu*, p. 223, n. 3).

51,31. prima motione. — Cf. I 26,26-43 : *prima descensio.*

51,32. defecit. — C'est cet éloignement qui la féminise. Cf. IV 31,51 : *recessio a patre.* Il y a là une certaine doctrine kénotique, cf. 56,36 : l'Incarnation commence avec le premier mouvement du Logos vers l'Infini. Plotin appelle lui aussi *premier mouvement* l'altérité (cf. *adv. Ar.* I 57,20 : *alteritas nata*) qui sort de l'Un, *Enn.* II 4,5,30.

51,33. cupiditate. — Cf. 51,21. En 57,14, la distinction, l'altérité viendra du *désir* de connaître.

51,33. intus. — Cf. 52,37.

51,34. exsistens. — Participe présent très proche du participe passé, cf. Ernout-Thomas, *Syntaxe latine*, p. 232.

51,35-36. semet ipsam ... patricam exsistentiam. — Cf. 57,11 : « Semet ipsam, hoc est potentiam suam, patrem scilicet. » Identité entre le vrai Soi et l'hypostase précédente, entre l'intérieur et le Père, donc identité du retour à soi et du retour au Père. Sur cette identité, cf. Plotin, *Enn.* V 3,7,3-7.

51,35. suam patricam exsistentiam. — Le *suam* oblige à réfléchir sur le sens d'*exsistentiam*. En 51,24-25, on peut admettre que *patrica exsistentia* et *patrica potentia* désignent le Père purement et simplement. En 57,11, *suam potentiam* peut facilement désigner le Père, puissance de la vie ; de même en 57,16-17. Mais il est difficile ici d'identifier le Père avec « son existence paternelle. » Il s'agit plutôt ici, comme en 51,42-43, du mode d'existence de la vie (ou du Logos), quand elle est dans le Père. Il ne faut pas hésiter à traduire *exsistentia* et *patrica* d'une manière différente, ici, et dans le reste du livre. Le sens fondamental de *patricus* est bien : paternel ; mais, ici, il ne veut pas dire : du Père, l'existence du Père, mais l'existence que la vie a dans le Père. Que cette vie au sein du Père se confonde avec le Père lui-même, c'est un des thèmes essentiels de la pensée de Victorinus (52,25-28). Mais il y a une distinction conceptuelle qu'il faut sauvegarder. Cf. Damascius, *dubit. et solut.* n° 97 ; Ruelle, t. I, p. 246,4-5 : « Athéna, dans Zeus, est l'hyparxis de Zeus. »

51,37. perfectus spiritus. — Cf. *in Galat.* 4,4 ; 1177 a : « Vir effectus id est perfectum spiritum habens atque recipiens. » Sur l'unité de la chair, de l'âme, de l'Esprit dans le Christ, cf. *in Philip.* 3,21 ; 1226 b.

51,37. nutu ... intro. — Cf. 51,26. L'Esprit s'achève par un mouvement circulaire, cf. 60,1-31.

51,38. typum. — Le mot pourrait presque avoir le sens qu'il a en CAND. I 9,2-4.

51,39. ordinem. — Cf. IV 32,14 : *ordinatione mysterii.*

51,39. in corpore spiritus. — Cf. 53,30 : *spiritus incarnatus.* Le Logos vient d'être appelé Esprit (51,37). Sur l'Esprit considéré comme définition de la nature divine du Christ, cf. G.-L. Prestige, *God in Patristic Thought*, p. 18 sq. (trad. fr., p. 38-39). Formule archaïque (cf. II *Clem.* 9,5 :

Χριστὸς ὁ κύριος... ὢν μὲν τὸ πρῶτον πνεῦμα, ἐγένετο σάρξ) qui correspond pour Victorinus à un mouvement de l'Esprit vers la chair, par l'intermédiaire de l'âme, cf. III 12,21-41. La vie tend d'elle-même à l'incarnation, la sagesse à la spiritualisation.

51,39. filio Christo. — Cf. 53,28 : désigne la nature humaine du Verbe incarné ; cf. I 35,10 n.

51,40. diminutionem. — Cela peut signifier la particularisation du Logos dans l'Incarnation, cf. I 22,25-28 ; cela peut signifier aussi la réduction de la grandeur divine aux proportions de la chair, comme chez Origène, *de princ.* I 2,8 ; *PG* 11,136 c-137 : « Brevissimae insertus humani corporis formae. » En tout cas, cette « diminutio » répond ici-bas à la phase féminine qu'est la vie, dans le mouvement éternel du Logos.

51,40-43. — Le rythme de la phrase et, jusqu'à un certain point, de tout le morceau rappelle le fameux passage d'Amélius, cité par Eusèbe, *praep. ev.* XI 19,1 ; Mras, t. II 45,3-10, dans lequel Amélius compare le prologue de saint Jean à l'enseignement d'Héraclite sur le Logos, notamment la fin : πάλιν ἀποθεοῦσθαι καὶ θεὸν εἶναι, οἷος ἦν πρὸ τοῦ εἰς τὸ σῶμα καὶ τὴν σάρκα καὶ τὸν ἄνθρωπον καταχθῆναι. Même mouvement de descente et de remontée.

51,41. exsistentia. — Cf. 51,35 n.

***

52,1 — 53,31. Dieu, vie en puissance, Logos, vie en acte. — Bien qu'aucun des noms divins, objet du livre, ne figure dans ce développement, il a son utilité : il sert à expliquer *suam patricam exsistentiam* (51,35 n.), c'est-à-dire à montrer comment l'être de la vie est identique à l'être du Père, puis comment la vie du Fils, la vie engendrée, se distingue, en acte, de la vie du Père. On rejoint donc le thème de l'opposition puissance-acte, caractérisant le rapport entre Dieu et le Logos. Le raisonnement est ici très proche de I 41,50 – 42,41 (n.), soit que Victorinus revienne à un problème qui continue à l'inquiéter, soit que, plutôt, I 41,50 – 42,41 soit la première ébauche de tout notre livre I b, en posant à Victorinus le problème de l'ipséité, de l'identité ou de l'altérité entre les noms donnés au Père et au Fils. En tout cas, le mouvement de la pensée est identique de part et d'autre : parti du rapport *esse-vita*, il s'oriente ensuite vers le rapport *vita-motus*, pour expliquer la génération de la vie, par sa définition même, comme mouvement automoteur. En IV 1-15, la pensée sera toute différente.

52,1. incidentia. — = περίστασις en rhétorique, cf. C. Iulius Victor, *ars rhet.* III 13 ; Halm, p. 383,28 : l'ensemble des circonstances.

52,3-5. — Cf. 50,10-11.

52,7. secundum [1]. — On pourrait penser que Victorinus oppose *esse primum* et *esse secundum* comme en I 19,39. Mais tout ce développement ne concerne que Dieu le Père, et non le Logos. Il faut donc ponctuer *secundum quod est esse, secundum ipsum* qui correspond à 50,14-15 : *quo enim est... hoc potentia est.* »

52,8. unitione ... simplicitas. — Cf. I 32,9.

52,11-15. — Cf. 52,17-20. Pour la causalité de Dieu et du Logos, cf. I 34,13-18. La vie a, par rapport à l'être, un rôle déterminateur.

52,12. non ab eo quod est esse. — Cf. 52,17-18. L'être de Dieu reste imparticipé par les créatures. En IV 12,9, affirmation contradictoire.

52,14. ministrantem. — A la fois action subordonnée, intermédiaire, rôle économique. Cf. *hymn.* III 11.

52,15-17. — L'apparition de la matière est liée à la sortie de la vie, cf. I 26,36.

52,17-37. Identité et différence, quant à l'être et au mouvement, entre l'être de Dieu et l'être de la vie. — *Esse dei* ne s'oppose pas à *esse deum* ; génitif et accusatif ont ici même sens ; *esse dei* et *esse vitam* désignent l'être de Dieu, l'être de la vie, par opposition à leur acte, ou leur mouvement. On peut donc se représenter, d'après les expressions de Victorinus, le schéma suivant qui explique comment la vie, ou le Logos, a son être, dans le Père (cf. 51,35) :

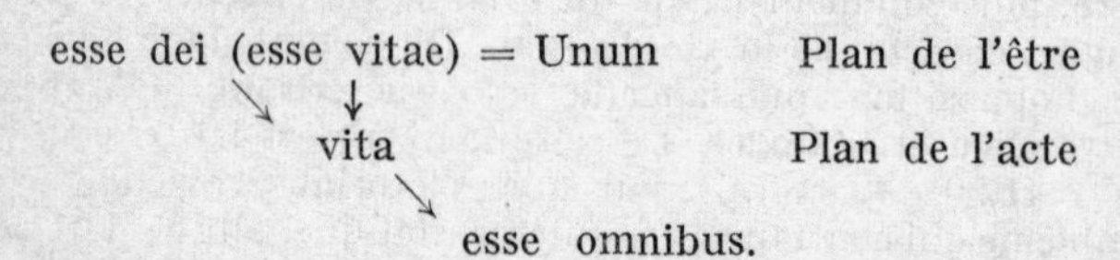

Primitivement l'être de Dieu et l'être de la vie sont identiques. Mais l'être de Dieu reste définitivement en repos, tandis que l'être de la vie se met de lui-même en mouvement et donne l'être aux choses. Si l'acte de la vie sert d'acte à l'être de Dieu, c'est que l'être de Dieu et l'être de la vie sont identiques. Le mouvement, l'acte de la vie appartiennent donc à Dieu, sont déjà en Dieu, puisqu'il en est la substance, le fondement. La présence de la vie au sein de l'être de Dieu assure d'ailleurs la présence d'une sorte de mouvement substantiel au sein de l'être de Dieu. Le mouvement de la vie s'ébauche dans les profondeurs de l'être. Mais, en même temps, le mouvement de la vie est propre à la vie ; c'est grâce à lui qu'elle se distingue de l'être de Dieu, et qu'elle se pose en son être propre. En I 42,11-16, le Père était *vie* (et mouvement) ; le Fils, *mouvement* (et vie). Ici le Père est l'être de la *vie* ; le Fils, la vie en *mouvement.*

52,20-22. — Si l'on suit l'ensemble du texte donné par *A*, il y a asyndète ; on peut comprendre toute la phrase à partir de *quiescente* comme une explication de *unum et idem est* ; on peut également, avec Σ, couper *patricum* en *patri cum* : quiescente quod est esse patri (l'être du Père demeurant en repos), cum, eo quod est, esse vitae... (tandis que, par son être même, l'être de la vie est en mouvement) ; il n'y aurait pas alors asyndète, mais la rencontre de l'ablatif absolu et de la proposition introduite par *cum* adversatif me semble extrêmement improbable, en général, et particulièrement, chez Victorinus. En tout cas, le sens est clair.

52,21. ex sua potentia. — Cf. *ad Cand.* 16,24.

52,22-23. omnis potentia naturalis est voluntas. — Bien qu'il s'agisse ici de la puissance active, il y a, peut-être ici, un souvenir d'Aristote, *phys.* I 9,192 a 22, sur l'appétit naturel de la matière vis-à-vis de la forme. La nature elle-même est considérée par Aristote (*phys.* II 1,192 b 18) comme une tendance innée. Victorinus trouve dans cette notion de désir naturel le moyen d'expliquer l'apparition du mouvement à partir de la substance immobile. L'être de la vie, puissance de la vie, veut être, pourrait-on dire, en sa réalité ce qu'elle est en définition : ce qui se meut par soi (cf. I 42,6). Elle veut donc se mouvoir elle-même, donc conquérir son autonomie.

52,23. — Il faut corriger *vitam* en *vita* (faute assez fréquente, cf. 51,29 ; 54,6, qui peut s'expliquer par la présence de l'infinitif et de *semet ipsam*). C'est la vie qui veut se mouvoir elle-même ; même mouvement d'autoposition, de conquête de sa propre autonomie, 57,10 : « Vitae... volentis videre semetipsam. »

52,24-25. — *Motione insita*, cf. Numénius, *fr.* 24 ; Leemans, p. 140,12 : κίνησιν σύμφυτον. Le mouvement de la vie est, ici, encore confondu avec la substance, mais il tend à se poser pour lui-même, donc à s'extérioriser, cf. III 2,40-54 ; I 32,40-50.

52,25-31. — Suite des idées : 1° la puissance du Père est substance, et la puissance ou substance du Père est vie ; 2° si la puissance (= substance du Père) est vie et que la vie se meut elle-même, la vie est d'abord un mouvement et une volonté intérieurs au Père (cf. 52,22-25) ; 3° mais si l'être propre de la vie consiste à se mouvoir soi-même, la vie est et a un mouvement qui lui est propre (et donc une hypostase qui lui est propre).

52,32-34. — Cf. I 42,24-26.

52,34-36. — Ces noms rappellent *Sagesse* 7,25, mais je pencherais plutôt pour l'influence d'expressions empruntées aux *Oracles chaldaïques.* Cf. *orac. chald.*, Kroll, p. 19 : ὅτι ἐργάτις, ὅτι ἐκδότις ἐστι πυρὸς ζωηφορίου.

52,37-39. — Cf. I 42,26-29.

52,39-46. — Pour le sens, cf. 52,22-25. La vie est engendrée parce qu'elle est le mouvement extérieur issu de ce mouvement intérieur, qu'est la vie confondue avec la substance divine. Seul élément nouveau, la comparaison avec le rapport sensus-νοῦς, cf. le texte de Porphyre, cité 40,9-23 n. : si le mouvement de l'âme se tourne vers l'extérieur, elle connaît selon la sensation ; si elle reste tournée vers elle-même, elle connaît intellectuellement. La sensation préexiste donc dans le νοῦς, mais n'est vraiment elle-même que dans l'extériorisation du mouvement.

52,48-51. — Première apparition du thème de IV 1-15 : l'implication réciproque du vivre et de la vie.

52,51. — Cf. I 42,35. Pièce essentielle de toute démonstration du consubstantiel.

53,1. veritas. — L'Évangile, révélation divine, en affirmant l'intériorité réciproque du Père et du Fils (*Ioh.* 14,10).

53,1-2. secundum identitatem counita alteritate. — Ainsi le *consubstantiel* correspond au mode d'identité posé comme hypothèse au début du livre (48,27) et qu'on peut appeler l'*altérité dans l'identité* (cf. 54,18). On voit ici le sens de *counitio* employé plus haut (50,21), c'est la réunion, le retour de l'altérité vers l'identité. C'est l'unité première qui permet ce retour à l'identité, donc qui fonde la consubstantialité du Fils.

53,2-8. — L'intériorité réciproque du Père et du Fils entraîne la présence universelle du Père, en toutes choses, grâce au Fils et la connaissance du Père dans le Fils.

53,9. forma. — Un des noms du Fils étudié à la fin du livre précédent, cf. 31,35 ; 32,16 – 43,4 n. ; 34,39.

53,18. apparentia. — Peut-être faut-il corriger en *apparente vita.*

53,20-22. — En IV 8,36, c'est *vivere* qui remplace *esse* ; mais l'idée est la même. Pour l'idée de l'incognoscibilité de l'*esse* non formé, cf. II 4,8-10 ; IV 19,10 ; *in Ephes.* 2,6-8 ; 1207 c 2-6. C'est ici la première apparition du thème de l'incognoscibilité de l'être, et de la vie, forme et image de l'être.

53,26-31. — Reprise du thème de l'*Esprit incarné*, cf. 51,28-43 et annonce (*audi ut dico*) d'un développement sur le même sujet, qui n'interviendra qu'en 56,36, après la réponse (54,1 – 56,35) au problème posé au début du livre au sujet des cinq termes. Ainsi, l'aporie initiale est liée au problème de l'Incarnation, plus spécialement à l'interprétation de *Luc* 1,35 : qui sont cet Esprit et cette Vertu du Très-Haut qui viennent sur Marie ? Autrement dit, le thème identité-altérité, thème fondamental du livre, est intimement entrelacé au thème masculinité-féminité auquel correspond le mystère de l'Incarnation. Distinguer l'état d'identité et l'état d'altérité des cinq noms divins, c'est aussi distinguer leur état de masculinité et de féminité.

***

54,1 — 58,36. Réponse à l'aporie initiale. — Double question : 1° *quomodo alia* : comment les noms divins se distinguent-ils, leur mode d'altérité ; 2° *cui adtribuantur* : de qui sont-ils prédicats : sont-ils noms propres ou noms communs ? Double réponse : 1° *altérité dans l'identité* (54,1-19) ; 2° *noms communs, mais propres, par prédominance* (55,1-35). Ces deux réponses n'en font qu'une. Le Père, le Fils, l'Esprit-Saint, sont tous trois Esprit, tous trois Logos ; donc Esprit et Logos sont identiques entre le Père, le Fils et l'Esprit-Saint, donc entre eux-mêmes aussi. Mais ils se distinguent par prédominance : le Père est *plus* Esprit, le Fils, *plus* Logos. Victorinus continue à appliquer ici la solution du problème trinitaire, déjà exposée en 20,11-23 et qui est définitive chez lui. 56,36 – 58,36 représente une sorte d'illustration de la solution proposée.

***

54,1-19. Première réponse : altérité dans l'identité. — La solution est toute formelle. Le problème est ramené à celui des rapports entre *esse, vivere, intellegere*. Or, pour ces trois, il y a consubstantialité dans la puissance, distinction dans l'acte. Il en est donc de même pour les cinq termes. Dans la puissance, ils sont uns ; dans l'acte, ils sont mêmes et autres, étant sous-entendu que l'altérité revient finalement à l'identité.

54,3. sanctum spiritum. — Cf. 48,4-5 n.

54,3-7. — On a ici une reprise de 49,1-8 sous une forme un peu plus claire. Victorinus pense avoir montré en 49,8 – 53,31, l'identité suivante :

Pater. . . . . . . .Spiritus-Substantia... Exsistentia. . Esse
Filius. . . . . . . .λόγος. . . . . .Vita.. . . . . . .Vivere
Spiritus. . . . . .νοῦς, sapientia. . . . . . .Beatitudo . . . Intellegere

et pense pouvoir conclure comme il l'avait annoncé en 49,7 : *ista idem esse*, à l'identité entre les noms divins, l'altérité n'apparaissant que dans l'acte (54,14-16). *Exsistentia, vita, beatitudo* et *esse, vivere, intellegere* sont deux formules de sens identique (cf. 52,4-5).

54,5. — Il faut probablement suppléer : « Et vita et beatitudo, idem » avant « Ergo exsistentia et beatitudo, idem. »

54,7-8. in libro qui ante istum. — Dans le livre précédent, ce qui a été affirmé, c'est l'identité des trois : Père, Fils, Esprit-Saint, être, vivre, penser, fondée sur le fait *qu'en chacun des trois sont les trois*. On trouve des formules analogues en *ad Cand.* 31,12 ; *adv. Ar.* I 12,25 ; une idée analogue, *adv. Ar.* I 42,11-16, mais aucun texte littéralement parallèle. On n'en trouve d'ailleurs pas plus dans le reste de l'œuvre (les meilleurs parallèles sont III 4,35-38 ; III 5,30-31 ; III 9,7 ; IV 21,30 et surtout *hymn.* I 55 et 77 ; *hymn.* III 248-250). Il y a donc moins ici allusion à un passage précis que rappel d'intention (comme en 49,2). Victorinus rappelle ce qu'il a voulu prouver, ce qu'il avait dans l'esprit, plus que ce qu'il a dit. Le *liber qui ante istum* représente donc bien l'*Opus* (*ad Cand.* + *adv. Ar.* I 1-47) dans lequel Victorinus s'est efforcé de présenter d'une manière systématique le rapport entre les trois hypostases. Arrivé à la formulation claire qu'il recherchait, il prend la peine de dire : c'est ce que j'ai voulu dire jusqu'ici quand j'ai parlé d'eux et c'est ce que je redirai encore.

54,9-12. — Συνώνυμα désigne ici non pas des termes

univoques, mais plusieurs termes nommant une même substance, cf. Porphyre, dans Simplicius, *in categ.*, Kalbfleisch, p. 36,21 : πολλὰ ὀνόματα ἕν τι πρᾶγμα συνονομάζει (déjà Aristote avait posé le problème, *metaphys.* IV 4,1006 b 18). *Esse, vivere, intellegere* sont synonymes, parce qu'on peut désigner la réalité de l'*esse* avec les termes *vivere* ou *intellegere*, la réalité du *vivere* avec les termes *esse* ou *intellegere*. Dans sa réalité, l'*esse* est *vivere* et *intellegere*, le *vivere* est *esse* et *intellegere*, etc. C'est ici qu'intervient la notion de prédominance, cf. I 20,15-16 n. *Esse, vivere, intellegere* sont jusqu'ici des noms communs à la réalité divine et apparemment identiques totalement les uns aux autres. Mais l'*esse*, tout en étant *vivere* et *intellegere*, s'appelle *esse*, parce qu'en lui l'*esse* triomphe sur les deux autres. Ici l'idée de force d'autoaffirmation intervient : l'*esse* comme nom propre traduit la puissance propre par laquelle l'*esse* s'approprie la substance commune.

54,12. congenerata. — A cause du parallélisme avec *consubstantialia* (= ὁμοούσια), je pense que ce mot correspond à ὁμογενῆ et désigne la communauté dans le genre *être*.

54,14. eadem, non ipsa. — Cf. I 41,1 – 43,4 n. et 41,50 – 42,41 n. Ipséité dans l'état de puissance-substance ; identité, dans l'acte, parce qu'il y a mélange d'altérité.

54,14-19. — Les deux états : être, vivre, penser, sont consubstantiels dans la puissance, dans le Père, dans l'être ; ils se distinguent en se manifestant, dans l'acte, par la prédominance d'un nom sur l'autre, mais avec retour à l'identité, grâce au troisième terme, penser, qui est conversion. On a donc la réponse à la question initiale, précisée dans le chapitre 48 : en puissance, les termes en question sont en unité ou ipséité ; en acte, ils sont identiques selon le mode de l'altérité dans l'identité.

54,14-16. — Cf. *ad Cand.* 5,11-16.

55,1 — 56,35. Deuxième réponse. Noms propres et noms communs. — Seuls, *Esprit* et *Logos* seront étudiés. Pour les deux termes, même raisonnement : 1° les Trois sont Esprit (donc *Esprit* est *nom commun*), cf. 55,1-16 ; les Trois sont Logos (donc *Logos* est *nom commun*), cf. 55,28-56,15 ; 2° l'Esprit est le *nom propre* du Père (55,16-27) ; le Logos est le *nom propre* du Fils (56,15-35). C'est l'application du principe de dénomination par prédominance (cf. 54,9-12). Sur le problème en général, cf. 48,4-5 n.

55,3-12. — Tout ceci se fonde en dernière analyse sur

le vocabulaire scripturaire (c'est pourquoi les homéousiens l'admettaient également, cf. 48,4-5 n.). Victorinus insiste sur l'identité Esprit-Substance (cf. 30,18 – 31,17 n.).

55,11. quae differentia. — C'est *sanctus* déterminant *spiritus*. Ce terme est substantiel parce que c'est un propre de la substance de l'Esprit-Saint, cf. Basile, *epist.* 8,10 ; Courtonne, p. 33.

55,12-14. — Même faute grammaticale qu'en 51,10-12 (n.).

55,14. — Cf. I 17,32-34 ; I 18,55-57.

55,15. — Consubstantialité fondée sur le nom commun *Esprit. Non diviso*, cf. 50,5-8 n.

55,16-27. — Après avoir montré que *Spiritus* et *substantia* sont identiques et avoir ainsi conclu à la consubstantialité des Trois, Victorinus montre, cette fois, comment le nom : *substance* (= Esprit) est propre au Père (comme souvent, dans le livre, *exsistentia* = *substantia*, et désigne très probablement οὐσία). En faisant de *substantia* le nom propre du Père, il répond à deux objections contre le consubstantiel provenant très certainement du dossier homéousien de l'été 358 (cf. I 41,20-35 n.) : 1° le consubstantiel suppose une substance préexistante; 2° il suppose la scission d'une partie au sein d'une substance identique. Réponse de Victorinus : « Neque *praeexstitit* exsistentia ... neque *scissa est* ... et exsistentia et potentia ». Donc, 1° : pas de *préexistence* d'une substance. En effet si l'on considère l'ordre de la puissance et de l'acte, c'est-à-dire si l'on considère non plus le fait que les Trois sont un seul Esprit et une seule Substance, mais le fait que chacun s'approprie, d'une manière autonome, cette unique substance, en se posant lui-même, en faisant triompher sa puissance propre, alors, dans cet ordre-là, le Père est *proprement substance*, et, se posant lui-même comme substance, il est substance pour les autres ; et 2° : pas de *scission* dans la substance : *exsistentia* et *potentia* (55,22) désignent la première, la substance propre au Père, la seconde, la puissance propre à chacun, la *vis*, le caractère déterminant de chacun (cf. 54,10) : cette puissance propre à chacun est *la* substance, en tant qu'être ; c'est donc sa consubstantialité même avec la substance paternelle qui assure sa consistance hypostatique : le vivre est être selon le mode du vivre; il a donc sa réalité hypostatique. En résumé : *pas de préexistence*, parce que la substance est le *nom propre* du Père, *pas de scission*, parce que la substance est en même temps le *nom commun* des Trois.

55,16-18. — Sur *natura* = ordre, cf. *ad Cand.* 7,15 ; il y a juxtaposition d'un ablatif absolu et d'une proposition concessive, ayant tous deux le même sujet : *ipsa* = *exsistentia patrica.* Sens général : l'autogénération des Trois n'empêche pas le fait que la substance du Père reste une et qu'elle a l'*esse* en propre.

55,16. potentiae et actionis. — Cf. I 16,28-29 ; I 59,7 ; III 17,20.

55,19-23. — Cf. I 29,10-34 ; II 2,29-47.

55,23-27. — Cf. 31,43. Suite analogue d'épithètes, Jamblique, *de mysteriis* X 6 ; Parthey, p. 292,8 : τῇ αὐτογόνῳ καὶ τῇ αὐτοκινήτῳ... καὶ τῇ αὐτοτελεῖ.

55,26-27. — Cf. I 29,22 (n.) dans un contexte analogue. *Esse* = la substance, *sic esse*, la puissance propre, le nom propre.

55,28 — 56,4. — Cf. I 13,30-35, à propos du même texte d'Écriture.

56,1. lumina. — Identification Logos-lumière fondée sur le prologue johannique et permettant une utilisation de la formule *lumen ex lumine* tirée du symbole de foi.

56,3. consonat. — Victorinus songe probablement au pluriel de *Gen.* 1,26 : « Faciamus hominem. » La substance divine, étant Logos, dialogue avec elle-même, et forme un chœur harmonieux.

56,4-15. Digression sur l'Âme. — Les deux images du Logos-voix et de la lumière continuent à être liées à cause de *Ioh.* 1,8. L'âme n'est pas vrai Logos, c'est-à-dire vraie voix, mais écho, et elle n'est pas vraie lumière : Jean-Baptiste qui n'est pas la vraie lumière (*Ioh.* 1,18) et qui crie dans le désert (*Ioh.* 1,23) est le type de l'âme. Cette subtile exégèse remonte peut-être à Héracléon, *fragm.* 5 ; Brooke, p. 56 (dans Origène, *in Iohann.* VI 20 (12) 111 ; Preuschen, p. 129,23) qui, lui aussi à propos de *Ioh.* 1,23, parle de la transformation de la femme en homme et de l'écho en voix : τῷ ἤχῳ... ἔσεσθαι τὴν εἰς φωνὴν μεταβολήν. Cette exégèse identifiant l'âme à Jean-Baptiste se retrouve chez Augustin, *conf.* VII 9,13 et *civit. dei* X 2 (lié à une citation de Plotin), sans que l'on puisse affirmer avec certitude qu'il l'ait puisée dans Victorinus.

56,9. in deserto. — Cette exégèse : désert = monde, remonte également à Héracléon, *fragment* 20 ; Brooke, p. 77 ; cf. J. Mouson, *Jean-Baptiste dans les fragments d'Héracléon, Ephemerides theologicae Lovanienses* 30 (1954), p. 319.

56,15-24. — Victorinus ne prouve pas que le Fils est,

par excellence, par prédominance, le Logos ; il l'affirme simplement en lui rapportant d'ailleurs les autres noms (substance, sagesse, etc.), sans doute pour montrer qu'il a aussi ces prédicats, par le fait même qu'il est *proprement* Logos. Il reprend également des noms du Fils (*actio*, ὄν) employés par Candidus (CAND. I 11,12) et qu'il avait lui-même repris en *ad Cand.* 2,10-16 et en *adv. Ar.* I 33,24-25, à propos du Père. L'énumération se termine par l'affirmation du caractère médian du Logos dans la Trinité.

56,18. — Cf. *ad Cand.* 15,8.

56,19. medius. — Cf. *hymn.* I 63. La notion même d'hypostase médiane semble issue de commentaires des *Oracles chaldaïques*, comme l'a bien montré W. Theiler, *Die chaldaische Orakel*, p. 13, n. 7 ; 14, n. 5, à propos des hymnes de Synésius. Mais, chez Synésius, cette doctrine se rapporte à l'Esprit-Saint qu'il appelle, *hymn.* 1,229, Terzaghi : ὅρος ... φυσίων, limite des deux autres ; *hymn.* 4,9 : μεσσοπαγὴς νοῦς ; *hymn.* 1,220 : μέσα φύσις ἄφθεγκτος ; *hymn.* 2,99 : κέντρον γενέτου, κέντρον δὲ κόρου. Pour Synésius (cf. *hymn.* 2,106-108 ; 1,217), l'Esprit-Saint est l'effusion du Père sur le Fils, une sorte de surabondance de l'Un. Chez Victorinus, le Fils-Logos est vie et volonté du Père ; chez Synésius, c'est l'Esprit-Saint qui remplit ce rôle et qui est donc intermédiaire entre le Père et le Fils ; on verra plus bas que Victorinus a aussi cette conception (58,11). En tout cas, dans les *Oracles chaldaïques* (cf. Kroll, p. 20), c'est la Vie qui tient ce rôle médian : Hécate (= la Vie) est d'après Proclus, *theol. plat.*, Portus, p. 265,45 : τὸ μέσον κέντρον τῆς νοερᾶς τριάδος τῆς πατρικῆς, le centre médian de la triade intellectuelle paternelle. Quant à l'angle, il est lui-même symbole d'unité, cf. Proclus, *in Euclid. elem. def.* IX ; Friedlein, p. 128,16 : l'angle est le symbole de la liaison dans les générations des Dieux.

56,19. declarat. — Sur ce rôle, cf. 53,19 sq.

56,20. conplet. — Cf. *orac. chald.*, Kroll, p. 20 : πληρουμένη πληροῦσα (toujours à propos d'Hécate).

56,20. perfectionem. — Probablement la perfection de la triade, qui s'achève dans l'Esprit-Saint.

56,21. — Cf. I, 40 ; contamination avec *I Cor.* 1,24. Il est possible qu'il y ait un rapprochement entre *virtus* = δύναμις, *sapientia* = σοφία ou νοῦς, tels que saint Paul les rapporte au Christ et δύναμίς et νοῦς placés par les *Oracles* à la suite du Premier, cf. *orac. chald.*, Kroll, p. 13 (Proclus, *heol. plat.*, Portus, p. 365,1) : « Le Premier, qui est paternel, est partout, la *puissance* est propre à celui du milieu, quant au νοῦς, il *achève la perfection de la triade* ; car la *puissance* est avec Lui ; quant au νοῦς, il vient de Lui. » Une association d'idées chez Victorinus entre *Oracles* et *Épîtres* de saint Paul me semble très possible ici (cf. W. Theiler, *Die chaldaische Orakel*, p. 18).

56,21-24. — Il s'agit de montrer rapidement que *puissance* est nom propre du Fils et *sagesse* nom propre de l'Esprit-Saint, l'unité des deux étant le Logos. Le *psaume* 32,6, rapprochant Logos et Esprit, et fortement transformé, donne l'argument cherché. En fait, cette identification de l'Esprit-Saint avec la Sagesse fondée sur le *psaume* 32 (33),6 remonte aux premiers apologistes, par exemple Théophile d'Antioche, *ad Autolycum* I 7 ; Irénée, *adv. haer.* IV 20,3. Sur cette question, cf. G. L. Prestige, *God in Patristic Thought*, p. 89 (trad. fr. p. 93-94) ; P. Nautin, *Notes critiques sur Théophile d'Antioche, ad Autolycum lib. II*, dans *Vigiliae Christianae* XI (1957), p. 213, n. 4.

56,24-35. Consubstantialité des Trois : le Père dans le Fils, le Fils dans le Père. — La consubstantialité qui est la conclusion recherchée de cet exposé sur noms propres et noms communs est liée, une fois de plus, à l'intériorité réciproque du Père et du Fils, et présentée selon deux états : intériorité du Fils dans le Père, intériorité du Père dans le Fils, état de puissance, état d'actuation.

56,24. ista. — Peut ne désigner que *virtus* et *sapientia*, cf. I 40,4-5, mais très probablement désigne les noms qui viennent d'être étudiés, *Spiritus*, λόγος, et, d'une manière générale, les noms cités au début du livre. Même situation en I 40 où *virtus* et *sapientia* sont des noms parmi d'autres. Ici, les noms en question sont considérés comme noms communs.

56,25-28. — Systole : le Fils dans le Père, état originel de la triade. La Trinité est ici conçue comme une double dyade et c'est une reprise de 49,1-8 (n.).

56,28-35. — Diastole : le Père dans le Fils, état de distinction et d'actuation de la triade, avec retour à l'identité, par la conversion de la vie en connaissance, cf. 51,22-28 n.

56,28. aeterna vita. — Cf. I 38,26 ; III 8,17. *Praeaeternus* = προαιώνιος, mot de Porphyre, dans Proclus, *theol. plat.* I 11 ; Portus, p. 27 m. La vie « prééternelle », c'est la vie préexistente, cf. 51,16, la vie du Père et dans le Père.

56,28. elucescentia. — Cf. 52,34.

56,30. perfecta. — Les lignes suivantes expliquent

cet « achèvement » de la vie par la connaissance. La vie par elle-même s'éloigne du Père et va à l'infini, dans l'inachèvement : c'est sa phase féminine (cf. 51,28-43). Mais, par la connaissance, elle remonte à son origine, en reconnaissant son essence et sa cause. La connaissance la « sauve », c'est-à-dire la détermine, l'arrête dans son écoulement.

56,31. quae et cuius. — Explique *exsistentiam* (= *quae*) et *potentiam* (= *cuius*) en 51,24 et 57,11-16. *Quae* désigne à la fois sa réalité et son essence dans le Père. Cf. Plotin, *Enn.* V 3,7,2-9. Voir également *adv. Ar.* III 8,17-21.

56,32. iussione. — Cf. 52,22.

56,33. salvans. — Cf. *hymn.* III 109-134 n.

56,34. potentia dei. — Parce que la vie est définie par la puissance paternelle vers laquelle la vie se tourne.

***

56,36 — 58,36. L'Esprit-Saint, mère du Christ dans les deux naissances, éternelle et temporelle (Luc 1,35) — Reprise de 51,28-43 ; développement annoncé en 53,30. C'est le thème masculinité-féminité qui réapparaît, lié au problème des rapports entre Logos et Esprit-Saint, c'est-à-dire entre Vie et Sagesse (cf. ce qui précède immédiatement, 56,28-35). Mais deux nouveautés : 1° le développement est désormais une exégèse de *Luc* 1,35, c'est-à-dire de l'enseignement scripturaire concernant le rôle de l'Esprit-Saint dans la naissance de Jésus ; 2° c'est l'Esprit-Saint, c'est-à-dire la sagesse et la connaissance, qui joue maintenant le rôle féminin, parce que sagesse et connaissance sont ici considérées, non plus après la sortie de la vie, mais avant, comme une sorte de pensée indéterminée qui commence à se distinguer de l'unité paternelle.

1° *Transition* (56,36 – 57,6) avec ce qui précède : la vie va de soi vers l'infini, donc elle tend à s'abaisser et à s'incarner. La nécessité de l'Incarnation est inscrite dans la sortie du Logos hors de l'unité paternelle (cf. 56,34 n.). Cette *Incarnation* se fait, selon *Luc* 1,35, de la manière suivante : l'Esprit-Saint vient sur Marie ; la Puissance du Très-Haut la couvre de son ombre. L'exégèse de ce passage de Luc est capitale. Il y a à la fois identité et distinction entre l'Esprit-Saint et la « Vertu » du Très-Haut (= le Logos). Comme c'est le Logos qui s'incarne, donc qui est l'Engendré, l'Esprit-Saint tend à être rapproché de Marie, donc à être considéré comme féminin. On trouve une exégèse assez semblable chez Hilaire, *de trinit.* II 24; *PL* 10,66 a : « Humani enim generis causa, dei filius, natus ex virgine est et spiritu sancto, *ipso sibi in hac operatione famulante* » (ce qui implique à la fois identité et distinction entre Logos et Esprit-Saint). D'où 2° (57,7 – 58,36) on peut *conclure* que l'Esprit-Saint est la *mère du Logos*, dans sa génération éternelle comme dans sa génération temporelle (cf. 51,28-43 pour ce principe d'analogie). *Mère* signifie (comme en 51,29 : *virginalem potentiam*) phase féminine : Mère et Fils sont identiques, la Mère représentant la phase féminine de l'existence, l'inclusion dans un sein. Mais alors qu'en 51,28-43 cette phase féminine correspondait au désir de vivifier, donc à la Vie, ici, cette phase féminine est le désir de se connaître (57,10-11). L'Esprit-Saint est maintenant la pensée du Père (cf. IV 27,1 – 29,23), au moment où elle se détache de l'unité de la substance (cf. 52,22-25), pour conquérir son hypostase propre. L'identité Pensée du Père-Sein du Père est gnostique, mais se retrouve aussi chez Clément d'Alexandrie (cf. *exc. ex Theod.* 6,2 ; 7,1-3 ; 8,2 ; ce dernier texte, de Clément, est très net : le Logos est dans la pensée du Père, puis jaillit au-dehors pour créer).

Ainsi, en 51,28-43, l'Esprit-Saint, sagesse, était retour à l'intérieur, postérieur à la sortie de la vie ; ici, l'Esprit-Saint, pensée du Père, est mouvement intérieur, antérieur à la sortie de la vie. Ceci concorde avec I 16,23 : « Et praecedit, enim, si patris est spiritus, et sequitur, si a filio habet quod est. » Le rapport Fils-Esprit-Saint est circulaire, cf. 60,1-31 ; III 8,25-27. Leur mouvement de sortie et de rentrée, d'autoposition, d'autogénération (cf. 64,27) est indissolublement vie et intelligence.

56,36. — La Vie veut vivifier les inférieurs et s'en va vers l'infini. Exégèse de *Ioh.* 1,14, différente (chair = délimitation) mais comparable, chez Clément d'Alexandrie, *exc. Theod.* 19,1 ; Sagnard, p. 92. Même mouvement de la vie vers les inférieurs en *adv. Ar.* III 3,18-28, liant Incarnation et mouvement de la vie.

57,1. omnia. — Cf. 26,42. L'énumération qui suit explique bien en quoi consiste cette universalité : le Christ est à la fois l'*engendré* (la chair) et l'*engendrant* (le Saint-Esprit et le Logos, *in uno duo*, cf. 58,26-27).

57,2-4. — Cf. 58,14-24. C'est l'universalité du Christ, Esprit et chair qui sauve le monde sensible.

57,7 — 58,13. — Deux parties : 57,7-27, la sortie de l'intelligence ; 57,28 – 58,13, la génération du Logos par l'intelligence. C'est la vie qui est sujet du désir de se connaître (57,10) et ce désir provient de ce que la vie ne s'achève que par la connaissance (56,29); mais la distinction et l'altérité proviennent de la sortie de l'intelligence, de la puissance de connaissance. Cf. IV 24,1 – 29,23.

57,7. beatitudo. — = *intellegentia*, cf. 50,11 n. Nom propre de l'Esprit-Saint pour Victorinus.

57,7. prima ingenita generatione. — Pour l'expression, cf. 34,6 ; pour la notion, cf. 51,31 ; Victorinus joue ici sur ἀγένητος (= incréé, éternel) et γέννησις (= génération).

57,8. sola. — Cf. I 24,2-7.

57,8-9. ipse pater, ipse filius. — Cf. 64,27. Cela revient à dire que la génération première est une autogénération, que l'intelligence est αὐτόγονος. Cf. *ad Cand.* 22,11 n.

57,9-13. — L'idée de mouvement automoteur reprend l'idée d'autogénération. L'Esprit (qu'est le Père en puissance) s'actue par son propre mouvement, et par le fait s'engendre et s'extériorise lui-même.

57,10-11. — Cf. III 2,44-46 ; IV 24,17. Ce thème de la vision de soi-même que l'on trouve chez Plotin, *Enn.* V 3,8,23; V 3,10,9; V 2,1,9-13, s'identifie ici au thème gnostique du désir de voir le Père (cf. Irénée, *adv. haer.* I 2,2 ; *PG* 7,453 b 2 : τὸ δὲ πάθος εἶναι ζήτησιν τοῦ πατρός) comme moteur de la procession.

57,14. foris. — Sur cette extériorité de la connaissance, cf. la liaison entre pensée et altérité, Plotin *Enn.* V 3,10,23-28 ; VI 7,39,4-8. Cf. *adv. Ar.* III 2,47. Mais Plotin nie l'extériorité de la connaissance par rapport à l'objet connu (V 5,2,1). Cette extériorité semble affirmée par les *Oracles chaldaïques* (Kroll, p. 11). D'autre part, il semble ici que *foris* n'est qu'une métaphore et signifie : altérité, distinction.

57,17-18. — Cf. *ad Cand.* 21,2 et 22,2.

57,17-21. — Même effort qu'en 52,22-23 (n.) pour trouver un moyen de faire naître le mouvement à partir de l'être, sans troubler l'immobilité de l'être.

57,20. motus substantia est. — Cf. 50,23.

57,20. alteritas nata. — L'altérité dans l'identité (cf. 48,22-28 et 54,1-19) doit donc s'entendre dynamiquement, comme un mouvement de sortie et de retour. Le mouvement ne peut être substance (57,20) que si, sortant de soi, il revient à soi. Il y a donc identité entre mouvement d'autogénération, d'automotion, d'autoconnaissance et retour de l'altérité au sein de l'identité.

57,21-27. — C'est, semble-t-il, l'idée de connaissance

mutuelle qui doit aider à comprendre ce passage. La sortie de l'altérité indispensable à la connaissance, et qui provoque la génération de l'intelligence, ne brise pas l'unité de la substance divine. Il y a circulation continue de la substance. Victorinus prend la comparaison des regards qui plongent les uns dans les autres sans aucune opacité (*dorsum non habent*) : cette pure transparence est comme la circulation d'une seule et unique lumière. Idée analogue, Plotin, *Enn.* V 3,8,21-23 : « Dans le monde intelligible, la vision n'a pas d'organe étranger ; elle se fait par elle-même parce qu'elle ne regarde pas dehors. Elle voit une lumière par une autre lumière... C'est une lumière qui voit une autre lumière, de la lumière qui se voit elle-même. »

57,22. lumina. — Lié à *vultus*, ce mot semble bien désigner les yeux ; la métaphore exige ce sens.

57,28-37. — La génération est extériorisation ; la génération du Fils de Dieu est donc liée à l'extériorisation de l'intelligence. Le terme de cette extériorisation, c'est le Logos (58,9). Il y a là une représentation hiérogamique jusqu'à un certain point : le Père, sa pensée intérieure (*motus primus intus*, *excogitatio*), le Logos fruit de cette pensée. L'Esprit-Saint se situe entre le Père et le Fils, comme une mère, parce qu'il représente un mouvement qui reste encore à l'intérieur, même s'il se distingue de la substance, mouvement féminin, parce qu'il est désir. Étant encore à l'intérieur, il n'est pas engendré, donc n'est pas le Fils. C'est peut-être déjà le fameux problème de la *procession* distincte de la *génération* (cf. Augustin, *de trinit.*, XII 5,5).

57,28. excogitatio. — Probablement ἔννοια. Cf. Clément d'Alexandrie, *exc. Theod.* 8,1-2 ; Sagnard, p. 73, et n. 3 identifiant la *Pensée* du Père avec le sein dans lequel est contenu le Logos.

57,29. sui ipsius. — Non pas connaissance du Père par lui-même, mais connaissance de la connaissance par elle-même ; cf. IV 29,1-2. La connaissance du Père ne se connaît pas, elle *est*.

57,29-30. — Cf. IV 23,31-32. Il faut que la connaissance se mette en mouvement afin de se connaître elle-même comme *connaissance*, pour que l'être du Père dont elle sort, lui apparaisse comme une *préconnaissance*.

57,31. modum naturalem. — Mode de génération non prévu en CAND. I 4,1-8.

57,31. foris. — Cf. IV 29,3.

57,32. vita factus. — Ici c'est l'intelligence qui devient vie dès qu'elle est à l'extérieur. L'inverse : 51,23.

57,34-37. — Pour l'identification avec le Fils de Dieu, cf. 51,7 n., et pour le caractère créateur de la vie, cf. 51,1-4 ; sur la vie, cause de l'être des existants, cf. 52,11-15 et III 3,11-16.

57,37. consecutiones. — Cf. IV 31,52.

58,1-14. — Reprise de 57,28-37 : Le Logos est engendré par le mouvement de l'Intelligence. Cette conclusion est tirée de prémisses exposées plus haut et que Victorinus rappelle au lecteur. On voit par ce rappel que, pour Victorinus, il y a identité entre le mouvement de sortie de la vie et le mouvement de sortie de l'intelligence : le désir de communiquer l'être (= vie) et le désir de se connaître soi-même sont identiques (cf. chez Plotin, *Enn.* VI 7,16,13-19 où l'autodétermination de l'Intelligence se termine à la génération de toutes choses et VI 7,17,12-34 où la Vie sort d'abord et, se déterminant, devient Intelligence : se connaître soi-même, pour l'Intelligence, c'est créer un monde intelligible). Il y a une sorte de génération réciproque de la vie par l'intelligence et de l'intelligence par la vie, ou, plus exactement, la vie représente l'aspect extériorisé (cf. 57,31) de l'Intelligence, son moment d'altérité, de distinction, et c'est donc elle qui est engendrée, puisque la génération est extériorisation. Mais il reste une certaine incohérence par rapport à 51,19-27 et 56,26-33 : jusqu'ici la vie représentait l'indétermination, la phase de mouvement vers l'infini ; maintenant le Logos-Vie semble le terme défini du mouvement de l'Intelligence.

58,6-9. — Résumé de 57,7-27, mais aussi annonce de IV 24,10-20.

58,12. matrem. — L'Esprit-Saint est féminin dans la mesure où il est désir de connaissance, de même que le Logos-Vie était féminin, dans la mesure où il était désir de vivifier (51,28-43). Victorinus fait ici la jonction entre la vieille tradition de l'Esprit féminin issue du vocabulaire hébraïque et la tradition plus récente, issue des *Oracles chaldaïques*, concernant la Mère du Démiurge. Sur la première tradition (E. Hennecke. *Neutestamentliche Apokryphen*, Tübingen, 1904, A II, *Évangile des Hébreux*, *fragm.* 2 a : « Ma mère, l'Esprit-Saint. »), cf. la note de S. Boulgakov, *Le Paraclet*, Paris, 1946, p. 180. Pour la tradition issue des *Oracles chaldaïques*, cf. W. Theiler, *Die chaldaische Orakel*, p. 12 et p. 13 n. 2, qui montre bien comment le vocabulaire de Synésius qui fait de l'Esprit-Saint une entité féminine (par exemple *hymn.* 2,101, Terzaghi) peut venir de la même source que celui de Victorinus, en dernière analyse la notion chaldaïque de δύναμις intermédiaire entre le Père et le νοῦς et identifiée à Rhéa.

Sur le problème de la place de l'Esprit-Saint, dans la Trinité, cf. I 16,23 n.

58,14. omne. — C'est parce qu'il est *universel* que le Logos est sauveur, cf. III 3,46-50.

58,18. mortificationem. — Cf. Athanase, *de incarnat. Verbi* 9 ; *PG* 25,112 a sq., et 20,132 b.

58,20. lumine aeterno. — Cf. 57,3 et 62,38.

58,20. — Sur ces deux *Logoi*, cf. *hymn.* II 7-10 n.

58,23. intellegentias. — Cf. *ad Cand.* 1,7-8 n. Ces pensées peuvent être des idées transcendantes vers lesquelles l'âme se hausse.

58,23. erigerent. — Cf. IV 17,34.

58,24-36. — Après le développement sur les convenances et la nécessité de l'Incarnation, exégèse de *Luc* 1, 35. Victorinus distingue *spiritus sanctus* rapporté évidemment à l'Esprit-Saint et *virtus altissimi* rapporté au Logos-Fils (exégèse un peu différente en 56,39). L'Esprit-Saint est le principe de la génération, le Logos couvre Marie de son ombre, c'est-à-dire, pour Victorinus, s'obscurcit lui-même, cache sa gloire dans une sorte de kénose. Bien que Victorinus ne le dise pas clairement, il y a donc pour lui un rapport étroit entre l'Esprit-Saint et Marie. On comparera avec S. Boulgakov, *Le Paraclet*, Paris, 1946, p. 180 : « Nous savons déjà qu'à cette distinction qui est parallèle aux principes masculin et féminin correspond, dans l'incarnation, le fait que le Christ a pris l'image d'un homme et que le Saint-Esprit s'est pleinement manifesté dans l'image de la Pneumatophore Vierge Marie, de telle sorte que l'image de la Théanthropie parfaite dans sa plénitude, au ciel et sur la terre, n'est pas le Fils seul, mais le Fils et la Vierge, l'Enfant suréternel dans le sein de la Mère de Dieu. » C'est exactement ce que veut dire Victorinus, cf. 64,25.

58,26. duo in motu. — Cf. 58,2.

58,28. templum. — L'expression, plus tard suspecte de nestorianisme, et, par ailleurs, chère aux ariens latins (cf. *fr. arian.* XV ; *PL* 13,619 c 4), était employée aussi par les orthodoxes, cf. Athanase, *de incarnat. Verbi* 8 ; *PG* 25, 109 c ; cf. la note de P. Th. Camelot, dans Athanase, *Contre les Païens* (*Sources Chrétiennes* 18), Paris, 1946, p. 222. La notion remonte finalement à *Ioh.* 2,19.

58,29-30. generationis principium. — Le mouvement produit en effet une extériorisation, et le Saint-Esprit est mouvement de l'intelligence, cf. 57,28.

58,31-36. — Expression de la kénose du Fils : rapprochement explicite entre *Luc* 1,35 et *Phil.* 2,7 entre l'*obumbratio* et l'*exinanitio*. C'est exactement la *gloire* divine que ne peut supporter la nature humaine. Cf. P. Henry, *Kénose*, dans *Dict. de la Bible, Supplément*, p. 115 ; remarquer également les textes d'Hilaire cités p. 118-119.

***

59,1-29. Conclusion. Consubstantialité du Père, du Fils, de l'Esprit-Saint. — Le livre pourrait se terminer avec cette conclusion qui répond au titre de l'ouvrage : *Quod trinitas* ὁμοούσιος *sit*, et réexpose, comme à la fin d'une fugue, tous les thèmes du traité, en les faisant dominer par le thème majeur de la consubstantialité. Le développement reprend tous les mots-thèmes du livre (en italique dans la traduction), en les répartissant dans les deux paragraphes : 1° 59,1-12 où l'on retrouve *Spiritus, substantia, esse, vivere, intellegere, identitas, alteritas, potentia, actio* ; et 2° 59,13-29 où l'on retrouve plus spécialement, λόγος, νοῦς, *sapientia, spiritus sanctus, substantia.* En somme, dans le 1°, c'est le *Unum quae duo*, les Deux Uns (cf. 49,1-8), et dans le 2°, c'est le *in Uno duo*, les Deux en Un (cf. 49,1-8 et 51,1-43). Seulement ce 2° est consacré à l'usage scripturaire de ces noms, à l'*auctoritas*, tandis que le 1° est fondé sur la *ratio*, exactement sur la distinction entre l'ordre de la substance, où règne l'identité, et l'ordre de la puissance opposée à l'acte, où se manifeste l'altérité. Au total, identité entre Père d'une part, Fils et Esprit-Saint d'autre part (59,1-12), puis, en un second moment, identité entre le Fils et l'Esprit-Saint. La Trinité consubstantielle est toujours pour Victorinus une double dyade, cf. 49,2 n.

59,3. — Cf. 55,3-12 n.

59,4-5. — Cf. 54,1-19.

59,5. una divinitas. — Cf. *ad Cand.* 31,10.

59,6. unus deus. — Cf. III 18,28.

59,7-8. alteritate. — Cf. 54,14-16 ; III 17,19 sq. ; *ad Cand.* 31,7 sq. Même liaison entre altérité et acte chez Porphyre, *sentent.* XXXVI ; Mommert, p. 31,8 : « L'altérité provient de ce que l'unité devient agissante (ἡ δὲ ἑτερότης ἐκ τοῦ ἐνεργητικὴν εἶναι τὴν ἑνότητα γέγονε). »

59,8-11. — Cf. *ad Cand.* 17,13 n. et *adv. Ar.* I 55,29-56,4.

59,9. imperat. — Cf. *hymn.* III 105.

59,10. confabulatur. — Cf. I 31,33. Idée d'expression par la parole, de dialogue avec soi-même et de détermination des essences particulières.

59,11. secundum. — = ὡς, cf. *ad Cand.* 5,1 : *iuxta.*

59,11. — Même insistance sur le caractère de fondement qu'a le Logos par rapport à tous les êtres, en 58,10-11.

59,13-29. — Les mots-thèmes du livre sont donc des *lecta*, des termes scripturaires.

59,17-28. — Sur cette argumentation scripturaire, cf. 30,36-59 n.

59,23-29. — Cf. II 6. Victorinus veut dire que le texte de Luc doit s'entendre de la chute de l'âme (cf. Augustin, *conf.* I 18,28) ; mais *substantia*, comme il le montrera en II 6, peut s'entendre de la substance de Dieu. Et d'ailleurs si l'on parle d'une substance de l'âme, elle est à l'image de Dieu (cf. 61,1 sq.).

59,26. non tenuit. — La descente de l'âme est dispersion, elle ne retient pas, ne *sauve* pas, ne garde pas les puissances (et activités) correspondant à son essence. Même idée de dissipation dans la descente de l'âme chez Macrobe, *in somn. Scip.* I 11,1 ; Eyssenhardt, p. 527,10 : « Ipsam uero animam mori adserentes cum a simplici et indiuiduo fonte naturae in membra corporea *dissipatur.* » Cf. Plotin, *Enn.* I 8,14,45.

59,27. negantes. — Cf. 30,36-59 n.

59,28. animam, hoc est hominem. — Cf. 63,2.

***

60,1 — 64,30. Le Logos, l'âme et le corps. — Ces derniers chapitres du livre sont un commentaire de *Gen.* 1, 26, texte introduit à la fin du chapitre précédent. L'homme, esprit, âme, corps, est à l'image de la Trinité : l'âme est être-vivre-penser ; le corps est bisexué à l'image de l'androgynie du Logos.

Cette contemplation de l'image de la Trinité dans l'homme est introduite par un développement sur la sphère du Logos (60,1-31) qui s'explique parce que Victorinus semble utiliser une source selon laquelle la procession de l'âme est présentée comme postérieure ontologiquement au mouvement éternel et circulaire du Logos. De ce point du vue, l'imparfait mythique *erat* (60,3) doit être rapproché de *extitit* (61,3). Les débuts des chapitres 60 et 61 doivent être rapprochés : après que le Logos se fût mis éternellement en mouvement circulaire, une image du Logos s'est réalisée, s'est projetée : l'âme, capable de rester tournée vers le Logos, mais capable aussi de se tourner vers le monde sensible (c. 61) ; cf. également 64,1-8. Le chapitre 60 n'est donc qu'un commentaire, une explication de cette image du mouvement circulaire du Logos (*circularis* en 60,3 ; *cyclica* en 61,1) qui montrera que ce mouvement n'est pas seulement circulaire, mais sphérique.

Cette description du rayonnement de la Triade s'étendant jusque dans le monde sensible ne détourne pas de la contemplation de celle-ci, mais, tout au contraire, permet de réintroduire tous les thèmes exposés dans l'ensemble du livre.

***

60,1-31. La Sphère du Logos. — Si le Logos a un mouvement circulaire, c'est qu'il sort d'un point central qui est le Père ; et il a un mouvement qui est, en fait, sphérique, car il se fait selon deux dimensions, celle de la vie, celle de l'intelligence. On se rappellera que Candidus avait envisagé et rejeté comme mode de génération possible la sortie de la ligne hors du point, cf. Cand. I 5,6.

60,1. ista. — Cette question sera reprise en 62,1.

60,3. circularis. — Le meilleur texte parallèle me semble Damascius, *dubit. et solut.* 117 ; Ruelle, t. I, p. 301,29 : « *L'Un* est le centre de tout ; l'éloignement du centre est *le second principe*, étant une sorte d'écoulement (ῥύσις) du centre ; le contour et la dernière périphérie qui vient après l'éloignement du centre, étant une sorte de conversion vers le centre, c'est le νοῦς πατρικός, le tout est un cercle unique, ou plutôt il est plus exact de l'appeler une *sphère*. » Ce texte de Damascius s'inscrit d'ailleurs lui aussi dans la tradition des *Oracles chaldaïques*. Voir également Synésius, 9,69, Terzaghi : ἀπὸ κέντρου τε θορόντων, περὶ κέντρου τε ῥυέντων.

60,4. iuxta. — Peut traduire πρός ; cf. *Ioh.* 1,1 dans *adv. Ar.* IV 33,7.

60,5. conversa. — La conversion du cercle reproduit la conversion du centre vers lui-même.

60,5-7. — Père et Fils sont entre eux comme le point et la ligne (cf. 60,22-25) ; le point se met en mouvement dans la ligne, tout en restant en lui-même ; d'où leur intériorité réciproque qui permet une fois de plus de concevoir l'intériorité réciproque du Père et du Fils, cf. 56,25-28 et 56,28-35 ; 52,50-51.

60,7-12. — C'est le point entouré du cercle qui émane de lui, qui est la substance première, c'est-à-dire le Père actué dans le Fils, mais avec la nuance suivante : le Père est substance par prédominance ; c'est lui le principe de la substance, cf. 55,16-27 n.

60,7. prima substantia. — Cf. II 1,31 ; I 33,24-25 ; I 29,14-15.

60,9. — Substance en tant que νοῦς, et non en tant qu'âme ou matière ; l'âme, par exemple, est substance au sens propre, cf. *ad Cand.* 7,22.

60,12. inquam. — Il faut peut-être corriger en *in qua* ; cf. 56,26. Encore une fois, on retrouve ici la double dyade : Père-Fils étaient dans le rapport centre-cercle ; Fils et Esprit-Saint, étant *deux en un*, font de ce cercle une sphère.

60,12. prima motio. — Cf. 51,31 et 58,6 où vie et intelligence sont en mouvement, dès le premier mouvement, c'est-à-dire sont l'actuation de la puissance. Le mouvement circulaire, s'il se fait selon deux directions, est nécessairement sphérique.

60,13. — Cf. 50,12 sq.

60,15-17. — Sur ces implications réciproques, cf. 54,5-7.

60,17. summitates et medium. — Cf. Aristote, *phys.* VIII 9 ; 265 a 34 : « Dans le mouvement circulaire, chaque point est au même titre, commencement, milieu et fin. »

60,18. unum tria. — Cf. 54,8.

60,18. circulata. — Expression technique d'arithmétique, cf. Boèce, *de arithmetica* II 30 ; *PL* 63,1137 c ; Cassiodore, *de art. litt.* IV ; *PL* 70,1208 a : *cyclicus* ou *circulatus numerus*. La source prochaine en est Nicomaque, *introd. arithm.* II 17,8 ; Hoche, p. 111,17 – 112,11. Cette expression désigne un nombre multiplié par lui-même : le nombre multiplié par lui-même part de lui-même et revient à lui-même. C'est pourquoi, nous dit Nicomaque, la monade elle-même est circulaire ou sphérique en puissance ; si on la multiplie par elle-même, elle part d'elle-même et revient à elle-même. Victorinus veut nous dire ici que, pour être *vivre* ou *penser*, l'*être* n'a qu'à se multiplier pour ainsi dire par lui-même, puisque, en lui-même, il est *vivre* et *penser*. Si chacun est Trois, les Trois sont multipliés par 3, et si les Trois sont Un, les Trois sont 1 multiplié trois fois par lui-même : l'ennéade est unité, cf. *ad Cand.* 31,12.

60,19. simul exsistentia. — Cf. 56,24 ; expressions analogues chez Plotin, *Enn.* VI 5,4,22 : οὐ διαστήμασι διειλημμένων, ἀλλ' ὄντων ὁμοῦ αὐτοῖς ἁπάντων.

60,20. sphaera. — Ainsi le schéma trinitaire de Victorinus n'est ni la ligne, ni le triangle, mais la sphère animée d'un mouvement éternel. Elle correspond probablement à la sphère de Parménide, à l'Un-qui-est, deuxième hypostase dans l'exégèse traditionnelle des hypothèses du *Parménide*, cf. 50,22-32.

60,22-23. — Illustration de 59,6-12, le Père est puissance, le Logos (Fils-Esprit-Saint) acte. On a déjà vu (cf. 60,18 n.) que, pour Nicomaque, la monade est sphérique en puissance ; or le point est le symbole de la monade.

60,23. exiens. — Réponse à Cand. I 5,8-10 concernant le mouvement du point. En fait le point reste en lui-même et en même temps sort de lui-même dans le cercle : le Père est à la fois en lui-même et dans le Fils.

60,25 circulans. — Cf. 60,18. Il est sans cesse *operans* γραμμήν (60,23).

60,25. undique sphaeram esse. — Cette infinitive dépend probablement de *necessario* conçu comme un *necesse est*. Le point, c'est-à-dire le Père, est la sphère sous un mode absolu, puisqu'il est présent en elle (*deo ubique exsistente*) ; car tout le mouvement de cette sphère part de lui et revient à lui. La sphère du Logos révèle, déploie, actue toute la puissance du Père, c'est-à-dire du centre.

60,27. hic est deus. — Pour le mouvement du style, cf. 50,1.

60,27-29. — Les mots-thèmes sont attribués une nouvelle fois comme prédicats à Dieu le Père, comme ils ont été attribués au Fils, par exemple en 56,15.

***

61,1 — 64,30. — *L'âme* représente une première étape de la chute des êtres hors de la sphère divine. On comparera avec Macrobe, *in somn. Scip.* I 12,5 ; Eyssenhardt, p. 531,17 : « Anima descendens a tereti, quae sola forma divina est, in conum defluendo producitur, sicut a puncto nascitur linea et in longum ex individuo procedit » (cf. Proclus, *in Tim.*, Diehl, t. II, p. 245,29 sq.).

Mais elle est néanmoins l'image du Logos (61,1-27). Mais, alors, comment Dieu a-t-il pu dire : « Faisons l'*homme* à notre image ? » L'âme et l'homme ne sont pas identiques.

Il faut donc définir l'homme, pour montrer que l'homme intérieur est bien identique à l'âme (61,28 – 63,7). Puis on reconnaîtra que l'âme, c'est-à-dire l'homme intérieur, est bien à l'image du Logos (63,7 – 64,8). Et, finalement, l'homme extérieur aussi, le corps, apparaîtra comme à l'image du Logos (64,9-30).

***

61,1. cyclicam. — C'est le propre du mouvement circulaire de revenir à son point de départ.

61,2-3. — La sphère du Logos est manifestation du mouvement divin.

61,3. divinitatis. — Cf. 58,14 : *omne divinum.*

61,3. extitit iussione dei imago. — Deux différences avec le plotinisme : l'âme est produite par la volonté de Dieu; la sphère divine est close sur elle-même, sans inclure l'âme. Mais l'âme pour Victorinus préexiste dans le monde intelligible comme image de l'image, c'est-à-dire comme image du Fils de Dieu qui lui-même révèle le Père. Cf. 56,4-15 et 64,1-8 sur l'origine de l'âme et 56,32 : *iussione patris,* à propos de la vie.

61,5. imago imaginis. — Cf. Clément d'Alexandrie, *protrept.* 98,4, cité I 20,1-67 n. Expressions analogues, *imago vocis,* 56,7 ; *testimonium testimonii,* 56,12.

61,7. imago ... vitae. — L'âme et la vie ont même définition, cf. 42,6.

61,7-27. — Ce développement sur la place de l'âme dans l'ensemble des êtres doit être rapproché de *ad Cand.* 10,30-32, et d'ailleurs de l'ensemble *ad Cand.* 6,1-11,12 (n.), qui expose une théorie des degrés d'être dans laquelle le développement présent s'inscrit assez naturellement. L'ensemble est probablement emprunté à une source grecque, qui utilise très nettement le vocabulaire des *Oracles chaldaïques* et qui a une certaine parenté avec la description de la descente de l'âme chez Macrobe, *in somn. Scip.* I 12.

Trois états de l'âme sont distingués : 1° l'état de puissance intellectuelle, lorsque l'âme reste tournée vers l'intelligence ; elle est alors au plan des intelligibles et intellectuels (61,7-10) ; 2° l'état de mère des choses supracélestes : si elle se détourne de la contemplation de l'intelligence, elle descend, elle s'incline, passe au plan des seulement intellectuels, et devient lumière du monde supracéleste

(61,10-14) ; 3° l'état de puissance vivificatrice : si elle continue sa descente, elle vivifie le monde sensible (61,14-18). Ensuite, Victorinus résume la situation de l'âme ; au milieu des intelligibles et de la matière, elle est libre de son choix ; mais, même tombée, elle peut remonter grâce à son νοῦς propre (61,18-27).

La hiérarchie des existants : 1° intelligibles ; 2° intelligibles et intellectuels ; 3° intellectuels purs ; 4° sensibles ; 5° matière, diffère par le 2° de celle qui a été proposée en *ad Cand.* 6,1 – 11,12 (cf. n.). Mais la hiérarchie présente est connue, semble-t-il, de Candidus, cf. CAND. I,11,14-17 n. et en tout cas elle semble liée aux commentaires sur les *Oracles chaldaïques*, cf. W. Theiler, *Die chaldaische Orakel*, p. 22.

61,8. cum suo νῷ. — C'est une sorte de leitmotiv dans le développement, cf. 61,11 ; 61,14 ; 61,17 ; 61,20 ; 61,22. Son intelligence propre accompagne l'âme dans tout son voyage métaphysique et c'est grâce à elle qu'elle peut remonter vers le monde intelligible. Cette intelligence semble bien correspondre à l'intellect passif que l'hypostase Intelligence éclaire et féconde, cf. *ad Cand.* 7,17. On remarquera la graphie νοῦ constante en *AΣ*, que l'on retrouvera en III 1, 1,5 et qui paraît remonter à l'archétype ; peut-être faut-il remonter jusqu'à Victorinus lui-même, car le mot est presque toujours employé avec des prépositions qui en grec gouvernent le *génitif* ou en des constructions qui correspondent à un génitif absolu (cf. également I 47,32). Ne faut-il pas supposer que Victorinus a été influencé par son original grec ?

61,9. non νοῦς est. — Cf. I 20,34.

61,9. respiciens. — L'idée remonte à Plotin, par exemple, *Enn.* VI 2,22,29-30 : ἡ μὲν γὰρ (= ψυχή) πρὸς τὸ ἄνω, νοῦς.

61,12. sic perseveraverit. — Si elle s'arrête dans sa descente.

61,13. mater. — Cf. *ad Cand.* 10,32. Cf. Proclus, influencé par les *Oracles chaldaïques* (Kroll, p. 28), *in Cratyl.*, p. 105,5 : μητέρα καὶ πηγὴν αὐτὴν νοεῖν παντὸς ζῳογονικοῦ φωτός.

61,13. super caelum. — Ce sont les *supracaelestia* de III 3,21. Plotin avait distingué entre l'âme céleste et l'âme du monde, *Enn.* III 5,3,22, mais n'avait pas mentionné explicitement le monde supracéleste.

61,13. lumen. — Cf. 56,4-15 n. La liaison entre l'âme et la lumière est assez fréquente chez Plotin, cf. *Enn.* III 5,3,23 ; IV 8,4,3 sq. ; I 1,8,15 ; IV 3,17,8 ; IV 3,14,1. Pour

Victorinus, l'âme descendue au plan des intellectuels n'est plus une pure contemplation, mais elle communique sa lumière.

61,15. petulans. — Cf. IV 11,17. L'impudence et l'audace jouent traditionnellement un rôle dans l'explication de la chute de l'âme. C'est à la fois la condescendance pour les êtres inférieurs, Plotin, *Enn.* V 2,1,27 : προθυμίᾳ τοῦ χείρονος, l'audace, *Enn.* V 1,1,4, le désir féminin de vivifier, Clément d'Alexandrie, *strom.* III 13,93,3 (cf. plus haut 51,21 n.). Voir W. Theiler, *Porphyrios und Augustin*, p. 29. J'ai pensé qu'il fallait traduire les deux aspects du mot, qui étaient probablement liés dans la pensée. On remarquera le parallélisme avec la description de la sortie de vie en 51,21. L'imitation du mouvement de la vie devient une faute dans le monde sensible, pour l'âme qui s'y enfonce.

61,17. lapidem. — Idée analogue, III 3,23-24. Sur l'animation des pierres, cf. W. Theiler, *Vorbereitung*, p. 74, qui rattache la théorie à celle du vivant total de Posidonius.

61,18. quidam λόγος. — Cf. I 20,34 ; III 12,13.

61,19. in medio. — Sur l'âme, frontière (μεθόριον) entre l'intelligible et le sensible, cf. Plotin, *Enn.* IV 4,3,11 ; IV 8,7,5 et les études de W. Theiler, *Porphyrios und Augustin*, p. 22 et E. R. Dodds, *Proclus*, p. 297, n. 1.

61,20. divina. — Cf. les critiques d'Arnobe, *adv. nat.* II 25 ; Reifferscheid, p. 68,15, probablement dirigées contre le *de regressu* de Porphyre (cf. P. Courcelle, *Les Sages de Porphyre et les uiri noui d'Arnobe*, REL, 1953, p. 257-271) s'attaquant à l'*anima inmortalis, perfecta, diuina.* La doctrine est d'ailleurs ici légèrement différente de 61,12 où l'âme était primitivement *divina* si l'on peut dire, puisqu'elle était *intellegens et intellegibile.* Cette fois, primitivement au milieu dans la hiérarchie des êtres, elle peut se hausser au plan supérieur, cf. *in Ephes.* 1,8 ; 1244 b 4.

61,20. incorporatur. — Il faut résister à la tentation de traduire *incorporatur* par : « elle s'incarne », car nous avons ici un parallèle avec 61,11 : « Intellegens tantum effecta. » C'est ici, comme en 61,7-15, le premier choix de l'âme : ou rester (= se hausser, cf. 61,20 *divina*, n.) au plan des intelligibles et des intellectuels, ou descendre au plan des seulement intellectuels et répandre la vie dans le monde supracéleste. Un second choix s'offre ensuite à l'âme, si elle est descendue au plan des seulement intellectuels (cf. 61,12-18), ou bien rester à ce plan, ou descendre encore attirée par la matière (61,26).

61,21. suae licentiae. — L'âme, dans sa chute, reste libre de remonter, cf. Plotin, *Enn.* IV 8,7,11 : ἄλλως τε καὶ δυνατὸν αὐτῇ πάλιν ἐξαναδῦναι.

61,22. veri luminis. — C'est-à-dire du Logos, cf. 56,2. C'est en somme l'épreuve du mal dont parle Plotin, au même endroit, IV 8, 7,15.

61,22. scintillam. — Cette image, chez Victorinus, insiste sur la possibilité de rallumer la vie intellectuelle (cf. I 32,74) et remonte probablement, comme Synésius, *hymn.* 1,562 : σπινθῆρα νόου aux *Oracles chaldaïques*, cf. W. Theiler, *Die chaldaische Orakel*, p. 30.

61,23. rursum vocatur. — Cf. *in Cicer. rhet.* I 1 ; p. 156,2 : « Animi habitus revertitur atque revocatur. »

61,23. solum < ὄν >. — Cf. *ad Cand.* 8,1. L'âme reste toujours dans l'être, elle peut donc remonter d'un plan à un autre.

61,23. tenebrata. — A partir de maintenant, commence la chute dans le monde sensible ; cf. 61,15. L'âme est ou obscurcie, ou — mieux — prise de vertige (= σκότωσις ; cf. Caelius Aurelianus, *de chron. morbis* I,2,51 ; Drabkin, p. 472 : *tenebratio*), à l'approche du non-être. Cf. Macrobe, *in somn. Scip.* I 12,7 ; Eyssenhardt, p. 532,1, citant *Phédon* 79 c, sur l'ivresse de l'âme à l'approche de la matière.

61,24. summitates. — Cf. 62,13 : « Summitates et flores. » Ici encore, expression venant des *Oracles chaldaïques* (cf. W. Theiler, *Die chaldaische Orakel*, p. 20, citant entre autres Julien, *oratio* 4,134 a) mais appliquée en général par les néoplatoniciens au monde intelligible. Les *sommets de la matière* sont une notion qui vient également de la même source, cf. *orac. chald.*, Kroll, p. 34 ; ce sont le feu et l'air, partie supérieure qui s'oppose à la lie de la matière, cf. Synésius, *de insomniis*, *PG* 66,1296 d. De même chez Chalcidius, *in Tim.* 14 ; Wrobel, p. 80,3, *mundi summitas* = *ignis* ; chez Macrobe, *in somn. Scip.* I 12,15 ; p. 533,25 : la lune.

61,25. animandi. — Gérondif à sens passif, avec nuance de destination. Les sommets de la matière, air et feu, ont plus de disposition à recevoir la vie. Pour Macrobe, *in somn. Scip.* I 12,16 ; Eyssenhardt, p. 534,1, le ciel, les astres et les autres éléments divins, sont attirés vers le haut, vers le siège de l'âme et conquièrent l'immortalité par la nature même de la région où ils se trouvent et leur tendance à imiter la sublimité de l'âme.

61,26. in sua. — Allusion à *Ioh.* 1,11 : « In propria venit ? » Ou faut-il corriger en *vi sua* ? En tout cas, l'idée d'une parenté entre l'âme et les parties nobles de la matière me semble donner un sens satisfaisant. L'âme, en commençant par animer les choses célestes, se laisse entraîner insensiblement vers la lie de la matière.

61,26. discernis. — Victorinus a probablement trouvé dans sa source, cette citation, qui vient peut-être des *Oracles chaldaïques*, si l'on en juge par le contexte, très influencé par leur vocabulaire. Mais le sens de la citation est obscure : à qui s'adresse le *tu*, et qu'est-ce que désigne *ista* ? Il s'agit probablement de la séparation entre les sommets et la lie de la matière (*orac. chald.*, Kroll, p. 61).

***

61,28 — 64,30. L'homme intérieur et l'homme extérieur sont à l'image du Logos. — Désormais, c'est la confrontation entre le platonisme et la lettre de l'Écriture. Si l'homme correspond à l'état le plus bas de l'âme, enfoncée dans le sensible, liée au corps; si l'image du Logos, c'est l'âme en sa préexistence éternelle, adonnée à la pure contemplation, comment Dieu peut-il dire : « Faisons l'homme à notre image ? » Tel est le sens de la question posée en 61,28-29. Cf. Ambroise, *hexam.* VI 8,46 ; Schenkl, p. 237,1.

Victorinus propose tout un plan de réponse (62,1-4) en partie identique à celui qu'il avait proposé en I 20,24-27 : 1° définition de l'*homme* (laissée de côté en I 20,27, elle est ici exposée en 62,4 – 63,7) ; 2° définition de l'*image* (63,7-16 ; cf. I 20,32-49) ; 3° définition de la *ressemblance* (pas de parallèle ici à I 20,51 sq.) ; 4° définition de « selon l'image et selon la ressemblance » (63,1 – 64,7 ; cf. I 20,31-67).

Mais le vrai plan de la réponse est le suivant : 1° distinction d'un homme intérieur et d'un homme extérieur (62,1 – 63,7) ; 2° l'homme intérieur est à l'image du Logos parce qu'il est être, vivre, penser (63,7 – 64,8) ; 3° l'homme extérieur est à l'image de l'androgynie du Logos, parce qu'il est mâle et femelle (64,9-30). Cette réponse est fondée sur la distinction philonienne reprise par Origène entre les deux créations de l'homme, la création de l'homme à l'image (*Gen.* 1,26) et la création de l'homme terrestre (*Gen.* 2,7) et, par suite, sur la distinction entre les deux hommes, l'homme intérieur et l'homme extérieur. Ces derniers chapitres sont donc remplis d'allusions à des exégèses traditionnelles qui sont dans la ligne de Philon, Clément d'Alexandrie et Origène.

***

61,28 — 63,7. Qu'est-ce que l'homme ? — Le schéma suivant montrera comment Victorinus amalgame la théorie origénienne de la distinction entre homme intérieur et homme extérieur, avec une théorie dont on trouve des traces chez Numénius, Clément d'Alexandrie et Origène lui-même, concernant la distinction entre deux esprits et deux âmes dans l'homme :

Doxographie (62,4-11)	*Matth.* 24,39 (62,14-25)	*Gen.* 1,21-27 et 2,7 (62,11-14 et 62,25-39)	*I Cor* 15,47 (63,3-7)
1. Corps ayant puissance des quatre éléments	Les deux en un lit	fabricatam iam terram = Adam (62,13)	terrenum hominem = ζωτικόν. (Cf. note à 62,10)
2. Ame matérielle	La femme à la meule qui sera laissée au jugement	animam vivam (62,29)	
3. Logos matériel	L'homme dans le champ qui sera laissé	sensibilis potentia (62,32) = facies	
4. Ame divine	La femme à la meule qui sera sauvée	insufflavit deus	coelestem hominem = λογικόν.
5. Logos divin	L'homme dans le champ qui sera sauvé		

62,6. triplici. — Cf. Platon, *Timée* 69-71.

62,7. tres potentias. — Cf. Aristote, *de anima* II 2, 413 b 11.

62,7-9. — Cette suite diffère au fond assez peu de la théorie suivante qu'adoptera Victorinus. Il y manque seulement l'âme « matérielle ». L'importance du *pneuma* placé ici entre l'âme et le corps fait penser à Porphyre, par exemple *sentent.* XXIX ; Mommert, p. 13,8 ou 15,1, reproduisant d'ailleurs une doctrine déjà élaborée, cf. Plotin, *Enn.* II 2, 2,21 (cf. Harder, *Plotins Schriften*, 1956,I, p. 537 ad loc.). E. R. Dodds a fait l'histoire de la doctrine du *pneuma* comme véhicule de l'âme, dans *Proclus, Elements of Theology*, p. 313-321.

62,10. quadripotenti. — Cf. Platon, *Timée* 82 a.

62,10. duplici. — R. Beutler (*Numenios*, dans Pauly-Wissowa, *Suppl.* VII 674,38-675,60) montre bien les différents sens que peut prendre l'affirmation de l'existence de deux âmes, l'une divine, l'autre matérielle, chez l'homme. Chez Numénius, il s'agit d'une coupure entre le λογικόν et le ζωτικόν (*test.* 35-36 Leemans). La distinction de deux âmes semble le point de départ de la distinction de deux esprits ou logoi, dirigeant ces deux âmes. Clément d'Alexandrie est un témoin de la distinction entre un pneuma *raisonnable*, « logique » et un pneuma *charnel* (*strom.* VI 16,136,1 ; Stählin, p. 500,23 sq. ; VII 12,79,6 ; Stählin, p. 57,2), le pneuma charnel étant l'organe de la sensation et des passions. La théorie, ici rapportée par Victorinus, peut donc remonter à une relative antiquité et lui être parvenue par le canal de l'exégèse de *Gen.* 1,26.

62,11. intellegentia. — Exégèse, puisqu'il s'agit d'interpréter *hominem* dans *Gen.* 1,26.

62,12. plasmavit. — Le terme est technique, depuis Philon, *de opif. mundi* 134 ; Cohn I, p. 46,14, pour désigner la formation d'Adam, c'est-à-dire de l'homme extérieur, de l'homme sensible, par exemple Origène, *in Genes. homilia* I 13 ; Baehrens, p. 15,9 sq. : « Non enim corporis figmentum dei imaginem continet neque factus esse corporalis homo, sed *plasmatus*, sicut in consequentibus scriptum est. Ait enim : « Et *plasmavit* deus hominem » (*Gen.* 2,7) id est finxit « de terrae limo ». D'où la distinction latine entre *plasmatio* et *creatura* (Ambroise, *de paradiso* I 5 ; IV 24 ; Jérôme, *in Ephes.* I 20,10).

62,13. Adam. — Cette étymologie remonte à Philon, *leg. alleg.* I 13,33 ; Cohn, p. 69,4, se trouve chez saint Paul, *I Cor.* 15,47 ; cf. Eusèbe, *praep. ev.* XI 6,10-15 ; Mras, II, p. 15,1-26 (opposition entre Adam et Énos). Adam n'est donc le nom que de l'homme extérieur.

62,13. fabricatam. — Organisée par le modelage divin.

62,13. summitates. — Cf. 61,24 n.

62,14-25. — Victorinus retrouve dans l'exégèse des

évangiles la doctrine qu'il a adoptée sur la constitution de l'homme. On trouve une exégèse, analogue mais non identique, chez Origène, *in Matth. Commentariorum Series* 57-58 (*Origenes Werkes* 11,2 ; Klostermann, p. 131,21 ; *PG* 13, 1690 d sq.). Exégèse analogue, puisque Origène rapporte les *duo in agro* à deux *sensus* (= νοῦς), les duae *molentes* à deux âmes, les *duo in lecto* à deux corps, et que, dans chacun de ces couples, il distingue un terme bon et un terme mauvais ; mais exégèse non identique, car Origène ne réunit pas tous ces éléments dans le même individu, comme le fait Victorinus. Ambroise, *in Lucam* VIII 49 ; Schenkl, p. 414,21, reproduit le schéma en entier ; il comprend les *duo in agro*, comme le fait Victorinus : « Qua ratione ... duas mentes esse in nobis Apostolus dixerit, fortasse enim ideo quia altera exterioris est hominis qui corrumpitur, altera interioris qui per sacramenta renovatur. Et eo ille fortasse deterior qui extollitur frustra inflatus *mente carnis suae...* » ; les *duae molentes* sont deux âmes, l'une charnelle, l'autre réceptrice du Logos ; *in Lucam* VIII 51 ; Schenkl, p. 417,2 : « Est ergo *anima carnis omnis* sanguis eius (*Levit.* 17,11). Est etiam praestabilior anima... » (cf. VIII 52). Par contre, il n'explique pas les *duo in lecto*. On voit d'ailleurs qu'Ambroise lie cette exégèse à l'opposition de l'homme extérieur et de l'homme intérieur (VIII 49) comme le fait Victorinus lui-même (cf. *adv. Ar.* I 63,6-7). Il existait donc une tradition assez ferme sur ce point, remontant probablement à Origène.

62,24. relinquentur. — *Relinquetur* (AΣ) est peut-être authentique et serait alors un hellénisme.

62,25-39. — Exégèse du récit de la Genèse à la lumière de la théorie des deux intelligences et des deux âmes.

62,26. composita iam. — Cf. 62,13.

62,27. animam hylicam. — Cf. Clément d'Alexandrie, *exc. ex Theod.* 50,1 ; Sagnard, p. 162 (doctrine gnostique) : « Prenant du limon de la terre ... il confectionna une âme de terre, *âme hylique*, irrationnelle, consubstantielle à celle des bêtes (ψυχὴν γεώδη καὶ ὑλικὴν ... τῇ τῶν θηρίων ὁμοούσιον). Cf., plus haut, l'âme identifiée par Ambroise avec le sang (62,14-25 n.), ici encore tradition finalement philonienne (*Quod deterius potiori insidiari soleat* 80-84 ; Cohn, I, p. 276-277) où l'on retrouve la division bien mise en valeur par Beutler (cf. 62,10 n.) entre le ζωτικόν et le λογικόν, l'âme matérielle correspondant à la puissance vitale. La notion d'âme de la chair remonte à une interprétation de *Lev.* 17,11.

62,27-29. — Cf. *ad Cand.* 26,7-11.

62,28. animal. — Toujours l'être vivant opposé au raisonnable.

62,29. animam vivam. — Opposée à « âme raisonnable ».

62,29-31. — Sur cette insufflation de l'Esprit divin distincte de la formation de l'âme vivante, cf. Irénée, *adv. haer.* V 12,2 ; *PG* VII, 1152 a ; mais ici encore la différence entre πνοὴ et πνεῦμα remonte à Philon, *leg. all.* I 13,33 ; Cohn, p. 69,15.

62,30. potentia sensibilis. — Cf. Philon, *leg. alleg.* I 13,39 ; Cohn, p. 70,22 : ἐν προσώπῳ τὰς αἰσθήσεις ἐδημιούργει. Mais, chez Victorinus, cette *potentia sensibilis* est hypostasiée en un νοῦς charnel (cf. 62,32) qui, lui-même, sert de support à l'âme supérieure. Autrement dit, la faculté de sentir est conçue comme un νοῦς inférieur ; c'est la même doctrine qu'en *ad Cand.* 9,11. Sur la faculté de sentir placée dans la tête, et mise en rapport avec la raison qui lui est supérieure, cf. Plotin, *Enn.* IV 3,23,21 sq., qui rapporte la doctrine à des « anciens » (cf. *Phédon* 96 b 5-6).

62,31. νοῦς. — Cette intelligence présidant à l'activité des sens n'est pas l'intelligence supérieure et divine ; c'est l'intelligence sensible, le νοῦς charnel. Elle correspond assez bien au *pneuma* que Porphyre assimilait au sens commun, cf. Synésius, *de insomniis* 4 ; *PG* 66,1289 c 1 : « L'imagination est la sensation des sensations, parce que le *pneuma* imaginatif est l'organe de sensation le plus commun et le *premier corps de l'âme* (cf. Victorinus, 62,36). Mais ce *pneuma* se cache et gouverne tout le vivant comme d'une citadelle. Car, autour de lui, la nature a organisé toutes les fonctions de la tête. » On voit donc le rapport avec l'opinion rapportée par Victorinus en 62,7-9.

62,31. alia igitur. — En envoyant son souffle divin (cf. *ad Cand.* 26,3-7), c'est l'âme que Dieu crée, et soufflant sur le visage il donne pour siège à l'âme divine le νοῦς sensible (*pneuma*, imagination, sens commun) lui-même localisé dans la tête. Le souffle de Dieu introduit donc en Adam, en l'homme terrestre, une autre âme et une autre intelligence, l'homme céleste.

62,32. cum suo νῷ. — Cf. 61,8 n.

62,33. consubstantialis. — Cf. I 32,31 : l'intelligence rationnelle était elle aussi consubstantielle à l'âme rationnelle. Il y a en somme deux substances irréductibles : la matière et le νοῦς. La doctrine des deux âmes est liée au dualisme Dieu — matière, cf. R. Beutler, *Numenios*, Pauly Wissowa, *Suppl.* VII 675.

62,33-37. — Cf. III 1,4 sq. qui insiste plus sur le rôle de *corps*, de *siège* joué par l'inférieur vis-à-vis de ce qui lui est immédiatement supérieur. Source dernière de cette doctrine des enveloppements, Platon, *Timée* 30 b (l'Intellect dans l'Ame et l'Ame dans le Corps). On trouve des suites hermétiques analogues, mais non identiques à celle de Victorinus, dans *Corpus Hermet.* X 13 ; cf. les notes 48 et 49 de A.-J. Festugière (t. I, p. 128-129). Cette architecture de l'homme, échafaudée en cinq étages, correspond à un essai d'expliquer, dans la complexe réalité humaine, l'éternel problème des rapports entre biologique et spirituel.

62,37. purgari cum tribus omnibus. — Ces « trois autres » sont, me semble-t-il, l'âme matérielle, l'intellect matériel, et l'âme divine. Donc quatre termes doivent être purifiés dans l'homme. On s'étonnera peut-être de la présence de l'âme divine dans ces quatre termes ; mais l'âme divine (c'est-à-dire qui vient de Dieu) n'est pas impeccable. Par contre, je crois que Victorinus admet l'impeccabilité du νοῦς. Ainsi l'homme entier doit être sauvé, cf. III 3,47 ; mais, après une purification, condition préalable d'une spiritualisation. Sur le problème du salut de la partie biologique de l'homme, cf. E. R. Dodds, *Proclus, Elements of Theology*, p. 306 (prop. 209 n.). On remarquera que les *Oracles chaldaïques* (Kroll, p. 61) semblent admettre un salut de l'âme charnelle et du corps ; cf. Psellus, *PG* 122, 1140 b. Mais il s'agit probablement d'un salut « médical », c'est-à-dire d'une pureté et d'une hygiène à observer en cette vie (cf. H. Lewy, *Chaldaean Oracles and Theurgy*, Le Caire, 1956, p. 216, n. 157).

63,1-2. — Reprise de la question posée en 61,28-29. Remarquer la répétition de *talis anima*. Bien que des formules analogues se retrouvent chez Plotin (*Enn.* IV 7,10,13 : εἰ τοιοῦτον ἡ ψυχή), je ne pense pas qu'il faille conclure à une influence littérale à propos d'une expression aussi banale.

63,3-7. — Sur cette utilisation des textes pauliniens, pour distinguer un homme intérieur (à l'image de Dieu) et un homme extérieur, cf. Origène, *in Rom.* II 13 ; *PG* 14, 912 d 2 : « Quoniam frequens est Apostolo iste tractatus quo per singulos quosque binos homines esse designat quorum alterum *exteriorem* nominare, alterum *interiorem* solet eorumque alterum secundum spiritum dicit — opinor ex illis institutus quae in Genesi scripta sunt ubi alius *ad* *imaginem* dei factus, alius de limo terrae *plasmatus* refertur ». Cf. Philon, *leg. alleg.* I 13 ; Cohn, p. 69,2 : opposition entre l'homme céleste et l'homme terrestre. Voir Butler, *Journ. of Theol. Studies* 2 (1900), p. 117.

63,5. colligit. — Cf. le schéma, 61,28 – 63,7 n.

***

63,7 — 64,8. L'homme intérieur est à l'image du Logos. — Reprise assez brève d'une idée qui a été développée abondamment en I 32,16-78.

63,8-11. — Le Logos est image de Dieu (cf. I 53,19-26) parce que vie.

63,11-16. — Le Logos, en tant que consubstantiel au Père et à l'Esprit-Saint, est non seulement vie, mais être et penser.

63,16-18. — L'âme est donc à l'image du Logos, parce qu'elle est être, vivre, penser et que le Logos est lui-même, *en tant que vie*, être, vivre, penser.

63,18-32. — Distinction entre « à l'image » et « à la ressemblance ». L'image se situe dans l'ordre de l'être, de la substance : l'âme est « à l'image » en tant qu'elle *est* âme, c'est-à-dire qu'elle est puissance dont proviennent les actes de la vie et de l'intelligence ; la ressemblance se situe dans l'ordre de la qualité, du *sic esse*, c'est-à-dire du mouvement et de l'acte. En acte, l'âme vit et pense ; de ce point de vue, elle ressemble au Fils, mais elle peut y ressembler plus ou moins selon la perfection de son activité.

63,19. vitam dans. — Cf. I 32,30.

63,21. ut sua substantia. — Avec l'imprécision de vocabulaire caractéristique de notre traité (cf. 50,15 ; 50,23), *substantia* équivaut ici à *subsistentia* ; c'est exactement la substance propre. Même vocabulaire, I 18,39-57 (n.).

63,21-23. — La distinction entre les hypostases être, vie, pensée n'implique pas de division de la substance ou de mode de génération incompatible avec l'impassibilité de la substance. Victorinus énumère ici tous les modes de génération critiqués par les adversaires ariens, cf. I 41,20-35 n. et III 1,30-33 n.

63,25. duo . . . in motu. — Cf. 51,23.

63,28. sic esse. — Cf. 55,26-27. Sur la ressemblance comme purement qualitative et non substantielle, cf. I 20,51 sq.

63,29-30. — Dans l'unité de sa substance et de sa puissance, l'âme est consubstantielle. Mais on voit mal comment elle peut être de substance semblable vis-à-vis d'elle-même ; il faut supposer que la consubstantialité concerne l'âme par rapport à elle-même, et la substance semblable, l'âme par rapport à son modèle. La consubstantialité de l'âme à Dieu est toujours niée par Victorinus, cf. I 56,4 et surtout III 12,21.

63,30-33. — Les dénominations de l'âme ici énumérées sont traditionnelles : αὐτόγονος, αὐτοκίνητος, ἀεικίνητος, πηγὴ καὶ ἀρχὴ κινήσεως étant liées à l'exégèse de *Phèdre* 245 c-d. Sur αὐτόγονος, cf. IV 13,5 en un contexte assez proche du contexte présent (notamment, *Gen.* 1,26). Mais l'autogénération divine est originelle, tandis que l'autogénération de l'âme, ou son automotion, est reçue (cf. IV 13,12).

64,1-8. — Ce *mysterium magnum*, c'est la proportion suivante :

$$\frac{\text{Trinitas divinior}}{\text{trinitas secunda}} = \frac{\text{Trinitas secunda}}{\text{animas mundanas}}$$

De même que la trinité supérieure reste en elle-même, lorsque l'âme, trinité inférieure, sort d'elle par rayonnement, de même cette âme, trinité inférieure, reste dans le monde intelligible, tandis que les âmes qui viennent dans le monde sont engendrées par elle. L'âme est « à l'image et à la ressemblance » parce qu'elle est la trinité créatrice du monde sensible, comme les Trois sont la trinité créatrice du monde intelligible. *Mysterium magnum*, peut-être, parce que, pour un chrétien, il est aventureux de faire en quelque sorte de l'âme le Dieu du monde sensible. D'autre part, la doctrine ici exposée implique la nécessité de la procession du monde intelligible comme du monde sensible ; c'est exactement ce que disait Plotin, *Enn.* IV 8, 6,1 sq. : « Il ne doit pas exister une seule chose, sinon tout demeurerait caché ... il n'y aurait pas cette multiplicité d'êtres issus de l'Un, s'il n'y avait eu après lui la procession des êtres qui ont le rang d'âmes. De même les âmes ne doivent pas exister seules, sans qu'apparaissent les produits de leur activité ; il est inhérent à toute nature de produire après elle et de se développer en allant d'un principe indivisible, sorte de semence, jusqu'à un effet sensible ; le *terme antérieur reste à la place qui lui est propre*, mais son conséquent est le produit d'une puissance ineffable qui était en lui. » On voit l'importance de l'expression *explicavit imaginationem. Imaginatio* = φαντασία

= manifestation et correspond à *apparentia* de I 61,2. Après l'apparition de la Sphère divine, puis de l'âme, sorte de matière du monde intelligible, l'âme provoque à son tour l'apparition du monde sensible et mène ainsi jusqu'à son « effet sensible » le mouvement de révélation issu du principe indivisible.

64,2. effulgenter. — L'idée d'une procession de l'âme par rayonnement est tout à fait plotinienne (cf. *Enn.* V 6,4,19-22 = Augustin, *de civ. dei* X 2 : « Quo intellegibiliter inluminante, intellegibiliter lucet », et la comparaison du soleil et de la lune), mais se retrouve également dans le néoplatonisme postérieur, cf. Jamblique, dans Proclus, *in Tim.*, Diehl, t. II, p. 143,15 : « l'Intelligence est analogue au soleil, l'âme, à la lumière qui vient du soleil. »

64,4. proprie. — Cf. *ad Cand.* 7,20.

64,6. semper quae sursum sit. — Cf. Beutler, dans Pauly-Wissowa, art. *Plutarchos von Athen*, XXI 1 ; p. 966,4 : « das ἀεὶ ἄνω μένει, ein Satz der von Theodoros von Asine in Nachfolge des Numenios vertreten... wurde. »

***

64,9-30. L'homme extérieur à l'image du Logos. — Allant plus loin que Philon et Origène, Victorinus recherche dans le corps, lui-même, une image et une ressemblance du Logos. Il nous fait contempler en un dernier reflet le mystère de l'autogénération du Logos, qui a fait l'objet d'une grande partie du traité (51,28-43 et 56,36 – 58,36). La dualité des sexes imite le double aspect masculin et féminin du Logos, et c'est ce double aspect, masculin et féminin, du Logos qui lui permet de s'engendrer lui-même, d'avoir un unique mouvement, vie et intelligence, d'autoposition.

64,10. praedivinatione. — Il existait donc une tradition exégétique qui recherchait déjà l'image du Logos dans la chair. Mais l'on se contentait de dire que l'Adam terrestre était à l'image du futur second Adam.

64,11-14. — Il ne faudrait pas s'imaginer que le Logos est corporel. Même lorsqu'en s'incarnant, il devient Logos de la chair, cf. 58,20, le Logos reste en lui-même incorporel, et supérieur au corps. On peut d'ailleurs dire que, par définition, le Logos est incorporel (cf. Simplicius, *in phys.*, Diels, p. 784,10 : καὶ γὰρ τοῦ σώματος ὁ λόγος προϋπάρχει ἀσώματος καὶ ἀδιάστατος).

64,15-20. — Il existe une chair spirituelle à l'image de laquelle notre propre chair est faite : en effet, 1° nous ressusciterons en cette chair spirituelle ; 2° le Logos a toujours eu cette chair spirituelle. Sur notre future chair spirituelle, cf. *in Ephes.* 2,16 ; 1259 b 13 (*caro aeterna*) ; et surtont 1259 a 7 qui affirme que dans l'éternité, dans le monde intelligible, le corps est substance : « Ut substantiam unam, quod est caeleste corpus et in aeternis corpus, quomodo dictum est de domino nostro Iesu Christo quod corporalis substantia est Christus corporalisque maiestas » (cf. *in Philipp.* 3,21 ; 1226 b 5). La chair spirituelle du Logos est substance spirituelle, et notre future chair spirituelle est participation à cette substance spirituelle. Ce qui reste ici de la notion de corps, c'est l'idée d'unité multiple (cf. *in uno duo*, 49,3) ; cf. *in Ephes.* 2,16 ; 1259 a : « Sed hic corpus accipiamus item *copulationem* ut substantiam unam. » Le corps humain, en la dualité des sexes, reflète l'unité dyadique du Logos, Vie et Intelligence, Mâle et Femelle.

64,24. masculofeminam. — Victorinus garde le *ipsum* que certains, au dire de saint Augustin, *de trinit.* XII 6,8, transformaient en *eos* pour éviter d'insinuer l'androgynie du premier homme. Mais, avec *masculofeminam*, Victorinus renchérit encore sur l'ambiguïté du texte ; il paraît bien être le seul, dans la tradition latine, à témoigner de cette leçon. Le thème de l'androgynie divine est ancien et abondant, cf. A.-J. Festugière, *Le Dieu inconnu*, p. 43-51, mais rarement lié à la doctrine de l'image, et de l'autogénération du Logos ; sur l'androgynie d'Adam, cf. Dietrich, *Der Urmensch als androgyn*, *Zeitschrift für Kirchengeschichte*, 56 (1939), p. 297-345.

64,26. τοῦ λόγου. — Génitif absolu. Cf. 61,8 n.

CONTRE ARIUS

LIVRE SECOND

Caractère général. — Livre nettement marqué par l'atmosphère de la querelle arienne vers 360, qui nous révèle un Victorinus très au courant non seulement de la doctrine des adversaires, mais des arguments favoris des orthodoxes. Ici les emprunts à la tradition philosophique sont presque inexistants : tout au plus en reconnaît-on, à propos du vocabulaire ontologique. Le grammairien, le rhéteur se sent plus à l'aise. L'essentiel du livre, après une introduction sur la foi orthodoxe et les hérésies, consiste à expliquer le sens du mot οὐσία et à défendre le caractère scripturaire de ce mot, ensuite à expliquer et traduire le mot ὁμοούσιον, ces deux mots, οὐσία et ὁμοούσιον, étant rejetés par le parti homéen. On sent que Victorinus a voulu composer un opuscule facilement utilisable dans la discussion. Le plan en est clair ; chaque partie est développée en prenant garde à la symétrie de l'ensemble : à propos d'οὐσία comme à propos d'ὁμοούσιον, Victorinus prend soin d'établir la *res* avant d'étudier le *nomen*. Chaque argumentation est introduite par un argument *ad hominem* qui s'adresse avec force aux adversaires. L'auteur ne se laisse pas égarer par les digressions.

***

1,5 — 2,55. Le dogme orthodoxe et ses adversaires. — Après l'exposé succinct de la foi orthodoxe, Victorinus énumère les hérésies dans le même ordre qu'en I 45,1-48, qui est l'ordre chronologique. A vrai dire, en I 45,1-48, les homéens (signalés ici en 2,27) ne sont pas mentionnés ; c'est qu'*adv. Ar.* II se situe au moment de Rimini. D'autre part, homéousiens et homéens ne sont pas considérés absolument comme des hérétiques. Ce sont ceux avec lesquels on peut discuter, si l'on s'en tient à leurs professions de foi matériellement orthodoxes.

1,5-12. La foi orthodoxe. — Cf. *de hom. rec.* 1,7-15.

1,5. omnipotentem. — Cf. *hymn.* I 2. C'est le παντοκράτωρ de la profession de foi.

1,6. omnes. — Cf. Sirmium 357 : « Unum constat deum esse omnipotentem et patrem, sicut per universum orbem creditur » (Hilaire, *de synodis* 11 ; *PL* 10,487 a 14).

1,6. mox. — Optimisme quant à la conversion rapide du monde.

1,6-10. — La foi chrétienne consiste dans l'affirmation simultanée d'un Père et d'un Fils.

1,10. unum tamen deum. — Cf. *de hom. rec.* 1,11. Grégoire d'Elvire, *de fide, proem. ; PL*, 20,33 b : « Patrem et filium catholice nominamus, duos autem deos dicere nec possumus, nec debemus. »

1,11. — Sur l'intériorité réciproque du Père et du Fils, cf. 2,25.

1,12-21. Le patripassianisme. — Cf. I 44,1-50 ; I 45, 1-2. Traditionnellement on reprochait aux patripassiens de faire du Christ un homme, cf. Athanase, *contra arianos* I 38 ; *PG* 26,89 c 14. La réfutation répète *adv. Ar.* I 35,1 – 37,3, c'est-à-dire l'identification entre le Logos et le Fils, grâce au prologue de saint Jean.

1,18. in principio. — Cf. *ad Cand.* 16,5-17 n. ; *adv. Ar.* I 3,9.

1,20. mandatu patris. — Cf. Sirmium 359 (*Credo* daté) : νεύματι πατρικῷ (cf. Athanase, *de synodis* 8,5; Opitz, p. 235,31; *PG* 26,694 a 5.

1,21-52. L'arianisme qui nie que le Fils soit de la substance du Père. — Cet arianisme est tout à fait celui de Candidus, qui, d'une part, niait que Dieu ait une substance et, d'autre part, qu'il puisse engendrer (cf. Cand. I 1,4-11 n. et 8,19-29 n.) Mais les homéens eux-mêmes, le parti d'Acace, de Marc d'Aréthuse, etc., avec qui Victorinus va discuter tout au long du livre, nient eux aussi que l'on puisse appliquer à Dieu le terme *substantia*. Comme le montre très bien la lettre de Georges de Laodicée, chez Épiphane, *panarion*, 73,15,1 ; Holl, p. 287,16, l'élimination du mot *ousia* permet aux anoméens, c'est-à-dire aux rénovateurs de l'arianisme, de se dissimuler; c'est l'habile manœuvre de Valens et Ursace. Ainsi réfutant ici des ariens du type Candidus, Victorinus amorce déjà la discussion avec les vainqueurs du *Credo* daté et de Rimini : au fond, ce sont les mêmes adversaires, mais qui ont changé de tactique.

1,21-37. Dieu a une substance. — Cf. *ad Cand.* 2,16-

30 n. Dans la lettre à Candidus, Victorinus montrait comment Dieu était à la fois ὄν et μὴ ὄν. A partir d'*adv. Ar.* I 30, l'argument prend la forme d'une explicitation de la foi à l'être de Dieu : croire que Dieu existe, c'est le considérer comme une *ousia*, cf. *de hom. rec.* 1,23 ; *hymn.* I 35.

1,21. extra. — Cf. Athanase, *contra arianos* I 15 ; *PG* 26, 44 c 9 : ἔξωθεν.

1,24. ἀνούσιον. — Cf. Cand. I 8,27 : *insubstantialis*.

1,24. ἐνούσιον. — Définition du mot chez Basile, *contra Eunomium* V; *PG* 29,749 b 2 sq. : τὸ δὲ ἐνούσιον καὶ ἐνυπόστατον λέγων τις τὴν ἐνυπάρχουσαν οὐσίαν ἐδήλωσε : il signifie à la fois « existant » et « possédant une substance ». C'est d'ailleurs cette ambiguïté qui va permettre à Victorinus de passer de l'existence à la substance.

1,26-27. — Cf. les genres de non-existant en *ad Cand.* 4, 1 – 5,16 n.

1,29. ipse ... ipse est. — Très probablement allusion à *Exode* 3,14.

1,30-32. — Suites analogues, *adv. Ar.* I 29,14 ; I 33,23 ; I 60,7 ; II 3,15-18.

1,33. quibusdam. — Désigne probablement des auteurs différents de *inquiunt*. *Inquiunt* désignait les ariens. *Quibusdam* désigne probablement les néoplatoniciens, par exemple Porphyre, *sentent.* XXVI ; Mommert, p. 11,10 : τὸ ὑπὲρ τὸ ὂν μὴ ὄν et X, p. 3,3 : ὑπερουσίως. Même rapprochement ἀνούσιος = ὑπερούσιος, chez Jean Damascène, *de fide orthodoxa* I 12 ; *PG* 94,845 c 14.

1,34-37. — Mouvement analogue à *adv. Ar.* I 33,14-34 (n). Opposition entre le Dieu existant et créateur de la *Genèse* et le Dieu-néant des philosophes.

1,37. imaginis eorum. — *Eorum* correspond à *nostram* de *Gen.* 1,26.

1,38-52. — La réfutation des hérésies suit ici le texte même de la profession de foi. *Deum* vient de permettre d'affirmer qu'il y a une substance en Dieu ; *patrem* va permettre maintenant de préciser contre les ariens que le Fils vient bien de la substance du Père. C'est d'ailleurs ce mot *patrem* que les ariens entendent dans un sens différent des orthodoxes, puisqu'il n'implique pas pour eux de différence essentielle entre la génération du Fils et celle des créatures. L'objection arienne se trouve déjà dans la lettre d'Eusèbe de Nicomédie à Paulin de Tyr, cf. Cand. II 2,25-34. Objection et réfutation analogue, chez Hilaire, *de trinitate* XII 13-17 ; *PL* 10,441-443.

1,49. secundum creaturam. — Cf. Hilaire, *de trinitate* XI 16 ; *PL* 10,409 c 10 : « Secundum constitutionem. »

2,1-15. L'arianisme qui assigne un commencement au Fils. — Cf. I 15,25 ; I 45,4-6 où les tenants de cette opinion sont nettement distingués de l'arianisme traditionnel : les ariens niaient l'ἐκ τῆς οὐσίας nicéen ; les nouveaux ariens le remplacent par ἐκ τοῦ ὄντος en affirmant que le Père est ὄν, mais en refusant de préciser quelle est la nature exacte du rapport désigné par ἐκ : comme en I 45,6, Victorinus reproche à ses adversaires d'oublier l'*in patre*, d'où son insistance sur la notion de puissance et de préexistence dans le Père; voir également, en *de hom. rec.* 3,24-27, la distinction entre *a deo* (= ἀπό) et *ex deo* (= ἐκ).

2,1. esse et Christum fatemur. — Cf. *de hom. rec.* 1, 23. Cette affirmation, symétrique de *adv. Ar.* II 1,23 est encore une allusion à la volonté homéenne de supprimer le terme *ousia* : l'affirmation même de la foi implique, qu'il s'agisse du Père ou du Fils, l'existence, donc l'*ousia* du Père comme du Fils. C'est en même temps, ici, une introduction à la réfutation des ariens qui définissent le Christ comme ὄν ἐκ τοῦ ὄντος, et qui sont donc apparemment en accord avec les orthodoxes.

2,2. ἐνούσιον. — Cf. Ps.-Athanase, *contra arianos* IV 2 ; *PG* 26,469 c – 471 c. L'insistance de Victorinus sur ce mot peut venir de l'intention d'employer un dérivé d'οὐσία, analogue à *homoousios* et difficilement discutable par ses interlocuteurs homéens.

2,7. verum hoc est. — Ainsi toute la discussion ne porte que sur le sens de *coepisse*. Ce commencement, pour le Christ, n'est pas absolu, mais n'est qu'une actuation d'une puissance préexistante.

2,7-11. — Doctrine constante chez Victorinus : il n'y a pas de devenir en Dieu, il y a simplement puissance et acte, occultation et manifestation, mais pas de *genesis*, d'apparition de l'être. C'est tout le fond de la discussion avec Candidus. Cf. également *in Ephes.* 2,3 ; 1254 c 4 : « Generatio autem est cum ab eo quod non fuit, aliquid esse incipit... at vero in aeternis, quoniam quaecumque illa divina sunt, quasi quadam discretione apparere incipiunt, ideo veluti generata dicuntur, cum tamen eadem virtute sint et eadem substantia qua fuerunt, idcirco ut generata non sunt. » C'est exactement la notion de « génération inengendrée » reprochée par Arius à Alexandre d'Alexandrie (cf. Cand. II 1,23 : *ingenitogenitus* et *adv. Ar.* I 34,6-9 (n.).

2,8. quod fuit aliquo modo fuisse. — Cf. I 57,18 : *ab eo quod erat esse.* Cette préexistence en puissance est analogue au *deo esse* de I 33,6-7 et au τὸ τί ἦν εἶναι aristotélicien, comme essence antérieure à la détermination existentielle.

2,10. actus. — Cf. III 7,28.

2.10. manifestatio ... natalis. — Cf. *ad Cand.* 14,12 ; *adv. Ar.* I 57,12 ; IV 15,23 ; IV 25,42.

2,11. quid enim dei nascitur. — Cf. *adv. Ar.* IV 27,12 : « Ingenitus deus exsistens ex ingenitis. » Victorinus retrouve presque ici les prémisses de son ancien adversaire Candidus : l'inengendré n'est pas engendré et n'engendre pas, cf. CAND. I 1,4-10. Mais c'est pour admettre, à la différence de Candidus, un mode de génération transcendant : l'actuation.

2,12-15. — Même raisonnement qu'en II 1,41-47 et *ad Cand.* 2,10-15.

2,14. dominus maiestatis. — Cf. Athanase, *epist. ad Serap.* II 7 ; *PG* 26,620 b 1 : οὐκ ἂν τὸν κύριον τῆς δόξης ἔλεγον κτίσμα εἶναι. Et mouvement général analogue, Athanase, *de decretis Nic. syn.* 12 ; Opitz, p. 10,23 ; *PG* 25,444 c.

2,15. postrema haeresis. — Expression analogue à propos des anoméens, chez Georges de Laodicée, dans Épiphane, *panarion* 73,13,1 ; Holl, p. 285,30 : τὴν νῦν ἐπιφυομένην, et 73,19,1 ; Holl, p. 291,26 : οἱ καινοὶ αἱρετικοί.

2,15-19. Marcel et Photin. — Cf. I 45,7-13. Même idée d'une ressemblance entre leurs théories et celle des ariens qui assignent au Christ un commencement d'être (ἀρχὴ τοῦ εἶναι) chez Pseudo-Athanase, *contra arianos* IV 8 ; *PG* 26,477 c 9.

2,20-55. Homéousiens et homéens. — Ici l'on rentre dans l'actualité, et l'on est tout proche du sujet du traité. Lors de la rédaction du *Credo* daté (mai 359), comme au synode de Rimini et Séleucie, la situation est marquée par la discussion entre homéens et homéousiens, c'est-à-dire entre les partisans de la similitude, tout court, et les partisans de la similitude en substance. Il y a un minimum de points communs entre ces deux partis et les orthodoxes, c'est le début de la profession de foi elle-même, les articles qui affirment que le Fils est engendré, qu'il est Dieu de Dieu, etc. (cf. 2,22). Déjà le « blasphème » de Sirmium (357), composé par Ursace et Valens dans l'intention de camoufler leur anoméisme, comportait ce « minimum ». Grégoire d'Elvire, en son *de fide*, en dénonce l'ambiguïté. En tout cas, ce minimum représente un point de départ de discussion :

avec les homéens et les homéousiens, on n'a plus en face de soi une hérésie déclarée, mais des imprécisions, des formules dangereuses ou ambiguës. Pour le moment, Victorinus se contente de réfuter les homéousiens, puisque tout le livre s'adressera ensuite aux homéens.

2,21. loquamur cum his. — Mouvement analogue, plus prononcé encore chez Athanase, *de synodis* 41,1 ; Opitz, p. 266,31 ; *PG* 26,765 a : ὡς ἀδελφοὶ πρὸς ἀδελφοὺς διαλεγόμεθα, mais s'adressant uniquement aux homéousiens.

2,22-26. — On ne trouve ces articles réunis dans aucune profession de foi qui nous ait été conservée. Toutes les formules de foi depuis le *Credo* daté portent γεγεννημένον δὲ μονογενῆ (cf. Athanase, *de synodis* 8,4 ; Opitz, p. 235,28 (*PG* 26,693 a) et 30,3 ; Opitz, p. 258,28 (*PG* 26,748 a). Voilà qui correspond à *unigenitum*, avec insistance sur la génération. Pour la suite, le parallèle le plus étroit se trouve être la subscription de Basile d'Ancyre au *Credo* daté (Épiphane, *panarion* 73,22,7 ; Holl, 295,24) : πνεῦμα ἐκ πνεύματος (*de spiritu spiritum*), ζωὴν ἐκ ζωῆς, φῶς ἐκ φωτός (*de vero lumine, verum lumen*), θεὸν ἐκ θεοῦ (*de deo deum*), ἀληθινὸν υἱὸν ἐξ ἀληθινοῦ < πατρός > (*de patre filium*). Mais l'on a ici, beaucoup plus probablement, la trace d'un *Credo* occidental, composé de formules qui étaient presque classiques, mais qui comporte aussi l'article très caractéristique : « In patre filium, et in filio pater », cf. Hilaire, *coll. antiar. Par.* B II 11,1 ; Feder p. 151,7, ; *PL* 10,655 a : « Caeterum Occidentalium fides, evangelicis instituta doctrinis, patrem in filio, filium confitetur in patre » ; Grégoire d'Elvire, *de fide* 4 ; *PL* 20,40 c : « Pater in filio et filius in patre, hoc erit ὁμοούσιον » ; Phébade, *de fide* 22 ; *PL* 20,30 : « Tenenda est igitur regula... quae filium in patre, patrem in filio confitetur. » On a peut-être ici dans cette suite d'articles une trace de la profession de foi finale de Rimini, aujourd'hui perdue, et dans laquelle les évêques, contraints d'accepter l'exclusion d'*ousia* et d'*homoousios*, auront essayé de conserver le plus grand nombre d'articles de foi favorables à l'orthodoxie. En tout cas, Victorinus cite ces formules comme étant, en commun, propres aux homéens et aux homéousiens, ceux-ci n'étant en désaccord que sur l'emploi d'*ousia*.

2,26-27. timoris. — Crainte de paraître arien. Ce n'est qu'une orthodoxie toute verbale.

2,27-29. — On reconnaît là le conflit entre homéens et homéousiens, entre Valens et Basile d'Ancyre par exemple, lors de la signature du *Credo* daté (cf. Épiphane, *panarion* 73,22,6-7; Holl, p. 295,11-29, le premier se contentant de « semblable » et hésitant même à écrire « semblable en tout », le second affirmant que le Fils est semblable en son hypostase, son existence, son être.

2,29-49. — Rapide réfutation de la doctrine des homéousiens, qui reprend l'essentiel de celle du livre I 29,7 – 30,10 : 1° *Isaïe* 43,10 exclut toute notion de *Dieu semblable* (I 29,39 – 30,4 = II 2,29-35) ; 2° il n'y a pas de substances semblables, il n'y a que des qualités semblables (I 30,4-9 = II 2,35-40) ; 3° l'*homoousios* ne suppose pas de substance préexistante (I 29,7-33 = II 2,40-49).

2,38-41. — Victorinus bloque en ce seul exemple, ses deux arguments : 1° pas de substance semblable, les âmes ne sont pas de substance semblable, mais identique ; 2° pas de substance préexistante ; la substance unique et identique des âmes ne leur préexiste pas (c'est que l'âme et l'être de l'âme sont identiques, cf. Aristote, *metaphys.* VIII 3,1043 b 1 ; Plotin, *Enn.* I 1,2,1 ; autrement dit, pas de substance préexistante dans les êtres spirituels, qui ne se distinguent pas de leur forme).

2,42. origo substantiae. — Cf. I 29,15 ; I 55,19-20.

2,43. divino quodam ortu. — Cf. *in Ephes.* 1,1 ; 1236 c 5 : *quasi quodam partu.*

2,43. accepta substantia. — Cf. I 11,10-18 (n. 3°).

2,45-46. acceptione. — Marque l'addition et l'origine extrinsèque.

2,46. deus atque virtus eius. — Semble bien le prédicat de *filius* (2,43) : le Fils est à la fois *Dieu* dans le Père et *puissance* de Dieu, quand il s'en distingue, cf. *hymn.* I 3.

2,47-49. — Cf. I 41,42-50.

2,50-55. — Cf. 10,21 – 11,8.

2,52-55. — La consubstantialité comme unité dans la puissance, distinction dans l'acte, cf. I 54,14-19 ; III 17,17-24.

***

3,1 — 12,19. Défense d'οὐσία et d'ὁμοούσιος. — Presque tous les arguments opposés ici aux homéens sont puisés dans le fonds commun dont on retrouve des traces chez Athanase, et surtout les Occidentaux, Hilaire, Grégoire d'Elvire, Phébade, Potamius de Lisbonne.

***

3,1. Les objections des adversaires. — Ces adversaires sont les vainqueurs de Rimini : Ursace, Valens, Germinius, Gaius, dont on reconnaît l'attaque contre l'*ousia* et l'*homoousios*, cf. la lettre des évêques de Rimini à l'empereur Constance, dans *coll. antiar. Par.* A VI 2 ; Feder, p. 88,5 ; *PL* 10,704 b : « Iam *usiae* et *homousii* nomina recedant, quae in divinis scripturis de deo et dei filio non inveniuntur scripta. » Ursace et Valens étaient d'ailleurs fidèles à leur demande de Sirmium 357 (dans Hilaire, *de synodis* 11 ; *PL* 10,488 a 8), et de Sirmium 359 (*Credo* daté) pour la suppression de ces deux mots. Les autres objections contre l'*homoousios* émanaient aussi bien des milieux homéousiens, cf. I 18,25-28 n. D'une manière ou d'une autre, elles furent évoquées à Rimini. Victorinus n'y répondra pas dans ce livre.

3,2. mentio. — Cf. *Credo* daté (Sirmium 359), dans Athanase, *de synodis* 8,7; Opitz, p. 236,13; *PG* 26,693 c : μεμνῆσθαι.

***

3,6 — 6,19. La substance de Dieu et du Christ : la res et le nomen. — Victorinus commence par la défense d'*ousia*. La distinction entre *res* et *nomen*, à ce propos, est générale à l'époque : on la trouve dans la lettre des évêques orthodoxes de Rimini, écrite au début de la réunion (juillet 359), dans *coll. antiar. Par.* A IX 1 ; Feder, p. 96,1 ; *PL* 10,697 b 2 : « Substantiae quoque *nomen* et *rem* a multis sanctis scripturis insinuatam mentibus nostris »; on la retrouve dans la lettre de Georges de Laodicée (dans Épiphane, *panarion* 73,12,1 ; Holl, p. 284,12) écrite très probablement après Séleucie (fin 359) : « Sans doute le terme *ousia* ne se trouve pas mot à mot dans l'Écriture (γυμνῶς ... οὐ κεῖται), mais le sens (ὁ νοῦς) en est partout insinué. » Cf. également Phébade d'Agen, *de fide* 7 ; *PL* 20,17 c, distinction entre *sonus vocabuli* et *interpretatio rei ipsius*, et surtout Grégoire d'Elvire, chez qui l'on trouve la même problématique que chez Victorinus (*de fide* 3 ; *PL* 20,37 c) : « Quaero... si ideo nominari non debet quia scriptum non est an quia ita credi non liceat ? » (cf. Victorinus II 3,6-8). Phébade et Grégoire s'efforcent de définir clairement *substantia* dans un mouvement général très analogue à celui de Victorinus, puis, comme lui, montrent l'existence du mot dans l'Écriture. Mais, sachant le grec, Victorinus reconnaît que le *substantia* du texte latin de l'Écriture traduit toujours ὑπόστασις.

D'où tout le chapitre 4, où il s'efforce de montrer qu'ὑπόστασις = οὐσία.

3,6-47. La res : Dieu et le Christ ont une substance. — Cf. I 30,18 - 31,17 (n.) où l'on retrouve un développement très parallèle, avec la même volonté d'expliquer le plus simplement possible la notion de *substance* par les termes mêmes de la profession de foi : *spiritus, lumen, deus.* Moins clair pour le lecteur moyen devait être le développement final utilisant les notions de *puissance* et d'*acte* pour rendre compte des rapports entre la substance du Père et celle du Fils (3,34-47).

3,7. in deo ... in Christo. — Cette précision est caractéristique depuis le *Credo* daté (dans Athanase, *de synodis* 8,6 ; Opitz, p. 236,13 ; *PG* 26,693 b) et se retrouve dans la lettre des évêques de Rimini citée plus haut (3,1 n.).

3,11. quod deus est. — Grégoire d'Elvire, *de fide* 4 ; *PL* 20,40 b : « Quae est enim substantia dei ? Ipsum quod deus est. »

3,12-14. — Cf. I 31,3-5. *Verum* dans *verum lumen* a donc pour Victorinus le sens qu'il a donné lui-même à *vere quae sunt* dans *ad Cand.* 6,6 n. (cf. *hymn.* I 2), c'est-à-dire correspond à νοητός.

3,14-18. — Cf. I 29,14-15 ; I 50,12-15 ; III 2,12. Dieu, puissance de la substance, est substance, dans la mesure où l'acte préexiste dans la puissance ; cf. I 50,27.

3,18. omnipotens. — Cette préexistence des existants en Dieu, tout-puissant, est à comparer avec la préexistence de toute chose dans l'Un, telle qu'elle est décrite, *adv. Ar.* IV 22,6 - 23,31, à la suite de Plotin, *Enn.* V 2,1,1. On retrouve un étroit parallélisme entre les deux textes (*origo = principium; omnia = omnia ; virtute et modo quodam = illo modo ; parens = patrem; omnia in omnibus = in omnibus omnia*). L'*omnipotentia* joue un certain rôle chez Macrobe, par exemple *in somn. Scip.* I 17,12 ; Eyssenhardt, p. 554,7 : « Deus ille omnipotentissimus » ; I 17,13; p. 554,15 : « Illam primae omnipotentiam summitatis » ; I 6,18 ; p. 499,4 : « Omnipotentia solitaria. » La notion biblique de toute-puissance se transforme ici, chez Victorinus, en notion platonicienne de puissance de toutes choses. Cette notion lui permet d'expliquer comment Dieu peut être substance, alors que la substance est une notion inférieure à Dieu ; c'est l'application de la *via eminentiae.*

3,23-27. — Cf. *ad Cand.* 28,1-6 n. Les homéens de Rimini avaient parlé de la substance comme d'un *indignum deo* *nomen* (cf. *coll. antiar. Par.* A VI 1; Feder, p. 87,17; *PL* 10, 703 b ; voir à ce sujet *adv. Ar.* IV 4,10-12). Victorinus répond que tous les noms, appliqués à Dieu, sont indignes de lui et que la substance ne s'applique à Dieu que d'une manière impropre.

3,29. — Cf. 10,12.

3,33. corporaliter. — Voir I 25,25-34 (n.). Ici, c'est la réalité substantielle de la divinité de Jésus qui est mise en valeur (cf. 8,15). Exégèse analogue, Hilaire, *de trinitate* IX 53-56 ; *PL* 10, notamment 278 a 3 sq. et 277 a 5.

3,34-47. — Cf. I 19,23-29 ; I 50,29 ; III 1,32 sq.

3,37. actio potentia actio est. — Cf. I 50,29.

3,37-44. — Se fondant sur *Ioh.* 5,19, c'est-à-dire sur l'unité d'action entre le Père et le Fils, Victorinus en déduit à la fois l'unité de substance et la distinction entre le Père-puissance, c'est-à-dire point de départ et force de l'acte et le Fils-acte, c'est-à-dire manifestation et détermination de la puissance, cf. I 39,3, et d'une manière générale tous les textes (par exemple I 33,19 sq.) où Dieu apparaît déjà comme Logos agissant, mais à l'intérieur.

3,38. pater ideo pater. — La symétrie exigerait *pater ideo potentia.*

3,41. magis. — Cf I 20,15-16 n. et I 54,9-12 n.

3,44. foris. — Cf. I 57,33 ; *ad Cand.* 23,7.

3,46. eadem simulque. — Les deux sens du préfixe ὁμο, cf. 10,21 – 11,8.

3,48 — 6,19. Le nomen est dans l'Écriture. — Deux ébauches déjà de cette démonstration, I 30,36-59 n. et I 59,17-28, ébauches qui sont une réaction contre la tendance déjà manifestée par Ursace et Valens (Sirmium 357) à bannir le terme *ousia.* Cette fois, Victorinus s'attaque aux décisions conciliaires de Rimini. On trouve des listes analogues à celle de Victorinus, chez Athanase, *ad Afros; PG* 26, 1036 b ; Phébade d'Agen, *de fide* 7 ; *PL* 20,18 ; Grégoire d'Elvire, *de fide* 4 ; *PL* 20,40 c-d ; Potamius, *epist. ad Athanasium; PL* 8,1418 a-b, et plus tard, chez saint Ambroise, *de fide* III 14,108-122. La plus grande partie de l'exposé de Victorinus consiste à démontrer que, si dans ces textes *substantia* équivaut en grec à ὑπόστασις, ce dernier mot équivaut à οὐσία (4,1 – 6,19 = I 30,52-59).

3,49. rem fatetur. — En confessant *deum, spiritum, lumen.*

3,50-52. — Position du défenseur de l'esprit de la loi, contre le défenseur de la lettre, cf. Cicéron, *de inventione* II

47,138 sq. L'adversaire devrait admettre la *res*, c'est-à-dire le fait que Dieu a une substance. Il est donc vaincu par la *ratio*, c'est-à-dire par la controverse portant sur le fait (cf. Cicéron, *de inventione* I 12,17), mais il discute le droit, le *scriptum*. *Maiores* ne désigne pas des individus déterminés, mais, d'une manière générale, les prédécesseurs, les rédacteurs des lois : les rédacteurs des lois n'ont pas tout dit, ont pu omettre certains détails, parce qu'ils savaient qu'ils ne seraient pas lus par des hommes ignorants ou des barbares (Cicéron, *de inventione* II 47,139). Il serait donc injuste de ne pas admettre le sens, même si la lettre n'est pas totalement explicite. C'est, dans cette perspective rhétorique, tout le problème de l'interprétation de l'Écriture, et finalement de la théologie qui est en jeu, cf. tout le chapitre 7 : le raisonnement nous permet-il de dépasser la lettre de l'Écriture ?

3,52-54. — Ces questions correspondent à des positions différentes : Sirmium 357 niait purement et simplement qu'*ousia* et *homoousios* fussent employés dans l'Écriture (cf. Hilaire, *de synodis* 11 ; *PL* 10,488 a) ; Sirmium 358 (mémoire homéousien) ne faisait de reproche qu'à l'*homoousios* seul (Hilaire, *de synodis* 81 ; *PL* 10,534 b 14) ; enfin les évêques de Rimini (été 359) niaient que ces termes fussent employés dans l'Écriture à propos de Dieu et du Christ (*coll. antiar. Par.* A VI 2 ; Feder, p. 88,6 ; *PL* 10,704 b).

4,1 — 6,19. Quel rapport entre ὑπόστασις et οὐσία ? — 1° Les adversaires homéens veulent exclure οὐσία. Raison apparente : *le mot n'est pas dans le texte grec* de l'Écriture ; raison véritable : ils le conçoivent d'une manière physique, comme composé physique de sujet et de qualités ; surtout, ils veulent par là exclure la génération du Fils de la substance du Père. 2° Les latins orthodoxes croient que *le mot est dans l'Écriture* ; en effet, ils ne connaissent que *substantia*, employé habituellement dans le texte latin de l'Écriture, mais qui malheureusement peut traduire aussi bien οὐσία qu'ὑπόστασις et qui justement ne traduit qu'ὑπόστασις dans la traduction latine de la Bible. 3° Victorinus sait bien qu'οὐσία n'est pas dans l'Écriture, et il a un mot pour traduire ὑπόστασις : *subsistentia* (cf. I 16,28-29 n.). 4° Mais il veut montrer que le terme οὐσία peut légitimement s'employer à partir de l'usage scripturaire d'ὑπόστασις. Pour cela, il emploie un argument *a fortiori* : si l'Écriture emploie ὑπόστασις qui est un mot qui désigne une réalité postérieure à l'οὐσία, on peut à plus forte raison utiliser οὐσία, pour parler de Dieu. 5° Pour prouver cela, Victorinus utilise le schéma suivant :

Réalité désignée	Mot grec	Mot latin
esse primum sine conexo ullo....	.... οὐσία (par excellence)	... substantia.
	esse	homonymie
	1. οὐσία (au sens large)	... substantia.
esse cum forma = esse manifestius....	2. ὑπόστασις.......	subsistentia.
	3. ὄν.............	ὄν.
	4. ὕπαρξις........	exsistentia.

Victorinus garde donc son schéma ontologique fondamental, mais fait subir une certaine évolution à son vocabulaire. Reste fondamentale, en effet, la distinction entre l'être pur, sans forme, donc incompréhensible et inconnaissable et l'être déterminé, formé, circonscrit (cf. *adv. Ar.* IV 19,4-37 ; *in Phil.* 2,6 ; 1207 c 1 sq.). Et dans la perspective trinitaire, cette distinction correspond à celle du Père, être sans forme, et du Fils, forme qui révèle le Père. Mais, en I 30,20-26, d'accord en cela avec Candidus, Victorinus avait fait correspondre son être pur à *exsistentia*, son être déterminé à *substantia*, c'est-à-dire respectivement à ὕπαρξις et à οὐσία. Ici il y a inversion des significations comme le montre le schéma ci-dessus. Mais cette inversion, qui, encore une fois, ne change rien au schéma ontologique fondamental, peut s'expliquer par les circonstances, et se justifier jusqu'à un certain point. Les circonstances, ce sont l'attaque des homéens contre οὐσία. Une des meilleures réponses à leur faire est de montrer qu'οὐσία peut avoir un sens très noble. Les homéens conçoivent οὐσία comme désignant le sujet *avec* ses qualités. C'est ainsi que Victorinus comprenait le mot jusqu'ici et encore en II 3,12 sq., il se contentait de dire que *substantia* s'appliquait à Dieu d'une manière impropre. D'ailleurs, Victorinus n'avait jamais jusqu'ici employé *substantia* et *exsistentia* d'une manière très technique. Notamment le livre I b prenait les deux termes presque toujours indifféremment. Ici, très probablement sous l'influence des Grecs (c'est en effet une tendance que l'on rencontre chez les homéousiens, cf. lettre de Georges de Laodicée, après Séleucie, fin 359, dans Épiphane, *panarion* 73,12,1 ; Holl, p. 284,12 et 73,12,8; p. 285, 28; subscription de Basile au *Credo* daté dans Épiphane, *panarion* 73,22,7 ; p. 295,23 ; et chez Athanase, *epist. ad Afros* 4 ; *PG* 26,1036 b), Victorinus insiste d'abord sur la synonymie qui existe entre οὐσία, ὕπαρξις, ὑπόστασις, ὄν. C'est un premier argument contre les homéens. Mais surtout, il montre qu'οὐσία peut être pris dans un sens transcendant, non pas dans le sens platonicien de réalité opposé au devenir, mais dans le sens de fondement absolu de la réalité, d'être absolument premier. Ainsi l'inversion de signification du vocabulaire ontologique s'explique à la fois par les influences des documents qu'il a en main et par son intention de réfuter l'homéisme. D'autre part, elle se justifie, car il semble bien que l'identification entre οὐσία et être pur se rencontre dans la tradition des commentaires d'Aristote (cf. Syrianus, *in metaphys.*, Kroll, p. 93,25 : ἅπλας δὲ λέγω (*sc.* οὐσίας) τὰς ἄνευ τῶν συμβεβηκότων θεωρουμένας ; Jean Damascène, *dialectica* 30 ; *PG* 94,589 : οὐσίαν μὲν εἰπόντες τὸ ἁπλῶς εἶναι, φύσιν δὲ οὐσίαν εἰδοποιηθεῖσαν ὑπὸ τῶν οὐσιωδῶν διαφορῶν).

Ainsi deux raisons d'admettre οὐσία pour parler de Dieu : 1° au sens large d'être déterminé, οὐσία = ὑπόστασις (cf. I 30,33-35) ; or ὑπόστασις est dans l'Écriture ; 2° par excellence, l'οὐσία désigne l'être : l'être pur, antérieur à l'être formé que désigne ὑπόστασις. On peut donc employer οὐσία par *a fortiori*. On remarquera que le Père est ainsi à la fois *esse purum* (4,43), donc οὐσία, et *esse cum forma* (4,46), donc ὑπόστασις. Ainsi la traduction latine de la Bible (*substantia* = οὐσία) ne présente pas, à qui sait l'entendre, de difficultés théologiques et philosophiques.

4,6-7. — Même question qu'en *ad Cand.* 3 et 4.

4,8. primum esse. — Cf. *ad Cand.* 19,2.

4,8 sq. — Voir sur ce passage, les remarques de G. Huber, *Das Sein und das Absolute*, Bâle, 1955, p. 113.

4,8-11. — Cf. *in Philip.* 2,6; 1207 c 2 : « Circumformatur enim et definitur quodammodo id est in considerationem et cognoscentiam devocatur (= in notitiam veniens) quod sit illud esse, quod invisibile est et incomprehensibile »; *adv. Ar.* I 53,21-22. On songera évidemment à la fameuse distinction philonienne entre la connaissance de l'existence et celle de l'essence (cf. A. J. Festugière, *Le Dieu inconnu*, p. 6-17). Toutefois cette assimilation suscite des difficultés de vocabulaire, puisque, pour Victorinus, au moins ici, c'est la qualité, donc la forme, qui nous fait connaître Dieu, tandis que, pour Philon, la qualité et la forme de

Dieu nous restent inconnaissables. Il faut plutôt chercher à cette doctrine une source identique à celle de Basile, *epist.* I 38,3,9 ; Courtonne, p. 82 ; *PG* 32,328 b 2 : « Voici donc ce qu'est l'hypostase : ce n'est pas la notion (ἔννοια) indéfinie de substance, ne trouvant aucun repos à cause du caractère indistinct de sa signification, mais celle qui fait apparaître et circonscrit ce qu'il y a d'indistinct et d'incirconscrit dans une chose (ἡ τὸ κοινόν τε καὶ ἀπερίγραπτον ἐν τῷ τινὶ πράγματι διὰ τῶν ἐπιφαινομένων ἰδιωμάτων παριστῶσα καὶ περιγράφουσα), grâce aux caractères propres qui apparaissent en elle. » Même idée de détermination, de manifestation dans la forme. Dans l'être pur, sans détermination, l'intelligence ne trouve aucun point d'arrêt, aucune connaissance n'est possible.

4,8. accipi. — Dans la notion d'être, on peut, par une considération de l'esprit (ἐπίνοια), distinguer l'*esse* et le *quod est*, le τὸ εἶναι et le τί ἐστιν : autrement dit, on peut prendre l'être lui-même à part, sans considérer quel est le sujet qui est et ce qu'il est. On ne donnera le nom d'ὄν qu'à « ce qui est », c'est-à-dire à ce qui possède l'acte d'être d'une manière déterminée, donc concevable. Tout ceci pour montrer que Dieu, *primum esse*, n'est ὄν que par sa forme, le Fils. Cf. Boèce, *quod substantiae in eo quod sint bonae sint* (II); Peiper, p. 169,26, qui écrit, utilisant la même tradition que Victorinus, sinon Victorinus lui-même : « Diversum est *esse* et *id quod est* ; ipsum vero esse nondum est ; at vero quod est, accepta essendi forma, est atque consistit. »

4,13. nisi ... ut. — A moins que.

4,13. potentialiter. — Cf. *ad Cand.* 14,19 : *quod fuit* ὄν *potentia.*

4,14. formatum. — Cf. *hymn.* III 146-150.

4,15-18. — La connaissance de l'être pur comme pur, la considération abstraite et isolée de l'*esse solum*, ne se réalise que grâce à la connaissance de l'être formé, de l'*esse formatum.* Autrement dit, c'est dans l'ὄν et après avoir connu l'ὄν que l'intelligence peut distinguer en lui l'*esse purum* (doctrine constante chez Victorinus, cf. IV 23,31 ; I 57,29-30). Elle permet d'expliquer comment le Père est ὄν en même temps qu'*esse purum* (cf. 4,19-21 et 4,43-47, problème signalé plus haut, 4,1 – 6,19 n.). La forme qu'est le Fils en révélant l'*esse purum* qu'est le Père, le détermine, donc le fait ὄν, mais en même temps nous permet de le concevoir comme *esse purum.* Comment peut-on en conclure, avec Victorinus, qu'autre est la forme, autre l'être formé ? C'est que l'être pur est de lui-même inconnaissable. Déterminé par la forme, il ne s'identifie pas totalement à elle, puisqu'en connaissant la forme, on connaît un au-delà de la forme, cet être pur, jusque-là inconnaissable.

4,16. forma enim intellectum ingenerat. — Cf. IV 8,33-36. Cf. Augustin, *de trinitate* XV 15,25 où l'on trouve la distinction entre un *Logos* informe et un *Logos* formé qui seul apporte le savoir (texte à rapprocher également de celui de saint Basile, cité plus haut, 4,8-11 n.), notamment : « Quid est, inquam, hoc formabile nondumque formatum, nisi quiddam mentis nostrae quod hac atque hac volubili quadam motione jactamus » ; il y a de part et d'autre l'idée d'un mouvement incessant que la forme arrête ; ce mouvement incessant est celui de l'esprit humain cherchant à saisir l'*esse purum*).

4,20. formam. — Cf. I 47,3 ; I 53,9 ; IV 8,44 ; *in Phil.* 2,6; 1207 c 6 ; *hymn.* III 152.

4,22-30. — Ὕπαρξις et ὄν sont, en somme, des termes doubles, signifiant à la fois *esse* et *forma*, et permettant ainsi d'appliquer une fois de plus le schéma cher à Victorinus, le Père est plus *être* (comme en 3,42, il était *magis potentia*), le Fils est plus *forme* (plus haut, il était *magis actio*), mais chaque terme est dans l'autre.

4,30-33. — Si le Père et le Fils peuvent s'appeler ὄν ou ὕπαρξις, on peut aussi bien les appeler ὑπόστασις ou οὐσία, car ces mots sont synonymes. Raisonnement parallèle à Victorinus, chez Athanase, *epist. ad Afros* 4; *PG* 26, 1036 b : ἡ γὰρ ὑπόστασις καὶ ἡ οὐσία ὕπαρξίς ἐστιν· ἔστι γὰρ καὶ ὑπάρχει, et, *de facto*, chez Basile d'Ancyre, qui, signant la formule de Sirmium 359 (*Credo* daté) et contraint d'éviter le mot οὐσία, écrit (Épiphane, *panarion* 73,22,7 ; Holl, p. 295,22) : ὅμοιος κατὰ τὴν ὑπόστασιν καὶ κατὰ τὴν ὕπαρξιν καὶ κατὰ τὸ εἶναι. Chez Athanase, chez Basile, chez Victorinus, la raison profonde de cette synonymie consiste en ce que tous ces termes sont équivalents à τὸ εἶναι.

4,32. quod enim ὂν est. — On est obligé de traduire ici le terme grec : « ce qui est existant », pour bien rendre compte de l'opposition avec 4,34 : « Quod est esse sine conexo ullo », l'être sans liaison, sans prédicat.

4,34. — *Quod* simplex, *quod* unum = *le* Simple, *l'*Un, car on a ici la même idée que chez Candidus, (cf. CAND. I 3,16-21) où Dieu, *esse solum*, comme ici même, est également identifié à *unum simplex*. Et, comme chez Candidus, ce qui est considéré, c'est l'être, sans sujet ni prédicat (cf. CAND. I 2,14-27), l'*esse purum* décrit plus haut, 4,8-11. Par opposition à l'être existant de 4,32 qu'on peut appeler existence, substance, hypostase, l'être pur est absolument un et simple et est donc supérieur.

4,34. sine conexo ullo. — Une certaine tradition, allant de Plotin à Damascius, tend à considérer l'être, sans le mélange d'autres genres ; cette tradition provient d'une réflexion sur la théorie du mélange des genres dans le *Sophiste* 251 a sq. On comparera Plotin, *Enn.* II 6,1,2 : τὸ μὲν ὂν ἀπηρημωμένον τῶν ἄλλων et Damascius, *dubit. et solut.* 120 ; Ruelle, t. I, p. 312,12 : τὸ εἶναι μόνον καθ'αὑτό. Le vocabulaire change : Plotin définit l'ὄν, Damascius, l'ὕπαρξις, mais le concept d'*être* sans liaison et sans mélange demeure. Cf. également Plotin, *Enn.* VI 3,6,12 : τῷ ἄνευ προσθήκης.

4,34. manifestior. — Les substantifs attributs, tous féminins, exercent une attraction sur cet adjectif qui, déterminant *esse* sous-entendu, devrait être neutre. *Manifestior* s'oppose ici à l'idée d'*esse in occulto* (cf. I 53,21), comme l'être en acte à l'être en puissance.

4,34-42. — *A fortiori* : « hypostase » est employé à propos de Dieu dans l'Écriture ; or le mot désigne quelque chose de composé ; on peut donc employer « substance », parce que le mot, de lui-même, signifie quelque chose d'antérieur ; il désigne avant tout le sujet, donc le fondement dernier. Pour Damascius aussi, l'être pur et premier qu'est l'existence, est « premier substrat, causant de toute substance » (προϋποκείμενον, ἕν, ὅπερ αἴτιον... πάσης οὐσίας, cf. *dubit. et solut.* 121 ; Ruelle, t. I, p. 312,21). Voir III 4,39 : *fundamentum.*

4,42-45. — Être pur et être formé sont homonymes parce qu'on peut, malgré leur différence, les appeler tous les deux *substance.* Victorinus a déjà dit que l'on pouvait appeler *substance* l'être formé ; et il a déjà laissé entendre que l'on pouvait appeler du même nom l'être pur, dans la mesure où *substantia* désigne le sujet antérieur à toute autre détermination. Mais il va expliciter maintenant sa pensée : c'est ici encore le principe de dénomination par prédominance qui apporte la solution ; l'être pur, étant plus être, est plus *substance* ; l'être formé, étant plus forme, donc détermination, est plus *hypostase.* En somme, *substance* désigne l'être purement et simplement (tout ceci, explicable en grec où οὐσία évoque immédiatement le verbe εἶναι, est presque incompréhensible avec la traduction latine *substantia*).

4,42. ὁμωνύμως. — Cette homonymie, justement parce qu'elle est celle de l'être, n'est pas pure équivocité, mais analogie (cf. I 48,12-22 n.). L'être pur est par excellence *substance* (οὐσία) ; l'être qui a reçu une forme, n'est substance que par l'être pur.

4,43. purum. — Cette identité entre *substantia* et *esse purum* se retrouve en partie chez Grégoire d'Elvire, *de fide* 4; *PL* 20,40 b : « Quae est enim substantia dei ? Ipsum quod deus est, simplex, singulare, purum. »

4,45. ὑπόστασις. — Donc totalement synonyme d'ὄν et d'ὕπαρξις.

4,47. quod deus est et pater. — Car ainsi Dieu est un τί, un quelque chose, un existant déterminé et formé.

4,48. proprie. — Victorinus réserve donc ὑπόστασις (= *subsistentia*) pour désigner les déterminations de la substance divine, de l'être divin que sont le Père et le Fils. Les homéousiens chez Épiphane (*panarion* 73,16,1 ; Holl, p. 288,20) définissent aussi l'hypostase comme désignant les propriétés des personnes divines, propriétés subsistantes et existantes.

4,51-53 — Cf. III 4,38 ; III 9,3. Victorinus est le premier témoin de l'apparition de cette formule, peut-être rencontrée par lui dans les documents homéousiens. Il lui donne le sens suivant : à partir de l'être pur, trois formes subsistantes se posent : l'être pur subsiste (c'est-à-dire se détermine) triplement. Avec cette nuance, que, dans cette trinité, il y a identité entre une des hypostases (celle du Père) et l'être pur, d'une manière particulière (c'est le sens de 4,50 : « Haec (*sc.* subsistentia) et substantia dicitur »). Le Père est à la fois la substance et une hypostase, sources, toutes les deux, de la substance déterminée (= hypostase) des deux autres.

4,53. — Toujours la trinité conçue sous la forme d'une double dyade, cf. I 49,2 sq.

4,54 — 6,19. Ὑπόστασις dans l'Écriture équivaut à οὐσία. — Il ne suffit pas de démontrer que la traduction *substantia*, dans le texte latin de l'Écriture, équivaut pour le sens à οὐσία. Certains des adversaires homéens, soucieux d'éliminer toute interprétation ontologique, prétendaient que *substantia* signifiait *divitiae*. C'est l'usage juridique du mot ; et c'est le sens littéral et obvie de *Luc* 15,12-13, un des rares passages où *substantia* traduit ουσία. Les homéens, ou du moins certains d'entre eux, tendaient à généraliser, et cherchaient à réduire tous les « substantia » de l'Écriture latine à la notion de richesse. Ambroise le signale également, *de fide* III 14,111 : « Interim nomen substantiae lectum probavi et lectum non pro *patrimoniis* ut dicitis » (cf. III 14,115).

Victorinus commet ici me semble-t-il une double bévue : 1° il prétend que ses adversaires donnent à ὑπόστασις le sens de *richesses*, alors que c'est à οὐσία qu'ils en veulent, et qu'ils sont autorisés étymologiquement à cette prétention ; 2° fier de son raisonnement précédent, développé au chapitre 4, sur la synonymie entre ὑπόστασις et οὐσία, conscient de la présence d'ὑπόστασις dans le texte grec de la Bible, il remplace désormais partout *substantia* par ὑπόστασις en toutes lettres. On voit qu'il a confiance dans les progrès accomplis par ses lecteurs, mais il dépasse l'objectif lorsque, citant *Luc* 15,12-13, il emploie le mot ὑπόστασις alors que le texte grec porte οὐσία. Il a très vraisemblablement cité de mémoire, et cru sincèrement qu'il y avait là ὑπόστασις comme ailleurs. Tout le présent développement consiste, à propos de chaque texte d'Écriture, où est employé *substantia*, à montrer qu'il s'agit de l'être de Dieu ; d'où la conclusion (6,16-19 : ὑπόστασις ou bien οὐσία sont employés dans l'Écriture à propos de Dieu et du Christ ; c'est la réponse à la question de 3,53). Nous retrouvons donc tous les textes cités en 3,55-61, mais accompagnés d'un commentaire et complétés par *Luc* 15,12-13.

5,2-16. Jérémie 23,18. — C'est le texte de base, utilisé aussi bien par Athanase, *ad Afros; PG* 26,1036 b 2, par Eusèbe de Verceil, *de trinitate* V ; *PL* 62,273 c 6 ; Phébade, *de fide* 7 ; *PL* 20,17 d ; Grégoire d'Elvire, *de fide* 4; *PL* 20,40 d; Hilaire, *de trinitate* I 18 ; *PL* 10,38 ; Ambroise, *de fide* III 14,122 ; III 15,124.

5,6. — Toujours le même argument tiré des affirmations « substantielles » de la profession de foi, cf. 10,4-5.

5,7. stat. — Cf. *ad Cand.* 7,8 n.

5,17-23. Psaume 138,15. — Cf. Ambroise, *de fide* III 14,110 : « Virtuti enim et divinitati ea quae ante constitutionem mundi vel imperspicabili maiestate sunt gesta abscondita esse non poterant » ; III 14,112 : « Et tamen quid obstat quominus illam divinam intellegas esse substantiam, cum deus ita ubique sit ut ei dictum sit : « si ascendero in caelum, tu illic es ; si descendero in infernum ades ? »

6,1-19. Luc 15,1-13. — Raisonnement analogue chez Phébade, *de fide* 7-8 ; *PL* 20,18 ; chez Potamius, *epist. ad Athanasium ; PL* 8,1418 b 8 ; Ambroise, *in Lucam* VII 215 ; Schenkl, p. 379,9 : « Merito ergo iste egere coepit quia thesauros sapientiae et scientiae dei divitiarumque caelestium altitudinem dereliquit », qui, comme Victorinus, lie ce texte à *Rom.* 11,33.

6,5. potentia. — Cf. I 59,26, où l'on voit bien que Victorinus interprète ce texte, au sujet de la chute de l'âme, qui s'éloigne de Dieu.

***

6,19 — 12,19. L'homoousios : la res et le nomen. — Effort louable de Victorinus pour présenter l'ὁμοούσιος « en grec et en latin » de la manière la plus simple possible et la plus scripturaire possible. C'est la plus longue discussion antihoméenne qui nous soit connue.

6,19-26. La res. Le Père est dans le Fils et le Fils dans le Père. — *Ioh.* 14,11 est vraiment pour Victorinus la meilleure expression scripturaire de l'*homoousios.* Il y reviendra en 11,9 – 12,19. L'expression devait d'autre part apparaître d'une manière quelconque dans la profession de foi (cf. 2,22-26 n.).

6,22. — *Plenitudo* : la plénitude du Père, cf. IV 29,11, à propos de « deus ex deo, lumen ex lumine, totus ex toto ». *Idem unum*, la même ipséité, car *unum* ici désigne l'individualité : le Père est à la fois en lui-même et dans le Fils, le Fils à la fois en lui-même et dans le Père, chacun est donc l'autre en même temps que soi. Chacun forme un couple, identique à l'autre couple.

6,23-25. — Toujours les deux sens d'*homoousios : eadem ; simul.*

7,1 — 8,41. Le nomen : on le déduit de l'Écriture. — C'est la réponse à la grande objection aussi bien homéenne qu'homéousienne : l'*homoousios* n'est pas dans l'Écriture. Le traité prend désormais la forme d'un dialogue avec les adversaires. Figure rhétorique ? Peut-être, mais qui marque que l'on touche ici à la plus proche actualité. Sur tout ce passage, cf. mon article, *De lectis non lecta componere, Raisonnement théologique et raisonnement juridique*, dans *Studia Patristica* I (*TU* 63), Berlin, 1957, p. 209-220.

7,1-21. — Cf. la théorie de l'interprétation du droit, chez Cicéron, *de inventione* II 50,152 : « Ex eo quod scriptum sit ad id quod non sit scriptum pervenire », et ce commentaire de Victorinus lui-même, *in Cicer. rhet.* I 11 ; Halm, p. 190,23 : « Quod etiam iuris periti faciunt qui, si forte id quo de agitur, iure non cautum est, per interpretationem statuti iuris id etiam quod in eodem iure nominatim non continetur, adfirmant. » De même que le raisonnement juridique tire de la lettre de la loi des conséquences qui ne sont pas en toutes lettres dans la loi, de même le raisonnement théologique tire de la lettre de l'Écriture des expressions qui ne sont pas en toutes lettres dans l'Écriture. Victorinus emploie présentement un argument *ad hominem* : si *homoousios* n'est pas dans l'Écriture, les formules *deum de deo, lumen de lumine* n'y sont pas non plus. Elles ont été déduites légitimement ? L'*homoousios* est donc aussi légitime. Cet argument se retrouve chez Grégoire d'Elvire, *de fide* 3 ; *PL* 20, 38 b 3 : « Si enim unius substantiae vocabulum inde times quia scriptum non est, timere identidem debes deum ex deo et lumen ex lumine profiteri » et 38 a 15 : « Quanquam et aliud quod scriptum non est pariter profitearis, id est, deum ex deo, lumen ex lumine. »

7,2. vobis. — Très probablement les évêques de Rimini (cf. 2,22-26 n.)

7,8. probatur. — Même idée chez Grégoire d'Elvire, *de fide* 5 ; *PL* 20,41 b : « Ut sive lumen de lumine dicas, sive verbum de verbo, sive spiritum de spiritu, sive dominum de domino, quodcumque de eo dixeris, unius tamen essentiae patrem et filium credas. »

7,15-21. — Même formulation simple et scripturaire de l'*homoousios*, en I 15,1-9.

8,1-41. — On remarquera qu'ici l'*homoousios* est mis en rapport avec la liturgie eucharistique. En effet l'ἐπιούσιος de l'oraison dominicale et le περιούσιος de la prière d'offrande font tous deux partie de la liturgie eucharistique. Pour l'oraison dominicale, cf. J. A. Jungmann, *Missarum Sollemnia*, 3e éd., Vienne, 1952, II, p. 347, n. 17. Victorinus dit ainsi à ses adversaires : « Vous employez dans la liturgie eucharistique des expressions presque synonymes à l'*homoousios.* » Sur ces deux mots dans l'Écriture, consulter Kittel, *Theologisches Wörterbuch des Neuen Testament* (s. v.). Développement parallèle en I 30,36-48. Ambroise reprend cette argumentation en *de fide* III 15,127, mais en rapportant περιούσιος à *Exode* 19,5 ou *Deutéronome* 14,2 et non comme Victorinus à *Tite* 2,14 : « An negare possunt οὐσίαν lectam, cum et panem ἐπιούσιον Dominus dixerit et Moyses scripserit : ὑμεῖς ἔσεσθέ μοι λαὸς περιούσιος ? Aut quid est οὐσία vel unde dicta, nisi οὖσα ἀεί, quod semper maneat ? Qui enim est, et est semper, deus est ; et ideo manens semper οὐσία dicitur divina substantia. Propterea ἐπιούσιος panis, quod ex verbi substantia substantiam virtutis manentis cordi et animae subministret; scriptum est enim : « Et panis confirmat cor hominis. » cf. Ambroise, *de sacramentis* V 24 ; Botte, p. 95,3-17.

8,2-9. — Style oral. L'ordre logique est inverse : nous appelons ce pain ἐπιούσιον parce qu'il nous donne la vie du Christ, donc la vie de Dieu et que cette vie du Christ et de Dieu est une seule substance.

8,19. cotidianum. — Cf. Ambroise, *de sacramentis* V 24 ; Botte, p. 95,12 : « Latinus autem hunc panem *quotidianum* dixit quem Graeci dicunt advenientem, quia Graeci dicunt τὴν ἐπιοῦσαν ἡμέραν advenientem diem. Ergo quod Latinus dicit et quod Graecus utrumque utile videtur. Graecus utrumque uno sermone significavit, Latinus quotidianum dixit. » Ambroise a dit auparavant qu'ἐπιούσιος = *substantialem*. Donc, en grec, il y a un double sens : *substantiel* et *de demain* (cf. Athanase, *de incarnat. et contra Arianos* 16; *PG* 26,1012 b 12 : τουτέστι τὸν μέλλοντα). Victorinus pour sa part comprend ἐπιούσιος comme un strict équivalent d'ὁμοούσιος, d'où ses traductions de I 30,43 : « Ex ipsa aut in ipsa substantia » et I 59,22 : « Consubstantialem. » Pour lui *cotidianum* ne traduit en aucune façon ἐπιούσιον.

8,20-23. — Situation parallèle d'ἐπιούσιος par rapport à *homoousios*. Il est difficile à comprendre et à traduire pour un latin, mais on peut l'expliquer et le faire comprendre, rendant ainsi son usage grec parfaitement possible, cf. 9,1-30.

8,21. in deo substantia. — 'Επιούσιος sert, en I 30,36-48, à prouver l'emploi d'οὐσία dans l'Écriture.

8,23-34. — *Tite* 2,14 n'est très probablement cité que comme source, reconnue par Victorinus, de la prière d'offrande. Autrement dit, ἐπιούσιος et περιούσιος sont des termes liturgiques, et ils entrent tous deux dans le même système d'explication, *vita* = *substantia*, cf. I 30,47 : *circumvitalem*, I 59,19 : *consubstantialem*.

8,34. quod περιούσιος. — Parce qu'il participe à la vie du Christ.

8,34. oratio oblationis. — Cette citation d'un texte grec liturgique a, depuis longtemps, attiré l'attention des historiens de la liturgie, cf. G. Bardy, *Formules liturgiques grecques à Rome au IVe siècle*, *RSR* XXX, 1940, p. 109-112, et du même auteur, *La question des langues dans l'Église ancienne*, Paris, 1948, p. 162-163 ; Th. Klauser, *Der Uebergang der römischen Kirche von der griechischen zur lateinischen Liturgiesprache*, dans *Miscellanea Giovanni Mercati* I, Cité du Vatican, 1946 (*Studi e Testi* 121), p. 467. Tout le monde s'accorde à reconnaître dans le témoignage de Victorinus la preuve que la liturgie romaine, en 360, utilisait encore des formules grecques. J. A. Jungmann, *Missarum Sollemnia*, 3e éd., Vienne, 1952, t. I, p. 65, pense qu'il s'agit là d'une bénédiction prononcée avant ou après le canon, et qui, à vrai dire, n'a laissé de traces que dans la liturgie orientale.

8,38-39. — C'est la distinction des grammairiens anciens (cf. Hérodianus, Lentz-Plew, II 2, p. 908) entre le θέμα ou σημαινόμενον et le τύπος ou χαρακτήρ, c'est-à-dire entre la racine et le mode de dérivation.

8,40. positum a maioribus. — Cf. 9,43 ; *de hom. rec.* 1,17.

8,41. dicendum ... tractandum. — Cf. 12,32 et 9,2.

9,1 — 11,8. Réponses aux attaques homéennes contre l'homoousios. — Les vainqueurs de Rimini ont repris les expressions du *Credo* daté (Sirmium 359) en y ajoutant le défi de traduire ὁμοούσιος en latin :

Credo daté (Sirmium 359) dans Athanase, *de synodis* 8,7 ; Opitz, p. 236,11 ; *PG* 26, 693 b-c.	Lettre des évêques de Rimini à Constance (*coll. antiar. Par.* A VI 1 ; Feder, p. 87,9-11 ; *PL* 10,703 a) :	Victorinus 9,1 :
Τὸ δὲ ὄνομα τῆς οὐσίας διὰ τὸ ἀπλούστερον παρὰ τῶν πατέρων τεθεῖσθαι, ἀγνοούμενον δὲ ὑπὸ τῶν λαῶν σκάνδαλον φέρειν, διὰ τὸ μήτε τὰς γραφὰς τοῦτο περιέχειν ἤρεσε τοῦτο περιαιθῆναι καὶ παντελῶς μηδεμίαν μνήμην οὐσίας, ἐπὶ θεοῦ εἶναι τοῦ λοιποῦ διὰ τὸ τὰς θείας γραφὰς μηδαμοῦ περὶ πατρὸς καὶ υἱοῦ οὐσίας μεμνῆσθαι.	Ne quis *usiae* vel *omousii* nomina ecclesiae dei *ignota* aliquando nominet, quod *scandalum* inter fratres *facere* solet.	At enim *quia non intellegitur et scandalum facit, tollendum* de fide et de tractatu aut certe latine ponendum.

On voit que le défi de traduire *homoousios* en latin ne se trouve dans aucune pièce du dossier de Rimini qui nous ait été conservée et que Victorinus nous révèle ici encore des documents inédits de la controverse.

9,1-16. — Argument *ad hominem* ; les homéens veulent l'exclure parce qu'il va contre leur hérésie secrète ; donc ils comprennent le mot. Cf. Grégoire d'Elvire, *de fide* 1 ; *PL* 20,34 c : « Haeresim arianam subtili conpendio breviatam sublato hoc nomine intromissam. »

9,9. repudiatis. — L'ὁμοιούσιος, déjà rejeté à Sirmium 357, fut rejeté explicitement à Séleucie par le groupe des acaciens (cf. Athanase, *de synodis* 29,3 ; Opitz, p. 258,1 ; *PG* 26,744 b) et probablement aussi à Rimini. Victorinus est parfaitement au courant de la controverse. Basile d'Ancyre est le grand ennemi d'Ursace et Valens, cf. *coll. antiar. Par.* B V 3 ; Feder, p. 159,24 ; *PL* 10,718 b.

9,15. sonus verbi. — Cf. chez Phébade, *sonus vocabuli*, texte cité en 3,6 – 6,19 n.

9,16-29. — On retrouve une trace lointaine de cette revendication homéenne dans Ps.-Augustin, *altercatio cum Pascentio ariano*, *PL* 33,1160, où l'auteur montre qu'il n'y a pas qu'*homoousios* qui soit employé dans l'Église, sans être traduit, puisqu'il y a bien *Amen* et *Alleluia*.

9,33. obscurum. — Cf. Athanase, *de synodis* 40,1 ; Opitz, p. 266,5 ; *PG* 26,763 a, citant le reproche d'Acace : Ἀλλ' ἀσαφής, φησίν, ἐστὶν ἡμῖν τῶν τοιούτων λέξεων ἡ διάνοια. A quoi Athanase répond : il ne faut pas dire : « Nous rejetons, mais nous cherchons à comprendre. »

9,35. contrarium. — Argument assez spécieux, tiré d'Aristote, *categ.* 3 b 25 : « Un autre caractère des substances, c'est qu'elles n'ont aucun contraire. » *Homoousios* est un terme qui se rapporte à la substance, non aux qualités ou accidents. Donc, nous dit Victorinus, il n'admet pas de contrariété. En fait, la question est plus complexe, et les commentateurs d'Aristote (cf. Simplicius, *in categ.*, Kalbfleisch, p. 106,28 sq.) discutaient pour savoir par exemple si, oui ou non, *animal raisonnable* qui définit la substance n'était pas contraire d'*animal non raisonnable*. Cette énumération de *vices* possibles du mot *homoousios*, *obscurum*, *contrarium*, *supervacuum* etc. est empruntée aux règles rhétoriques concernant l'élocution, cf. Martianus Capella, *de rhetorica* 45,549 ; Halm, p. 486,10 sq. à propos des exordes : « Vitia vero exordiorum ista sunt : vulgare... commune... *contrarium*, quo melius adversarius uteretur, affectatum..., *supervacuum*, quod neque attentum neque docilem neque benevolum facit auditorem. Fugiendum praeterea satis *longum* et *obscurum*. » Mais ces vices ne sont pas propres aux exordes, cf. Fortunatianus, *ars rhetorica*, II

15 ; Halm, p. 110,3 : « *Contrarium* non tantum proemium esse non debet, verum omnis pars orationis. » On voit que les rhétoriciens entendaient par *contrarium* une partie du discours ou un mot qui favorisait la thèse de l'adversaire. Avec son habituel littéralisme, Victorinus passe de la notion rhétorique de contrariété à la notion logique. C'est presque un contresens.

9,40-51. — Les idées et certaines expressions sont très proches de la lettre des évêques de Rimini, encore orthodoxes, à Constance, dans *collect. antiar Par.* A V 1 ; Feder, p. 79,6 sq. ; *PL* 10,699 b : « Nefas enim duximus sanctorum aliquid mutilare et eorum qui in Nicheno tractatu consederant una cum gloriosae memoriae *Constantino patre* pietatis tuae ; qui tractatus *manifestatus est* et insinuatus mentibus populorum et contra haeresim Arrianam tunc positus invenitur < at non solum ipsa sed etiam *reliquae* > *haereses* inde sunt expugnatae. A quo si aliquid demtum fuerit, *venenis haereticorum* aditus panditur. »

9,42. quod excludit haereticos, maxime Arrianos. — Cf. Athanase, *epist. ad Epict.* 2 ; *PG* 26,1052 b 1 : πάσης μὲν αἱρέσεως, ἐξαιρέτως δὲ τῆς Ἀρειανῆς.

9,43. maioribus. — Cf. *collect. antiar. Par.* A V 3 = lettre des évêques de Rimini encore orthodoxes à Constance ; Feder, p. 83,12 : « Quae *a maioribus nostris* accepimus » (*PL* 10,701 a).

9,44. ut murus et propugnaculum. — Athanase, *de synodis* 45,8 ; Opitz, p. 271,12 ; *PG* 26,776 a : ὥσπερ ἐπιτείχισμα.

9,45. venenata. — Cf. *venenis* cité 9,40-51 n. Libère, lettre aux évêques d'Italie (362-3) dans *collect. antiar. Par.* B IV 1 ; Feder, p. 157,20 ; *PL* 10,716 a : « Venenum virusque. » Cf. 11,3 n.

9,46. veterem fidem. — Lettre des évêques de Rimini encore orthodoxes à Constance, dans *coll. antiar. Par.* A V 1 ; p. 79,2 (*PL* 10,699 b 5) : « Fidem ab antiquitate perseverantem » *Veterem* s'oppose chez Victorinus à *nuper* ; définition récente, mais traditionnelle.

9,46. ante tractatum. — Cette revendication d'ancienneté répond à l'accusation des homéens, qui reprochaient à l'*homoousios* d'être un mot nouveau, cf. lettre des évêques homéens de Rimini à Constance, *coll. antiar. Par.* A VI 2 ; Feder, p. 87,23 et 88,3 (*PL* 10,704 a 7 et 15) : « Qui deo non *mutant* nomen... *inmutare* nomina dei et filii eius. »

9,47. trecentis quindecim. — Cf. I 28,17 « trecentos et plures ». Le nombre 318 étant presque classique chez les controversistes catholiques, cf. Hilaire, *de synodis* 86 ; *PL* 10,538 b 13, il est possible que notre *trecentis quindecim* vienne d'une mauvaise lecture de CCCXVIII, les trois derniers jambages ayant été confondus avec le IN suivant.

9,47-49. — Cf. Athanase, *epist. ad Afros* 1 ; *PG* 26, 1029 a 13 : ταύτῃ γοῦν καὶ πάλαι πᾶσα ἡ οἰκουμένη συμπεφώνηκε.

10,1 — 11,8. Traduction latine d'homoousios. — Double voie d'accès à cette traduction : 1° (10,1-20), la réflexion sur la lettre même de la profession de foi, telle qu'elle est admise par tous ; 2° (10,21 – 11,8), l'analyse grammaticale du mot grec. Les Latins, en général, traduisaient *una ubstantia* (Phébade, *de fide* 22, *PL* 20,30 a ; Grégoire d'Elvire, *de fide* 3, *PL* 20,37 b ; Hilaire, dans *coll. antiar. Par.* A I 2 ; Feder, p. 44,8 ; *PL* 10,711 b 2 et *ibid.* B 10 ; p. 150,11 ; *PL* 10,654 a 15 = traduction latine de la profession de foi de Nicée). *Consubstantialis* est donc inconnu dans les controverses latines, avant Candidus l'arien (cf. CAND. I 7,1) et Victorinus.

10,3. vincamini. — Cf. I 28,42.

10,3. substantiam confiteris. — Cf. I 29,34.

10,4-20. — Explication du sens d'*homoousios*, cf. 7, 8 (n.) ; 7,15-21. Présentée d'une manière assez simple, c'est ici la même argumentation que celle du livre I b qui a prouvé l'*homoousios* à partir des expressions : *spiritus de spiritu*, etc., cf. I 48,5-6 n., et 55,1 – 56,35 n. Mais dans le livre I b, Victorinus montre que ces noms communs : *Spiritus*, *Logos*, etc., sont en même temps, par prédominance, des noms propres, *Spiritus*, pour le Père, *Logos* pour le Fils : autrement dit, il y a une appropriation (= *hypostase*) de la *substance* unique, une détermination propre de l'être commun. Ici, *Dieu de Dieu*, *lumière de lumière* servent également à prouver le consubstantiel. Mais Victorinus ne distingue plus entre noms propres et noms communs, mais entre noms communs substantiels et noms communs qualitatifs, *Dieu*, *Lumière*, *Esprit* étant des noms qui désignent la substance, *Père*, *Tout-puissant*, *bon* désignant la qualité. Victorinus veut dire que ce sont justement les noms qui désignent la substance de Dieu qui sont confessés sous la forme *Dieu de Dieu*, *lumière de lumière*, c'est-à-dire sous la forme qui exprime une communication de substance, donc une consubstantialité. A la différence d'Athanase (*de synodis* 35,2 ; Opitz, p. 262,12 ; *PG* 26,754 c : « En entendant « Père », « Dieu », « Tout-Puissant », nous ne concevons pas une chose différente, mais bien la propre substance de l'être, ainsi désignée »), et d'Augustin (*de trinitate* V 8,9) qui, tous deux, considèrent comme substantielles en Dieu, mêmes les déterminations qualitatives (bon, grand, tout-puissant, etc.), Victorinus admet une distinction entre déterminations substantielles et déterminations accidentelles (*Père* est de l'ordre de la relation, *bon* de l'ordre de la qualité, etc.). La distinction hypostatique qu'Augustin assure par l'irréductibilité de la relation, Victorinus la conçoit comme une appropriation, une sorte d'autodétermination de l'être commun, en un mot la prédominance d'un aspect de la substance au sein de l'unité indissoluble de celle-ci.

10,5. deum ... lumen ... spiritum. — Cf. 2,22-26, et I 30,18 - 31,17 n.

10,8. λόγον ... lumen ... spiritum. — Cf. *de hom. rec.* 2,16, dans un contexte identique.

10,11. Basilii. — Cf. I 29,7-33 et II 2,27-49. La formule *deum de deo* réfute l'argumentation de Basile, parce qu'elle affirme que c'est Dieu lui-même qui est la substance dont provient le Fils.

10,16. — *Qualitas* désigne tout l'ordre accidentel par opposition à la substance, cf. *in Cicer. rhet.* I 22 ; p. 211, 27 sq. : « Substantia porro est quae aliis rebus subest capax accidentium qualitatum. » La distinction entre noms substantiels et noms qualitatifs est dirigée contre les anoméens, qui faisaient des différences qualitatives, des différences substantielles, et concluaient à la dissimilitude de substance, cf. Augustin, *de trinitate* V 3,4. On voit donc apparaître chez Victorinus l'idée qui sera l'essentiel de la doctrine trinitaire d'Augustin : la diversité des termes (*qualitatifs*, chez Victorinus, *relatifs* chez Augustin) qui désignent les hypostases, n'entraîne pas la diversité des substances. Mais alors qu'Augustin fonde la distinction des hypostases sur la diversité des termes relatifs (Père, Fils, Esprit-Saint), Victorinus fonde cette même distinction sur l'uni-multiplicité irréductible de la substance (être-vivre-penser, ou puissance-acte).

10,17-18. — Victorinus veut dire : « Puisque vous êtes capables de distinguer entre les noms qui désignent des qualités propres au Père et au Fils, et des noms qui leur sont communs, vous affirmez par le fait même la substance, l'unité de substance, le consubstantiel. »

10,19. lumen, deum, spiritum, λόγον. — Sur ces expressions de la confession de Basile, cf. 2,22-26 n. et I 30,18 - 31,17 n.

10,21 — 11,8. — Cf. *de hom. rec.* 2,20 – 2,39. Deux sens : ὁμο- = *idem* ; ὁμο- = *simul* ; le premier sens excluant ἐξ οὐκ ὄντων, le second, ἦν ὅτε οὐκ ἦν. Cf. I 41,5 ; I 47,5 ; cf. aussi IV 14,26-35. Victorinus semble bien le seul controversiste latin à signaler le sens possible ὁμο- = ὁμοῦ. Cette équivalence est attestée par une note marginale des *Scholia Marciana in artem Dionysianam* dans *Gramm. Graeci* I 3 ; Hilgard, p. 389 : ὅσα ἀπὸ τοῦ ὁμοῦ ἐπιρρήματος ... οἷον ὁμοούσιος τῷδε. Les grammairiens modernes distinguent encore deux sens du préfixe ὁμο-, cf. A. Debrunner, *Griechische Wortbildungslehre*, p. 58, nº 116. Dans l'énumération des exemples, ὁμοῆλιξ (= ὁμῆλιξ), ὁμοειδές, etc., Victorinus peut avoir utilisé un glossaire grec, cf. l'*Etymologicum Magnum*, Gaisford, 1848, p. 623,55 : ὁμῆλιξ, ὁμήλικος : ὁ ἴσην ἡλικίαν ἔχων· γίνεται ἐκ τοῦ ὁμοῦ καὶ τοῦ ἧλιξ. Signalons enfin qu'ὁμοῦ avait une certaine saveur pour un néoplatonicien, et correspondait parfaitement à la réalité intelligible, cf. Plotin, *Enn.* V 9,10,10 ; Porphyre, *sentent.* XI ; Mommert, p. 3, 6.

10,26. consubstantiale. — Traduit ὁμοούσιον ; *eadem substantia* l'explique étymologiquement.

10,28. simul consubstantiale. — Cf. I 47,5 ; *de hom. rec.* 4,17.

10,29-32. — Cf. *ad Cand.* 16,9-15 n. ; *adv. Ar.* I 3,3-18 n.

10,34-46. — Ces deux affirmations d'Arius sont condamnées par la profession de foi de Nicée, cf. *coll. antiar. Par.* B II 10 ; Feder, p. 150,16-20 ; *PL* 10,654 b 7. Contre cette double affirmation, Victorinus tire également argument des premiers versets de saint Jean en I 3,3-18 (n.).

10,44. simul substantiatum. — Cf. 2,53.

11,3. venenum. — Cf. Athanase, *contra arianos* I 19 ; *PG* 26,188 a 1 : ἰὸν τῆς αἱρέσεως ; Libère, lettre aux évêques d'Orient (365), dans Socrate IV 12; *PG* 67,493 c : τὸν τῆς κακοδοξίας ἰόν.

11,4. verbum dei. — Cf. Athanase, *epist. ad Afros* 2 ; *PG* 26,1032 c 3 : τὸ δὲ ῥῆμα τοῦ κυρίου.

11,5-6. — Formule développée et solennelle de l'*homoousios*, cf. *adv. Ar.* IV 33,41.

11,6-8. — Le but du livre est donc atteint, cf. le titre du livre : « Et *graece* et *latine* de ὁμοουσίῳ contra haereticos. »

11,9 — 12,19. Deum in deo, lumen in lumine. — Cf. *de hom. rec.* 4,18-23. De la formule reconnue par tous (cf. 2,22-26 n.) : « Pater in filio, filius in patre », Victorinus déduit la formule : « Deum in deo, lumen in lumine », qui, pense-t-il, permettrait de voir si l'on admet vraiment la doctrine de l'*homoousios*. *Pater* et *filius* étant pour Victorinus des noms de l'ordre de la qualité (cf. 10,4-20), *deum in deo, lumen in lumine* exprimeraient mieux encore l'intériorité de la substance avec elle-même, et éviteraient l'ambiguïté de *deum de deo, lumen de lumine* qui cachent l'hérésie des homéens (sur cette ambiguïté, cf. *coll. antiar. Par.*, commentaire du *Credo* de Nicée par Hilaire, B II 11,2; Feder, p. 151,12 sq.; *PL* 10,655 a 13 et Grégoire d'Elvire, *de fide* 2 ; *PL* 20,35 a). La proposition de Victorinus eut-elle du succès ? C'est peu probable. On retrouve une trace de cette formule dans la profession de foi de Victricius de Rouen, cf. Victricius, *de laude Sanctorum*, *PL* 20, 446 b : « Lumen de lumine et *lumen in lumine* », mais probablement Victricius y sera parvenu de lui-même par volonté d'expliquer au mieux le consubstantiel. Et déjà Hilaire, *de trinitate* V 37 ; *PL* 10,154 c 4 : « Verum et absolutum et perfectum fidei nostrae sacramentum est *deum ex deo* et *deum in deo* confiteri. »

11,10. lectio deifica. — Cet unique emploi de *deificus* chez Victorinus trahit peut-être une influence du vocabulaire des documents officiels de l'époque, cf. lettre des évêques de Rimini encore orthodoxes, à Constance, *coll. antiar. Par.* A IX 1 ; Feder, p. 96,4 ; *PL* 10,697 b 6 : « Doctrina deifica » ; Libère, lettre à Eusèbe de Verceil, *PL* 8, 1355 a 14 : « Virtute deifica. »

11,14. nomina. — Cf. I 7,18-24 n. et I 29,35-39 n. *Nomina* désigne les noms propres, c'est-à-dire les personnes en tant que personnes, cf. 11,14-18. Il n'y aurait pas d'intériorité réciproque s'il n'y avait pas entre Père et Fils unité de substance, si la *virtus substantiae* de l'un n'était pas en l'autre. Commentant lui aussi *Ioh.* 14,10, Hilaire, *de trinitate* VII 31 ; *PL* 10,226, qui, en 226 a 9, emploie comme Victorinus l'expression : « Insunt sibi invicem », semble dire par ailleurs exactement le contraire de lui, en 226 b 11 : « Nomen patris habet in se filii nomen », mais il exprime ainsi une idée différente, le nom de Père implique celui de Fils, ce sont des relatifs. Victorinus considère les choses du point de vue ontologique : les relatifs en tant même que relatifs doivent être distincts et presque extérieurs l'un à l'autre ; mais, s'ils sont l'un en l'autre, ce sera par leur substance, parce qu'il y a la même et unique réalité en l'un et en l'autre.

11,14. virtutes ... substantiae ... sapientiae ...

potestates. — Ces termes sont synonymes pour Victorinus, cf. *adv. Ar.* IV 5,39. C'est en même temps la liste des ὑποστάσεις de Dieu et du Fils, cf. 6,9-16 et 7,5.

11,17. quod virtutis substantiae sibi est. — J'ai traduit « puissance d'être » parce qu'ici *substantiae* tient la place de τὸ εἶναι, en fonction des parallèles IV 1,20; IV 8,10 ; IV 10,34 ; IV 19,4. Cf. Hilaire, développant des idées parallèles, *de trinitate* V 37 ; *PL* 10,154 c 8 : « Mysterio et potestate naturae » ; 155 b 13 : « Tamen per naturae virtutem in eo deus est. »

11,18-21. — Cf. 6,21-22. Cf. Hilaire, *de trinitate* III 4 ; *PL* 10,78 a 3-4 : « Non duo unus, sed alius in alio quia non aliud in utroque » et *hymn.* I (*De Christo deo*), *CSEL* 65, p. 211,53-56 : « O felix duum unitas alterque cum sit mixtus in altero, unum sic faciunt duo, sit in duobus cum, quod est in altero. » Le thème est extrêmement cher à saint Hilaire. Développement très abstrait sur le même sujet, chez Victorinus, *adv. Ar.* IV 1.

11,19. subsistentibus. — Cf. 4,52 ; le mot correspond à l'appropriation de l'acte d'être ; tel est le paradoxe de l'implication réciproque du Père et du Fils : l'inhérence ne détruit pas la réalité propre de chacun des deux termes. Si le propre de l'être substantiel consiste à n'être pas en un autre, Père et Fils sont paradoxalement en eux-mêmes et en un autre. Cf. Hilaire, *de trinitate* VII 41 ; *PL* 10,234 b 11 : « Inesse autem non aliud in alio ut corpus in corpore, sed ita esse ac subsistere ut in subsistente insit, ita vero inesse ut et ipse subsistat. Nam *uterque subsistens* per id non sine alio est. » Cf. également, *de trinitate* III 1 ; *PL* 10,76 a-b.

12,4. clavis. — La métaphore vient probablement d'*Apoc.* 3,7 : « Clavis David. »

12,6-12. — On peut voir dans la lumière-Père la lumière-Fils, c'est *Jérémie* 23,18 ; on peut voir dans la lumière-Fils la lumière-Père, c'est *Ioh.* 14,9.

12,12-19. — On a très probablement ici la trace d'une correction de Victorinus à son propre texte. Satisfait d'avoir prouvé le caractère scripturaire de l'expression *lumen in lumine*, il reprend d'abord son argumentation employée plus haut à propos de l'*homoousios* (7,1 – 8,41) : du moment qu'un mot ou une expression donnée se trouve dans l'Écriture, un mot ou une expression de même sens et de même composition peut être considéré comme également scripturaire. C'est le sens de 12,12-14. La *res* et la *lectio* de *lumen in lumine* étant indiscutables, on peut accepter également *deum in deo.* Mais Victorinus se rappelle, probablement après avoir déjà écrit 12,20 : « Quod si ita est, colligamus omnia... » ou peut-être, lors d'une seconde lecture, qu'il dispose d'un texte scripturaire pour prouver également le *deum in deo.* C'est *Isaïe* 45,14. Il l'écrit donc en marge. Et un copiste voulant insérer la note marginale dans le texte, la recopiera (avant le IXe siècle) en un endroit qui n'est pas le bon, à savoir en 12,23 après *filium eius unigenitum.* Quant à *Isaïe* 45,14, c'était un texte déjà bien connu de Victorinus, cf. I 26,46 – 27,5 et depuis longtemps cité par les Pères. C'est évidemment le « in te deus est » qui fait de *deum in deo* une expression scripturaire.

12,20-21.— Cf. 11,6-8 ; c'est le titre du livre.

12,22-25. — La profession de foi est parallèle à I 47, 1 sq., avec l'addition de *deum in deo, lumen in lumine* et des deux traductions d'*homoousios* : *consubstantialem, simul substantialem.*

12,25. symbolum. — L'expression, encore relativement rare dans les textes écrits, cf. Cyprien, *epist.* 69,7,1, se trouve dans la définition des évêques de Rimini, encore orthodoxes, non plus à propos du symbole baptismal, mais à propos du symbole de Nicée, cf. *coll. antiar. Par.* A IX 1; Feder, p. 95,6; *PL* 10,697 a 7 : « A symbolo accepto recedere nos non oportere. »

12,27. plenum. — Cf. *de hom. rec.* 4,22.

12,33-34. — *Fides apud Niceam,* cf. le titre même de la traduction latine du *Credo* de Nicée, dans *coll. antiar. Par.* B II 10 ; p. 150,5 ; *PL* 10,654 a 7, et les expressions d'Hilaire, *ibid.*, p. 151,3 ; *PL* 10,654 b 15, des évêques d'Italie aux évêques de l'Illyricum (363), *ibid.*, p. 158,7. — *Fides apostolorum, fides catholica.* Cf. lettre de Libère aux évêques d'Italie, *ibid.* B IV 2 ; p. 157,14 ; *PL* 10,715 b 13.

CONTRE ARIUS

LIVRE TROISIÈME

Caractère général. — Le livre III constitue d'une manière très caractéristique un passage de la dyade Père-Fils à la triade Père-Fils-Esprit-Saint, passage très certainement provoqué par les premières manifestations de l'hérésie pneumatomaque. Sans doute, les notations les plus claires concernant les préoccupations de Victorinus à l'égard de la théologie de l'Esprit-Saint (7,5-8 et 18,18-25) sont peut-être des surcharges, des *retractationes* de Victorinus relisant son œuvre ; mais tout le livre s'applique à montrer que l'usage traditionnel de l'Église qui parle, presque toujours, uniquement du Père et du Fils, n'exclut pas la réalité et la divinité de l'Esprit-Saint, mais témoigne simplement de l'inclusion de l'Esprit-Saint dans le Fils, autrement dit de sa consubstantialité avec lui. Comme dans le livre I b, où le chapitre 59 résumait parfaitement le propos du livre, ici les chapitres 17 et 18 résument clairement toute l'intention de ce livre III (17,12) : « Il n'est pas illogique de ramener ces trois puissances à deux : à savoir au Père et au Fils. » On a déjà vu que la trinité de Victorinus est une double dyade (*ad Cand.* 31,7-10 n.; surtout, I 12,13-32 n. ; également I 49,2 n.) ; sur ce point, la doctrine de Victorinus ne varie pas, et le schéma fondamental être-vivre-penser lui fournit à l'avance l'essentiel de la solution. Mais en ce livre III, Victorinus est plus conscient du paradoxe : en confessant la Trinité, on parle constamment du Père et du Fils, et on laisse de côté la nature propre de l'Esprit-Saint. Le livre III est donc essentiellement consacré à la description de l'identité et de la différence entre le Fils et l'Esprit-Saint. Voici le schéma général de la solution qui donne au livre III une structure extrêmement simple :

duo unum = Trinitas

- Deus ... Pater .... esse (qui est intus *motus*)
- λόγος ... Filius = *in uno duo*
  - Christus ....vita
  - ......motus (qui est *esse*)
  - Spiritus sanctus......... ...scientia

duo unum = Trinitas

La *dualité* du Père et du Fils, c'est-à-dire l'unité de deux termes qui, s'impliquant mutuellement (*esse-motus*), sont eux-mêmes doubles et assurent leur unité par cette dualité interne (= *duo unum*), est *trinité*, parce que l'un des termes, le Fils, comporte une dualité qui lui est propre (*vita-scientia*) qui permet de distinguer au sein d'un seul et unique Fils le Christ et l'Esprit-Saint (= *in uno duo*). Cette doctrine correspond en même temps au schéma fondamental *esse-vivere-intellegere*, parce que *vivere* et *intellegere* sont justement *motus* par rapport à l'*esse*. D'où l'exposé abondant de Victorinus sur la triade *esse-vivere-intellegere* dans les chapitres 4 et 5. D'autre part, Victorinus, en un long commentaire d'Écriture qui rappelle à certains égards la première partie du livre I a, cherche à retrouver ce schéma dans les textes scripturaires qui se rapportent à l'Esprit-Saint (c. 10-16). Le leitmotiv du livre est donc fortement marqué ; c'est le paradoxe 2 = 3. On remarquera l'étroite parenté entre notre livre III et l'hymne I. On trouvera également un excellent résumé du livre III en IV 16,1 – 18,44.

1,4 — 2,11. Résumé des livres précédents. — Reprise tacite de certains thèmes facilement reconnaissables des deux livres précédents, le livre I b et le livre II : le thème de l'image (le Logos, image de Dieu, l'âme, image du Logos) et le thème que l'on pourrait appeler : *lumen de lumine*, c'est-à-dire la démonstration de la consubstantialité par les formules : *deum de deo, spiritum de spiritu, lumen de lumine*. Par rapport au livre III, ce résumé-introduction a la signification suivante : j'ai abondamment démontré dans les livres précédents que le Fils est l'image consubstantielle qui révèle le Père; reste à voir maintenant la dualité interne de cette image consubstantielle.

1,4-13. L'âme, image du Logos, le Logos, image de Dieu. — Ces premières lignes du traité nous ramènent à I 62,33-37 (n.) et à son contexte (notamment I 63,16-18 n.), c'est-à-dire à l'idée que l'homme intérieur (Logos divin et âme divine) est à l'image du Logos, parce qu'il est lui-même être, vivre et penser. En reprenant dans son introduction l'idée de l'âme, image du Logos, Victorinus place son livre III dans la tradition de I 32 et de I 63, c'est-à-dire dans la recherche de la structure trinitaire divine, à partir de la structure trinitaire de l'âme, qui est être, vivre et penser (cf. III 4 et 5). Ces premières lignes du traité veulent montrer qu'il n'y a de véritable image que dans les choses divines (cf. I 19,10-22 n. qui est accompagné d'un contexte analogue à tout ce début du livre III) ; il n'y a de véritable image que consubstantielle à son modèle.

1,4-7. — Comparer avec la suite hermétique (*Corp. Hermet.* XII 13; Nock-Festugière, t. I, p. 179,14-17) : « L'âme est dans le corps, l'intellect est dans l'âme, le verbe dans l'intellect, Dieu est donc leur père à tous. Le verbe est donc l'image et l'intellect (εἰκὼν καὶ νοῦς) de Dieu. » Il est intéressant de voir la liaison entre la doctrine des enveloppements et la doctrine de l'image, le réceptacle étant image de l'hypostase supérieure, cf. Plotin, *Enn.* V 2,1,15-20.

1,6. ipse. — λόγος *sensualis.*

1,6. sensualis. — = *anima.*

1,7. ad sua. — L'ensemble des choses propres aux choses divines, c'est-à-dire leur intégrité, leur totalité, leur plénitude, cf. *in Ephes.* 1,4 ; 1241 a 12 : « Quae plenitudo nihil aliud est quam quod omne quod eius est, ipsius sit. »

1,8. pars ... imago. — Cf. IV 32,20, où toute partie des choses divines est identique au tout ; ici chaque partie est image du tout, c'est-à-dire est le tout selon son point de vue propre. Cette doctrine qui enseigne l'homéomérie du monde intelligible remonte à Numénius, cf. Stobée, *ecl.*, Meineke, I, p. 264,1 sq. : « Ils déclarent que toute la substance incorporelle est homéomère et qu'elle est identique et unique, en sorte que sa totalité soit en l'une quelconque de ses parties. » Sur ceci, voir E. R. Dodds, *Proclus, Elements of Theology*, p. 254, note 5 et p. 237.

1,10. cetera. — Désigne très probablement les termes énumérés après λόγος en 1,4. Mais dans cette série, seule, l'âme est *divina.* D'ailleurs, c'est bien le sens de 1,10-11.

1,12. — Cf. I 19,10.

1,14-36. L'image de la lumière est consubstantielle

à la lumière. — Résumé de la démonstration du consubstantiel, telle qu'on la trouve tout spécialement dans le livre II, c'est-à-dire fondée sur les formules de la confession de foi : *deum de deo, de vero lumine verum lumen, de spiritu spiritum* (cf. II 2,22-26). Comme en II 10,4 sq., Victorinus conclut de ces formules au consubstantiel, en identifiant *spiritus, lumen, deus* avec *substantia.* Comme en II 1,28 ou en II 3,26, il identifie *substantia* à *suum esse.* D'où la simplicité du raisonnement : si le Père est Dieu, lumière, esprit ; si le Fils est Dieu, lumière, esprit, Père et Fils sont de même substance. Une seule nuance nouvelle par rapport à II 10,4, l'affirmation de l'identité, dans les choses divines, entre substance et qualité (1,19-25). Enfin, la procession du Fils est assimilée, d'une part au rayonnement de la lumière (cf. I 31, 41 n.), d'autre part, à l'actuation de la puissance, ce qui rappelle très nettement II 2,7-11 et II 3,34-47.

1,16. de spiritu nonnisi spiritus. — Allusion probable à *Ioh.* 3,6 que nous retrouvons en IV 6,34 ; IV 9,10 ; IV 14,11.

1,19. suum esse. — Cf. IV 2,17.

1,24. ista duo unum. — Il s'agit évidemment de l'être selon la substance et de l'être selon la qualité, cf. IV 2,19. Pour l'identification entre substance et qualité dans le monde intelligible, cf. Plotin, *Enn.* V 9,10,15 et II 6,3,7-14.

1,27. inconexa. — Cf. 5,25.

1,27-29. — Dieu est un, quant au nombre, puisqu'il est un seul Dieu, mais il n'est pourtant pas une unité numérique, parce que le nombre lui est postérieur. La doctrine de l'Un transcendant au nombre, et spécialement au nombre un, est traditionnelle dans les spéculations pythagoriciennes, cf. A.-J. Festugière, *Le Dieu inconnu*, p. 18 sq.

1,30. sine fantasia. — Cf. IV 23,6 et 17.

1,30-33. — Cf. I 63,21-24 (*scissio, effusio, protentio*) et I 41,31 (*scissio, emissio partis*, cf. I 41,20-35 n.). Le premier de ces textes parallèles se rapporte à l'âme, image de Dieu. Ces termes techniques rejettent les objections contre l'*homoousios* que faisaient les homéousiens (cf. I 41,20-35 n.) et, d'une manière générale, tous les ariens. Cf. Athanase, *expos. fidei*, *PG* 25,204 b 8 : ἀδιαιρέτως ἀρρεύστως. Le monde intelligible, a-t-on dit plus haut, n'est pas composé de *parties*, mais d'*images* consubstantielles ; Dieu ne se divise donc pas, mais engendre une image. Ou encore, si Dieu est un, le Fils ne peut procéder de lui par division ou tout autre mode impliquant composition. Une seule hypothèse possible, l'actuation de la puissance, ce qui signifie que la totalité de la réalité divine contenue dans le Père se manifeste, se distingue, se détermine, en restant parfaitement identique à elle-même, cf. II 2,7-11 et 3,34-41.

1,32. geminatio potentiae. — C'est-à-dire que le Fils n'est pas une seconde puissance identique au Père, mais il est l'acte de la puissance paternelle. Sur la *geminatio*, cf. IV 3,4 et 38 ; IV 13,19.

1,33-35. — Cf. 2,6-9.

1,36. simile. — Contre les homéens réfutés dans le livre II.

1,36 – 2,11. Le Logos, lumière de lumière, révélation consubstantielle du Père. — Après avoir rappelé sa doctrine du Fils de Dieu, image consubstantielle du Père et acte de la puissance paternelle, Victorinus rappelle maintenant sa doctrine du Fils, révélation du Père, longuement exposée, notamment en I 53,9-26 et en II 4,19-22. Mais à ce thème vient se lier un autre thème, nouveau celui-là, c'est celui d'*Exode* 33,20 : on ne peut voir Dieu sans mourir (cf. IV 8,54 et IV 30,7). Nous qui sommes extériorisés, qui sommes dans l'acte, nous ne pouvons saisir la puissance nue. Nous n'avons qu'une seule source de connaissance, l'acte même qu'est le Fils de Dieu. Autrement dit, on ne peut connaître Dieu *positivement* que *dans le Logos*. Également, nouveauté de vocabulaire : Dieu comme « *cessans* vita et intellegentia » (cf. 2,36 ; 2,41 ; IV 8,27 ; IV 24,13 ; *hymn.* III 230 ; l'idée de mouvement immobile n'est pas neuve : I 50,2). On retrouve la même idée d'une intelligence à l'état de repos dans un texte de Plotin, dont M. Dodds a bien montré l'étroite parenté avec les idées de Numénius, lors des *Entretiens* de la Fondation Hardt à Vandoeuvres-Genève en 1957 ; il s'agit d'*Enn.* III 9,1,15-18 : « Rien n'empêche que l'Intelligible (τὸ νοητόν) soit l'Intelligence elle-même à l'état de repos, d'unité, de calme (νοῦν εἶναι ἐν στάσει καὶ ἑνότητι καὶ ἡσυχίᾳ). » Cf. plus bas, IV 24,12 n. et IV 29,4 n.

1,45. mors. — Il y a donc opposition totale, incompatibilité absolue entre la vie extériorisée qui est la nôtre et la vie tout intérieure de Dieu. Le Logos, lui, est bien acte extériorisé, mais cet acte est indissolublement conversion, retour à l'intérieur parce qu'il est non seulement vie, mais intelligence. De soi, notre vie n'est pas ainsi convertie. C'est dans la mesure où elle s'identifie à la conversion du Logos qu'elle peut connaître Dieu et être sauvée.

1,46. simile simili videtur. — Le vieil adage est appliqué aussi par Porphyre à la connaissance de Dieu, *sentent.* XXV ; Mommert, p. 11,5.

1,48. mors. — Cette mort doit donc s'entendre comme une conversion, à la fois mort au péché et mort au corps, suivant la tradition paulinienne (*Rom.* 6,10) et platonicienne (cf. Porphyre, *sentent.* IX ; Mommert, p. 2,14).

2,2. per Christum et nos. — Peut-être, souvenir de *I Cor.* 8,6.

2,4. motus et adiectio. — Victorinus semble identifier le Logos, *vita et intellegentia*, avec la dyade qui suit immédiatement l'Un, cf. Asclépius, *in metaphys.*, Hayduck, p. 36,24 : ἔλεγον (= les pythagoriciens) δὲ καὶ κίνησιν αὐτὴν (*sc.* τὴν δύαδα) καὶ ἐπίθεσιν. Trace de l'idée pythagoricienne selon laquelle le nombre (mouvement et addition) permet la connaissance, cf. *hymn.* I 8 n.

2,5-6. vitam ... imaginem. — Même liaison de ces deux concepts en I 53,19-26 et en IV 8,41 et 50 (influence homéousienne ?).

***

2,12 — 4,5. Père et Fils sont consubstantiels comme la substance et le mouvement. — Cette deuxième partie correspond à une exposition de l'*homoousios* selon le rythme *binaire* : Père-Fils, substance-mouvement. Dans la conclusion, on en trouvera le résumé en 17,13-24. Le schéma fondamental est ici l'opposition entre *substantia* et *motus*, tandis que, dans la troisième partie, ce sera la triade *esse-vivere-intellegere*. Nous avons ici un petit traité *de homoousio* assez analogue à ceux que nous avons rencontrés en I a, par exemple I 19,23-59 ; 20,8-23 ; 22,28-55 ; 24,9-18 qui ont exposé comment *esse-species* ou bien *esse-agere* ou bien *substantia-forma* ou bien *substantia-imago* constituaient des rapports consubstantiels s'impliquant mutuellement, selon un ordre déterminé, le second terme étant engendré par le premier, et unique engendré. Ces exposés assez courts se terminaient d'ailleurs presque toujours par une étude du rôle économique de l'*imago* ou de la *forma* entrant en contact avec le monde et s'y incarnant. Nous rencontrons ici le même schéma : consubstantialité de *substantia* et de *motus* (autrement dit, possibilité d'un mouvement substantiel) et rôle vivificateur et salvateur de *motus* qui est la vie universelle. D'une manière plus générale encore, nous retrouvons ici le schéma « théogonique » cher à Victorinus (cf. *ad Cand.* 2,16-30 n.) : 1° définition de Dieu comme puissance de l'être, de la vie et de l'intelligence; 2° description de la sortie de l'acte de cette puissance ; 3° identification de cet acte avec le Fils unique de Dieu.

***

2,12-54. Consubstantialité du Père et du Fils comme être et mouvement premiers. — Les articulations du développement sont assez nettes : 1° (2,12-21) Dieu, en tant qu'être, est mouvement intérieur (mouvement de vie et d'intelligence) et tourné vers soi; 2° (2,21-31) le mouvement intérieur (vie et intelligence) devient mouvement engendré en s'extériorisant; 3° (2,31-40) c'est le même mouvement qui, tourné vers soi, est substance et, tourné vers l'extérieur, est mouvement proprement dit; 4° (2,40-54) le mouvement tourné vers l'intérieur est le Père ; le mouvement tourné vers l'extérieur est le Fils unique. Ils sont consubstantiels, puisque le mouvement est identique à la substance. On reconnaîtra évidemment l'insistance très particulière ici sur l'identité entre mouvement intérieur et mouvement extérieur et une sorte de priorité du mouvement sur la substance. Cf. I 52,17-37 n. où l'on trouve également une spéculation sur la présence du mouvement dans l'être.

2,12-21. — On peut comparer

ad Cand. 21,4 sq.	I 50,1 sq.	III 2,12-21
primum igitur *ipsum esse in semetipsum conversum* et *moveri* et *intellegere* intus in requie positam *beatitudinem* omnimodis perfectam *custodit.*	praeintellegentia praeexsistens et praeexsistentia *beatitudinem* suam et *inmobili motione* semetipsum *custodiens.*	potentia deus est id est quod *primum* exsistentiae universale est *esse* quod secum, id est, in se, vitam et *intellegentiam* habet, magis autem *ipsum* quod est *esse* hoc est quod vita et intellegentiam, *motu interiore et in se converso...* semper plenum, semper totum, semper *beatum* est.

2,12. potentia. — Cf. I 50,12 ; I 52,3, et peut-être I 33,7.

2,12. primum ... universale ... esse. — Cf. IV 19,7 et 13. Cette notion d'être correspond à la notion technique d'*exsistentia* décrite en I 30,21 sq., c'est-à-dire à l'idée d'être antérieure à toute détermination.

2,14. habet ... est. — Cf I 50,29, justement à propos de *potentia.*

2,14-15. — Cf. I 50,10-15. Idée constante suivant laquelle l'être est, par lui-même, vivre et penser.

2,16. motus in deo. — Cf. *ad Cand.* 30,1-26 n. et *adv. Ar.* I 43,34-43 n.

2,20. agit sed intus. — Cf. I 4,3 n.

2,20. nullo eget extrinsecus. — Cf. I 3,22-30 n.

2,21-31. — La description de la naissance du mouvement extérieur est à rapprocher de I 52,30 sq. et I 57,13, c'est-à-dire des textes qui, dans I b, montrent la nécessité d'une extériorisation de la vie et de l'intelligence. D'une manière constante chez Victorinus, prouver la génération réelle d'une entité, c'est montrer la nécessité de son extériorisation, le passage de son état d'intériorité à son état d'extériorité (cf., entre autres, I 52 au sujet de la vie ou *ad Cand.* 14,6-25 sur la naissance de l'ὄν). Ici la vie, primitivement à l'intérieur (cf. I 52,37 : *intus igitur exsistentis vitae*) a *son objet à l'extérieur* ; elle est donc attirée au-dehors (*tracta* 2,25) ; là, elle devient intelligence, lorsqu'elle se tourne vers un *objet* qui cette fois est *à l'intérieur* (la substance divine, le Père), alors qu'elle-même est à l'extérieur (cf. I 51,23 : *vita conversa in sapientiam*; I 57,13-14). Ce schéma du mouvement de sortie et de retour du Logos, vie et intelligence, est donc très proche de celui que nous avons trouvé dans le livre I b. On retrouvera d'ailleurs plus bas (2,46) l'idée, si importante en I 57,10-11, de la vie cherchant à se voir elle-même, et l'idée, répétée en I 50,23-24 et I 57,20, de l'identité entre *motus* et *substantia.* L'intelligence apparaît donc nettement comme la conversion de la vie, et cette conversion propre de l'intelligence reproduit la conversion originelle du mouvement vers lui-même, dans la substance. La substance est un mouvement converti vers soi-même, définition qui permet d'affirmer la consubstantialité entre substance et mouvement, donc entre Père et Fils.

2,23. vivificat. — Cf. I 51,15-20.

2,22-26. — Cette accumulation négligée de phrases

courtes au sein d'une parenthèse caractérise particulièrement le style de ce livre III, cf. 2,44-50 ; 5,11-14 ; 7,23-27 ; 12,22-24.

2,25. tracta. — L'idée d'étirement (à la fois ligne de la vie humaine et ligne géométrique, symbole du mouvement du point) est liée à l'idée de vie ; cf. Plotin, *Enn.* V, 2,2,27 : οἷον ζωὴ μακρὰ εἰς μῆκος ἐκταθεῖσα. L'idée géométrique du « trait tiré » n'est pas exclue, cf. IV 8,39. C'est en tout cas cet « étirement » primitif de la vie qui va permettre à l'intelligence d'effectuer sa conversion, cf. le texte de Simplicius cité en I 32,51 n.

2,25-26. — Deux constructions possibles : 1° *tracta et vita* (ablatif absolu), *et*, *intellegentia* (sujet), *vel effulgente vel inluminante* (ablatif absolu se rapportant au sujet), *intellegit* ; 2° *tracta et vita* (sujet, accompagné d'un participe passé équivalant à la proposition, *postquam tracta est*), *et intellegentia* (attribut de *vita*), *vel effulgente vel inluminante* (verbes traités comme attributifs), *intellegit* (verbe dépendant de *vita*). On remarquera que, dans les deux constructions, on est obligé de considérer l'ablatif absolu *vel effulgente vel inluminante* comme se rapportant à un sujet au nominatif ; construction analogue, en I 51,10-12. La première construction donne le sens suivant : « Et après que la vie a été tirée au-dehors, l'intelligence, à son tour, connaît, lorsqu'elle rayonne ou s'illumine à partir de la vie. » Cette interprétation fait de l'extase de la vie la condition préalable à la conversion de l'intelligence. La seconde construction donne le sens suivant : « Et la vie après avoir été tirée au-dehors, rayonnant aussi ou s'illuminant comme intelligence, connaît ». Ce serait alors l'équivalent de I 51,23 : « Vita conversa in sapientiam. » Cette dernière interprétation marquerait mieux la continuité entre vie et intelligence et correspondrait notamment à l'idée exprimée en 2,46 : la vie cherche à se voir elle-même ; mais elle est grammaticalement plus difficile.

2,27. et substantia et vita et intellegentia. — Vie et intelligence sont substance : la substance ainsi engendrée ne constitue pas une hypostase distincte.

2,31-40. — Ce développement est la pièce essentielle de la démonstration de la consubstantialité entre substance et mouvement. On peut comparer avec la conclusion de tout le livre en 17,13-17. Les deux premières lignes de notre développement présent (2,31-33), si elles répètent à peu près 2,22-23, ne sont pas inutiles. Ici, comme en I 41,50 – 42,41 (n.), la vie joue un rôle privilégié : elle est à la fois la substance et le mouvement, parce que sa substance propre est justement le mouvement par soi (cf. également I 52,17-37 n.). La vie a un double état : un état de conversion vers soi où elle se pose comme être, un état de conversion vers le dehors, où elle se met en acte, en mouvement pour vivifier. Victorinus insiste bien sur la continuité entre le mouvement tourné vers soi et le mouvement tourné vers l'extérieur qui ne se distinguent que par leurs orientations différentes. On pensera à la τονικὴ κίνησις stoïcienne (cf. Némésius, *de natura hominis* 2,29 ; Matthaei, p. 70,10 ; *PG* 40,540 a 9, et Simplicius, *in categ.*, Kalbfleisch, p. 269,14), mouvement alternatif qui, se tournant vers l'intérieur, produit la substance et, vers l'extérieur, produit la détermination, théorie qui avait pu servir de schéma à des doctrines platoniciennes. D'autre part, on retrouve dans la tradition pythagoricienne, dont Favonius Eulogius est un des témoins, une doctrine sur l'extériorisation du mouvement primitivement immobile (Favonius Eulogius, *de somn. Scip.*, Holder, p. 3,32) : « Dyas vero, ut theologi asserunt, secundus est motus. *Primus* enim *motus* (cf. Victorinus, *adv. Ar.* IV 8,26 : « Esse enim *primus motus* est qui *cessans* dicitur *motus*, item intus motus ») in monade, *stabilis* et *consistens*, in dyadem veluti *foras egreditur.* » Il est difficile de dire quels étaient ces « théologiens » dont parle Favonius Eulogius qui distinguaient ainsi monade et dyade comme le mouvement immanent et le mouvement transitif (cf. CAND I 6,14-17).

2,36-40. — Transcendance de l'être divin par rapport à l'opposition *mouvement-repos.* Cette transcendance pouvait d'ailleurs s'appuyer sur des textes de Platon, par exemple *Sophiste* 250 c ou *Parménide* 139 b ; l'idée se retrouve chez Plotin, *Enn.* III 9,7,1 : τὸ μὲν πρῶτον δύναμίς ἐστι κινήσεως καὶ στάσεως.

2,38. societate. — Cf. *Sophiste* 250 b où il est question de la communauté qu'ont mouvement et repos avec l'être : πρὸς τὴν τῆς οὐσίας κοινωνίαν.

2,39. forma. — Il s'agit d'une forme intérieure et infinie, cf. IV 20,20.

2,40-54. — Phase habituelle des exposés théologiques de Victorinus : l'identification entre les entités métaphysiques étudiées et les personnes divines (cf. *ad Cand.* 2,16-30 n.). Le mouvement immobile est identifié au Père, le mouvement tendant vers l'extérieur, au Fils, puisque la génération est pour Victorinus extériorisation.

2,44-46. — Cette identité est significative. Le mouvement vers l'extérieur n'est pas seulement volonté vivificatrice, donc rapport à la création. Il est aussi relation *ad intra*, puisqu'il est désir de se voir et de se connaître (cf. I 57,7-58,13 n.). En fait le mouvement vers l'extérieur, comme le montrent les lignes suivantes (2,46-50), correspond à la nécessité d'un dédoublement, permettant la conscience de soi ; c'est la fécondité de la monade qui exige ce déploiement de la dyade. Le thème de la connaissance de soi est encore plus important en ce livre III (cf. 4,30 ; 8,19) que dans le livre I b ; il triomphera définitivement au livre IV 24 sq.

2,47. geminus. — Cf. Plotin, *Enn.* V 3,10,23-28 ; *Enn.* III 9,7,4 : διπλοῦν δὲ τὸ νοοῦν κἂν αὐτὸν νοῇ; V 3, 10,45 ; V 4,2,10-11 ; IV 3,1,12 ; V 1,5,18 ; VI 7,39,10 : ὅλως δὲ οὐχ ἁπλοῦς γίνεται νοῶν ἑαυτόν (tout le contexte est intéressant).

2,49. foras spectans. — Cf. I 57,14 ; IV 24,18.

2,52. omnis ... universalis ... unus ... motus. — Cf. 3,10, identification de ce mouvement unique et universel avec la vie ; 7,40 ; 8,1 sq. ; 15,33. Il s'agit donc bien d'une notion technique : *le* mouvement originel et universel, indissolublement vie et intelligence. Il faut identifier cette notion à celle de I 51,2 sq., c'est-à-dire à la *motio infinita* qu'est la vie. Comparer également avec les qualificatifs du Logos et de l'Existant premier en *ad Cand.* 15, 1-6 et 27,1-4.

***

3,1 — 4,5. Le mouvement est « tout ». — Définir le Fils comme mouvement universel et originel et comme vie, c'est non seulement rendre compte de la consubstantialité, mais aussi expliquer au mieux l'Incarnation et la Rédemption. En effet, la notion de vie universelle permet d'expliquer l'Incarnation, parce que la vie tend naturellement à descendre vers les inférieurs pour leur communiquer la vie, et parce que, restant universelle, elle universalise toute chose. Nous avons donc maintenant une description de ce que Victorinus appelle fréquemment le « mystère », c'est-à-dire l'économie, le rapport entre l'Absolu divin et les créatures : création, incarnation, rédemption. C'est aussi ce qu'il a appelé, en I 24,16, l'acte du Logos.

Articulations du développement : 1° le Fils est tout ce qu'est le Père et spécialement il est vie (3,1-11) ; 2° en tant que vie, et que Logos, le Christ est celui, par qui, pour qui, en qui toutes choses ont été faites (3,11-18); 3° éternité et infinité de la vie qui s'étend depuis les choses divines jusqu'à la matière (3,18-26); 4° le Logos plénier est aussi Logos de l'âme et Logos de la chair (3,27-46); 5° le Logos a donc assumé l'homme tout entier dans l'Incarnation, et l'a sauvé en lui donnant l'universalité (3,46-52); 6° conclusion : le Logos est un seul Dieu avec le Père (4,1-5); le mot *omnia* (3,1) résume parfaitement l'universalité du Logos : la *totalité*, en puissance dans le Père, s'actue dans le Fils qui, réellement, est Logos, âme, corps : son Incarnation révèle qu'il est le Logos de l'âme et du corps, c'est-à-dire de l'homme, qu'il est l'homme universel, à la fois macrocosme et microcosme. Ce thème de l'universalité du Logos déjà rencontré dans le livre I b (I 57,1 ; I 60-64) réapparaîtra dans le cours du livre III (11,22 – 12,46).

3,1. omnia. — Cf. I 57,1; I 57,2-4 (n.); IV 30,29 sq. qui présente d'ailleurs un contexte analogue : mêmes textes de *Ioh.* 16,15 et 5,26, même développement sur le rôle vivificateur universel du Logos. *Omnia* se rapporte évidemment à *Ioh.* 16,15 et désigne la plénitude de l'être et des êtres.

3,3. ad causam. — Cf. 10,36 et le contexte.

3,3. motui causa substantia. — Cf. 2,43.

3,6-8. — Ces deux textes de saint Jean sont liés ensemble depuis *adv. Ar.* II 7,17 ; on les retrouve en III 6,26 ; IV 30,37. D'ailleurs tous deux prennent de l'importance à partir du livre I b (I 51,7 et I 55,28). Ils deviennent vraiment les textes de base de la réflexion trinitaire de Victorinus, *Ioh.* 16,15 servant à fonder la consubstantialité, et *Ioh.* 5,26, l'autonomie des deux mouvements, des deux vies que sont le Père et le Fils.

3,7. ex se. — Cette variante (le texte reçu étant *in se*) apparaît ici pour la première fois ; elle est répétée en III 6,26 ; III 7,47 (*a se*) ; IV 14,16 et 30 ; IV 30,40 (*a se*) et *hymn.* II 17-25 (*a se*). Une seule exception, III 10,16. Cette variante correspond à la volonté de Victorinus d'utiliser le texte pour prouver que Père et Fils sont *vita ex se*, c'est-à-dire *a se motus*. Premier emploi du texte de saint Jean en ce sens, mais sans variante, I 41,3 et 56. Ces emplois peuvent provenir d'une réflexion de Victorinus sur les documents homéousiens, qui utilisaient abondamment ce texte (cf. 41,1 – 43,4 n.).

3,14. redeunt. — Cf. I 36,21 ; *hymn.* I 16.

3,16-17. — Formule compliquée pour dire que ce qui ne vit pas n'est pas, cf. 4,26-28; IV, 10, 45-46 et 18,47.

3,18-26. — La démonstration de l'éternité de la vie reprend des éléments de la démonstration de l'éternité du principe automoteur qu'est l'Ame, dans le *Phèdre* 245 c; notamment le *numquam desinit* reprend οὔποτε λήγει (Cicéron, *tuscul.* I 23,53 : « Numquam ne moveri quidem *desinit* ; I 23,54 : « Quod si numquam oritur, ne occidit quidem umquam »); cf. IV 6,38 et IV 9,18. Quant au thème de l'omniprésence de la vie, assurée par son extension des choses divines à la matière, par sa descente vers les inférieurs, il est fréquent chez Victorinus, par exemple I 26, 26-43; I 51,10-15 ; IV 10,45 – 11,38. Assez répandu dans la tradition platonicienne, le thème remonte en dernière analyse à la description stoïcienne du Logos étendu à travers tous les êtres (cf. Athanase, *contra gentes* 40; *PG* 25, 80 b – 88 d). On le trouve extrêmement développé et très proche du vocabulaire de Victorinus, chez Synésius, par exemple *hymn.* 1,316 sqq, Terzaghi; 2,175 (don de la vie à tous les degrés d'être) ; 2,181 sq. (anges, âme, monde visible) ; 2,145. Sur les sources « chaldaïques » de cette doctrine de Synésius, cf. W. Theiler, *Die chaldaische Orakel*, p. 27-31. Le développement de Victorinus s'achève sur l'affirmation de l'animation de toutes choses y compris la matière (cf. I 61,17 n.).

3,27-29. — Convenance de l'Incarnation. Cf. Athanase, *de incarnat. Verbi* 41 ; *PG* 25,168 d (trad. P. Th. Camelot, p. 286) : « Si donc le Verbe de Dieu est dans le monde qui est un corps et qu'il est venu dans toute et en chacune de ses parties, *qu'y a-t-il d'étonnant* (τί θαυμαστόν) et d'étrange (= *non mirum* 3,28) à dire qu'il est venu aussi en l'homme ? » La doctrine stoïcienne de l'omniprésence du Logos sert donc d'argument apologétique pour fonder une convenance de l'Incarnation.

3,29. subveniret. — Cf. IV 17,35 ; « *Subvenire* était le terme propre, dans la langue de l'Afrique chrétienne au IVe siècle, pour désigner le secours accordé aux hommes par le Christ » (P. Monceaux, *Une invocation au « Christus medicus » sur une pierre de Timgad*, dans *Comptes rendus... de l'Acad. des Inscript. et B.-Lettres*, Paris, 1920, p. 77-78).

3,30-46. — Deux idées étroitement liées : 1° le Logos assume tout l'homme, l'âme et la chair ; 2° le Logos assume le Logos de l'âme et le Logos de la chair, c'est-à-dire non seulement une âme ou une chair particulière, mais le Logos universel de l'âme et de la chair, c'est-à-dire la totalité des âmes et des corps. Ainsi il sauve à la fois tout l'homme et tous les hommes. Cette insistance sur l'assomption de l'homme total (âme et corps, cf. 3,46-47) peut trahir les premières préoccupations provoquées par la diffusion de l'hérésie apollinariste, cf. Athanase, *ad Epict.* 7 ; *PG* 26, 1061 b 3 : « Ce n'est pas du corps seul, mais de l'homme tout entier, corps et âme que le salut s'est opéré dans le Verbe lui-même. » D'autre part, l'idée d'une assomption des *logoi* universels de l'âme et de la chair s'inscrit dans la riche tradition qui voit dans l'incarnation non seulement l'assomption d'un homme, mais l'assomption de l'*idée* d'homme. On sait que cette tradition, dont Irénée est le premier témoin (*demonstr. evang.* XXXIV ; *TU* 31,1 ; trad. allemande, p. 20 : « Le Fils de Dieu a été crucifié pour tout »), est particulièrement en honneur chez Hilaire, par exemple *in psalm.* 51, nº 16 ; *PL* 9,317 c : « Naturam in se universae carnis adsumpsit per quam effectus vera vitis, genus in se universae propaginis tenet »; *in Matth.* II 5; *PL* 9,927 a : « Erat in Christo Iesu homo totus, atque ideo in famulatum spiritus corpus adsumptum, omne in se sacramentum nostrae salutis explevit »; *de trinitate* II 24 ; *PL* 10,66 a-b, et II 25 ; *PL* 10, 67 a 4 : « assumptione carnis unius interna universae carnis incoleret. » Victorinus emploie, pour désigner l'idée préexistante d'âme et de corps, l'essence ou nature universelle de l'âme et du corps, le mot *Logos* déjà rencontré en I 58,20. Voir les parallèles en 12,15-17; IV 7,10-20 n.; *hymn.* II 8-10 n.

3,31-32. — Cf. *hymn.* II 50.

3,34-46. — Cette argumentation antiapollinariste utilise certains textes d'Écriture qui reviendront souvent dans la controverse postérieure (*Ps.* 15,10, cf. Athanase, *contra Apollinar.* II 14 ; *PG* 26,1156 c 6-8 ; — *Ézéch.* 18,4, *contra Apollinar.* I 19 ; *PG* 26,1125 c 15 - d 1 ; — *Matth.* 26,39, Ambroise, *de incarn.* VII 63). Victorinus semble bien être le témoin le plus ancien de cette argumentation.

3,40-45. — Démonstration de la présence, dans le Christ, d'une âme, non seulement animale, mais raisonnable. C'est tout le problème de la psychologie humaine du Christ. Voir à ce sujet M. Pohlenz, *Vom Zorn Gottes*, dans *Forschungen z. Rel. Lit. des Alt. u. Neu. Test.* I (XII) (1909), p. 30, qui remarque avec raison que Victorinus suit ici le schéma platonicien des parties de l'âme (l'irascible = *irascitur* ; le concupiscible = *cupit* ; le rationnel = *ratiocinatur*).

3,46-52. — C'est le principe fondamental qui sera celui de Grégoire de Nazianze, *epist.* 101,6; *PG* 37,181 c 10 : τὸ γὰρ ἀπρόσληπτον, ἀθεράπευτον. Ὃ δὲ ἥνωται τῷ θεῷ, τοῦτο καὶ σώζεται : n'est sauvé que ce qui est assumé ; principe qui est déjà celui d'Origène, *Entr. av. Héraclide* 7,5 ; Scherer, 1re éd., p. 136,16. Mais, parce qu'il est Logos, le Logos en assumant une âme et un corps, confère à cette âme et à ce corps, un caractère universel : c'est en somme la théorie du second Adam; le Christ est la source et le type de l'humanité. Jusqu'à un certain point le salut est universalisation, ou plutôt verbification, suivant la forte expression d'Athanase, *contra arianos* III 33; *PG* 26,396 a 6 : λογοθείσης τῆς σαρκὸς διὰ τὸν τοῦ θεοῦ λόγον.

3,49. haec in crucem sublata atque purgata. — Cf. *in Galat.* 6,14 ; 1196 d 1-6 : « Ipsa est gloria, crux, scilicet domini nostri Iesu Christi, quoniam (mss) mysterio illo, dum carnem suspendit cruci et in ea potentiam huius mundi triumphavit, omnis mundus per illum crucifixus est. Sed quoniam catholicum ille corpus ad omnem hominem habuit, omne quod passus est catholicum fecit, id est ut omnis caro in illo crucifixa sit. » Ainsi c'est, pourrait-on dire, le corps humain en soi qui est crucifié ; mais aussi l'âme humaine. C'est l'idée magnifique d'Irénée, *demonstr. evang.* XXXIV ; *TU* 31,1 ; trad. allemande, p. 20 : « Car, par le Verbe de Dieu, tout est sous l'influence de l'économie rédemptrice et le Fils de Dieu a été crucifié pour tout, ayant tracé le signe de la croix sur toutes choses. »

3,52. Amen. — Ne coupe pas plus le développement qu'en I 26,54.

4,1-5. — Ces lignes rassemblent en une seule formule tout l'enseignement concernant d'une part la consubstantialité du Logos avec le Père, d'autre part le rôle cosmique de ce même Logos. Cf. *ad Cand.* 23,7-10 ; *adv. Ar.* II 2,41-46. Cf. *hymn.* I 14-19 : *semen, sapientia, virtus.*

4,4. actuque. — L'autogénération du Fils ne brise pas l'unité divine.

***

4,6 — 17,9. Père et Fils, substance et mouvement, sont consubstantiels, et Fils et Esprit-Saint, vie et sagesse, sont également consubstantiels. — Deux parties d'inégale importance : une introduction métaphysique sur les rapports entre être, vivre et penser (c. 4 et 5) ; ensuite l'application de cette théorie métaphysique au rapport entre Père, Fils et Esprit-Saint. Victorinus, qui prend toujours la peine de souligner fortement la marche de sa pensée, nous donne en 9,1-8 (en attendant la conclusion, 17,10-18,18) un excellent résumé : partant de l'opposition substance-mouvement qui caractérisait les rapports du Père et du Fils dans la première partie, il passe à la trinité, en dédoublant le mouvement en vie et sagesse. Ce passage explique l'introduction (c. 4 et 5) sur l'être, vivre, penser (vivre et penser représentant le mouvement de la substance). D'autre part (9,6-7), la réflexion sur l'être, vivre, penser conduit à découvrir la raison profonde de l'unité dans la trinité : *les Trois sont en chacun.* Ce principe, déjà rencontré en I b (54,7), est abondamment illustré par la preuve scripturaire qui suit (9,9 – 11,21). Et après un excursus qui reprend la polémique contre l'apollinarisme naissant, en montrant que le Logos plénier est Logos, âme et corps (11,22 – 12,46), la preuve scripturaire reprend, pour appuyer, cette fois sur l'Écriture, la formule, chère à Victorinus, qui définit le Père et le Fils comme *duo unum* et l'Esprit-Saint comme *in uno duo* (13,1 – 17,9 = 18,11-18). On voit que le mouvement de la pensée est très lié, très continu en cette partie essentielle du livre III. C'est la réflexion de I b qui continue, mais plus systématique et plus ferme.

***

4,6 — 5,31. Être, vivre, penser. — On a ici, très probablement emprunté textuellement à une source néoplatonicienne, le plus long développement de Victorinus consacré à l'implication réciproque de l'être, du vivre et du penser, donc au schéma philosophique qu'il utilise constamment pour énoncer le mystère trinitaire. L'exemple emprunté au phénomène de la vision vient probablement de la même source. La présentation de cette doctrine, telle qu'on la trouve chez Victorinus, a certains traits caractéristiques qui permettent, sinon de nommer sa source, du moins de préciser sa situation historique. L'élaboration de la doctrine dépasse le stade qu'elle avait chez Plotin, chez qui être, vie et pensée représentaient la plénitude de l'être intelligible (*Enn.* VI 6,15,1 ; VI 6,8,12 sq.), mais sans que, chez lui, une doctrine systématique rende compte de leur implication réciproque. D'autre part, elle n'a pas encore atteint le stade de Proclus pour qui l'être, la vie et la pensée sont trois degrés de la réalité (cf. E. R. Dodds, *Proclus, Elements of Theology*, p. 252-254, commentaire des *prop.* 101-104, qui montre bien comment Proclus cherche à concilier la conception qui voit dans l'être, vivre, penser trois aspects de la même réalité, et celle qui y voit trois degrés de la réalité). Victorinus insiste sur l'unité des trois dans l'être et sur leur implication réciproque.

Articulations du développement : 1° état d'identité originelle du vivre et du penser dans l'*être* (4,6-11) : l'être, par lui-même, est vivre et penser ; 2° état d'autoposition consubstantielle du *vivre* et du *penser* : si l'être, par lui-même, est vivre et penser, vivre et penser eux-mêmes sont, par eux-mêmes, être ; ils sont *causa sui*, leur puissance propre se fait exister ; mais, comme il s'agit de choses en soi, identiques à leur être propre, vivre et penser sont identiques à l'être (4,11-19) ; 3° donc, ayant un seul être, vivre et penser sont un (4,19-25) ; 4° être, c'est vivre (4,25-30) ; 5° parce que vivre, c'est penser qu'on vit (4,30-32) ; 6° donc ils sont une seule substance = l'*esse*, et trois hypostases puisque chacun est être, vivre, penser, selon son mode propre (4,32-46).

Suit un exemple, illustrant l'implication réciproque des trois moments (5,1-31). Dans la vision, on peut distinguer trois choses : la *puissance* visuelle, l'acte de la *vision*, l'acte de *reconnaître* ce qu'on voit (5,1-6). En puissance (cf. plus haut 4,6-11), les trois moments sont confondus dans la puissance visuelle, donc dans l'être (5,6-9). *En acte*, la vision est comme la vie de la puissance visuelle (5,9-19). Mais l'acte de la vision ne peut être considéré seul que par abstraction : il est toujours accompagné de l'acte de distinguer, de juger ce qu'on voit (5,19-24). Donc les trois moments sont impliqués les uns dans les autres, comme être, vivre, penser (5,24-31). C'est la même comparaison qu'en I 40,9-23 (n.) ; mais alors que, dans ce texte parallèle, seul le rapport entre la puissance visuelle et son acte était étudiée, ici le rapport n'est plus dyadique, mais triadique, comme il se doit, en vertu du sujet du livre ; l'acte lui-même est double : vision et reconnaissance.

On sait qu'Augustin, *de trinitate* XI 2,2-5, étudie lui aussi une trinité dans la vision (*res, visio, animi intentio*) mais, comme il le reconnaît lui-même, trinité toute relative et présentée uniquement pour montrer la force unitive de la volonté.

4,6. etenim. — Comme en IV 10,45, marque le commencement d'un développement nouveau, beaucoup plus qu'il n'introduit une explication. Toutefois, il y a une certaine transition qui s'effectue de *omnium substantiarum* à *ista*.

Les parallèles (IV 2,20 et IV 25,17) montrent bien qu'il faut entendre *ista* comme désignant les choses d'en haut.

4,7. esse, vivere, intellegere. — Cf. IV 22,1 ; Victorinus remonte ici du caractère substantiel, vivant et intelligent des choses intelligibles à leur source, l'être, le vivre, le penser en soi.

4,8. in eo. — Cf. IV 18,51, dans un développement parallèle à celui-ci. Sous des formules différentes, c'est toujours la même idée, exposée dans tout le début du livre : l'acte, le mouvement, la forme sont confondus, en Dieu, avec la substance ; en Dieu, tout est être ; l'être de Dieu est acte d'être. Son « vivre » et son « penser » consistent à être. C'est l'état primitif d'unité des trois, cf. Plotin, *Enn.* VI 2,8,36 : ταῦτα εἰς ἓν καὶ ἐν ἑνὶ καὶ πάντα ἕν.

4,10. hoc est vivere, hoc intellegere. — Ce vivre et ce penser sont confondus avec l'être.

4,11. subsistentia. — Participe présent ; construction périphrastique.

4,11-19. — L'argumentation est ici fondée sur le sens ontologique du verbe *esse* (la vie *est*), et sur l'affirmation de l'identité entre essence et existence dans les choses en soi : la « puissance propre » (4,14) de la vie, c'est son essence ; la vie en soi existe réellement par le fait même qu'elle est vie en soi. Donc la vie est identique à l'être. On remarquera le glissement de *vivere* à *vita* et d'*intellegere* à *intellegentia*, déjà constaté en I 41,44 ; en I 54,6. Le livre IV (1,4) distinguera entre *vivere* et *vita*, entre *intellegere* et *intellegentia* (IV 26,4-5). Il n'y a pas incohérence, car, d'une manière générale, *vita* désigne la *forma*, et *vivere*, la *substantia*, l'*esse*. Et ici, Victorinus affirme justement l'identité entre la forme et la substance. On remarquera bien qu'ici Victorinus ne prouve pas que *l'être est vivre*, mais que le *vivre est être* ; c'est la proposition réciproque de ce qui a été affirmé en 4,6-11. C'est l'unité de l'être en soi qui assure la réciprocité des deux propositions.

4,11-13. — En Dieu, il y a identité entre la substance et la forme, le vivant et la vie. Cf. IV 2,6-8 ; IV 11,29 ; IV 14,20. La problématique remonte, en dernière analyse, aux affirmations de Platon sur l'âme, ayant la vie par essence (*Phédon* 105 c sq.) et d'Aristote, *de anima* II 4,415 b 13 : τὸ δὲ ζῆν τοῖς ζῶσι τὸ εἶναί ἐστιν.

4,17. illi. — Il s'agit de la pensée *en soi*, en qui se réalise l'identité de l'être et du penser.

4,19-21. — L'être propre de la vie et l'être propre de la pensée, étant chacun identique à l'être en soi, sont identiques entre eux.

4,21-22. unum ... idem. — Hyperbate.

4,22. in singulis atque in binis. — *In singulis* : être = vie, être = pensée ; *in binis* : être et vie = être et pensée. C'est la conclusion des prémisses exposées en 4,19-21. Ce mode de raisonnement remonte finalement au *Sophiste* 250 a et 254 d : τὸ δέ γε ὂν μεικτὸν ἀμφοῖν· ἐστὸν γὰρ ἄμφω που.

4,25-30. — Sur l'identité de l'être et de la vie, cf. IV 18,47, et surtout IV 10,45 – 11,38.

4,30-32. — L'identité vivre-penser est liée dans tout le livre III à la notion d'éternité, cf. 8,16-19 ; 13,7, et cette éternité de la vie, à la conscience de la vie, cf. 15,35 ; 8,19. C'est à la fois la doctrine de *Ioh.* 17,3 (cf. 8,23) et celle de Plotin, *Enn.* III 8,8,27 : ἡ ζωὴ ἡ ἀληθεστάτη, νοήσει ζωή ἐστιν.

4,30. scire quod vivas. — Cf. Augustin, *de trinitate* X 10,13 : « Sic ergo se esse et vivere scit » à propos de l'âme ; X 4,6 : « Novit autem vivere se » ; XV, 15,25. Proclus, *elem. theol.*, *prop.* 189 (Dodds, p. 164,20) fonde lui aussi l'identité de l'être et du vivre de l'âme sur la capacité qu'elle a de se connaître soi-même (se connaissant elle-même, elle se convertit ; se convertissant, elle se fait exister et vivre par soi).

4,32-46. — Ici, il est difficile de dire si c'est la formule théologique : *une substance, trois hypostases*, qui vient au secours de la formulation philosophique ou si c'est l'inverse. En tout cas, la rencontre est intéressante. La formule théologique, toute nouvelle alors, sert ici, non plus, comme en II 4,51 où Victorinus l'avait citée pour la première fois, à préciser les sens d'ὑπόστασις et d'οὐσία, mais à exprimer le statut ontologique tout spécial de l'être, vivre, penser. D'ailleurs le vocabulaire est identique à celui de II 4,51-53 : *substantia* correspond à *esse* ; *subsistentia* à *esse cum forma* (ici *vis ac significantia sua*). L'*esse* est le *fondement* des deux autres, donc il est la substance, mais il se détermine lui-même, et les deux autres se déterminent suivant leur notion propre, sans cesser d'être identiques les uns aux autres ; chacun est les trois ; c'est toujours le principe d'individuation par prédominance, cf. I 54,9-12. Il y a donc trois hypostases, trois déterminations individuelles de la substance.

4,35. subsistentia. — Le parallélisme avec *substantia* montre qu'il s'agit cette fois du substantif à l'ablatif et non du participe comme en 4,11.

4,35-36. — C'est le passage de l'*epinoia* à l'*hypostase* :

les distinctions conceptuelles deviennent des distinctions réelles subsistantes. C'est la même démarche que chez Plotin, *Enn.* VI 2,8,1 : « Il faut les poser comme trois, puisque l'intelligence a de chacun d'eux une notion séparée. Dès qu'elle les pense, elle les pose, et, puisqu'elle en a l'idée, ils sont... Pour les choses sans matière, la notion qu'en a l'intelligence est leur être même (ἃ δ' ἐστὶν ἄϋλα, εἰ νενόηται, τοῦτ' ἔστιν αὐτοῖς τὸ εἶναι). » Les hypostases correspondent donc aux distinctions nécessaires et inséparables que la pensée introduit dans l'unité de l'être.

4,36. omne, quod singulum est, unum. — Hyperbate entre *omne... unum. Unum* a ici à la fois le sens d'unité et le sens d'individualité, chaque « un » étant « un » ; c'est pourquoi j'ai traduit par « chacune des unités ». Le principe : chacun est les trois, sera abondamment commenté à l'aide de l'Écriture à partir de 9,9.

4,41. natura. — Je construis : « Et, vel ut videantur inesse, natura quadam, in eo quod est esse, vel ut extiterint quodammodo ex eo quod esse atque... servaverint. » Et j'entends *natura*, comme désignant un état de préexistence.

Sur les deux états, *confusion* avec l'être, *distinction* d'avec lui, cf. 4,6-22 et 4,41-44.

5,1-31. — Comment les trois moments de la vision : vision en puissance, vision en acte, jugement accompagnant la vision, sont analogues aux trois moments, être, vivre, penser. Ces trois moments de la vision sont déjà présents dans la psychologie aristotélicienne. La distinction entre vision en puissance et vision en acte y est inscrite dans le vocabulaire (distinction ὄψις-ὅρασις : *de anima* III 3,428 a 6). Quant à l'acte de juger son objet et de prendre conscience de la vision elle-même, il semble, selon certains textes, être attribué à la vision elle-même (cf. *de anima* III 2,426 b 8 et III 2,425 b 12 ; voir à ce sujet l'article de R. Mondolfo, *L'unité du sujet dans la gnoséologie d'Aristote*, *Revue philosophique*, LXXVIII (1953), p. 359-378). La doctrine que rapporte ici Victorinus est issue d'une réflexion sur la psychologie aristotélicienne ; mais elle porte des traits stoïciens (*intentio* 5,12) et elle est présentée, peut-être pour les besoins de l'analogie, en des termes qui sont propres à la doctrine néoplatonicienne de la conversion et de la procession.

Comment ces trois moments sont-ils analogues aux trois moments : être, vivre, penser ? Disons tout de suite que cette analogie n'est pas artificielle, mais que l'on touche ici aux sources du *Cogito*. Implication de la conscience dans la sensation et implication de la pensée dans l'être sont intimement liées (cf. l'article de Mondolfo). La faculté prise en soi est assimilée à l'être pris en soi, sans acte (cf. l'*exsistentia* de I 30,21 et l'*esse simplex* de II 4,33-34). Ici encore, réflexion sur la théorie aristotélicienne, qui conçoit, au moins dans certains textes (*de anima* II 4,415 b 24), la faculté de sensation comme une puissance qui s'actualise, qui l'assimile à une science (II 5,417 b 16-18), à l'entéléchie de l'organe sentant (II 1,412 b 27 – 413 a 3). Autrement dit, la vision est une force réelle, et l'*être* est cette force qui reste tournée vers soi. Cette force, en s'exerçant, se déploie : elle entre en contact avec l'objet senti, comme le *vivre* entre en contact avec un objet à vivifier. Mais la sensation en acte n'est pas qu'un mouvement vers l'extérieur, qu'un déploiement de la force. Elle est en même temps, indissolublement, retour à l'intérieur, parce qu'elle est connaissance d'elle-même : sentir, c'est reconnaître un objet, c'est-à-dire revenir de l'objet extérieur à la forme intérieure et immanente de cet objet dans l'âme, à son *logos* immanent, et c'est aussi revenir à soi en se reconnaissant comme sentant, c'est-à-dire comme identique à l'objet senti ; c'est bien la formule de Porphyre citée déjà à propos de I 40,9-23 (n.) : τὴν ψυχὴν ... ἐπιγιγνώσκειν ἑαυτὴν οὖσαν τὰ ὁρατά. Ainsi la vision est à la fois procession et conversion, sortie et retour, vivre et *penser*.

5,6-9. — Même description de l'être tourné vers soi en 2,12-21 (n.) et en IV 24,10-14.

5,10. progressione. — Cf. 7,23.

5,12. intentione. — La vision est mouvement « tonique », c'est-à-dire, mouvement d'extension et de contraction du *pneuma*, cf. Alexandre d'Aphrodise, *de anima liber*, Bruns, p. 130,14, rapprochement entre ὄψις et τονικὴ κίνησις. Cet aspect stoïcien de la doctrine ici exposée par Victorinus concorde avec l'ensemble qui décrit la vision comme un mouvement qui va vers les choses pour revenir à sa source. Le « tonos » reste immanent ; cette tension n'amène aucune altération.

5,19-24. — Cette intéressante doctrine qui refuse de séparer la sensation d'un jugement réflexif, d'une conscience de la sensation, prolonge, on l'a vu plus haut, 5,1-31 n., la psychologie aristotélicienne de la sensation. Les stoïciens également accompagnaient l'αἴσθησις d'une συναίσθησις (M. Pohlenz, *Die Stoa*, I, p. 57). Plotin présente lui aussi quelques témoignages de cette tradition, cf. *Enn.* IV 3,23,31 :

αἰσθητικὸν γὰρ κριτικόν πως ; IV 3,26,8. Enfin on a vu plus haut, I 40,9-23 n., un texte de Porphyre qui va dans le même sens.

5,20. quod viderit. — Le parallèle avec 5,5 : *visa quaeque* engagerait à traduire par : « S'il ne saisit et comprend ce qu'il voit. » Il est exact d'ailleurs que la vision n'est vision que si elle devient compréhensive : καταληπτική. Mais plusieurs raisons imposent la traduction que j'ai adoptée : 1° le sens obvie de *quod* ; pour exprimer *ce que*, Victorinus aurait écrit *id quod* ; 2° le parallèle *scire quod vivas* (4,30) dans lequel *quod vivas* n'est pas seulement une construction grammaticale analogue, mais aussi la notion analogue visée par Victorinus. En effet, *videre* correspond à *vivere*. Donc de même que vivre, c'est savoir qu'on vit, de même voir, c'est savoir qu'on voit. Ainsi de même que l'*intellegere* représente le moment de la conversion dans la triade *esse-vivere-intellegere*, de même le *discernere* représente le moment de la conversion et de la réflexion dans l'acte de sensation. A vrai dire fonction réflexive et fonction discriminative sont étroitement liées dans la sensation (cf., à ce sujet, R. Mondolfo, *L'unité du sujet...*, dans *Revue philosophique*, LXXVIII (1953), p. 367 : « En attribuant à chaque sens particulier le pouvoir de *distinguer* entre eux ses propres sensibles... (Aristote) doit penser que chaque sensation particulière s'accompagne de la *conscience* de cette sensation pour qu'il soit possible de la confronter et de la distinguer de toute autre sensation appartenant au même sens »). Les deux verbes : *diiudicare* et *discernere*, très proches de sens, impliquent tous deux ces différents aspects. J'ai traduit *diiudicare* par « faire un jugement discriminatif » pour exprimer la fonction de *distinction* et de comparaison des sensibles propre à la sensation, et j'ai traduit *discernere* par « reconnaître », pour exprimer en un seul mot la fonction d'*identification* par laquelle la sensation *se reconnaît* comme identique au senti, en *le reconnaissant*.

***

6,1-23. Elévation vers la contemplation de Dieu. — Même mouvement d'ascension de l'âme, mais moins religieux en I 33,1-4. Augustin commence son livre V *de trinitate* (V 1,1-2) par une élévation qui est une prière, mais aussi qui invite l'âme à remonter à ce qu'il y a de meilleur en elle (V 1,2) ; cf., chez Victorinus, 6,12 : *pars... maxima.* C'est d'ailleurs le mouvement plotinien d'*Enn.* V 1,3,5 : remontée vers la partie la plus divine de l'âme. Mais le développement présent de Victorinus n'est pas que cela ; il est aussi énumération de tous les moyens de connaissance de Dieu. On a déjà vu, 2,1 sq., que le Logos était la source de notre connaissance de Dieu. Ici, sont énumérés 1° le monde (6,3-5) ; 2° le Logos (6,5-7) ; 3° la partie supérieure de l'âme (6,12-14) ; 4° le Christ et l'Esprit-Saint (6,14-23). Cf. I 2,6-42, et *ad Cand.* 1,6-16.

6,1. virtutem. — Cette puissance, c'est le Logos, source de la connaissance de Dieu. Même remontée de l'âme vers l'Intelligence d'où elle vient, chez Plotin, *Enn.* V 1,3,5. Mais ici, il y a allusion au récit de la création de l'homme ; cf. *ad Cand.* 26,16.

6,3. difficile. — Cf. *ad Cand.* 1,11.

6,4. nos nosse. — Thème hermétique, du « Dieu qui veut être connu », selon l'expression d'A.-J. Festugière (*Le Dieu inconnu*, p. 58). On comparera le contexte avec *Corp. Hermet.* XI 22 ; Nock-Festugière, p. 156,17 : δι' αὐτὸ τοῦτο πάντα ἐποίησεν ἵνα διὰ πάντων αὐτὸν βλέπῃς.

6,5. certe. — Les *certe* (6,12 ; 6,14) marquent les articulations du développement.

6,7. transitum. — Peut-être y a-t-il ici un souvenir du *Banquet* 202 e, où l'Amour, lien qui unit le tout à lui-même, transmet, διαπορθμεῦον, ce qui vient des dieux, aux hommes, et ce qui vient des hommes, aux dieux. De même chez Athanase, *contra gentes* 45 ; *PG* 25,89 a, le Logos est l'intermédiaire et l'interprète du Père.

6,7-9. — Même question, donc traditionnelle, chez Maxime de Tyr, τί ὁ θεὸς κατὰ Πλάτωνα, Hobein XI 8, p. 137,16.

6,10-11. — Cf. Tertullien, *apol.* XVII 2 ; Waltzing, p. 40 : « Hoc est quod deum aestimari facit, dum aestimari non capit. » Cf. *ad Cand.* 32,6.

6,12. insufflatione. — A partir de maintenant, comme dans Tertullien, *apol.* XVII 4-5, c'est le *testimonium animae*, pour reprendre l'expression de ce dernier qui nous fait connaître Dieu (*testimonium* évoqué d'ailleurs par Victorinus lui-même en I 56,11).

6,13. pars ... maxima. — Le thème est ancien, cf. Sénèque, *epist.* 41,5 : « Maiore sui parte illic est, unde descendit » (cf. Tertullien, *apol.* XVII 6 ; Waltzing, p. 40 : « Novit enim sedem dei vivi ; ab illo et *inde descendit* »). Il est possible que cette doctrine remonte en dernière analyse à *Timée* 90 a : περὶ τοῦ κυριωτάτου παρ' ἡμῖν ψυχῆς εἴδους (cf. Julien, *De Constance ou de la royauté*, I 1 ; Bidez, p. 140, 10-19).

6,13. adtingimus. — Cf. Plotin, *Enn.* V 1,11,13 : τῷ γὰρ τοιούτῳ τῶν ἐν ἡμῖν καὶ ἡμεῖς ἐφαπτόμεθα καὶ σύνεσμεν καὶ ἀνηρτήμεθα. Chez Plotin est sous-jacente la métaphore du centre dont nous sommes les rayons.

6,14-23. — La vraie connaissance de Dieu est liée à la foi dans la consubstantialité du Fils et de l'Esprit-Saint, avec le Père, consubstantialité qui seule permet une véritable connaissance de Dieu.

6,17. intellegentiae magistrum. — Cf. Mélèce, dans Épiphane, *panarion* 73,32,2 ; Holl, p. 307,7 : ἔχομεν γὰρ διδάσκαλον τὸ πνεῦμα...

6,19. maiores. — Les apôtres.

***

6,23 — 9,8. Exposé théologique. — Une thèse initiale (6,23-35) assure l'unité de cet exposé théologique avec l'étude philosophique qui l'a précédé : Dieu est Esprit, selon l'Évangile ; et il est aussi vie et vie par soi. Le Fils et l'Esprit-Saint sont également Esprit et vie, selon les termes mêmes de l'Évangile. On retrouve donc les termes de l'étude philosophique qui précède : les trois sont substance (= Esprit), vivre et penser, puisque vivre par soi, c'est connaître qu'on vit. Ce qui suit (7,1 – 9,8) ne sera que le développement de cet exposé initial. On touche ici au centre du livre ; tout le but du livre est, en effet, cet exposé du rapport entre le Père et le Fils, comme être et mouvement, et du rapport entre le Fils et l'Esprit-Saint comme vie et pensée en un seul mouvement.

6,23-35. Thèse initiale. — Schéma initial analogue en *ad Cand.* 2,16-35, et pour le fond, en *adv. Ar.* IV 4,1-32, où l'on retrouve la même définition de Dieu comme Esprit et vie ; cf. I 55,3-14. C'est, à partir du livre I b, le point de départ scripturaire des exposés théologiques de Victorinus.

6,32. intellegere. — Cf. 4,30 et 5,20.

6,34. ὁμοούσια. — Marque bien la fin de l'exposé initial ; réapparaîtra en 9,1-8. Il y a ici (*simul* ... *eadem*) une allusion aux deux sens du mot, cf. II 10,21 – 11,8 n.

***

7,1 — 8,24. Le Père et le Fils, être et mouvement. — La description de cette première dyade reprend en partie les termes employés dans l'exposé concernant le Père et le Fils en 2,12 – 4,5. Plan du développement : 1° le Père (7,1-17) : c'est l'*être*, parce que vivre et penser sont postérieurs à l'être et viennent de lui (c'est donc l'application de l'exposé sur l'*esse-vivere-intellegere* qui a précédé). Cet être est la perfection absolue ; 2° le Fils est l'acte du Père (7,18-40) ; c'est-à-dire que si l'être est repos, silence, et essence, le Fils est mouvement, Logos, et vie ; 3° ces noms du Fils se résument dans celui de mouvement (7,40 – 8,24). C'est en tant que mouvement, que le Fils est Logos et vie. La transition avec l'exposé qui suivra sur le Fils et l'Esprit-Saint se fait par la notion de vie éternelle, définie comme vie qui se connaît elle-même, un des leitmotive du livre (cf. 4,30 ; 5,20 ; 6,32).

7,6-8. — Cette phrase coupe l'exposé. En effet, le « ab eo provenit quod est esse » (5) est expliqué par « namque post id quod est esse » (8), qui a pour sujet « vivere et intellegere ». Cette note sur l'Esprit-Saint est évidemment très liée à l'exposé, puisqu'elle applique justement la doctrine de l'*esse-vivere-intellegere*, mais elle est, pourrait-on dire, prématurée, l'Esprit-Saint n'intervenant dans l'exposé, qu'à partir de 8,25. J'y verrais une surcharge, une note marginale de Victorinus relisant son livre et craignant de n'avoir pas été assez clair ou assez ferme contre l'hérésie pneumatomaque.

7,6. separet. — Cf. le reproche d'Athanase aux « tropiques », *epist. ad Serap.* I 2, *PG* 26,533 a 9 ; I 9, 552 b 5 ; I 17, 572 b 10, etc.

7,7. nescio quid. — Parce qu'il n'est ni créateur ni créature. Les « tropiques » l'assimilent à un ange, mais le rangent en même temps dans la Trinité (Athanase, *epist. ad Serap.* I 10 ; *PG* 26,557 a). D'où l'exclamation d'Athanase, *ibid.* I 2 ; 533 b 1 : « Qu'est-ce que cette théologie qui mélange démiurge et créature ? » En *ad Cand.* 31,6, Victorinus attaque des adversaires qui font du Saint-Esprit une créature.

7,7-8. — Excellent résumé de la théologie victorinienne de l'Esprit-Saint. Aucune allusion à un mode propre de production de l'Esprit-Saint à partir du Père, qui serait la *procession*. Il n'y a qu'un Fils, et dans ce Fils, il y a le Christ et l'Esprit-Saint. L'Esprit-Saint est donc du Père, dans le

Fils. Par rapport au contexte, c'est-à-dire à la théorie de l'*esse-vivere-intellegere*, on voit le schéma : vivre et penser (= Christ et Esprit-Saint) sont engendrés en un seul mouvement par l'être. Cf. I 12,13-32 n.

7,9. id est. — Il me semble indispensable d'admettre qu'*id est* représente le début d'une phrase énumérant les noms de l'*esse*, cf. 7,13. Sans doute, un tel début de phrase est assez rare chez Victorinus, pourtant IV 25,16; IV 1,13, et plus haut, ici même 7,2 : « Is... (sous-entendu *est*) deus. » Pour le sens, cf. IV 16,11-12.

7,9. subsistentia. — Le mot peut avoir été employé dans ce sens par Victorinus, s'il pensait au Père comme à un *esse cum forma.* Toutefois, je verrais volontiers ici une faute pour *substantia*, d'abord parce qu'en fait, le Père est justement conçu ici comme *non forma* (7,17), ensuite parce que, d'après II 4,34 sq., *substantia* désigne l'être pur, enfin parce que les abstraits énumérés plus bas (7,10-12) corres dondent à ὕπαρξις et οὐσία, mais pas à ὑπόστασις. Et cf. IV 16,11-12.

7,9-12. — Tout ce vocabulaire était déjà connu de Candidus, cf. CAND. I, 1,11-14 n. Ces abstraits ont un caractère plus sacré qu'*exsistentia* ou *substantia.*

7,13-40. — Ici le rapport entre être et mouvement est présenté d'une manière différente, par rapport à 2,12-54 qui représente en son ensemble un développement parallèle. En 2,12-54, Victorinus insistait sur l'unité du mouvement tourné vers soi et identique à la substance et du mouvement tourné vers l'extérieur. Ici, d'une part, l'*esse* apparaît comme *divina perfectio* (7,13-17) ; d'autre part, le mouvement est présenté (7,18-40) comme *potentiae progressio*, comme *actus.*

7,13. manens in se. — Cf. IV 24,32 ; *ad Cand.* 15,12; *adv. Ar* I 50,9 ; III 14,18.

7,13. suo a se motu. — Cf. 17,15-17.

7,14. virificans. — Cf. I 51,26, où le mot a nettement le sens de rendre mâle, sans d'ailleurs que l'idée de donner force et puissance soit exclue. Le contexte exige que l'on comprenne *virificans* comme un verbe réfléchi : l'*esse* se donne à lui-même la propre puissance, grâce à laquelle tous les autres êtres reçoivent leur puissance; idée analogue, Porphyre, *sentent.* XXXV ; Mommert, p. 29,6 : πεπλήρωται γὰρ ἑαυτῆς ἡ δύναμις καὶ εἰς ἑαυτὴν κεχωρηκυῖα καὶ ἑαυτὴν δυναμοῦσα.

7,16. divina perfectio. — Cf. I 50,4 n.

7,17. non forma. — Cf. I 49,25.

7,18-21. — Cf. I 53,8-13 où l'on retrouve une définition de la *forma*.

7,22. silentium, quies, cessatio. — Cf. *ad Cand.* 17, 13 n.

7,23-28. — Cf. II 2,9-11 ; III 5,11-14.

7,27. ubique ... et omnia. — Cf. W. Theiler, *Die Vorbereitung des Neuplatonismus*, p. 107, citant notamment Porphyre, *ad Marcellam* 11 ; Nauck, p. 281,13 (= Sextus, *Florilège*, éd. Elter, Bonn, 1892, nº 46).

7,28-31. — Les différents noms de l'acte, selon les différents noms de la puissance ; les noms du Fils : Logos, mouvement, vie, correspondent respectivement à silence, repos, essence, chez le Père.

7,29. verbum ... essentia. — Deux particularités de vocabulaire. Logos, jamais traduit ailleurs, est ici traduit par *verbum*, cf. 8,12 ; 10,23 ; 10,53. D'autre part, *essentia* traduit οὐσία et réapparaîtra une fois en IV 6,5 ; *essentia* n'est jamais employé ailleurs.

7,33-40. — Suivant le schéma habituel : identification des entités étudiées avec les personnes divines ; cf. 2,40-54 n., et spécialement, affirmation du caractère monogène du Fils.

7,40 — 8,5. — De même que le Père est *suo a se motu* (7,13), le Fils est lui aussi *motus a se motus* (8,2). Pièce essentielle de la théologie trinitaire aux yeux de Victorinus ; la conclusion du livre (17,13-17) y insiste : le Père et le Fils sont tous deux mouvement mû par soi et le caractère substantiel de ce mouvement autonome assure leur consubstantialité. De ce point de vue, on retrouve ici l'exposé de 2,12-54 sur l'unité de mouvement qui, tourné vers soi, est substance et Père, et qui, tourné vers l'extérieur, est proprement mouvement et Fils. Fondement scripturaire de la doctrine : *Ioh.* 5,26 (cf. au sujet de *a se*, 3,7 n.). Père et Fils, ayant vie par soi, ont le mouvement par eux-mêmes (7,47). Le but du développement présent est identique à celui de 3,1 – 4,5 (n.) : montrer que la notion de mouvement universel et autonome rend compte de tous les noms du Fils et de son activité créatrice et salvatrice ; c'est le sens de la suite (8,5-24). Fondement philosophique de la doctrine : la notion de *mouvement mû par soi* qui remonte au *Phèdre* 245 c-e. Cette notion était opposée par certains néoplatoniciens à la notion aristotélicienne de *moteur immobile*, cf. Macrobe, *in somn. Scip.* II 14-16.

7,40-45. — Cf. Sénèque, *natur. quaest.* II 8 ; Gercke, p. 49,1 (intéressant, parce qu'il fait du *pneuma* le *primum* *mobile per se*) : « Nihil <sui> intentione vehementius est, tam mehercule quam nihil intendi ab alio poterit, nisi aliquid per semet fuerit intentum (dicimus enim eodem modo non posse quicquam ab alio moveri, nisi aliquid fuerit mobile ex semet). Quid autem est, quod magis credatur ex se ipso habere intentionem quam spiritus ? » Le mouvement automoteur est donc un mouvement tonique (cf. 2,31-40 n.).

7,44. hoc nescio quid. — Désigne le mouvement mû par un autre.

7,44. movere non potest. — Cf. Macrobe, *in somn. Scip.* II 16,11 ; Eyssenhardt, p. 645,8 : « Quicquid in quamcumque rem ab initio suo proficiscitur, hoc in ipso initio reperitur » (Macrobe a ici pour source Porphyre, *de anima ad Boethum*, cf. P. Courcelle, *Les lettres grecques... de Macrobe à Cassiodore*, Paris, 1943, p. 31).

8,1-5. — Résumé de 2,40-54.

8,5-8. — Ici, et dans la phrase précédente, figure de style appelée *epiphora*, répétition de *motus* et d'*omnia*. Cette énumération de noms du Fils : *Logos*, *vie*, *Jésus*, rappelle 3,8-18. On remarquera le parallélisme entre ces trois noms du Fils et les trois caractéristiques personnelles des hypostases trinitaires en *hymn.* III 109-111 : *substantia* (ici *Logos*) ; *vita* (ici *vita*) ; *salvatio* (ici *Iesus* = sauveur).

8,9. aeterna. — Cf. 13,7.

8,10. quae οὐσία est. — Cette identité entre vie et substance déjà affirmée en I 42,9, puis en II 8,9 sq., peut témoigner d'une influence homéousienne (cf. I 41,1 – 43,4 n.). Victorinus ici emploie le mot grec, sans traduire ni par *substantia*, comme il le fait habituellement, ni par *essentia*, comme en 7,29. Il y a peut-être trace ici d'un embarras passager, d'une hésitation de Victorinus.

8,10-16. — Cette preuve de la consubstantialité : le Père et le Fils sont *vita* et *vita*, *motus* et *motus*, *verbum* et *verbum*, a déjà été employée en I 42,4 ; I 52,1 – 53,31 ; I 55,28 – 56,4. On retrouvera une énumération semblable en IV 29,24-38.

8,13. tacens. — Cf. *ad Cand.* 17,13 ; et plus bas, dans notre livre, 10,24, qui présente un contexte analogue.

8,15. aer sonans. — Cf. la lettre de Georges de Laodicée, dans Épiphane, *panarion* 73,12,3 ; Holl., p. 285,3 : le mot *ousia* est indispensable pour montrer contre Paul de Samosate et Marcel que le *Logos* n'est pas un mot sorti de la bouche ou un son.

8,16. unus filius. — Cette insistance sur l'unité du Fils annonce le développement sur l'Esprit-Saint, cf. 8,29-30 : le Fils est unique, mais le Logos est double.

8,17-24. — Sur la perfection de la vie dans la connaissance, cf. I 56,31 (*quae et cuius*). Sur les différents aspects de cette doctrine de la connaissance de soi et de la conversion vers soi, on consultera E. R. Dodds, *Proclus, Elements of Theology*, p. 203, qui montre notamment comment la connaissance de soi est liée à la connaissance de Dieu et à la connaissance de toutes choses dans la tradition néoplatonicienne.

***

8,25-53. Le Fils et l'Esprit-Saint, vivre et penser en un seul mouvement. — La transition avec le développement précédent est assurée par l'idée de vie, comme connaissance de soi. Vie et connaissance sont un seul mouvement (cf. I 13,37 ; I 51,22 ; I 58,1). Cette dualité au sein d'un unique mouvement, qui est le mouvement universel, se manifeste dans le mystère du salut (8,30-37), dans lequel le Christ donne la vie, et l'Esprit-Saint, la connaissance. Donc le rapport entre le Christ et l'Esprit est le suivant (8,37-53) : 1° il y a un seul mouvement, donc un seul Fils du Père (8,37-39); 2° en ce Fils unique, il y a deux « êtres déterminés », deux *exsistentiae*, distingués par leurs actes : le Christ, en tant qu'acte de vie, l'Esprit-Saint, en tant qu'acte de connaissance (8,39-42); 3° donc tous deux viennent du Père (8,42-44); 4° le Fils donne à l'Esprit-Saint tout ce qu'il reçoit du Père (8,44-53). Tout ce développement, fondé sur la notion d'unité de mouvement constituant la vie et la connaissance, se retrouvera à propos de l'évangile de saint Jean, en 14,1 – 17,9 ; puis en IV 16,1 – 18,44 ; enfin en *hymn.* I 56-67.

8,25-27. — Cette causalité réciproque explique sans doute les deux affirmations du traité I b : génération de l'intelligence par la vie, génération de la vie par l'intelligence, cf. I 58,1-14 (n.) et I 56,36 – 58,36 (n.).

8,30. geminus. — Cf. I 13,23 : *duplex potentia*; Victorinus veut dire qu'il n'y a qu'un seul acte de génération, mais que le mouvement ainsi engendré est double.

8,30-37. — Description plus détaillée de cette double activité dans le mystère du salut en IV 17,19 – 18,13.

8,34. magister. — Cf. 6,17-18.

8,34. testimonium. — Cf. 16,3 sq.

8,35. cognitionem vitam agere. — Reprise de *Ioh.* 17,3

cité en 8,23 : c'est la connaissance qu'est l'Esprit-Saint qui donne la vie aux croyants.

8,41. exsistentiae. — Cf. IV 33,32 ; à partir de II 4,31, le mot fait concurrence à *subsistentia* pour désigner les hypostases, parce que les deux mots désignent, aussi bien l'un que l'autre, l'*esse cum forma*, c'est-à-dire la détermination de la substance commune.

8,47. de me habet. — Ici, et plus bas, en 8,48, *de meo habet*, on a une citation approximative de *Ioh.* 16,15, le texte véritable étant comme en 8,53 : *de meo accipiet.* Le penser puise donc son mouvement propre dans le vivre ; c'est la vie qui est le premier mouvement.

8,51. — Le même texte, *Ioh.* 16,15, introduit en I 55,28 un développement sur la consubstantialité des Trois : les Trois sont Logos. Cf. également, dans le même sens, IV 16,27 ; IV 17,19 ; IV 18,6. C'est un des textes fondamentaux de la théologie trinitaire de Victorinus : il l'entend au sens d'une communication d'être du Père au Fils, et de mouvement du Fils à l'Esprit-Saint.

9,1-8. Conclusion. — Reprise de la formule : une substance, trois hypostases (4,38). Cette formule, à laquelle il avait donné un contenu philosophique, une nécessité logique, redevient ici théologique. La conclusion résume avec force tous les thèmes exposés : intériorité réciproque de l'*esse* et du *motus* ; double puissance du *motus*, c'est-à-dire du Logos ; triade (trois hypostases) résultant de cette double dyade. A la fin de la conclusion un thème important, qui va dominer toute la fin du livre, se fait jour : *chacun est les Trois* (9,7). Le thème, déjà ébauché dans les commentaires d'Écriture du livre I a, fortement marqué dans le livre I b (I 54,7 (n.) et toute la suite dans laquelle on voit que les Trois sont Logos, sont Esprit), fondé en dernière analyse sur les formules de foi qui parlent de « Dieu de Dieu, lumière de lumière » (cf. II 10,4-20 n.), s'expliquant philosophiquement par le principe de prédominance qui fait comprendre que le nom commun peut être en même temps nom propre (I 54,9-12 n.), ce thème fondamental explique tout le développement scripturaire qui fait suite (9,9 – 12,46).

9,7-8. Ergo spiritus sanctus... — Comme en 7,5-8, cette réflexion sur l'Esprit-Saint coupe le développement, Ce que les *sacrae lectiones* démontrent, c'est que les *Trois sont en chacun.* Toutefois, je ne pense pas qu'il y ait ici une addition postérieure : l'exposé scripturaire commence effectivement par l'étude des noms *scientia* et *sapientia*. Cette petite phrase montre surtout que la grande préoccupation de Victorinus, en ce livre, est bien l'Esprit-Saint.

***

9,9 — 17,9. Exposé scripturaire. — Après la *ratio*, l'*auctoritas*. C'est l'inverse de la structure du livre I a. Deux parties principales dans l'exposé, qui correspondent aux deux affirmations conjointes exprimant l'unité de la Trinité : 1° en chacun sont les Trois (9,9 – 12,46) ; c'était l'affirmation finale de l'exposé théologique (9,7) ; 2° les Trois sont Un (13,1 – 17,9). (Sur ces deux affirmations conjointes, cf. *ad Cand.* 31,12.) Dans chacun de ces développements, le rapport entre le Christ et l'Esprit-Saint, tel qu'il apparaît dans l'évangile de saint Jean et dans saint Paul, sera tout particulièrement étudié. Mais, c'est surtout le second développement (13,1 – 17,9) qui reprendra le thème général du livre en montrant que Père et Fils sont un (13,1-22) et que Fils et Esprit-Saint sont un (14,1 – 17,9), mais avec une différence qui se manifeste dans l'économie du salut. Comme dans la première partie du livre I a, il y a ici interaction entre le schéma dans lequel Victorinus cherche à couler la suite des textes qu'il lit dans l'Écriture sainte, et cette *lectio continua* elle-même, qui pose au lecteur des problèmes inattendus, l'oblige à des digressions ou à des interprétations artificielles.

La suite des textes cités par Victorinus est intéressante. La démonstration qui va de 9,9 à 10,18, *les Trois sont science et sont vie*, n'utilise pas vraiment une *lectio continua* de l'Écriture ; beaucoup d'éléments sont sans doute empruntés aux chapitres 8 et 9 de l'Épître aux Romains, mais les autres textes sont glanés dans l'Épître aux Éphésiens ou dans saint Jean. Mais c'est en revenant très probablement à son exemplaire de l'évangile de saint Jean et au verset 5,26 qu'il cite exactement (ce qui est exceptionnel en ce livre III et semble bien indiquer un retour au texte, cf. 10,16) que Victorinus reprend la *lectio continua* de l'évangile de saint Jean : il la poursuit de *Ioh.* 5,26 à *Ioh.* 17,19, les derniers chapitres de son livre (15,46 à 17,9) n'étant qu'un commentaire de *Ioh.* 16,8-10, texte dans lequel Victorinus voit le meilleur exposé de l'œuvre propre de l'Esprit-Saint. Ce commentaire de *Ioh.* 16,8-10 est lui-même formé d'une lecture suivie du début des Actes des Apôtres et de quelques textes de saint Paul et de l'Apocalypse. Dans cette longue énumération de textes johanniques, qui sont cueillis successivement dans l'évangile, pour vérifier le schéma théologique que Victorinus nous propose, Victorinus parcourt un chemin qu'il a déjà parcouru en I a avec les mêmes préoccupations (I 8,1 – 15,12 n.) : les textes fondamentaux (*Ioh.* 14, 15-17 par exemple) reparaissent évidemment ; mais les textes mineurs sont presque tous différents de ceux choisis dans I a (par exemple *Ioh.* 8,26 ; 8,42 ; 8,51 ; 8,55 ; cf. III 11,11-21).

***

9,9 — 12,46. En chacun sont les Trois. — Sur ce thème, cf. 9,1-8 n. *Science* est un nom propre de l'Esprit-Saint, mais les Trois sont Science (9,9 – 10,14) ; *Vie* est un nom propre du Christ, mais les Trois sont Vie (10,14-18) ; *Logos* est un nom propre du Fils, mais les Trois sont Logos (10,19 – 11,21). C'est exactement la démonstration de I 55,1 – 56,4.

***

9,9 — 10,18. Les Trois sont science et vie. — L'énumération de textes scripturaires tirés principalement de l'Épître aux Romains montre que le Christ et l'Esprit-Saint « sont liés quant à la science et quant à la vie », c'est-à-dire sont à la fois, en propre et en commun, science et vie (10,1) ; c'est donc d'abord la reprise (9,9-30) de la fin de l'exposé théologique (8,25-53) concernant l'unité du Christ et de l'Esprit-Saint et leur distinction comme vie et connaissance. Mais, cette fois, Victorinus cherche à retrouver, dans l'Écriture, ces noms de *vie* et de *sagesse* ou *science* qui sont à la fois propres et communs. Puis, il achève sa démonstration, en montrant (10,1-18) que le Père lui-même est science et vie. Ainsi les noms propres du Fils et de l'Esprit-Saint sont en même temps les noms communs des Trois.

9,9-21. Tous deux sont science. — Le Christ est science parce que vérité, et l'Esprit-Saint est science parce que témoin; autrement dit, le Christ est en quelque sorte la réalité et l'Esprit-Saint, la connaissance de cette réalité ; le Christ est science objective, l'Esprit-Saint, science subjective.

9,10-11. testimonium. — C'est la fonction propre de l'Esprit-Saint, cf. 8,34.

9,12. sapientia. — La sagesse paraît ici ajouter à la science la connaissance de la filiation divine.

9,13. — Cette double interrogation est une interprétation du texte grec de *Rom.* 8,27. *Spiritus* est la réponse aux deux interrogations.

9,17-19. — Victorinus retrouve toute sa doctrine personnelle dans la lettre de saint Paul : *non mentior*, c'est la vérité du Christ dont il vient de parler ; *testimonium*, c'est le rôle de témoignage propre à la science qu'est l'Esprit-Saint ; *conscientia*, c'est la science humaine reçue de la science en soi qu'est l'Esprit-Saint.

9,21-30. Tous deux sont vie. — Ainsi, *scientia* est un nom commun au Christ et à l'Esprit-Saint. Mais *vita* n'est-il pas le nom propre du Christ ? N'y a-t-il pas du point de vue de la *vie* une différence entre le Fils et l'Esprit-Saint ? Mais *Rom.* 8,6 prouve aux yeux de Victorinus que l'Esprit-Saint est aussi *vita* : *prudentia vero spiritus vita est* ; pour lui, *spiritus = spiritus sanctus ; prudentia = scientia* ; cela donne comme résultat : la science qu'est l'Esprit-Saint est vie. Tout ce développement tend à prouver que le mouvement unique qu'est le Fils est indissolublement vie et connaissance.

10,1-18. Le Père est science et vie, donc les Trois sont science et vie. — La démonstration glane ici dans saint Paul, puis dans saint Jean (*Ioh.* 5,26 et 6,57) quelques textes significatifs, qui font de *scientia* et de *vita* des noms du Père lui-même.

10,2. quamquam ab ipso ista. — Le Père est source de la vie et de la science. On se rappellera à ce sujet les formules des homéousiens rapportées par Athanase, *de synodis* 41,6 ; Opitz, p. 267,15 ; *PG* 26,765 c : πηγὴν εἰρήκασι τὸν πατέρα τῆς σοφίας καὶ τῆς ζωῆς. Cette liaison entre *vie* et *sagesse*, chez les homéousiens (probablement le mémoire issu de Sirmium 358) peut avoir influencé Victorinus. Ayant probablement trouvé son schéma trinitaire dans une confrontation entre le dogme et ses souvenirs philosophiques, il aura pu être frappé par les textes scripturaires allégués par les homéousiens.

10,3. sapientiae et scientiae dei. — Ici, comme en 9,26, comme presque toujours dans ses exégèses, Victorinus interprète les génitifs comme des génitifs de définition : cette sagesse et cette science qu'est Dieu.

10,5. secretum dei. — Il est difficile de reconnaître exactement le texte d'Écriture ici visé par Victorinus, peut-être I *Cor* 2,6, cf. *hymn.* I 3 n., *secretum* pouvant sans doute être considéré comme synonyme de *mysterium.* Ou bien encore, Victorinus identifie la *sapientia dei* d'*Éph.* 3,10 avec le *mysterium* d'*Éph.* 3,4 et 3,9.

10,5-8. — Ce texte nous ramène au Christ, qui, lui aussi, est science.

10,10. — Cette énumération provient de la profession de foi des Encénies (341), cf. Hilaire, *de synodis* 29; *PL* 10, 502 b-503 a : « Sapientiam, vitam... ianuam... per quem omnia facta sunt. » C'est une preuve supplémentaire de l'influence persistante du dossier homéousien issu de la réunion de Sirmium (été 358) sur Victorinus.

10,19 — 11,21. Les Trois sont Logos. — Le *uterque verbum* de 11,21 montre bien l'unité du sujet de ce développement. Partant de *Ioh.* 5,26 allégué pour prouver que le Père est vie, dans le développement précédent (10,14), Victorinus va continuer la lecture de saint Jean pour glaner tous les textes qui permettent de prouver que le Père et le Fils, surtout, sont, l'un et l'autre, Logos. Cette doctrine est d'ailleurs déjà présente en *ad Cand.* 17,9-18,12 (n.); on la retrouve en I 13,30 ; en I 33,28-29 ; I 31,26 ; I 55,28-56,4.

10,19. omnia tria ista sint singula. — C'est le thème fondamental de tout le développement, cf. 9,9-12,46 n.

10,22. substantialitas, vitalitas, beatitudo. — Cette triade apparaît pour la dernière fois ; elle sera définitivement remplacée par *esse-vivere-intellegere.* Cf. I 50,10-11.

10,22. apud se. — *Apud* peut signifier simplement l'intériorité, cf. *ad Cand.* 20,9. Mais traduisant πρός de *Ioh.* 1,1, il exprime plutôt la relation inhérente à un dialogue intérieur de Dieu avec lui-même. C'est une interprétation de *Ioh.* 1,1.

10,23-27. — Deux notions intéressantes : le Logos en Dieu est dialogue de Dieu avec lui-même et volonté de Dieu. Ce développement est introduit soit par *Ioh.* 5,28 (mais non cité) : *vocem* filii dei, soit par le texte cité en 10,28, c'est-à-dire *Ioh.* 5,30 : *voluntatem.* D'ailleurs tous les textes concernant la volonté du Père vont être cités dans les lignes qui suivent. Sur la notion de volonté, cf. *in Ephes.* I 1 ; 1236 c.

10,32-40. — Le texte de *Ioh.* 6,37 est ici assez différent de la forme sous laquelle il est cité en I 43,32, et surtout, il est compris d'une manière toute différente ; il y a une sorte de contamination avec *Ioh.* 16,15 ; il ne s'agit plus des âmes prédestinées par Dieu pour appartenir au Christ, il s'agit des réalités métaphysiques : de l'être et du mouvement, nous dit Victorinus. De fait, Victorinus se contente ici de répéter, en le résumant, son développement sur l'être et le mouvement de 3,1-11.

10,42. motus est vita eius. — Autrement dit, la volonté du Père, c'est le mouvement encore intérieur à l'être, encore tourné vers soi, mais avec une tendance à se communiquer à l'extérieur qui se révèle dans le Fils. Cf. I 52,17-37.

10,48-50. — On voit une fois de plus le système d'interprétation de Victorinus : retrouver les trois hypostases dans toute activité salvatrice ; ici volonté du *Père*, foi dans le *Fils*, vie éternelle, enfin vision et connaissance du Fils, c'est-à-dire réception de l'*Esprit-Saint.* Tout ceci, d'après le contexte, doit s'entendre du Logos, caché dans le Père, manifesté dans le Fils, connu dans l'Esprit-Saint.

10,50 — 11,2. — Même exposé de tout le « mystère », c'est-à-dire de l'économie du salut, dans la perspective du Logos : « Pronuntiata hic plena fides est » (11,1). *Verbum vitae aeternae* ; ce sont les deux noms propres du Logos : le *Logos* est *vie* ; il est Fils de Dieu. Logos, il est envoyé pour être entendu et cru. Mais l'entendre, le comprendre, c'est recevoir l'Esprit-Saint qui fait connaître le Logos ; quant au Logos, il fait connaître Dieu, son Père, c'est-à-dire le Logos converti vers soi, dialoguant avec lui-même.

11,2-11. — Toujours le même procédé d'exégèse trinitaire des textes johanniques : ici 1° le Père est connu dans le Fils, la substance dans la vie (11,2-8) ; 2° si le Père est connu dans le Fils, c'est que le Fils n'est pas seulement vie, mais *science* (11,8-11), pas seulement Christ, mais Esprit-Saint. Cf. I 8,22-27.

11,10. ipsum hoc quod est. — Il faut prendre cette formule au sens ontologique, comme désignant τὸ εἶναι ; on comparera en effet avec I 12,17 : « *Ipsum quod est* loquitur » ; l'objet de la science, c'est l'être.

11,11-21. — Le thème est ici fortement marqué : *verbum... verbum* (11,11-12) ; *uterque verbum* (11,21). Victorinus glane dans sa lecture de saint Jean (8,26.51.55) trois textes qui comportent l'idée ou l'expression de parole ou verbe. Il en résulte 1° que le Père parle (*Ioh.* 8,26 = 11,13) ; 2° que le Père a un Logos qui lui est propre (*Ioh.* 8,55 = 11,20) ; 3° que le Fils lui aussi a une parole et un Logos propre (*Ioh.* 8,26 et 8,51). Avec le glissement de l'avoir à l'être que nous avons déjà constaté (10,3 n.), il en résulte que Père et Fils sont chacun Logos.

11,16-18. — Il y a ici une légère modification par rapport à 10, 23-25 : tout à l'heure, en effet, le dialogue du Père semblait s'adresser à lui-même, le Fils n'étant que l'extériorisation de ce dialogue. La formule présente indique le sens qu'il faut donner à l'idée d'un dialogue de Dieu avec lui-même. Nous retrouvons ici la distinction de Tertullien entre *ratio* et *sermo*, c'est-à-dire entre le Logos immanent et le Logos proféré. Dans l'état d'intériorité, de repos en Dieu, il y a dialogue de Dieu avec le Logos ; dans la génération du Fils, il y a dialogue du Fils avec le monde (cf. 12,30-31).

***

11,22 — 12,46. Digression sur la plénitude du Logos : Esprit, âme et corps. (Ioh. 10,17-18). — Victorinus continue à lire son évangile de saint Jean. Mais l'histoire de l'aveugle-né (9,1-41) ne lui fournit aucun texte intéressant concernant le Logos ; la parabole du bon pasteur (10,1-16) non plus. Mais voici un texte qui pose le problème de l'âme du Christ (*Ioh.* 10,17-18). Voilà Victorinus ramené aux discussions antiapollinaristes qu'il a amorcées en 3,27-46. Ce texte pose à ses yeux le problème de la plénitude du Logos : le Logos plénier n'est-il pas celui qui assume l'âme et le corps, et les sauve en les sanctifiant et en les spiritualisant ? Articulations du développement : 1° *Ioh.* 10,17-18 pose la question du *quantum* ou du *quale* du Logos (11,22-26). En effet, ce texte de saint Jean parle d'une âme du Logos ; voilà qui pose le problème de la perfection propre au Logos (*quale*) et de l'extension de sa puissance (*quantum*). Sur ces deux questions, cf. Augustin, *de quantitate animae* I 1. 2° Le Christ est supérieur à l'âme (11,26–12,21); *a*) parce que le Christ est Esprit (11,26-33) ; *b*) parce que le Christ est vie (12,1-10) ; *c*) parce que l'âme est image du Logos (12,10-17) ; donc Dieu et le Logos, Esprit et vie, forment une réalité transcendante, parce qu'ὁμοούσιος, tandis que l'âme ne leur est qu'ὁμοιούσιος (12,17-21). 3° Le mode d'assomption de l'âme par le Logos (12,21-46) ; *a*) cette assomption est projection vers les inférieurs de la puissance du Logos (12,21-30) ; *b*) la naissance et la mort du Logos incarné correspondent à une assomption, puis à un abandon de l'âme (12,30-46) ; la résurrection est réassomption de cette âme. Les dernières lignes (12,41-45) annoncent le thème final du livre (14,1 – 17,9) sur les rapports entre le Christ et l'Esprit-Saint. Ce long commentaire de *Ioh.* 10,17-18 pose la question du mode de l'Incarnation et se situe dans la tradition des recherches aussi bien d'Origène que de Plotin ou de Numénius, pour définir le mode de la présence des incorporels dans le monde sensible.

11,26 — 12,21. L'Esprit (c'est-à-dire Dieu et le Logos) est supérieur à l'âme. — Ce développement correspond dans son intention au mouvement plotinien (et très probablement antérieur à Plotin) que l'on trouve en *Enn.* V 9,4 et qui tend à montrer, contre le stoïcisme, que l'intelligence est antérieure et supérieure à l'âme (sur le caractère traditionnel de cette doctrine plotinienne, cf. R. Harder, *Plotins Schriften* I b, Hambourg, 1956, p. 431), c'est-à-dire que l'âme se tient vis-à-vis de l'intelligence dans la situation d'une matière vis-à-vis d'une forme. Théologiquement, il s'agit ici des limites de l'*homoousios* (cf. 12,21) : l'âme du Christ est assumée par le Logos, mais n'est pas identique à lui ; le Logos n'est pas l'âme du corps du Christ ; celle-ci lui est inférieure ; on sent la volonté de Victorinus de marquer nettement l'abîme entre le créé et l'incréé. La supériorité du Logos sur l'âme est donc encore plus radicale ici que dans la tradition platonicienne.

11,30-33. — Cf. I 56,4-15 n. C'est après avoir démontré, comme ici, que *les Trois sont Logos*, que Victorinus fait, en I 56,4-15, cette digression analogue sur l'âme.

11,32. substantia. — Cf. *ad Cand.* 7,22.

12,1-10. La vie et l'âme. — Déjà Plotin (*Enn.* V 9, 14,20-22) semblait bien placer avant l'âme une idée de l'âme, c'est-à-dire une vie en soi ; Proclus, *in Tim.*, Diehl, t. II, p. 128,28, considère la vie de l'âme comme dérivant d'une vie transcendante.

12,1-2. — Cf. 3,6-10 qui introduit un développement analogue sur la plénitude du Logos. Remarquer *ex se*, comme en 3,7.

12,10-17. — Nouvelle preuve : l'âme n'étant qu'à l'image de l'image ne peut qu'être inférieure à l'image de Dieu qu'est le Logos.

12,10. imaginem imaginis. — Cf. II 1,37 ; I 61,5 ; I 63,18.

12,13. quidam λόγος. — Cf. I 61,18.

12,15-17. — A vrai dire, Victorinus ne nous donne jamais, ni en 3,34-46, ni en IV 7,12, les détails que nous désirerions sur le Logos de l'âme, c'est-à-dire sur l'idée universelle d'âme.

12,17-21. — Dieu et le Logos sont vie par soi, et donc

consubstantiels. L'âme qui reçoit la vie, de la vie par soi qu'est le Logos, n'est donc que de substance semblable. Cf. I 63,29-30. Victorinus utilise ici le vocabulaire homéousien pour le réfuter une fois de plus, cf. I 20,67.

12,21-30. L'assomption de l'âme par l'Esprit. — Le mot et l'idée d'assomption de l'âme par le Logos ou Esprit viennent évidemment de *Ioh.* 10,18 : *sumere.* On pourrait entendre cette assomption comme une addition, mais, en fait, elle n'ajoute rien au Logos ou à la vie (12,25 : *nihil adicitur*); pourtant on verra (12,39) que, d'une certaine manière, le Logos est, grâce à cette assomption, *plenus ac totus.* Déjà Origène avait fait de l'âme du Christ le moyen terme permettant au Logos de s'incarner (*de principiis* II 6,3). L'idée d'une assomption de l'âme par le Logos correspond à un besoin d'expliquer la présence du Logos dans le monde sensible. Victorinus conçoit l'Incarnation dans la perspective de la descente vivificatrice du Logos, dont elle est un moment (cf. I 26,39 ; III 3,27 ; IV 11,13-17). Or, nous dit le *Corpus Hermeticum* X 17 ; Nock-Festugière, p. 121,12 : « Il est impossible à l'intellect de s'installer tout nu, tel qu'il est en son essence, dans un corps de terre. » D'où la nécessité d'enveloppements successifs permettant la présence de l'intellect dans le monde sensible, cf. *Corpus Hermet.* X 17 ; p. 121,16 : « L'Intellect a donc pris l'âme comme enveloppe. » Cette doctrine des enveloppements n'est pas propre à l'hermétisme. On la retrouve dans le néoplatonisme, où son origine dernière est l'exégèse de *Philèbe* 30 c.

Victorinus semble plus frappé, en méditant sur le mystère de l'Incarnation, de l'irruption du Logos dans le monde sensible que de l'union hypostatique du Logos avec un individu humain. Ce qui distingue pour lui l'Incarnation de la présence universelle du Logos dans le monde sensible, c'est pourtant le mode d'action du Logos qui, dans l'Incarnation, peut lui-même agir selon un mode d'action sensible (12,32).

12,22-24. — Sur cette parenté du Logos et de l'âme, cf. IV 13,5-14 et IV 11,13-17.

12,25. adicitur. — Cf. Plotin, *Enn.* I 1,2,9-13 : « L'être immortel et incorruptible... fait part de lui-même aux autres êtres, mais il ne reçoit rien d'eux. » L'idée de Victorinus est d'ailleurs assez différente : l'âme, ayant reçu sa vie du Logos, ne lui apporte rien qu'il n'ait déjà en son essence, quand elle est assumée par lui ; par contre, on peut déduire du contexte que l'âme est transformée par cette assomption, puisque son action devient celle du Logos.

12,27. potentiam. — Cf. Porphyre, *sentent.* IV ; Mommert, p. 1,12-16 : l'incorporel est présent au corps, non en substance, mais grâce à une puissance qui émane de lui, et XXVII, p. 11,15 sq. ; Plotin, *Enn.* IV 8,2,33, à propos de l'âme divine qui envoie dans le ciel la dernière de ses puissances (δύναμιν δὲ τὴν ἐσχάτην εἰς τὸ εἴσω πεμπούσης).

12,27. ad inferiora ... atque actiones. — Hyperbate. Sur *actiones*, cf. 4,3, et 12,37-38.

12,28. complet. — Cf. *in Ephes.* 4,10 ; 1274 b 4 : « Nihil vacuum Christo est » ; et 1273 c 2 : « Implevit omnia. »

12,29. in potestate habet. — Ce pouvoir est reconnu aussi par les néoplatoniciens, par exemple Porphyre, *sentent.* XXVII ; Mommert, p. 11,16 : ὅπου βούληται καὶ ὡς θέλει.

12,30-46. Naissance, mort et résurrection du Logos incarné. — C'est ici le commentaire proprement dit de *Ioh.* 10,17-18 et plus spécialement des verbes *sumere, ponere* et *iterum sumere animam. Sumere animam*, c'est devenir présent dans le monde sensible, dans lequel l'âme agit d'une manière nouvelle ; et cette manière nouvelle consiste en ce que le Logos peut désormais agir d'une manière sensible (cf. 14,20-24), comme une âme incarnée, grâce à l'âme incarnée qu'il s'unit. C'est sa naissance. *Ponere animam*, c'est ce qui correspond à la mort sensible du Logos incarné. Ici une difficulté : logiquement, la mort du Christ devrait correspondre à une séparation entre le Logos et son âme. En fait, il s'agit de la séparation de l'âme et du corps. L'âme reste liée au Logos; grâce à elle, il est présent dans « les enfers », mais son âme cesse d'agir d'une manière sensible, parce qu'elle est séparée du corps. *Iterum sumere*, c'est la résurrection, qui marque le retour du Christ à une activité sensible. C'est la période qui va de la résurrection à l'ascension. Ensuite, l'opération du Logos dans le monde devient celle de l'Esprit-Saint.

12,31. veluti. — Il s'agit d'un événement « économique », qui fait partie de l'acte du Logos, sans affecter sa substance.

12,32. colloquitur. — Cf. 11,14.

12,33. nec tamen spiritaliter. — Ce qui signifierait que l'Esprit-Saint a été envoyé (cf. 12,41-46).

12,34. in inferno. — L'article concernant la descente du Christ aux enfers avait fait son entrée dans les professions de foi, avec le *Credo* daté (22 mai 359), dans Athanase, *de syn.* 8,5 ; Opitz, p. 236,1 ; *PG* 26,693 a : εἰς τὰ καταχθόνια κατελθόντα. Le psaume 15,10 que Victorinus cite ici-même (et que les *Actes des Apôtres* 2,27 avaient cité à propos du Christ) paraît avoir joué un rôle décisif dans la constitution de cette doctrine. Cf. également *in Ephes.* 4,9 ; 1274 a 10. Les néoplatoniciens avaient eux aussi une doctrine sur la descente de l'âme aux enfers (Plotin, *Enn.* I 1,12,31-39 et surtout Porphyre, *sentent.* XXIX ; Mommert, p. 13,1, qui explique la présence de l'âme dans les enfers, par le fait qu'elle revêt non plus un corps terrestre, mais un *pneuma* informe et obscur). Victorinus n'explique pas comment l'âme du Christ est aux enfers, mais il affirme, selon le principe utilisé par Porphyre, que le Logos est lui-même, par l'âme, dans les enfers.

12,37. actum. — Il s'agit du mode d'activité sensible, individué, que l'assomption de l'âme permet au Logos. Les êtres intelligibles manifestent leur présence dans le monde sensible, par leur action (Porphyre, *sentent.* XXVII ; Mommert, p. 12,8).

12,39. plenus ac totus λόγος. — Le Logos est plénier lorsqu'il est Logos de l'âme et du corps (cf. 3,30 sq. ; IV 7,10), c'est-à-dire lorsque assumant une âme et un corps, il devient le chef, le principe de tous les corps et de toutes les âmes : c'est la nécessité intelligible de l'Incarnation, l'exigence d'Incarnation inscrite dans la Vie en soi.

12,40. sanctificandum. — Sur ce retour auprès du Père, cf. 14,42 – 15,45 n. et spécialement 15,1-25.

12,41. spiritum. — L'expression est ambiguë, cf. I 51,39 n. ; en 15,1-25, il sera toujours question de *patrem*, cf. tout spécialement 15,14. La nature divine du Christ et la personne du Père ne sont pas clairement distinguées.

12,41-46. — On voit le sens de l'interprétation de *Ioh.* 14,3 : le retour du Christ auprès de ses disciples, après son départ sensible, c'est la présence de l'Esprit-Saint. Ainsi interprété, le texte est évidemment très fort pour prouver l'identité du Christ et de l'Esprit-Saint, affirmée en 8,27 sq. C'est la fin de l'activité sensible du Logos obtenue par l'assomption de l'âme du Christ, et c'est le début de son activité purement spirituelle, du « mystère de connaissance », dans l'Esprit-Saint.

***

13,1 — 17,9. Les Trois sont Un. — En citant à la fin du développement précédent *Ioh.* 14,3, Victorinus a sauté les chapitres 11-15 de saint Jean, qu'il avait cités assez abondamment en I 10-11. La lecture suivie de saint Jean reprend désormais et, très rapidement, elle va retrouver les textes qui déjà en I a (11,19 – 14,1) avaient introduit les réflexions de Victorinus sur l'Esprit-Saint (*Ioh.* 14,15 sq.). Mais la lecture présente des derniers chapitres de l'évangile de saint Jean est inspirée nettement par le schéma de la double dyade ; unité du Père et du Fils (13,1-22) ; unité du Christ et de l'Esprit-Saint (14,1 – 17,9), selon le thème général de ce livre III. Victorinus croit reconnaître là (13,1-3) l'intention même de l'évangéliste.

***

13,1-22. Dieu et le Logos sont un, comme l'être et la vie. — Victorinus pense que Jean veut d'abord exposer l'unité du Père et du Fils (*Ioh.* 14,6-14) en affirmant que le Fils est vie et que connaître la vie, qu'est le Fils, c'est connaître l'être, qu'est le Père.

13,3. iuncta lectione. — C'est-à-dire que la démonstration que Victorinus croit reconnaître dans saint Jean, ferait l'objet d'un exposé suivi de la part de celui-ci.

13,5-9. — Cf. 2,1-9 ; IV 8,38-42.

13,10. vitam esse. — Cf. I 42,19-20.

***

14,1 — 15,45. Identité entre Jésus et l'Esprit-Saint. — Articulations du développement : 1° ils sont tous deux Paraclet (14,1-12) ; 2° ils sont tous deux Esprit, l'un manifesté, l'autre caché (14,12-24) ; 3° Jésus est de nouveau présent dans l'Esprit-Saint (14,24-42) ; 4° *Ioh.* 14,25-26 montre bien la continuité de mouvement qui existe entre eux (14,42 – 15,45). On retrouve une argumentation assez analogue en I 11,19 – 14,1 : tous deux sont Paraclet ; il y a entre eux continuité de mouvement.

14,5. paraclitus. — J'ai gardé ici, comme en I a dans les textes parallèles, le mot *Paraclet*, sans le traduire, parce que Victorinus, lui-même, est obligé de l'expliquer ; c'est un mot grec dont la signification exacte échappait aux Latins.

14,9. — Fils et Esprit-Saint intercèdent pour les hommes auprès du Père (= Paraclets).

14,16. substantialiter. — C'est-à-dire par son être même, la vie et l'intelligence qui sont l'acte de l'Esprit, étant confondues avec son être, cf. I 50,6.

14,20-24. — Cf. I 12,13-32 n.; IV 33,20-25; *hymn.* I 72-74. L'activité intelligible du Logos remplace son activité sensible.

14,24-42. — Parallélisme des expressions employées par Jésus, à propos de lui-même et de l'Esprit-Saint : tous deux sont présents dans les disciples, sont vérité, sont invisibles, seront reconnus par les seuls disciples.

14,25-28. — Cf. S. Boulgakov, *Le Paraclet*, Paris, 1946, p. 260 : « A moins de supprimer la force de ce texte (*Ioh.* 14,16-18)... nous devons y voir la révélation du mystère touchant *le séjour, dans le monde, du Christ par le Saint-Esprit ou dans le Saint-Esprit*, leur coexistence dyadique. »

14,42 — 15,45. — Long commentaire de *Ioh.* 14,25-26. 1° *In vobis maneo* (14,42 – 15,25) : le Christ est dans les disciples en tant que vie (14,42-49). Mais ne semble-t-il pas s'éloigner d'eux, puisqu'il dit : *Ibo ad patrem* (*Ioh.* 16,16) ? Victorinus revient donc ici (15,1-25) sur ce mystérieux retour du Fils auprès du Père, au moment de la résurrection, dont il a déjà parlé en 12,40. Ce mouvement rentre dans la catégorie des mouvements qui se font dans l'ordre du « mystère », c'est-à-dire de l'économie, c'est-à-dire dans l'ordre tout relatif du monde sensible qui ne change rien à la substance du Logos. Dans cet ordre du monde sensible, il a fallu que l'âme et le corps que le Logos avait assumés, allassent auprès du Père, après sa résurrection, pour être sanctifiés. Victorinus reconnaît en *Ioh.* 20,17, c'est-à-dire dans la parole de Jésus à Madeleine, « Ne me touche pas, car je ne suis pas encore monté vers le Père », la preuve de cette remontée sanctificatrice de l'âme et du corps du Christ aussitôt après la résurrection. Ce mouvement du corps et de l'âme du Christ ne change rien à la présence du Logos dans les âmes des disciples ; ni surtout à la présence du Logos dans le sein du Père. Ce mouvement se réalise, non dans le Logos lui-même, mais dans son acte extérieur, dans le « mystère ». 2° *Quem vobis mittit pater in nomine meo* (15,25-45) : cette formule résume pour Victorinus les rapports entre les trois hypostases : le mouvement de la vie est le centre (*in nomine meo*), le milieu, qui permet à l'intelligence (*quem*) de se distinguer de l'être pour se réunir ensuite à lui.

15,1-4. — = 15,23-25.

15,7-12. — Cf. 12,32-41 ; *vita* remplace ici *anima.*

15,12-15. — Il s'agit donc d'un mouvement du corps et de l'âme du Christ, non du Logos. *Id quod in se pater* *fuerat.* Il y a là une certaine analogie avec I 51,38-43. On peut se demander si, ici, *pater* ne désigne pas toute la nature divine du Christ, son *exsistentia divinior.*

15,15-25. — Exégèse assez analogue du « Noli me tangere », chez Origène, *Entretien avec Héraclide* (éd. J. Scherer, *Publications de la Société Fouad I de Papyrologie, Textes et Documents* IX, Le Caire, 1949, p. 138, 18) : « Il voulait en effet que quiconque le toucherait, le touchât dans son intégrité afin que, l'ayant touché dans son intégrité, il éprouvât l'influence bienfaisante de son corps en son corps, de son âme en son âme, de son esprit en son esprit. » Autre point commun : Origène insiste (*ibid.*) sur le fait que le Christ remonte ainsi auprès du Père, immédiatement après sa résurrection. Mais le motif est différent. Pour Origène, l'esprit du Christ ne pouvait descendre aux enfers ; le Christ a donc laissé son esprit en dépôt auprès du Père et, aussitôt après la résurrection, il monte auprès du Père, rechercher ce dépôt. Mais au fond, il y a grande analogie d'interprétation, car, finalement, si, pour Victorinus, le Christ remonte en son corps et âme auprès du Père, c'est pour reprendre contact avec le principe de sanctification (c'est-à-dire l'« esprit »). Victorinus est en tout cas, ici encore, témoin d'une exégèse qui se situe dans la tradition origénienne. Cf. Ambroise, *in Lucam* X 166 ; Tissot, II, p. 211. Voir H.-Ch. Puech et P. Hadot, *L'Entretien d'Origène avec Héraclide et le commentaire de saint Ambroise sur l'évangile de saint Luc* dans *Vigiliae Christianae*, t. XIII, 1959, p. 229-234.

15,32. medius. — Cf. *hymn.* I 63 n.

15,33-36. — Nouveau résumé de toute la doctrine de ce livre III, cf. 2,21-26 ; 4,30-32 ; 6,31-33 ; 7,40 – 8,53 (notamment 8,49).

15,36-45. — Nouvelle reprise d'un thème fréquent : les Trois sont Esprit, cf. 14,14-16.

15,43. sanciat. — Même étymologie chez Augustin, *de fide et symbolo* IX 19 : « A sanciendo, sanctitatem vocari. »

***

15,46 — 17,9. L'acte propre de l'Esprit-Saint : témoigner au sujet du Christ. — Le fondement dernier de ce développement est évidemment la lettre même de l'évangile de saint Jean, et très spécialement *Ioh.* 16,8-10, dont ces pages sont presque uniquement le commentaire. Les expressions johanniques qui, dans l'évangile, caractérisaient l'action propre de l'Esprit-Saint, avaient d'ailleurs été retenues par les conciles orientaux dans les professions de foi (Encénies 341 ; Sirmium 351 ; Sirmium 357 ; Sirmium 359) : *instruere, docere, sanctificare, memorare*, cf. *ad Cand.* 31, 3-7 n. La présente étude exégétique de Victorinus a une grande parenté avec celle qu'a donnée le Père Boulgakov dans son livre *Le Paraclet* (Paris, 1946), p. 160-165 et p. 244-248, avec une abondance et une fidélité analogues.

Voici le schéma général de ce développement qui cherche à résumer le contenu du témoignage de l'Esprit-Saint.

Rôle économique de l'Esprit-Saint (15,46-16,37)	Son action dans les Apôtres (16,38-17,9)
1° Il rend témoignage au Christ.......	*Act.* 1,8 : « eritis mihi testes »... 16,38 *Paul* témoin du Christ........ 16,41 *Jean* et *Pierre* dans I *Ioh* 1,1.. 16,45 et *Act.* 2,30..... 16,47
2° Il convainc le monde (*Ioh.* 16,8-10)..................15,46	
a) *du péché,* parce que le monde n'a pas cru dans le Christ...............15,46...... et 16,4	*Act.* 2,22-24, les Juifs ont crucifié le Christ...... 16,57
b) *de la justice,* parce que le Christ est allé auprès du Père.................15,49....... et 16,5-8-11	*Act.* 2,34 et *Rom.* 8,34 : le Christ est assis à la droite du Père. 16,60
c) *du jugement,* parce que Satan est jugé..........15,56....... et 16,12	*Rom.* 16,20; *Eph.* 4,8; *Apoc.* 1,18 et 12,7...... 17,2 sq.
3° Il achève la sanctification des baptisés, en leur donnant la science de ce que le Christ a fait. 16,12-37	

Donc le Christ accomplit le mystère du salut, mais l'Esprit-Saint donne la science de ce mystère. Au baptême de l'eau, doit s'ajouter le baptême de la science, de la gnose (16,25) qu'est la Pentecôte. Et après la Pentecôte, les Apôtres rendent témoignage au Christ, sous l'influence de l'Esprit, donc selon le schéma que le Christ lui-même a présenté à l'avance comme devant être le témoignage de l'Esprit-Saint. Comparer tout ce développement avec IV 17,25 – 18,10.

15,49-55. — Victorinus semble entendre *iustitia* au sens de glorification méritée, cf. 16,8-10.

15,56. sedet. — Cf. I 46,1-15 n. et III 16,60-65.

15,57-59. — Cf. I 39,22; III 3,31; *in Galat.* 6,14 ; 1196 d 3 et 1,11 ; 1151 b 2 ; *hymn.* II 49-50.

15,60-64. — Dilemme : *ou bien* l'Esprit-Saint inaugure une phase absolument nouvelle dans l'économie du salut, il achève ce que le Christ a laissé inachevé et il vient seul pour réaliser cette nouvelle phase ; *ou bien* le Christ est en lui, tout ce que le Christ a opéré lui appartient. C'est évidemment cette deuxième solution qu'adopte Victorinus (cf. 16,12-14). C'était un problème analogue qui avait été posé en I 12,19 sq. (n.) : « Ipse *alter* Iesus » correspondrait bien à la première hypothèse, « In ipso altero paraclito, hoc est spiritu sancto, *inest* Iesus », à la seconde. Victorinus insiste sur le caractère dyadique des opérations de Jésus, comme de la révélation de l'Esprit-Saint; ils sont l'un en l'autre, mais l'un agit, opère, l'autre révèle cette opération, l'un vit, l'autre est conscience de la vie ; et comme il n'y a de vraie vie que dans la conscience de la vie, il n'y a de vrai salut que dans la conscience du salut. Il n'y a aucune solution de continuité entre le Christ et l'Esprit-Saint.

16,6. peccato. — Se rapporte à 16,4.

16,15. loquens silentium. — Cf. I 13,30.

16,16-37. — Victorinus ramène la mission de sanctification à une mission d'enseignement. L'Esprit-Saint achève la sanctification en donnant la science, parachève le baptême par un baptême de science. Suivant l'heureuse formule de B. Pruche, à propos de la doctrine de saint Basile sur l'Esprit-Saint (Basile de Césarée, *Traité du Saint-Esprit*, *SC* 17, p. 65) : « C'est dans l'Esprit que grandit et s'épanouit, sous la poussée de la « gnose » qui est elle-même une « grâce », la ressemblance recouvrée au baptême. »

16,16-20. — Formules exprimant l'intériorité réciproque des hypostases dans leur rôle économique. La notion de prédominance permet de corriger ces formules d'apparence sabelliennes. On a le schéma suivant :

en tant qu'*esprit* (=substance) de *sanctification*	dans le mystère du salut (=de la *vie* éternelle)	dans l'acte de *sanctification* (= de *connaissance* du mystère de la *vie* éternelle)
Dieu... est lui-même (= le Père)...	est le Christ......	est l'Esprit-Saint
le Christ... est Dieu (= le Père).........	est lui-même.....	est l'Esprit-Saint
l'Esprit-Saint... est Dieu (*quod deus*).	est le Christ (*cooperator*)	est lui-même (*alter paraclitus*)

C'est toujours le même principe fondamental : chacun est les trois selon son mode propre (cf. *hymn.* III 115 n.).

16,22-37. — Tous trois sanctifient, mais le mode de sanctification propre à l'Esprit-Saint, c'est la science. La Pentecôte (16,27) est un baptême de science.

16,35. non ad sanctificationem. — *Sanctificatio* désigne ici le premier baptême (cf. 16,28) et la foi.

16,40. Lucas. — Dans l'évangile de Luc, 24,48, Jésus dit que les disciples sont ses témoins, et pourtant la Pentecôte n'a pas eu lieu. Au verset 24,49 seulement, Jésus dit : « Je vais vous envoyer ce que mon Père a promis. » Conclusion, pour Victorinus : l'Esprit-Saint est déjà dans Jésus (puisque l'opération propre de l'Esprit-Saint : le témoignage, s'exerce *avant* la mission de l'Esprit-Saint).

16,44-45. — Même idée qu'en 16,40 (n.).

16,46. Petrus. — Peut-être allusion à II *Petri* 1,16.

16,47. ipsi. — Jean et Pierre ; probablement confusion avec *Act.* 3,1 sq.

16,60-69. — C'est le témoignage *de iustitia*, cf. 17,2.

***

17,10 — 18,28. Conclusion. Deux Un et Deux en Un. — Une conclusion très nette vient récapituler ce livre fortement construit. 1° On peut légitimement ramener la Trinité au Père et au Fils ; c'est conforme à l'usage scripturaire (17,10 – 18,10). 2° Car la Trinité est constituée par deux dyades : les Deux qui sont un : le Père et le Fils ; les Deux qui sont en un (le Fils) : le Christ et l'Esprit-Saint (18,11-18). Dans l'*un* des deux, ils sont *deux* ; il en résulte donc trois, qui sont un. Un appendice (18,18-28) sur l'Esprit-Saint semble un dernier scrupule de Victorinus préoccupé du problème de l'Esprit-Saint.

17,10. et communi et proprio actu. — *Tres istas potentias* désigne en même temps Père, Fils, Esprit-Saint et *esse, vivere, intellegere.* Leurs *actes* sont à la fois, comme leurs *noms*, propres et communs, puisqu'en chacun sont les trois, selon le mode propre de chacun (cf. I 54,9-12 ; III 9,1-8). C'est ce qui a été montré à propos de la vie, de la science, de la sanctification tout au long du livre. En même temps, cette opposition entre *communis* et *proprius actus* correspond à une détermination progressive à la fois de chaque hypostase et de la substance divine (cf. *hymn.* I 54-55 : *progressu actuum*). Je verrais alors dans le *communis actus* l'*esse*, et dans le *proprius actus*, l'*esse*, le *vivere*, l'*intellegere*, devenus *esse cum forma* : hypostases, selon la description de 4,35-46.

17,11. unitatem deitatemque. — Hendiadyn. Cf. *ad Cand.* 31,10 : *una divinitas.* Ces abstraits correspondent en fait à *unus deus*, cf. 18,28 ; 4,5. C'est le seul emploi de *deitas* chez Victorinus.

17,12. in duo. — C'est là tout le problème traité en ce livre III : peut-on légitimement parler de deux : le Père et le Fils, tout en pensant à la Trinité ? C'était le fond même des objections pneumatomaques qui faisaient en somme de l'Esprit-Saint l'ensemble des dons divins provenant du Père et du Fils et communiqués aux hommes : l'usage scripturaire fréquent n'était-il pas de parler uniquement du Père et du Fils (cf. Athanase, *ad Serap.* I 10 ; *PG* 26,556 c). Il s'agissait donc pour Victorinus de prouver que le Fils comprend le Christ et l'Esprit-Saint ; cela a été le but même de ce traité qui a utilisé à cette fin la philosophie et l'exégèse ; c'était également, au moins partiellement, la solution d'Athanase, *ad Serap.* I 14 ; *PG* 26,565 b (trad. Lebon, p. 108) : « L'Esprit n'était pas séparé du Fils, mais était, lui aussi, dans le Christ, comme le Fils est dans le Père. » La démonstration de Victorinus correspond à la logique même de son système trinitaire qui, opposant l'être au mouvement ou à l'agir, distingue une double dyade, celle de l'être et du mouvement (Père-Fils) et celle qui est intérieure au mouvement (Christ-Esprit-Saint). Le Saint-Esprit est ainsi Fils dans le Fils.

17,13. quasi geminus. — C'est la formule de l'intériorité réciproque, le Père dans le Fils, le Fils dans le Père. Ce sera le thème des premiers chapitres du livre IV (1-3). On rapprochera cette idée, fondée sur *Ioh.* 14,10, de la théorie plotinienne, héritée de *Parménide* 142 e, qui voit une bi-unité dans l'*être* et le *mouvement*, *Enn.* VI 2,7,20-24 : « Et si l'on veut les prendre à part, le *mouvement* apparaîtra dans l'*être* et l'*être* dans le *mouvement*, de même que, dans l'*un qui est* (du *Parménide*), chacun des deux termes pris à part contient l'autre : et pourtant la réflexion nous dit qu'il y a deux termes et que chacun des deux est double, quoiqu'il soit un. » Victorinus trouve donc dans ce schéma d'intériorité réciproque le modèle qui lui permet de concevoir l'intériorité réciproque du Père et du Fils, c'est-à-dire, pour lui justement, de l'*être* et du *mouvement*. L'être est mouvement aussi, et le mouvement est aussi être ; cela a été démontré en 2,33-54. A l'analyse plotinienne, s'ajoute chez Victorinus un élément qui trahit l'influence du néoplatonisme postplotinien : *autogonus motus* ; l'être est défini comme mouvement qui se meut par lui-même, en sorte que la consubstantialité entre Père et Fils est assurée par leur caractère respectif d'*autogonus motus*, cf. 7,40 – 8,5 n. Mais, cette notion même d'*autogonus motus*, autre nom de la *vie* (3,10-11), est ellemême tout à fait dans la tradition plotinienne ; Plotin ne définit-il pas, quelques lignes après le texte cité plus haut (*Enn.* VI 2,7,35), le mouvement, comme la *vie* de l'être, et comme l'*acte* de l'être. Le modèle métaphysique qui permet à Victorinus de concevoir l'intériorité réciproque du Père et du Fils est donc celui de l'intériorité réciproque de l'être et de son acte ; l'être se donne le mouvement, et ce mouvement se donne l'être.

17,14. exsistentia et actio. — Cf. 18,13-15 ; le rapprochement avec *substantia* et *motus* correspond presque à une identité, l'acte est un mouvement et le mouvement un acte ; de même *exsistentia* et *substantia* (ὕπαρξις et οὐσία) désignent tous deux l'être, par opposition au mouvement, à la détermination et à l'acte.

17,18. coniunctione. — Cf. IV 2,5 ; I 50,21.

17,18. sine geminatione simplex. — Cf. Plotin, *Enn.* VI 2,15,2-15 : le mouvement, acte de l'être, n'ajoute rien à l'être, mais *est* l'être.

17,19-24. — La longueur et surtout la situation bizarre de la parenthèse (17,20-21) entre *diversum* (*versum* AΣ) et *actu* est difficile à expliquer ; s'agit-il d'une note marginale, complétant *diversum* et que le scribe n'a pas su où placer dans le texte ? Je relis : *suo ut proprio exsistendi diversum tantum actu.*

17,19. diversum. — Cf. I 59,7-8 n.

17,20. vi ... potentiaque. — Cf. IV 7,25 ; IV 10,34 ; I 54,16.

17,21-24. — Les deux actes sont les deux mouvements qui ont été distingués en 2,12-54.

17,22. in passiones incedente. — Cf. I 3,29 (*molestia*) ; I 22,44-55 n. ; I 22,47 n. ; IV 8,5-8 ; IV 31,45.

17,25-29. — Les formules binaires, chez saint Paul et dans l'Évangile.

18,4-10. — Même retour à l'Écriture, dans la conclusion, en I 59. Pour Victorinus, *I Cor.* 1,4-5 signifie que dans un seul, le Christ (*in illo*), il y a deux termes : le Logos-vie et la science, c'est-à-dire le Christ proprement dit et l'Esprit-Saint.

18,11-18. La Trinité. — La dyade Père-Fils se déploie en triade. Sur le sens de cet exposé final, cf. plus haut, Caractère général du livre III.

18,13. actualis. — L'adjectif marque ici comme en 18,14 : *exsistentialis*, ce que chaque terme est *aussi* ; le Père est *exsistentia* par prédominance, et il est *actus* par son *exsistentia*. C'est la même idée en d'autres termes qu'en 17,13-16.

18,17. unum duo. — Un un qui devient deux ; le mouvement unique se dédouble nécessairement en vie et sagesse, c'est-à-dire qu'il est finalement dyade, tandis que Père et Fils (*duo unum*) sont deux, qui sont l'un en l'autre, et donc finalement un. Le Père et le Fils sont un Deux qui est un, parce que le Père en lui-même est *deux* : être et mouvement et que le mouvement lui-même est à son tour être et mouvement. Si chacun, l'être, le mouvement, est à la fois, les *deux* et un en lui-même, ces deux termes sont un entre eux (cf. IV 1,12-19 n.). C'est l'unité de l'*Un qui est* du Parménide. Entre le Fils et l'Esprit-Saint, il n'y a pas ce dédoublement indéfini, qui, pour Plotin, comme pour Victorinus, n'est que l'expression du paradoxe de l'intériorité réciproque. Ils ne sont pas l'un en l'autre, mais ils sont éternellement l'un avec l'autre. Le mouvement est éternellement et indissolublement vie et sagesse.

18,18-28. Appendice. L'Esprit-Saint. — Comme en 7,5-8, on a probablement ici une addition postérieure, ou tout au moins un scrupule de dernière heure : Victorinus a l'impression qu'il n'a pas insisté sur le caractère *dyadique* de l'économie du salut, sur le rôle joué par l'Esprit-Saint dans la vie du Christ. Peut-être a-t-il, entre temps, fait une lecture qui lui a révélé cet aspect ? Le thème sera développé abondamment par Grégoire de Nazianze, *orat.* XXXI ; *PG* 36,165 b (rôle de l'Esprit-Saint, à la naissance du Christ, à son baptême, à la tentation, dans ses miracles, dans son ascension), par Basile de Césarée, *de spiritu sancto* XVI 39; *PG* 32,140 c-d (compagnon de la chair du Christ, l'Esprit-Saint l'assiste dans la tentation, dans ses miracles, est avec lui à la résurrection), par Cyrille de Jérusalem, *catech.* XVII 6-33 ; *PG* 33,976 sq.

18,20. Christus in carne. — Cf. IV 7,4 et 16 ; cf. I 35, 10 n.

18,25. quadam agendi distantia. — Cf. 8,39-42.

CONTRE ARIUS

LIVRE QUATRIÈME

Caractère général. — Le livre III reflétait, dans les lignes nettes de sa structure, l'équilibre d'une pensée parvenue à un système apparemment définitif. Le livre IV introduit un nouveau système compliquant le précédent, plus précaire donc, mais peut-être aussi plus conscient de certains problèmes. Pourtant la structure du livre IV est, elle aussi, très simple, calquée sur le schéma trinitaire présent dans l'esprit de Victorinus. Ce schéma est, par rapport à celui du livre III, dyadique, et non plus triadique. Mais il introduit les deux notions conjointes d'*actus* et de *forma*, l'*actus* de IV étant d'ailleurs identique explicitement au *motus intus* de III (cf. IV 8,27). Voir le schéma de la page suivante que l'on pourra comparer avec celui du livre III (cf. caractère général du livre III).

Le Père et le Fils sont en implication réciproque, non plus comme *esse* et *motus*, mais comme *actus* et *forma* ; l'existence d'une *forma intus*, c'est-à-dire d'une préexistence du Fils au sein du Père, est plus fortement marquée; la triade *esse-vivere-intellegere* ne sert plus à distinguer les trois moments Père-Fils-Esprit-Saint de la trinité, mais simplement à *définir le contenu* de l'acte d'être qu'est le Père et de sa forme qu'est le Fils ; enfin, on peut facilement donner un titre aux deux parties du livre en les nommant *vivendo vita* et *intellegendo intellegentia* (cf. IV 15,27 et IV 29,2), ces deux expressions signifiant à la fois que la *forme* (*vita-intellegentia*) résulte de l'*actus* (*vivere* ou *intellegere*) et qu'elle-même sort de l'*actus* et s'en distingue en se donnant à elle-même un *actus* propre. *Vivendo vita* : la vie est produite par l'exercice de l'agir divin qu'est le Père et elle est engendrée, parce qu'elle se met à *vivre* pour elle-même. *Intellegendo intellegentia* : la pensée est produite par l'acte de penser qu'est le Père, et elle est engendrée parce qu'elle se *pense* comme pensée. Ces deux parties du livre : *vivendo*

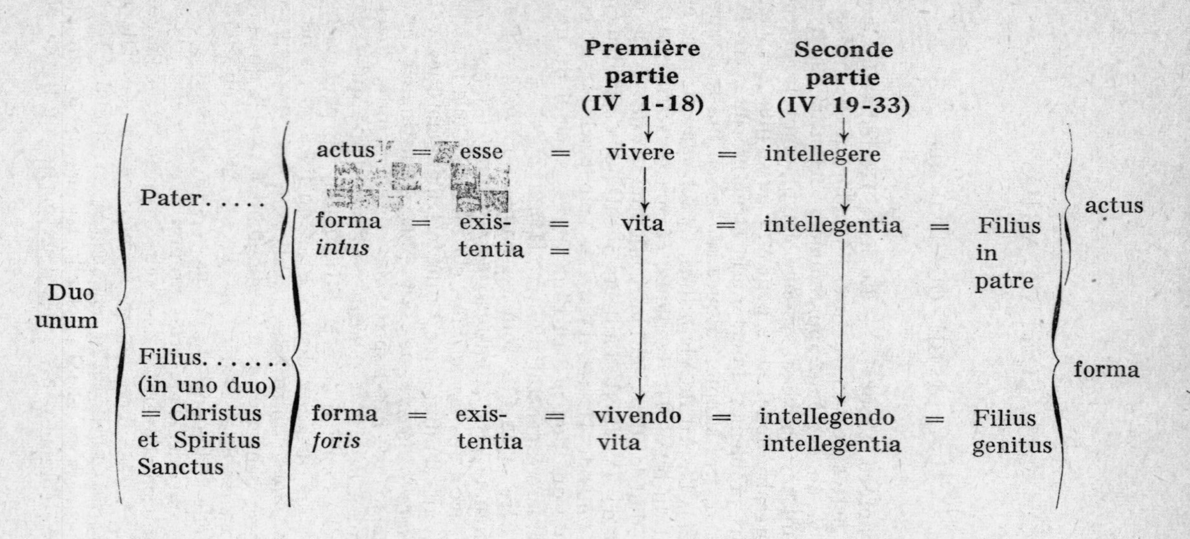
Première partie (IV 1-18)
Seconde partie (IV 19-33)
Duo unum
Pater.....
actus = esse = vivere = intellegere
forma intus = exis-tentia = vita = intellegentia = Filius in patre
actus
Filius.......
(in uno duo)
= Christus et Spiritus Sanctus
forma foris = exis-tentia = vivendo vita = intellegendo intellegentia = Filius genitus
forma

vita, *intellegendo intellegentia* marquent un progrès de la pensée, l'une par rapport à l'autre. La première (*vivendo vita*) montre que la forme de Dieu qu'est le Fils résulte de l'agir du Père et elle insiste vigoureusement sur l'implication réciproque de la *forma* et de *l'actus*. La seconde (*intellegendo intellegentia*) montre comment la forme qu'est le Fils est engendrée par le Père et elle utilise à cette fin le modèle de la génération de la pensée prenant conscience d'elle-même comme pensée. Le schéma de l'*esse-vivere-intellegere* est donc utilisé d'une manière toute nouvelle. D'une part, la définition de l'*esse* comme *actus* équivaut à sa définition comme *vivere* et comme *intellegere*. L'*esse* est un *vivere* et un *intellegere* tournés vers soi. Mais cet *agir* pur, par son exercice même, engendre un résultat de son agir, sa *forme* (l'existence, la vie et la pensée) qui révèle la structure de l'*actus* qu'est l'*esse*. Tout en définissant le Père comme *esse*, on peut donc aussi bien le contempler comme *vivere* (c'est la première partie) ou comme *intellegere* (c'est la seconde partie). Et la forme qu'est le Fils apparaît alors par rapport à lui comme *vita* et comme *intellegentia*. Il y a deux états de la forme, parce qu'elle est le résultat d'un agir. L'agir divin étant un agir pur, c'est-à-dire un agir qui se termine à son propre agir, la forme produite par cet agir ne se distingue pas d'abord de lui, c'est la forme intérieure, le Fils dans le Père. Mais cette forme intérieure, émise par la fécondité infinie de l'agir divin, a la puissance de devenir elle-même *agir*, c'est-à-dire de se poser pour elle-même comme *actus* et *forma*. C'est la génération du Fils, le Fils hors du Père. C'est surtout le thème de la *seconde partie* (IV 19-33). Ce plan binaire, *vivendo vita*, *intellegendo intellegentia*, qui contemple successivement l'*esse* divin, comme *vivere* et comme *intellegere*, est un développement logique de III 4,11-21 et 4,6-11 qui identifiait *vivere* et *intelligere* par l'intermédiaire de l'*esse*.

On peut donc dire que ce livre IV est un traité sur la *Forme consubstantielle de Dieu*. Ses bases scripturaires sont *Ioh.* 5,26 et 6,57 (qui servent à définir le Père et le Fils comme *celui qui vit* et *vie*) et *Phil.* 2,5-7 (qui justifie l'emploi de *forma* pour désigner le Fils et provoque ainsi un long commentaire qui termine le livre (IV 29,39 – 33,19).

***

1,4 — 18,44. I. Vivendo vita. — L'intention générale de cette première partie ne se dévoile que peu à peu : il s'agit de définir le Fils (considéré pendant tout ce livre IV comme indissolublement Christ et Esprit-Saint, cf. IV 16,1 – 18,44) comme *forme* produite par l'exercice de l'*agir* divin, c'est-à-dire du vivre. Cette intention se dévoile en 8,30 et sq. Cette intention explique la marche de la pensée : d'abord définition du *Père comme vivre*, du *Fils comme vie*, et affirmation de leur implication réciproque (1,4 – 7,33), ce qui implique d'abord une définition préalable et purement métaphysique des rapports entre vivre et vie (1,4 – 3,38), puis une identification, faite à l'aide à la fois de l'Écriture et de la philosophie, du Père avec le vivre, du Fils avec la vie (4,1 – 7,33). Après cette identification entre Père et vivre, Fils et vie, *seconde étape* (8,1 – 15,32) : *définition de la vie*, c'est-à-dire *du Fils*, comme *forme* du *vivre*, c'est-à-dire du *Père*. Développement assez décevant, car, après un exposé initial (8,1-57) qui dit à peu près l'essentiel, Victorinus répétera longuement tout ce qu'il a dit dans la première partie sur le *vivre et la vie* (9,1 – 10,44), puis montrera la vie de tous les êtres suspendue à l'*agir pur* de Dieu (10,45 – 13,14), pour exposer très rapidement, et trop rapidement, ensuite, la doctrine de la *vie comme forme* (13,15-38), et après avoir montré, contre une objection arienne, que la consubstantialité du Père et du Fils n'implique pas *deux inengendrés* (14,1-35), finalement (15,1-34) donner l'exemple du rapport du *présent* avec l'*éternité*, pour expliquer le rapport entre vivre et vie. Ce dernier exemple est d'ailleurs excellent et compense, en sa brièveté, les longueurs qui ont précédé. Ce chapitre 15 résume au mieux tout le contenu et toute l'intention de la première partie du livre IV : la vie est produite, comme forme, par l'agir qu'est le vivre. Le développement qui suivra sur l'Esprit-Saint (16,1 – 18,44), nous ramène au livre III, dont il est, somme toute, un résumé. Le système qui permettait à Victorinus de penser la consubstantialité de l'Esprit-Saint, dans le livre III, n'est pas pleinement intégré au nouveau système de pensée introduit dans le livre IV. Victorinus reprend donc le premier sans le modifier.

***

1,4 — 3,38. Identité et altérité entre le vivre et la vie. — Nulle allusion ici au Père et au Fils (on parle de cause et d'effet, 3,26). C'est un développement purement philosophique analogue pour la forme à III 4,6 – 5,31. Un exposé initial (le chapitre 1) dit l'essentiel sous une forme très abstraite. Puis un développement de cet exposé distingue entre un état d'identité et un état d'altérité du vivre et de la vie (2,1 – 3,38), c'est-à-dire préfigure à l'avance les rapports qui existeront entre le Père et le Fils.

Victorinus cherche un type d'implication réciproque lui permettant de concevoir l'implication réciproque du Père et du Fils, cf. II 11,18-21 n. Or le *Parménide* 142 d-e fournissait aux commentateurs platoniciens le type d'une implication mutuelle s'en allant apparemment à l'infini : « L'Un est toujours gros de l'être, et l'être gros de l'Un ; si bien que, fatalement, deux indéfiniment s'engendre sans que jamais puisse être un », mais dans laquelle ils découvraient la bi-unité de l'être et du mouvement (cf. Plotin, *Enn.* VI 2, 7,20-24, cité plus haut III 17,13 n.) A la place de l'*être* et du *mouvement*, qui furent le thème du livre III, apparaissent ici *vivere* et *vita.* Le couple *vivere-vita* rentre dans le schéma général qui guide la pensée de Victorinus en ce livre et qui fait de l'*esse-vivere-intellegere* l'*actus* ; d'*exsistentia-vita-intellegentia*, la *forma.* L'*esse*, qu'est le Père, étant conçu comme *actus*, s'exprime au mieux par *vivere.* Mais alors sa forme est évidemment la *vita.*

1,4-21. Exposé initial. — Articulation de l'argumentation : *Vivit* et *vita* sont :

1° Un ? *Mais* deux termes, donc deux concepts (4-5).

2° Mêmes ? *Mais vivit = in actu esse, vita = actio,* c'est-à-dire deux choses différentes (5-6).

3° Autres ? *Mais* ils sont l'un en l'autre (6-12).

4° Mêmes ? *Mais* ce qui est ailleurs qu'en soi est différent de soi ; donc leur identité comporte de l'altérité (12-13).

5° Autres ? *Mais* si chacun est l'autre par son être même, chacun en soi est même, et si en chacun le même est identique à l'autre, les deux sont un (14-19).

6° Ils sont *Un* (19).

1,4. vivit. — Ce « vivit » substantifié réapparaîtra en 2,23 ; 3,19 ; 8,30 sq. ; 9,13 sq. ; 12,14 ; 14,3 ; 14,10; 15,27; 19,17. Ailleurs, Victorinus emploie *vivere.* C'est un hellénisme, cf. Plotin, *Enn.* VI 7,38,1 et VI 8,19,20, qui emploie de cette manière τὸ ἔστιν.

1,4. unumne an idem an alterum. — Questions analogues, I 48,1-28 ; *in Ephes.* 1,11 ; 1246 a 12. Sur le fond, cf. I 41,50 – 42,41 n.

1,5-6. — Cf. Plotin, *Enn.* II 5,1,3-6 : ἆρα τὸ αὐτὸ τῷ ἐνεργείᾳ εἶναι ἡ ἐνέργεια καὶ εἴ τί ἐστιν ἐνέργεια, τοῦτο καὶ ἐνεργείᾳ, ἢ ἕτερον ἑκάτερον ; malgré l'identité littérale, je ne pense pas à une utilisation directe. La formule par elle-même peut correspondre à une question scolaire, les contextes sont différents. D'autre part, Victorinus introduit ici une distinction différente de celle de Plotin. Pour Plotin, l'être en acte, c'est le composé de matière et de forme, l'acte, c'est la forme (cf. É. Bréhier, *Plotin, les Ennéades*, t. II, p. 73). Pour Victorinus, être en acte, c'est agir, être acte, c'est être la forme qui résulte de l'agir, cf. 3,16.

1,7-8. — *In eo quod* doit se comprendre d'après le contexte, car il peut signifier aussi bien καθό, τῷ et l'infinitif ou ἐν τῷ ou ἐν ᾧ. Ici et en 3,2 l'expression signifie *en ce que, par le fait que, en tant que.* Ailleurs, c'est-à-dire en 10,28 ; 13,29-30 ; 14,34-35 ; 15,27 et 30, il signifie toujours : *en ce qui.* Dans le passage présent, *vita* est l'unique sujet de la phrase.

1,8. vivat. — Pour confirmer l'interprétation proposée dans la note précédente, on remarquera que, s'il y avait une symétrie : la vie est dans le « Il vit », le « Il vit » dans la vie, Victorinus n'aurait pas écrit *vivat,* mais *id quod est vivit* comme par exemple en 15,27.

1,9. sit. — L'argument repose sur l'identité entre *esse* et *vivere,* souvent rappelée (par exemple 5,42) et démontrée en 10,45 sq.

1,9. alterum in altero. — Correction à cette expression en 13,18.

1,12. idem in duobus, est a se alter. — Cf. Platon, *Parménide* 146 c : « Ce qui est ailleurs que son propre soi... cela n'est-il pas, par ce fait d'être ailleurs, autre que soi-même ? (τὸ ἑτέρωθι ὂν ἑαυτοῦ... οὐκ ἀνάγκη αὐτὸ ἑαυτοῦ ἕτερον εἶναι, εἴπερ καὶ ἑτέρωθι ἔσται;) »

1,12-19. — On a ici une sorte de démonstration de la *commutativité* de la relation *vivit* = *vita* ((*vivit* = vita) = (*vita*= vivit)). L'identité de *vivit* avec *vita* ne fait finalement qu'un avec l'identité de *vita* avec *vivit.* Ou encore, l'implication réciproque est réduite à l'identité en vertu du principe (1,15) : ce qui est autre par son être même, est un. Si *vivit* est un, tout en étant *vivit* et *vita,* et s'il en est de même pour *vita, vivit* et *vita* seront un, chacun en soi, et tous deux ensemble. C'est la définition de l'altérité dans l'identité, dont il a été question en I 48,22-28 (n.), cf. Porphyre, *sentent.* XXXVI ; Mommert, p. 30,20 : « Son altérité (il s'agit de l'ὄντως ὄν) n'est pas ajoutée de l'extérieur, n'est pas adventice, et ne provient pas d'une participation à quelque chose d'autre, mais c'est par lui-même qu'il est multiple. ἀλλ' ἑαυτοῦ πολλά. » Ce principe se retrouve en 5,45-47.

1,20 virtute ... tempore. — Cf. Hilaire, *de trin.* III 4 ; *PL* 10,78 a 14 : « Unigenitum ab eo (= patre) nec tempore, nec virtute discernere. »

1,21. causa. — Dans l'ordre de la causalité, il y a distinction, cf. 3,10.

2,1 — 3,38. Développement. — Cette *retractatio* (2,1), exposition plus développée, ne se contente plus de conclure purement et simplement à l'unité de *vivit ac vita*, elle distingue entre un état d'identité absolue dans lequel les deux sont confondus, et un état d'altérité relative, dans lequel, tout en restant intérieurs l'un à l'autre, les deux termes se distinguent parce que l'un engendre l'autre. Si l'exposé initial donnait l'impression d'une égalité totale et absolue entre *vivit* et *vita*, cette fois il y a priorité du vivre sur la vie. Les hypothèses, apparemment rejetées dans l'exposé initial et qui se rapportaient à l'altérité entre *vivit* et *vita*, correspondent donc en fait à un état de leurs rapports.

2,3. duplicatum. — Sens différent en 10,13.

2,8-11. — Cf. 3,29-32. Dans les existants inférieurs à la vie, le vivre est postérieur à la vie, l'être consiste à posséder la vie, et la vie est reçue de l'extérieur.

2,11-23. — L'identité *vivit-vita* n'est qu'un cas particulier du mode d'être propre au monde intelligible, tel qu'on le trouve décrit notamment dans les *sententiae* XVII, XIX, XXIV, XXXIX de Porphyre.

2,12. ipsa per se exsistentia. — Porphyre, *sentent.* XIX ; Mommert, p. 7,12 : τὰ μὲν καθ'ἑαυτὰ ὑφεστηκότα, et XXXIII ; p. 35,3.

2,12. in suis rebus. — Porphyre, *sentent.* XXXIII ; p. 26,20 : τὰ ἴδια.

2,13-14. — Porphyre, *sentent.* XXXIX ; p. 35,4-5 : τὸ ἐν ταυτότητι οὐσιῶσθαι, τὸ ἀμετάβλητον εἶναι κατ' οὐσίαν.

2,14-16. — C'est-à-dire l'être de la vie (= son essence) est en même temps son acte. Sa définition est le mouvement, mais son acte d'être même consiste à se mouvoir. Or cet acte de se mouvoir, c'est l'acte de vivre (cf. *Lois* 895 c). Donc *esse = vivere = vita.* Cf. Porphyre, à propos de l'âme, *sentent.* XVII ; p. 6, 2 : ἐν ζωῇ παρ' ἑαυτῆς ἐχούσῃ τὸ ζῆν κεκτημένη τὸ εἶναι.

2,16. — Cf. 4,13.

2,18. in intellectibilibus atque intellectualibus. — Cf. 25,19-20 : *in noetis et in noeris* ; cf. Cand. I 11,14-17 n. ; *ad Cand.* 7,1-7 et 7,7 – 8,7 (n.) ; I 61,7-27 n.

2,18-23. — Les intelligibles et intellectuels ne connaissent pas la différence entre la substance et la qualité, l'être et son acte. Cf. III 4,6 ; IV 25,17, pour la notion de substances vivantes et intelligentes ; c'est la définition de *spiritus* plus bas, en 4,9. Cette formule exprime traditionnellement la plénitude de l'être, cf. Plotin, *Enn.* V 9,10,10 : « Puisque là-bas tout est ensemble, tout y est, selon ce qu'on en peut percevoir, substance et intelligent et pourvu de la vie (οὐσία καὶ νοερά, καὶ ζωῆς ἕκαστον μετέχον), à la fois même et autre, mouvement et repos, mobile et immobile, substance et qualité, et tout y est en substance... la qualité d'un être n'y est jamais séparée de sa substance. »

2,21. unius modi. — Probablement = ἑνοειδεῖς.

3,1-38. — Sens général : on vient de montrer que *vivit* = *vita* = *una substantia*. Mais il ne s'agit pas d'une unité monolithique. *Vita* est dans *vivere*, ou encore *vita* est *vita* parce qu'elle est *vivere*, c'est-à-dire qu'il y a bien deux termes, qui s'impliquent mutuellement. Ceci correspond au *cur duo nomina* de 1,5, à l'*idem in duobus* de 1,12. Il y a donc une double implication mutuelle : *vivit* est en *vita*, *vita* en *vivit* (cf. *conplexio*, 3,4). Mais à quoi correspond-elle ? Si l'on retient la démonstration faite en 1,12-19, cette double implication correspond en fait à une seule *exsistentia*, c'est-à-dire à un seul acte d'être ; il y a un seul *soi* qui est à la fois vivre et vie, sans dualité (cf. 3,6-8). Mais ceci n'est qu'un état du vivre et de la vie ; cet état correspond en fait (Victorinus ne le dit pas expressément, mais on peut le déduire) à une prédominance du vivre, dans lequel la vie vient se confondre. L'intériorité réciproque est alors compénétration absolue dans le vivre. Mais, par son exercice même, le vivre engendre la vie, c'est-à-dire que celle-ci tend à se poser pour elle-même, donc à se distinguer de lui. Alors, en une première étape, le vivre est cause de la vie et, en une seconde étape, la vie, à son tour, devient cause du vivre des êtres inférieurs. La procession est déclenchée (3,8-12). Il y a encore intériorité réciproque, mais entre deux êtres distincts, entre deux *exsistentiae*. Donc deux états du vivre et de la vie : dans le premier, unité absolue, selon laquelle il n'y a pas une parcelle du vivre qui ne soit vie, et pas une parcelle de la vie qui ne soit vivre ; dans le second, distinction entre deux *exsistentiae*, mais le *vivere* a en lui la *vita*, et la *vita* distinguée de lui a toujours en elle le *vivere*. Ce sont les deux états d'ipséité et d'identité distingués en I 41,4 – 43,4 (n.) ; I 41,50 – 42,41 (n) ; I 54, 14 (n.), entre le Père et le Fils.

3,1. sermo processit. — Cf. Numénius, *fr.* 21 ; Leemans, p. 138,11-13 : ἐοικυῖα ἡ πρόσοδος αὕτη γεγονυῖα ἂν εἴη τοῦ λόγου; cf. A.-J. Festugière, *Le Dieu inconnu*, p. 128, n. 1; Simplicius, *in Enchiridion*, Didot, p. 96,44-45 : ὡς δείξει προϊὼν ὁ λόγος. *Asclépius* 12 (Nock-Festugière, t. II, p. 311, 7) : « Ut iste rationis sermo processit. »

3,4. naturalis ista conplexio. — Ici *conplexio*, plus bas, *copula* (3,7) désignent l'implication réciproque, c'est-à-dire le fait que le vivre est dans la vie, et la vie dans le vivre, ou que le vivre est, par son être même, vie, et la vie, par son être même, vivre. Or ces deux mots sont également employés en *hymn.* I 4 et *hymn.* III 245 pour désigner l'Esprit-Saint, qui, effectivement est, dans la perspective trinitaire de Victorinus, le lien du Père et du Fils. Mais je ne pense pas que Victorinus ait fait le rapprochement. Cette *conplexio* est *naturalis* parce qu'elle introduit une multiplicité *intérieure* à l'être et non une relation avec quelque chose d'extérieur.

3,5. exsistentiae ... pura simplicitas. — Cf. 8,17 : *simplici exsistentia*; 10,12 ; 13,20.

3,5. modo pura. — Cf., dans Boèce, *in Isag.*, *ed.* I, II 27 ; Schepps-Brandt, p. 128,12 : « Nos illam *modo solam*... intellegamus. » Ce genre de formule pourrait bien être caractéristique du style de Victorinus, car l'index de l'édition de l'*in Isag.* de Boèce (*ibid.*, p. 412) au mot *solus* ne signale des *solus tantum*, *tantum solus*, *modo solus* que dans l'*editio prima*, fortement influencée par le style de Victorinus. Cette accumulation de mots pour exprimer : *una exsistentia*, correspond au besoin d'exprimer une unité absolue.

3,5. duae. — Le fait d'être *duae exsistentiae* n'empêchera pas *vivit* et *vita* d'être *una substantia*. Tout en étant souvent l'équivalent de *substantia*, en ce livre IV comme dans les autres livres (par exemple IV 8,10 ; 18,55), *exsistentia* s'en distingue aussi assez nettement, selon les principes de vocabulaire posés en II 4,11, c'est-à-dire que l'*exsistentia* représente l'*esse cum forma*. C'est très net en 33,32, où *exsistentia*, correspondant exactement à *subsistentia* (ὕπαρξις correspondant à ὑπόστασις), s'oppose à *substantia*, pour désigner l'être propre du Père et du Fils par opposition à l'être commun de la trinité (cf. III 8,41). Tout en signifiant, comme ici même, l'être propre, l'être déterminé, *exsistentia* connote d'une manière confuse l'idée d'*exister*, d'exercer l'acte d'être, donc un certain caractère concret. Les deux aspects sont d'ailleurs liés : l'individuation étant détermination.

3,6. vitam esse. — Cf. III 4,13-16. Cette identité entre *vitam esse* et *vivere* est fondamentale ; c'est elle qui fonde le raisonnement en 1,7-9, en 2,6-8, comme en III 4,13-16, ou en I 42,19 sq. et I 52,17-37 (n.) dans la mesure où, dans, tous ces textes, l'*esse vitam* est identifié avec l'*esse* en soi.

3,7. copulam. — Cette *copula ad exsistentiam sui* correspond au *quolibet enim altero exsistente quod alterum est* de 1,15, c'est la multiplicité constitutive de l'un-multiple, cf. 1,12-19 n. On pourrait presque traduire : le couple ou la dyade constitutifs de leur existence. Selon les principes énoncés en 1,15 et en 5,45, cette multiplicité constitutive équivaut à l'unité. Que *vivit* soit *vita* par son être même, ou que *vita* soit *vivit* par son être même, c'est la même chose, il y a seulement une seule *copula* constitutive d'une seule *exsistentia* : le *vivit-vita*.

3,12. potentia enim λόγῳque suo. — Je pense que *potentia* et λόγος correspondent à *potentia* et *operatio* de 3,16 : quand *vivit* et *vita* se sont distingués, le *vivit* (= *potentia*) a sa *vita* (= λόγος) confondue avec son être (cf. 20, 1-25), et d'autre part la *vita* (= λόγος) a la *potentia*, c'est-à-dire le *vivit*, présente en elle. Ils sont donc redoublés l'un en l'autre. Toutes choses semblent d'ailleurs ainsi se dédoubler en puissance et Logos.

3,16-18. — Cf. 1,5-6. Le vocabulaire est assez mouvant. En 1,6, et ici même, la vie est *actio* ; mais en 15,4, c'est le *vivere* qui est *actio*. En tout cas, ici *actio*, comme *operatio*, sont *effectum*, c'est-à-dire le résultat de l'agir, la forme qui résulte de l'*agere*.

3,20-22. — Apparemment le contraire de 3,13 ; mais il s'agit de deux ordres différents, unité dans la substance, diversité dans la causalité ou opération.

3,23-38. — En Dieu, *vivere* est avant *vita*. Mais, dans les autres, *vita* est avant *vivere* (cf. III 4,12). Cette affirmation prépare l'identification *vivit-pater, vita-filius*.

3,24. in principali ... exordio. — Sans doute, l'expression évoque l'idée païenne d'un rayonnement de la divinité première sur des divinités de second rang. Toutefois, il est possible qu'il n'y ait ici qu'une formule emphatique.

3,24-25. — Première affirmation nette de la priorité de *vivere* sur *vita*. Dans l'unité absolue, il n'y avait, théoriquement, pas de priorité de l'un sur l'autre. Sur cette priorité, cf. 5,4 – 6,18 n.

3,26. ratio ... veritas. — Les deux sources de la théologie, cf. I 29,6. *Ratio docebit* en 5,4 – 6,18. *Veritas adprobabit* en 6,18 – 7,33.

3,29. **ὁμοούσιον.** — Cf. 10,32, parallèle qui autorise la conjecture. *Simul enim ista*, cf. Plotin, à propos de l'implication réciproque de la pensée et de l'existant en soi, *Enn.* V 1,4,30 : ἅμα μὲν γὰρ ἐκεῖνα.

3,37. frustra. — Mais seulement, dans l'état d'ipséité du vivre et de la vie. L'application au Père et au Fils va faire comprendre la nécessité de ce redoublement.

***

4,1 — 7,33. Le Père est le vivre, le Fils est la vie. — Ce développement représente une phase absolument constante des exposés théologiques de Victorinus, d'abord présentation d'un type de rapport métaphysique ; ensuite application au Père et au Fils (cf. *ad Cand.* 2,16-30 n.). Il s'agit donc ici de prouver que, puisque le vivre engendre la vie, le Père est le vivre, et qu'il engendre le Fils comme vie. Pour arriver à ce résultat, trois étapes : a) le Dieu dont parle l'Écriture est bien *le vivre* (4,1 – 5,4); b) or, philosophiquement, il est nécessaire que le *vivre* engendre *la vie* (5,4 – 6,18) ; c) enfin, *la vie*, engendrée par le vivre, est bien *le Fils* dont parle l'Écriture (6,18 – 7,33).

***

4,1 — 5,4. Dieu vit et est vie, parce qu'il est esprit. — La suite des idées est ici absolument stéréotypée chez Victorinus. 1° Nous croyons en Dieu (4,1-5). 2° Donc nous affirmons qu'il est (4,5). 3° Mais comment définissons-nous son être (4,6) ? 4° Nous le définissons comme une substance qui est l'Esprit (4,7-16). 5° Cet Esprit vit et est vie (4,17-32). 6° Conclusion (5,1-4). Dieu est une seule substance qui est Esprit, qui vit et qui est vie. Sur la constance de ce schéma, chez Victorinus, cf. I 30,18 – 31,17 n. ; I 55,3-12 n. ; III 6,23-35 n.

4,1-3. — Cette apostrophe rendra courage, même au lecteur moderne. L'Écriture Sainte sert donc à faire comprendre la métaphysique. Cf. Hilaire, *de trinitate* III 2 ; *PL* 10,76 b 12.

4,2. tractatu. — On pourrait évidemment l'entendre comme supin (clausa tractatu). Mais je pense que nous avons ici le *superior tractatus* dont parlera 9,7.

4,7. spiritus ... lumen. — Cf. 16,3 ; I 30,18 – 31,17 n. ; *de hom. rec.* 1,25.

4,9. — Cf. I 50,1-21.

4,10-12. — *Credunt* désigne les homéens, cf. I 30,36-59 n. ; I 59,13-29 ; II 3,1 n. ; II 3,48 – 6,19.

4,11. humilem et alienum. — Cf. la lettre des homéens de Rimini (dans *coll. antiar. Par.* A VI 1 ; Feder, p. 87,17 ; *PL* 10,703 b) : « Ut *indignum deo nomen*, quod nusquam in legibus sanctis scriptum est, iam a nullo dicatur. »

4,17 — 5,5. — Cf. la reprise de ce présent *tractatus* en 9,8-25.

5,4 — 6,18. Le vivre qu'est Dieu engendre la vie. — Si l'Écriture a établi que Dieu est esprit et qu'il vit, elle ne permet pas d'établir que c'est en tant que vivre, que Dieu engendre la vie qu'est le Fils. Il faut ici faire appel à la raison. La raison va donc révéler que si Dieu est le vivre d'où découle le vivre de tous les existants, il faut qu'il engendre la vie en soi, comme forme universelle, comme puissance et genre suprême dont proviendra le vivre des existants. Victorinus ramène donc le problème à celui de la naissance des idées, et plus précisément de l'idée des idées à partir de Dieu. Or, cette naissance des idées est conçue ici d'une manière très caractéristique : l'acte précède la forme ; c'est parce que Dieu est être, que l'existence en découle, c'est parce que Dieu vit, que la vie en découle, etc. En somme, de l'être, vivre, penser qu'est Dieu, de l'existant, du vivant, du pensant unique qu'il est en lui-même, une forme unique, *existence*, *vie*, *pensée*, découle et répand ces trois aspects de la forme, dans les existants particuliers. Cette doctrine, nouvelle dans l'œuvre de Victorinus, est constante dans le livre IV, cf., entre autres, 15,7-8 et 25,44 – 26,7. L'idée d'une priorité de l'être-vivre-penser, par rapport à l'existence, la vie et la pensée, semble jouer un certain rôle dans le néoplatonisme du IVe siècle (cf. Théodore d'Asiné, chez Proclus, *in Tim.*, Diehl, t. II, p. 274,24, et les anonymes visés par Proclus, *in Parm.*, Cousin, 2e éd., p. 1106,18-32).

Plan de notre développement présent : 1° Le vivre, source du vivre de tous les existants, engendre la vie, pour communiquer le vivre (5,4-22). 2° D'une manière générale, Dieu, être, vivre, penser originels, engendre les idées suprêmes, les genres suprêmes que sont l'existence, la vie, l'intelligence (5,23 – 6,7). 3° Donc le vivre est antérieur à la vie, parce que l'agir est plus simple que ce qui résulte de son agir (6,8-18).

5,4-22. — Cf. 10,45 – 12,17, une remontée analogue vers le vivre originel.

5,7-11. — Victorinus distingue des anges dans le monde et des anges au-dessus du monde; cf. *in Ephes.* 1,21 ; 1251 b 13 : « Lingua... angelorum, eorum tamen qui in mundo sunt. »

5,8. deos. — Cf. Plotin, *Enn.* V 1,4,3 : κόσμον αἰσθητὸν ... καὶ θεοὺς τοὺς ἐν αὐτῷ ... καὶ δαίμονας καὶ ζῷα φυτά τε πάντα. Augustin, *civ. dei* X 31, probablement à la suite du *de regressu* de Porphyre : « Quos in mundo deos a deo factos scribit Plato » (*Timée* 41 b).

5,9. non ... illud vivere. — Même affirmation de la distinction radicale entre le vivre de Dieu et celui des autres êtres, chez Porphyre, *sentent.* XII ; Mommert, p. 3,11 : ζῇ γὰρ κἀκεῖνο, εἰ καὶ μηδὲν τῶν μετ' αὐτὸ παραπλήσιον αὐτῷ ζωὴν κέκτηται.

5,10. universalis atque fontanae. — L'idée d'âme-source remonte aux *Oracles chaldaïques*, Kroll, p. 28, c'est la πηγαῖα Ἑκάτη, source des vies particulières ; cf. Proclus, *in Tim.*, Diehl, t. III, p. 249,13 : πηγαία ψυχή; l'expression *fontana anima*, dans Favonius Eulogius, *in somn. Scip.*, Holder, p. 14,4, semble bien remonter directement ou indirectement à Porphyre, cf. P. Courcelle, *Les Lettres Grecques... de Macrobe à Cassiodore*, p. 29. Cf. 11,13.

5,14. pro suo exsistendi genere. — Cf. 12,10 ; 22,3 ; 25,18 ; 31,13 ; 31,44.

5,15. progrediente.—Logiquement, cette « progression » ne peut signifier que la génération de la vie universelle.

5,16. adflante. — Cf. 12,1-4.

5,19. principium. — Cf. 22,24 : *fons et origo.*

5,20-22. — C'est un type de rapport actif, décrit par Plotin, *Enn.* VI 1,8,12-14 : « L'un produit l'autre complètement, l'autre se réalise et il ne donne au premier qu'un nom, tandis qu'il reçoit de lui l'existence (καὶ τὸ ὑποστὰν ὄνομα μόνον παρέσχε τῷ ἑτέρῳ, τὸ δὲ τὴν ὑπόστασιν). De cette dernière espèce est le rapport de père à fils. »

5,21. vocabulum. — Le produit révèle le producteur, le nomme, cf. 23,31 sq.

5,22. rem. — En ce livre IV, signifie souvent substance, réalité concrète, cf. 19,28 sq.

5,23. rectum. — L'opposition avec *ratione verum* montre qu'il s'agit de la rectitude de langage obtenue par la conformité au vocabulaire scripturaire.

5,25. primum. — Cf. *ad Cand.* 21,3.

5,26-29. — C'est à ce caractère discursif de l'intelligence humaine que correspond la fonction du mythe, chez Plotin, *Enn.* III 5,9,24-29 : « Les mythes, s'ils sont vraiment des mythes, doivent séparer dans le temps les circonstances du récit, et distinguer bien souvent les uns des autres des êtres qui sont confondus ou ne se distinguent que par leurs rangs ou leurs puissances ; d'ailleurs même les raisonnements (de Platon) font naître des êtres qui n'ont pas été engendrés (γενέσεις τῶν ἀγεννήτων) et séparent des êtres qui n'existent qu'ensemble (καὶ τὰ ὁμοῦ ὄντα καὶ αὐτοὶ διαιροῦσι). » Donc, pour Plotin, même les raisonnements (οἱ λόγοι), et il pense surtout au *Timée* de Platon, introduisent cette sorte de temps dans l'intelligible, cf. *Enn.* IV 8,4,40-42.

5,30. universales. — A la fois, *universel* en extension et *intelligible*, c'est-à-dire pur de toute matière et de toute altérité. Les « universels » représentent donc le monde intelligible, le monde des idées, et les « universels des universels », les idées premières qui, ne faisant qu'un, sont la forme première issue de Dieu, la « forma formarum » pourrait-on dire. Cf. les expressions qui viennent ensuite : *species specierum, genera generum, potentiae potentiarum.* Ces expressions sont caractéristiques d'une tradition issue de Numénius (cf. R. Beutler, *Numenios*, dans Pauly-Wissowa, *Suppl.* VII, p. 672,1) qui admettait une participation des idées entre elles.

5,31. Plato. — Lieu commun, cf. Apulée, *de Plat. dogm.* I 5,190 ; Goldbacher, p. 66,17.

5,31. ideas. — Cette génération des idées par Dieu semble bien un héritage des *Oracles chaldaïques*, Kroll, p. 23, qui décrivent le jaillissement, hors de Dieu, du fleuve des idées qu'ils appellent παμμόρφους ἰδέας, ἀρχεγόνους ἰδέας. Cf. Proclus, *in Parmen.*, Cousin, 1864, p. 800,22 : πηγῆς δὲ μιᾶς ἄπο π[τ]ᾶσαι ἐξέθορον (*sc.* αἱ ἰδέαι). Cf. W. Theiler, *Die chaldaische Orakel*, p. 21.

5,33. — Ὀντότης est identifié par Porphyre avec Hestia, cf. Lydus, *de mensibus* IV 94 ; Wünsch, p. 138,18 : « Les théologiens veulent qu'Hestia soit ce qu'on appelle l'ὀντότης ; témoin, Socrate qui dit dans le *Cratyle* qu'Hestia est la substance-source, cause de l'être pour tous les existants, et établie en son Père. Porphyre distingue, après l'Hestia intelligible qu'il appelle ὀντότης, une Hestia qui lui est homonyme (la puissance conductrice de la terre). » Cette Hestia de Porphyre désigne évidemment une idée suprême. Le mot est fréquent chez Victorinus lui-même, cf. III 7,12 ; I 31,34, en grec, ou en latin, sous la forme *essenti-*

tas, I 52,37, ou *essentialitas*. Νοότης est employé notamment dans Proclus, *in Parm.*, Cousin, p. 1106, 18 sq. (signalé plus haut, 5,4 – 6,18 n.). Chez Victorinus, *intellegentitas*, *ad Cand.* 7,6 ; *intellegentialitas* I 50,19. Les trois termes ne sont réunis que chez Damascius, *dubit. et solut.* 58 ; Ruelle, I, p. 125,15, sans que le contexte ait de rapport avec le développement de Victorinus.

Signification de ces cinq termes : ils sont cinq comme les genres suprêmes du *Sophiste* : être, repos, mouvement, même et autre (*Sophiste* 254 d sq.) étudiés par Plotin en *Enn.* VI 2, 7 sq. ; mais *vie* et *intelligence* remplacent *repos* et *mouvement*, selon un processus qui tendait déjà à se réaliser chez Plotin, *Enn.* VI 2,7,4 et *Enn.* V 1,4,34 ; III 7, 3,8-19. Ces cinq termes (explicitement les trois premiers, cf. *adv. Ar.* IV 26,5) constituent en fait une seule forme, une seule puissance universelle. C'est d'ailleurs le sens de 5,36-48.

5,34. profunduntur. — Cf. *Oracles chaldaïques*, Kroll, p. 24 (v. 15-16) : ἀρχεγόνους ἰδέας πρώτη πατρὸς ἔβλυσε τάσδε αὐτοτελὴς πηγή.

5,36-48. — Ce développement, parallèle à 21,26 – 22,6, veut montrer que ces formes universelles qui découlent de Dieu, ne sont qu'une seule forme (qui sera d'ailleurs considérée ensuite, uniquement et par prédominance, comme *vita*), et qui est *le Fils*. Le Fils est donc conçu comme la puissance universelle qui réunit en elle les trois aspects les plus fondamentaux de la réalité (cf. 23,7).

5,40-48. — L'unité des trois est assurée par le principe de prédominance, cf. I 20,15-16 n. ; I 54,9-12 n. ; II 3,41. Chacun est, par son être même, les autres (5,45-47 = 1,15-16), donc est trois, mais est nommé par ce qu'il est le plus.

5,40. haec tria accipienda ut singula. — *Haec* (= ces puissances) *ut singula* (prises chacune à part) *accipienda tria* (doivent être considérées comme trois).

5,40. suo. — Ablatif de qualité ; mot à mot : par où elles sont d'un propre plus abondant. *Qua*, cf. 21,28.

5,42-44. — C'est l'implication du *vivere* et de l'*intellegere* dans l'*esse*, décrite en III 4,25-32.

5,43. ipsum vero vivere. — Nominatif en suspens.

6,1-3. — Dieu, qui est à la fois *esse-vivere-intellegere*, est donc considéré sous l'aspect du *vivere*, sans doute parce que le *vivere* marque mieux le mouvement de l'être. La forme va donc être considérée uniquement sous l'aspect de *vita*.

6,3. suo vivendi opere. — Cf. 6,15 ; 10,4 ; 15,9-10. D'où une distinction entre *agens*, *opus* (ou *actus*) et *actio*, l'agissant, l'exercice de son agir, et la forme qui en résulte.

6,8-17. — Voilà donc le point d'aboutissement de tout le développement : on peut conclure à la priorité du vivre sur la vie.

6,18 — 7,22. Donc le Père est le vivre, le Fils est la vie. — Grâce au raisonnement très simple : celui qui engendre est le Père, l'engendré est le Fils. Confirmation : l'Écriture appelle le Christ, vie, donc lui donne le nom de l'engendré.

6,28. Samaritana aqua. — Même exégèse que chez Héracléon, *fragm.* 17 ; Brooke, p. 72,4 : κοσμικὴ ... ἦν (*scil.* ζωή) : l'eau du puits de Jacob est la vie de ce monde.

6,32-39. — De même que 4,1-32 a démontré que Dieu, étant Esprit, est vivre et vie, ici l'on démontre que le Fils, étant vie, est donc Esprit, et par suite vivre. La notion d'Esprit sert de moyen terme entre vivre et vie. Développement repris (en tant que faisant partie du *superior tractatus*) en 9,9-18.

6,38-39. numquam enim se deserit. — Cf. *Phèdre* 245 c : μόνον δὴ τὸ αὑτὸ κινοῦν, ἅτε οὐκ ἀπολεῖπον ἑαυτό, οὔποτε λήγει κινούμενον. Cf. III 3,18-26 n. On comparera avec Cicéron, *tuscul.* I 23,53 : « Quia numquam deseritur a se. »

6,43. vivit enim et vita. — Cf. 1,7 ; 3,3.

7,1-22. Commentaire de Ioh. 6,57-63. — Ces quelques versets de saint Jean désignent le Père sous le nom de *vivus*, affirment que le Fils *vit* (*ego vivo*), en même temps qu'il est *vie éternelle* (habet *vitam* aeternam), enfin lient étroitement *spiritus* et *vita*. Elles sont donc un excellent résumé et une excellente confirmation de la doctrine ici exposée par Victorinus.

7,4. in carne Christum. — Cf. I 35,10 n. sur ce vocabulaire.

7,10-20. — On retrouve ici la doctrine du Logos plénier, c'est-à-dire du Logos devenu Logos de l'âme et Logos du corps, liée d'ailleurs à la notion de vie éternelle, comme en III 3,18-26 et 27-46 ; c'est parce que le Logos assume tous les éléments intégrants de la réalité humaine que l'homme est sauvé et vivifié tout entier.

7,16. toto se. — L'expression est très forte pour exprimer la réalité de l'incarnation. C'est le même Christ qui est esprit, âme et corps.

7,19. cum quibus ascendit. — C'est-à-dire qu'il avait âme et corps entre sa résurrection et son ascension, et il les a gardés dans son ascension.

7,20. ut spiritus intellegatur. — *Spiritus* apparaît bien ici comme définissant la nature divine. *Spiritus et vita sunt* de *Ioh.* 6,63 (mes paroles sont esprit et vie) est rapporté à la nature divine du Christ et celle-ci, identifiée au Père, selon une tendance que j'ai déjà signalée en I 51,39 n. ; III 12,41 n. ; III 15,12-15 n.

7,23-33. Conclusion : ils sont consubstantiels. — Les chapitres 1-3 ayant établi fortement la consubstantialité du vivre et de la vie, les chapitres 4 à 7 ayant démontré que le Père est le vivre, que le Fils est la vie, la conclusion s'impose d'elle-même. Elle est exposée avec un luxe de synonymes que l'on retrouvera en 10,31-44, ce qui est normal, puisque 9,1 – 10,44 est la répétition d'un *superior tractatus* qui n'est autre que 4,1 – 7,33.

7,24. principaliter principalia. — Cf. 5,35 : *universaliter principales* ; 6,2 : *principaliter principale* ; 12,7 : *generaliter generalem* ; 19,7 : *principaliter principale* ; 20,10 : *universaliter universale.* Ce genre de formule est propre au livre IV, et est appliqué aussi bien à Dieu qu'à sa forme.

7,31. significatio. — Désigne le signe, donc la caractéristique distinctive.

7,32-33. — Cf. 31,19-26.

***

8,1 — 18,44. Le Fils est forme consubstantielle du Père comme la vie est forme du vivre. — Le mot *forma* n'a pas été employé encore dans tout ce qui précède. Le nouveau *tractatus* (cf. 9,6) qui commence maintenant apporte donc un élément nouveau : la vie (la vie *engendrée* par le vivre, comme il a été prouvé en 1,1 – 7,33), la vie est la *forme* produite par le vivre, la forme engendrée par l'agir. A vrai dire, la notion est déjà apparue en 5,4 – 6,17 (n.) puisque l'on a vu l'existentialité, la vitalité et « l'intelligentéité » sortir de Dieu, c'est-à-dire l'acte émaner de l'agir. C'est même dans cette perspective que la priorité du vivre sur la vie pouvait s'expliquer. La vie universelle devait être engendrée par un vivant et un vivre transcendant. Ce nouveau *tractatus* est donc un effort pour décrire la *formatio* de la vie à partir du vivre. A vrai dire, Victorinus est assez bref sur ce sujet : on ne trouve des éléments positifs qu'en 8,9-57, en 13,15-38 et surtout en 15,1-32. Heureusement en 18,45 – 29,38, c'est-à-dire dans la deuxième partie du livre : *intellegendo intellegentia*, le problème de la forme, issue de l'agir, sera repris du point de vue du rapport *intellegere-intellegentia*. On peut considérer *le développement consacré à l'Esprit-Saint* (16,1-18,44) comme faisant partie de cette étude présente (8,1 – 18,44) sur la vie, forme consubstantielle du vivre. Car la forme est indissolublement vie et pensée, Christ et Esprit-Saint.

***

8,1 — 15,34. — La suite des idées demande à être clairement expliquée. Une première étape vient nettement de se terminer ; le Père est *vivere*, le Fils est *vita* ; c'est un enseignement conforme à la philosophie et à l'Écriture. En 7,23-33, on a donc conclu à leur consubstantialité. C'est donc d'abord sur cette notion de consubstantialité que Victorinus engage un nouveau développement en 8,1 : il va confirmer *par l'Écriture sainte* la doctrine du consubstantiel ; puis il répondra aux *questions* soulevées par cette doctrine (comment Père et Fils peuvent-ils être l'envoyant et l'envoyé ? etc.). En fait, ce projet tourne court : pas de preuves scripturaires de l'*homoousios*, ni de réponse aux objections. Le seul développement qui réponde à ce projet se trouve en 29,39 – 33,25 ; il correspond exactement à l'intention présente de Victorinus. En fait, en 8,9-57, Victorinus va bien faire une tentative d'exposition de l'*homoousios*, en présentant la *vita* qu'est le Fils comme forme du *vivere* qu'est le Père. Mais il s'arrête (9,1) en reconnaissant que, pour exposer et démontrer l'*homoousios*, son développement présent est bien compliqué (9,1-6). Ainsi, 8,9-57 devient un exposé initial qu'il va développer, qu'il va chercher à éclairer. C'est le même procédé qu'en 4,1 sq. Comment va-t-il développer et éclairer cet exposé initial ? Justement, en reprenant et en résumant 4,1 – 7,33, dont il est somme toute assez satisfait : c'est le *superior tractatus* (9,6) qu'il faut bien comprendre et bien retenir. Donc, en 9,8 – 10,44, il résume, répète, réexpose 4,1 – 7,33, c'est-à-dire qu'il affirme que Dieu vit et qu'il est vie par lui-même, parce qu'il est esprit, et que le Fils vit et est vie par lui-même, parce qu'il est engendré par le Père. Donc ils sont consubstantiels. Cette réexposition terminée, on revient, si l'on peut dire, à 8,9-57, c'est-à-dire qu'il s'agit maintenant de présenter le Père, le *vivere*, comme un *actus*, et le Fils, la *vita*, comme sa *forma*. C'est l'objet de 10,44 – 13,38. Le Père apparaît comme *actus* absolument pur, grâce à une remontée dans la hiérarchie des vies, depuis la matière jusqu'au Logos, et finalement jusqu'à la source de tout vivre (10,45 – 13,14). Le Fils apparaît comme *forme* engendrée par le mouvement intérieur du vivre. Il est consubstantiel, parce que producteur et produit sont ici éternels (13,15-38). On peut dire qu'ici, un nouveau palier, par rapport à 1,1 – 7,33, par rapport à l'exposé sur *vivere-vita*, a été atteint : *la vie est forme du vivre.*

Ce qui suit représente en quelque sorte un ensemble de compléments, d'appendices, de précisions. D'abord, Victorinus répond, à la lumière de sa théorie du *vivere-vita*, à une objection arienne traditionnelle contre l'*homoousios* : le consubstantiel impliquerait qu'il y ait deux inengendrés (14,1-35). Ensuite, 15,1-34, un exemple, celui du rapport du présent à l'éternité, vient aider à faire comprendre le rapport entre le *vivere* et sa forme.

***

8,1-8. — Ce sont les problèmes inhérents à l'*homoousios*, cf. I 18,25-28 n. ; II 3,1 sq.

8,5-8. — Cf. III 17,21-24.

8,6. per infinitos actus ... saeculis infinitis. — Le mouvement d'incarnation du Logos qui le conduit jusqu'à la mort de la croix, fait partie du mouvement plus vaste par lequel il crée « les siècles » infinis. Il peut y avoir en « creandis saeculis » un écho de *Hebr.* 1,2 : « Per quem fecit et saecula » ; mais il y a surtout, dans « infinitos actus » et « saeculis infinitis », une curieuse analogie avec la doctrine d'Amélius, le disciple de Plotin, qui admettait une infinité de formes, exigeant l'infinité du temps pour se réaliser (cf. Syrianus, *in metaphys.*, Kroll, p. 147,1). Les passions, subies par le Logos dans son acte, sont elles-mêmes infinies, parce qu'elles proviennent des réactions des individus, en nombre infini, dans l'infinité des siècles.

8,6-7. his quae sunt in saeculis. — Cf. *hymn.* I 59 et 72.

8,9-57. Exposé initial. — 1° Le vivre de Dieu est sa substance et possède, par son être même, l'existence, la vie et l'intelligence (8,9-16). 2° Car l'être est vivre, en tant qu'il est doué d'un mouvement intérieur (8,16-30). 3° Ce mouvement intérieur qu'est le vivre engendre une forme qui le révèle (8,30-42). 4° L'Écriture sainte enseigne bien que

Jésus-Christ est l'image et la forme qui fait connaître le Père (8,42-57). Cet exposé effectue une liaison entre la doctrine de l'implication de *vivere-vita* (1,1 – 7,33), la doctrine de l'implication mutuelle de l'*esse-motus* exposée au début du livre III (III 2,12-54 et 7,1 – 8,24) et enfin la doctrine de la *vita* comme forme de l'*esse*, exposée en I 53,9-13 et I 53,19-26. En somme, jusqu'ici, dans l'œuvre de Victorinus, c'est toujours l'*esse* qui a été considéré comme « sans forme », comme inconnaissable à cause de cela (cf. II 4,8 sq.). C'était sa délimitation par la *forme* (qui est le Fils et le Christ) qui lui est consubstantielle, qui permettait de le connaître. Cette forme était d'ailleurs identifiée à *vita* (I 53,9-26). Mais le *vivere* avait constamment été conçu comme un acte, donc comme une manifestation de l'*esse* (III 7,30). Or, ici, l'identification de Dieu avec *vivere* exige que ce *vivere* soit incompréhensible et sans forme. La solution, grâce à laquelle Victorinus maintient la cohérence avec ses exposés précédents, consiste à identifier ce *vivere* avec le *motus intus* qui définissait l'*esse* en III 2,12-54. Cette identification le conduit à concevoir, d'une manière plus dynamique que jamais, l'acte d'être (8,36). Mais ceci est tout à fait cohérent avec III 2,31-40 (n.). L'être vit, il est mouvement tourné vers soi. La forme est une sorte de « matérialisation » de ce mouvement, une trace laissée par lui, un dessin qui l'exprime. Ainsi la forme d'un vivant révèle l'invisible mouvement qui l'anime.

8,9. — Cf. 6,37.

8,10-13. — L'agir est substance, cf. 9,18-24 ; 10,6 ; 12,14 ; 14,9. La doctrine est remarquable, parce que ce n'est pas ici l'acte qui, en vertu de l'identité de la substance et de la qualité, dans les choses éternelles, vient s'identifier à la substance, c'est au contraire l'aspect substantiel de Dieu qui tend à se fondre dans le « vivit », dans l'exercice présent et concret de l'acte de vivre et de l'acte d'être. Cf. Plotin, *Enn.* VI 8,20,9-10 : « Il ne faut pas craindre de poser un acte sans un être qui agit, puisque c'est l'acte premier ; mais il faut penser que cet acte est lui-même son sujet (αὐτὸ τοῦτο τὴν οἷον ὑπόστασιν θετέον). »

8,11. naturam. — Cf. III 4,41, et pour la doctrine, également, III 2,12-16.

8,13-16. — Pour l'implication de la vie et de la conscience de la vie, dans l'être, cf. III 4,25-32 ; III 6,31-33 ; IV 5,44. Ici, Victorinus affirme que, puisque l'être consiste dans le vivre, l'être a en lui la vie, et puisque le vivre consiste à se penser comme vivre, l'être a en lui la pensée ; l'être possède donc en lui la forme : existence, vie, pensée, et il en est la source, cf. 5,23 – 6,17.

8,16-30. — C'est ici le moment décisif de l'identification entre *esse* et *vivere*. D'abord, réduction de *vivere* et d'*intellegere* à *esse*, en vertu du principe de dénomination par prédominance (8,16-26). Ce principe permet de reconnaître en effet que si le Premier, c'est-à-dire Dieu, est vivre et penser, par son être même, il est être par prédominance. Et le principe de dénomination par prédominance, maintes fois employé par Victorinus, cf. 5,36-48, reçoit ici une précision nouvelle. Chacun fait prédominer ce qui lui est propre, par son propre mouvement (8,24-26). Il y a donc un ordre qui s'établit entre les mouvements propres à chacun des trois, et le Premier est bien l'*esse* parce que l'*esse* est le premier mouvement (8,26-29). Mais si l'*esse* est mouvement, il est donc bien le *vivere*, sous-entendu, puisque vivre, c'est se mouvoir soi-même. Il y a donc un mouvement de la réflexion qui reconnaît que le *vivere* est *esse* quand on le considère en Dieu, c'est-à-dire en son état absolument originel, et inversement que l'*esse* est *vivere* quand on le considère comme mouvement premier.

8,17. simplici exsistentia. — Rappelle *exsistentiae... pura simplicitas* de 3,5, et l'explique : dans l'état d'identité originelle, il n'y a qu'une existence, c'est-à-dire un seul acte d'être.

8,17. in deo ... deus. — Cf. III 2,13-15, même passage de l'inhérence à l'identité, et *ad Cand.* 23,8.

8,18. ex se. — L'être, par le fait même qu'il est être, est vivre et penser, tandis que vivre et penser supposent l'être.

8,18. vivere et vitam esse. — C'est-à-dire l'acte de vivre et la substance de la vie, cf. 3,6.

8,20-24. — Ils seront engendrés dans la mesure où, par leur mouvement propre, ils se donneront leur être propre.

8,24. in tribus terna. — Cf. *hymn.* I 55.

8,25. motus ordine. — Cf. I 16,28 n. ; I 12,25 n.

8,26. operentur. — Ici, et en 8,28, comme en 18,57-60, le mot comporte la nuance : *mettre en acte*, *actuer*, l'acte étant conçu comme un mouvement, et l'acte propre, comme un mouvement propre et autonome. Il y a ici le parallélisme logico-métaphysique qu'exprime le mot : se définir, c'est-à-dire réaliser concrètement sa propre notion.

8,26-29. — Cf. III 2,31-40 n. et IV 17,1-2. L'acte d'être est acte immanent. Cf. Cand. I 6,16-17.

8,30-42. La production de la forme. — La vie est forme, parce qu'elle fait connaître le vivre. Le vivre lui-même est inconnaissable en lui-même. Il n'est connu que dans la mesure où la vie le révèle. En I 53,8 sq. la vie, mouvement caché, révélait l'être où elle était cachée, en extériorisant son mouvement. Ici, c'est l'être ou vivre qui est le mouvement insaisissable que la forme permet de saisir parce qu'elle l'immobilise en elle.

8,32. habitus. — Cf. 13,15.

8,36-38. — Le vivre pur est inconnaissable parce qu'il est mouvement pur. Victorinus tire ici, directement ou indirectement, la conclusion logique d'une conception traditionnelle qui faisait du mouvement perpétuel la caractéristique de la réalité divine ; c'est l'étymologie αἰθὴρ = ἀεὶ θεῖν, (l'éther, course perpétuelle) d'Aristote, *de caelo* I 3,270 b 22 ; c'est aussi l'étymologie θεός-θεῖν très répandue chez les Pères ; enfin les formules stoïciennes comme celle de Sénèque, *consol. ad Helviam* (*dial.* XII) 6,7 : « Caelestium autem natura semper in motu est, fugit et *velocissimo cursu* agitur » et 6,8 : « Cum dei natura, assidua et citatissima commutatione vel delectet se vel conservet », ou celle de Tertullien, *ad nat.* II 4 ; *PL* 1,590 d. Mais l'originalité de la doctrine de Victorinus consiste à conclure de là à l'incognoscibilité de l'être divin.

8,36. vivere. — L'idée de mouvement perpétuel du vivre était aussi fondée sur l'étymologie ζῆν-ζεῖν (déjà chez Plotin ; *Enn.* VI 7,12,23, mais surtout développée dans le néoplatonisme postérieur, cf. Damascius, *dub. et solut.* 81 ; Ruelle, I, p. 179,8 ; 84, p. 195,16 ; 150, t. II, p. 32,18).

8,37. momentis omnibus. — On pensera à la théorie stoïcienne du mouvement, Simplicius, *in categ.*, Kalbfleisch, p. 307,3 : ἔστιν γὰρ (*scil.* ἡ κίνησις) πάντως... ἐνέργεια, ἀλλ' ἔχει τὸ πάλιν καὶ πάλιν : le mouvement est un acte qui recommence de nouveau à chaque instant, et qui est acte à chaque moment de son parcours. ; cf. Plotin, *Enn.* VI, 1,16,6. L'acte est mouvement et le mouvement est acte.

8,39. coit. — La vie « prend corps » pour ainsi dire ; la manière d'être qu'elle est, s'individualise et s'hypostasie.

8,42-57. — Groupement de textes scripturaires affirmant que le Fils fait connaître le Père, cf. 29,42 – 30,11.

9,1 — 10,44. Résumé de l'enseignement concernant le vivre et la vie. — Victorinus expose à nouveau le *superior tractatus*, c'est-à-dire 4,1 – 7,33, comme le montrera le détail des comparaisons. Plan très simple : 1° (9,7-25) Dieu est esprit, c'est-à-dire vit et est vie éternellement. 2° (10,1-15) La vie est engendrée par le vivre, et elle est comme lui esprit et vivre ; elle lui est donc consubstantielle. 3° (10,16-44) Or le Père, c'est le vivre, et la vie, c'est le Christ ; donc, en application de ce qui précède, ils sont consubstantiels. C'est exactement le plan de 4,1 – 7,33. Cette nouvelle exposition est simplement mieux suivie, plus cohérente, et de style plus soigné.

9,1-5. — *Substantiam et simul... unam... substantiam* contre les homéens qui, on l'a vu dans le livre II (3,1), rejetaient l'*ousia* et l'*homoousios*. *A patre filio substantiam* contre les homéousiens, qui prétendaient que l'*homoousios* impliquait une substance antérieure au Père et au Fils, cf. I 29,7-33 n.

9,7-9. — Cf. 4,32.

9,10-18. — Cf. 6,32-39.

9,18-25. — Cf. 4,19-23 et 4,13.

10,1-3. — Cf. 6,34-37.

10,3-6. — Cf. 6,8-17. Voir également *hymn.* II 11-26 ; *adv. Ar.* IV 15,10.

10,6-10. — Insistance plus grande que dans le *superior tractatus* sur la consubstantialité de *vivit* et de *vita.*

10,9. vita vivendo. — Cf. 15,10 et 27. Double sens : la forme « vita » naît de l'acte de vivre, mais elle naît, parce qu'elle se met elle-même à vivre, elle s'approprie l'acte de vivre, cf. *intellegendo intellegentia,* 29,10.

10,10-15. — Cf. 1,9-12 et 15-16 ; 2,2-6.

10,12-13. simplicitate ... substantiae duplicatum. — C'est-à-dire que *vivere* et *vita* n'ont de distinction entre eux que celle d'une unique substance qui se pose elle-même, qui est *causa sui,* c'est-à-dire qui, venant de soi et en soi, est *comme* double. Cf. 13,15-22.

10,16-19. — Cf. 6,17-18.

10,19-26. — Cf. 7,26-30.

10,26-31. — Seul élément nouveau : la démonstration de l'unicité du Fils de Dieu. Elle est d'ordinaire fonction de l'unicité du mouvement émanant de l'être, cf. III 2,50-52 ou de l'existant émanant du préexistant, *ad Cand.* 15,1-5. Ici c'est l'unité de la *conversio* qui fonde l'unicité du Fils. Il faut concevoir cette *conversio* aussi comme un mouvement, mais comme le mouvement qui assure l'intériorité réciproque du *vivere* et de la *vita.* S'il n'y a qu'un seul mouvement de circulation intérieure, la *vita* qui est dans le vivere et la *vita* qui a le *vivere* sont *uniques*; c'est le problème de l'unité de la forme qui est ici soulevé, cf. 20,26 sq., le problème aussi de la compréhension de la parole du Christ : Je suis dans le Père et le Père est en moi ; parole chère à beaucoup d'Occidentaux, cf. II 11,9 – 12,19 n. et notamment à saint Hilaire, qui insiste sur le problème philosophique qu'elle soulève, dans *de trinitate* III 1, *PL* 10,76 a : « Videtur namque non posse effici ut quod in altero sit, aeque id ipsum extra alterum sit, et cum necesse sit, ea de quibus agitur, non solitaria sibi esse, numerum ac statum tamen suum, in quo sint, conservantia, non posse se invicem continere, ut qui aliquid aliud intra se habeat atque ita maneat manensque semper exterior, ei vicissim, quem intra se habeat, maneat aeque semper interior. » C'est certainement à ce problème que répond la doctrine de Victorinus sur l'implication du vivre et de la vie, cf. 10,42, la citation de *Ioh.* 16,10 à la fin du développement présent. Du moment que la *vita* qui est dans le *vivere* est identique à la *vita* en qui est le *vivere*, le Fils, qui est cette *vita*, est unique. Voilà le sens de l'unité de *conversio*. C'est déjà l'idée de περιχώρησις.

10,31-44. — Cf. 7,23-33, même rythme général.

10,32-34. — Cf. 14,26-35.

10,35. — Il faut construire : *nullo praeeunte tempore*, aucun des deux ne précédant l'autre dans le temps.

10,38-44. — Cf. II 11,9-21, même exégèse de *Ioh.* 16,10.

10,45 — 13,14. Remontée vers Dieu, vivre et acte suprêmes. — En un mouvement analogue à celui qu'effectuait 5,4-22, Victorinus remonte vers la vie première, et au-delà vers le vivre premier. Cette démarche, ici comme en 5,4-22, est destinée à découvrir que la vie de tous les existants particuliers suppose une forme universelle de la vie, et que celle-ci suppose, à son tour, un agir pur qui l'engendre. Remontée à ce terme dernier, la pensée redescendra ensuite vers la forme de cet agir, vers la vie qu'il engendre (13,15-38) pour la reconnaître consubstantielle à sa source. Dans son mouvement le plus général, cette démarche de remontée vers la source de toute vie est à la fois celle du *Phèdre* 245 c-e et celle du livre VIII de la *Physique* d'Aristote, toutes deux remontée, la première vers le mobile par soi, la seconde vers l'acte pur. Plotin, *Enn.* IV 7,9,10, représente un état de cette tradition : « Il faut une nature primitivement vivante. »

Structure générale du développement : 1° La vie parvient jusqu'à la matière (10,45 – 11,20) à cause de la puissance vitale qui émane du Logos. C'est la descente de la vie.

2° Par elle, toutes choses vivent, chacune selon leur mode, et d'une manière plus ou moins pure. C'est la remontée dans la hiérarchie des actes de vivre (11,20-33) jusqu'au premier acte de vivre. 3° Dieu se révèle comme l'acte de vivre, premier et originel, comme un acte pur (11,33 – 12,17). 4° Cet acte pur est une limite ; au-dessous de lui, les êtres sont moins actes, parce qu'il y a chez eux, un écart entre la puissance et l'acte. Toutefois, si l'on remonte dans la hiérarchie des êtres, les actes sont de plus en plus purs, c'est-à-dire que les êtres se meuvent de leur propre mouvement. On atteint ainsi le mouvement par soi, en lui-même, qu'est la vie engendrée par le vivre suprême (12,17 – 13,14).

10,45 — 11,20. — La vie qui émane du Logos s'étend jusqu'à la matière, en sorte que, chez tous les existants, il y a une certaine identité entre être et vivre. Ce courant de vie qui sort du Logos est comme un fleuve dont le régime varie suivant les terrains qu'il traverse (cf. 31,33-45), suivant les plans hiérarchisés au travers desquels il descend. C'est ici la description la plus longue que Victorinus nous donne de l'univers hiérarchisé qui sert de support à sa pensée.

Comparer le tableau de la page suivante avec la hiérarchie des existants dans les *Oracles chaldaïques* (Kroll, p. 31 ; W. Theiler, *Die chaldaische Orakel*, p. 25, n. 2 et 29, n. 3).

10,45 — 11,13. — Sens général de la phrase : si l'être est vivre, c'est que toutes choses reçoivent la vie par une puissance émanée du Logos. La longue parenthèse (10,48 – 11,7) décrit la formation du composé matériel par l'action de la forme vitale. L'idée générale s'inscrit dans la tradition des argumentations antistoïciennes, en faveur de l'existence d'une âme immatérielle, par exemple Plotin, *Enn.* IV 7,3,18-25, qui exprime une suite d'idées tout à fait analogue : « Car *il n'y aurait même pas de corps*, s'il n'y avait la puissance de l'âme ; la *nature* du corps est de *s'écouler*, d'être en mouvement ; et il périrait instantanément, s'il n'y avait que les corps, imposât-on à l'un d'entre eux, le nom d'âme. Car le corps subirait le même sort que les autres, puisqu'ils n'ont tous qu'une seule matière. Ou plutôt il ne naîtrait même pas, mais tout s'arrêterait au stade de la matière, s'il n'y avait rien pour l'informer. *Peut-être même n'y aurait-il plus du tout de matière.* » Mais je crois que c'est surtout chez Arnobe que l'on trouve le développement le plus proche non seulement de 10,45 – 11,13, mais même de l'ensemble du contexte (10,45 – 12,17) puisqu'Arnobe remonte à Dieu, source du vivre universel, *adv. nat.* II 2;

I 26,31	I 44,23	III 3,20	IV 3,4	IV 10,45	Schéma général
					I
Logos	Logos	Logos	Logos	Logos	Logos
				Spiritus	
				archangeli	
angeli	angeli		angeli	angeli	
	potentiae				II
throni	throni		throni	throni	supracaelestia = intellectibilia
	dominationes				atque intellectualia
	potestates	divina			
gloriae			gloriae	gloriae	
			anima	anima	
			(fons)	(fons)	
					III
	animae		animae	animae	intellectualia
		(elementa)	elementa	elementa	
quae in		caelestia		caelestia	
caelis		aetheria		aetheria	
				ignea	
			dei		IV
	sensibilia		angeli		
			daemones		mundus
		aeria		aeria	= elementa
		humida		humida	
		terrena		terrena	
			animalia		
	caro	corpus		corpus	
					V
materia		materia		hyle	materia

Reifferscheid, p. 49,5 : « Deum principem nosse, scire deo principi supplicare qui, bonorum omnium *caput* et *fons* est, perpetuarum *pater* fundator et conditor rerum, a quo omnia terrena cunctaque caelestia animantur, *motu* inriganturque *vitali* et qui, si non esset, *nulla profecto res esset quae aliquod nomen substantiamque portaret.* » Le livre II d'Arnobe est, au moins en partie, influencé par le *de regressu* de Porphyre (cf. P. Courcelle, *Les Sages de Porphyre et les « viri noui » d'Arnobe,* dans *REL* 31, 1953, p. 257-271).

10,45. — Cf. III 3,16-17 ; III 4,25-28.

10,46. motu vitali. — Cf. 11,6, et le texte d'Arnobe cité en 10,45 - 11,13 n.

10,48. fluendi ... refluendi. — Cf. *Timée* 43 a : εἰς ἐπίρρυτον σῶμα καὶ ἀπόρρυτον. Cf. la notion de κλύδων, tumulte des flots, Numénius, *test.* 45, Leemans; Plotin, *Enn.* V 1,2,15, à propos des corps et de la matière; Synésius, *hymn.* 4,27, Terzaghi. Même emploi de *natura* chez Cicéron, *Topiques* 14,58 : « Alterum quod *naturam efficiendi* non habet. »

10,49. vis lubrica inconstans. — Il s'agit évidemment de la matière. Sur ce caractère fuyant de la matière, cf. Plotin, *Enn.* III 6,7,9-27.

11,1. — N'ayant pas le τι, elle n'a pas non plus l'εἶναι.

11,2-7. — Ce schéma de la « formation » de la matière est en quelque sorte la description d'une canalisation de la matière par la forme, qui, imposant au mouvement désordonné de la matière un mouvement vital, c'est-à-dire rythmé, enserrant son flot en des limites fixes, la fait s'avancer ainsi vers les sens qui peuvent la saisir. Ainsi la formation de la matière a pour résultat qu'elle devient sensible. Toute cette description est au fond analogue à celle de 8,36-40 où la forme est apparue aussi comme limitant l'infinité du mouvement et comme le faisant connaître. Mais il s'agissait alors de l'Infini supérieur. La forme, en tout cas, rend vivant et connaissable. Elle produit une περιγραφή, une délimitation.

11,4. circumsistens. — Cf. I 62,8 : « Spiritu quo consistit fluens corpus. »

11,6. — Cf. le rôle du Logos en 19,32 : « Intellegentiae, infinitate sublata, subicit. »

11,8. vis potentiaque. — Cf. I 22,44. Cf. Porphyre, *sentent.* IV ; Mommert, p. 1,12 : « Les incorporels en soi ne sont pas présents et ne se mêlent pas aux corps, par leur hypostase et substance ; mais ils communiquent aux corps une certaine puissance qui s'hypostasie du fait de leur impulsion ; car l'impulsion qu'ils ont donnée a constitué une seconde puissance (δευτέραν τινὰ δύναμιν) qui s'approche des corps. »

11,11-13. — Ici, Victorinus emploie les mêmes expressions que son empereur, Julien, dont l'édit de juin 362 venait probablement de l'obliger à démissionner. Julien écrit en effet dans le *Discours au Roi Soleil* 145 c ; Hertlein, p. 188,22 : « Une autre « énergie » merveilleuse se manifeste autour du roi de toutes choses, le Soleil, c'est la *participation plus abondante de lui-même* donnée aux genres les meilleurs (ἡ τοῖς κρείττοσι γένεσιν ἐνδιδομένη μοῖρα βελτίων), aux anges, aux démons, aux héros, aux âmes particulières, dans la mesure où elles sont restées dans le *logos* de leur modèle et idée originels, sans jamais se donner aux corps. » Victorinus utilise ici les expressions de la théologie solaire, cf. *lux vitalis*, 11,23 ; *lux*, 11,12 ; *vitae lumen*, 11,22.

Déjà, Apulée, *de mundo* 25,343 ; Goldbacher, p. 124,23 : « Denique propriores quosque de potestate eius amplius trahere ; corpora illa caelestia, quanto finitima sunt ei, *tanto amplius de deo carpere* ; multoque minus, quae ab illis sunt secunda et ad haec usque terrena, pro intervallorum modo, indulgentiarum dei ad nos usque beneficia pervenire. » Même idée enfin, chez Ambroise, *de spiritu sancto* I 16,158 : « Sed ille ex vitae fonte procedens spiritus sanctus, cuius nos brevi satiamur haustu, in illis caelestibus Thronis, Dominationibus et Potestatibus, Angelis et Archangelis, *redundantius videtur effluere*, pleno septem virtutum spiritalium fervens meatu. »

11,11. primo. — Ceci correspond à la *prima descensio* du Logos, c'est-à-dire celle par laquelle il s'entoure du monde intelligible, cf. I 26,30.

11,13-17. — C'est au niveau de l'âme que se produit le débordement de la vie, vers le monde sensible. A partir de là, commence la seconde descente du Logos, son incarnation, cf. I 26,35. Le mouvement de la vivification universelle est à la fois cause et effet du mouvement d'incarnation du Logos.

11,13. fontemque animae. — Cf. 5,11.

11,14. gradatim. — Cf. W. Theiler, *Die chaldaische Orakel*, p. 29, n. 3.

11,17. properat ... adpetitus. — Cf. I 61,15. Ainsi, d'une part, la puissance issue du Logos accélère son flot, en atteignant l'âme, à cause de la parenté entre l'âme et le Logos ; et, d'autre part, l'âme elle-même, avide de vivifier, provoque à son tour une nouvelle accélération dans la descente.

11,17-20. — Synésius parle plusieurs fois de cette descente de la vie jusqu'aux extrémités du monde, par ex. *hymn.* 1,316 sq. : ἵνα καὶ πυμάτα μερὶς ἐν κόσμῳ λελάχῃ ζωᾶς ἐπαμειβομένας; *hymn.* 2,201 : κρυφίας μονάδος ὅθεν ὁ ζωᾶς ὀχετὸς προρέων φέρεται μέχρι γᾶς διὰ σᾶς ἀλκᾶς.

11,19. vivendi idolum. — Cf. Plotin, *Enn.* VI 3,23,5 : « Le mouvement donne aux choses sensibles un fantôme de vie (εἰδώλῳ ζωῆς). »

11,20. faecibus. — Cf. W. Theiler, *Die chaldaische Orakel*, p. 27 n. 5, qui cite ce texte de Victorinus, en le rapprochant de Macrobe, *in somn. Scip.* I 12,15, à propos d'*orac. chald.*, Kroll, p. 62 : τρύγα καὶ ὑποστάθμην, qui désigne la matière.

11,20-33. — Après avoir contemplé la descente de la vie jusqu'au plus profond de la matière, on remonte maintenant l'échelle des actes de vivre, jusqu'à Dieu. On s'élève d'autant plus dans la hiérarchie que le rapport entre vie et vivre est plus étroit.

11,20-23. — La « lumière vitale » n'est pas troublée en elle-même ; mais les vivants inférieurs y participent moins. Sur l'expression elle-même, cf. Synésius, *hymn.* 1,602 : ζωηφόριον φῶς; à comparer avec *orac. chald.*, Kroll, p. 35 : ζωηφόριον πῦρ (Proclus, *in Tim.*, Diehl, t. II, p. 107,11).

11,25. puriores animae. — Cf. le texte de l'empereur Julien, cité en 11,11-13 n., et cf. aussi 13,5 n.

11,26. alii ut in alio. — Cf. 14,20 ; 2,10.

11,29-33. — Parvenue à la vie par soi et en soi, qui est le Fils, la pensée, en un dernier effort, dépasse cette vie, pour reconnaître le Père qui la donne.

11,30. — Identité de l'acte et de l'être, dans la forme première. *Vivere* désigne le Père, *vitam esse*, *scientiam esse*, le Christ et l'Esprit-Saint. L'être du Père consiste en l'acte de vivre, l'être du Fils, en sa forme.

11,32. patre tradente. — La formule évangélique (cf. 29,39 sq.) signifie l'antériorité absolue du vivre, mouvement pur, d'où procède la forme de la vie et de l'intelligence. *Vivere* reçoit les dénominations attribuées en III à l'*esse* (Cf. III 4,39). Vie et science ont leur être par le vivre.

11,33 — 12,17. — En un style qui se veut majestueux, Dieu est décrit comme source dernière de la vie, comme acte de vivre.

11,33-38. — Cette *vis*, cette *potentia* exigée, pour expliquer la vie universelle, est toujours la puissance émanée du Logos (11,8). Mais ensuite, 12,1-17, on s'élève à la source de cette puissance, et du Logos lui-même.

11,37. vitales spiritus. — Cf. Synésius, *hymn.* 1,304 : τὰς ζειδώροις ἐφέπεις πνοιαῖς ἀπὸ σῶν ὀχετῶν κατασυρομέναις.

12,4-12. — Remarquer la parenté des expressions (*caput*, *fons*, *pater*) et de l'idée générale (il remplit tout de mouvement vital) avec le texte d'Arnobe, cité plus haut, 10,45 – 11,13 n.

12,9. ab eo quod ipse est esse. — Cf. l'inverse en I 52,12.

12,11. vivendi potentiam substantiamque moderatus. — Cf. Ambroise, *de Isaac* VIII 78; Schenkl, p. 697,5 : « *Vitae* enim *fons* est summum illud bonum... hoc est quod subministrat universis substantiam » et *epist. ad Iren.* XXIX 8; *PL* 16,1059 a : « *Vitae* igitur *fons* est summum illud bonum ex quo *vivendi substantia* ministratur omnibus. » Ambroise cite ou paraphrase Plotin, *Enn.* I 6,7,25 (cf. P. Courcelle, *Plotin et saint Ambroise*, dans *Revue de philologie*, 1950, p. 32-33 et 40 n. 1). Il est intéressant de voir que, pour Ambroise, surtout dans la lettre à Irénée, le souverain bien, source de la vie, fournit l'acte de vivre à tous les êtres.

12,13-14. — Cf. 6,37 ; 9,18-21.

12,14. substantia. — Cf. 10,7 ; 8,10.

12,15. — C'est-à-dire : son acte n'est pas reçu en un sujet, en une substance, mais il est à soi-même son propre sujet, cf. 8,10-13 n.

12,16. ne aliquando a se minus. — Tant qu'il n'aurait pas son acte, cf. Plotin, *Enn.* VI 8,20,11 : « Si on le pose comme sujet sans acte, il est défectueux, lui qui est principe, et il est imparfait, lui qui est l'être parfait. »

12,17. esse ... sic esse. — C'est-à-dire : tout son « être ainsi » consiste à être ; autrement dit, son acte ne se termine pas à une manière d'être (*sic esse*) mais à son être ; son acte est purement immanent. Comme dit excellemment Plotin, *Enn.* VI 8,20,7-8 : « Ce n'est même pas son acte qui le produit lui-même, mais c'est son acte qui est déjà lui, tout entier. » En 13,8, l'acte sera défini par Victorinus comme mouvement qui naît de soi, comme identité de la substance et du mouvement. Sur *esse* et *sic esse*, cf. I 55,26-27.

12,17 — 13,14. — Ce développement pourrait paraître un hors d'œuvre. Mais il contribue à mieux faire comprendre ce que peut être l'acte suprême qu'est le vivre, et, parcourant la hiérarchie des actes, il ramène à la forme engendrée par le vivre, c'est-à-dire à la vie : 1° (12,17-25) la distinction entre les puissances et les actes, dans le monde sensible ; 2° (12,25-29) les actes dans le ciel ; 3° (13,1-14) les actes dans le monde supracéleste et spécialement l'âme.

12,17-25. — Dans le monde sensible, il y a un écart entre les puissances et les actes, c'est-à-dire entre l'état de virtualité et l'état d'actuation des choses, entre leurs raisons séminales et le développement de ces raisons. Cf. Augustin, *de trinit.* III 9,16 ; *PL* 42,877-878 : « Ista quippe originaliter ac primordialiter in quadam textura elementorum cuncta iam creata sunt, sed acceptis opportunitatibus prodeunt », et *de genesi ad litt.* V 23,45 ; *PL* 34,338 (comparaison des graines contenant tout ce qui doit apparaître dans l'arbre).

12,25-29. — Il s'agit des astres, bien que Victorinus, comme Plotin en *Enn.* IV 4,33,1 et sq. évite de les nommer. Chez eux, pas d'écart entre la puissance et l'acte : leur unique mouvement est local, et ils sont en acte, à chaque moment de leur parcours.

12,27. quod futurum fuerant. — Cf. *Enn*, VI 7,1,49 : la perfection des actes divins doit déjà contenir l'avenir.

12,28. in operationes proprias suasque. — Cf. Plotin, *Enn.* IV 4,8,35 sur les opérations propres des astres.

12,29. naturae continentis contagione. — Le concours des actes propres s'effectue grâce à la sympathie universelle.

12,29. actus. — Comme *circumactus.*

13,5. angeli ex animis. — Cf. *in Ephes.* 1,8 ; 1244 b 5, sur les possibilités de promotion des âmes qui peuvent devenir esprits : « Et *ex animis*, cum animae sint, spiritus fiunt. » Cf. *orac. chald.*, Kroll, p. 60, qui cite Servius, *in Aen.* III 168, à propos de *de diis animalibus* : « Quod de animis fiant. »

13,5-14. — Dans la description des actes hiérarchisés, l'âme a évidemment une place de choix : sa définition même, comme substance douée de mouvement automoteur et éternel, la prédestine à être le type même de l'acte complet et parfait. Pourtant, elle n'est qu'à l'image de Dieu et du Christ.

13,5. αὐτογόνῳ. — Cf. *ad Cand.* 22,11 n. ; *adv. Ar.* III 7,40 – 8,5 n. et I 63,30-33 n.

13,6-7. — Cf. *ad Cand.* 10,20 ; *adv. Ar.* I 63,30-33 n. Déjà chez Galien, *de tremore*, Kuhn, VII, p. 616, les deux épithètes sont réunies dans la définition de l'âme (c'est évidemment l'essentiel de *Phèdre* 245 c-e).

13,8. ἐνέργειαν. — Cette identification de l'acte avec le mouvement automoteur et éternel éclaire bien la conception que Victorinus se fait du vivre originel qu'est Dieu, comme acte confondu avec l'être. De même, ici également, l'identification *substantia-motus*, cf. III 2,31-40 n. Il y a identité entre *actus*, *a se motus*, *primus motus* et *esse*.

13,9-14. — Cf. III 11,33 n. et 12,1-10 n. ; I 56,4-15.

***

13,15-38. Le Christ, comme vie, c'est-à-dire comme vie forme de l'être. — On a ici un développement de la partie de l'exposé initial consacré à la vie, comme forme (8,29-42), mais insistant sur la consubstantialité entre le vivre et la vie, alors que l'exposé initial n'avait pas abordé ce problème. Ces quelques lignes sont donc essentielles : elles sont le centre, sinon du livre IV, du moins de sa première partie (*vivendo vita*), puisqu'elles établissent que le Père et le Fils sont consubstantiels, parce que le Fils, étant vie, est la forme du vivre qu'est le Père. Ces éléments n'ont pas encore été réunis jusqu'ici. Évidemment on trouvera le développement bien court, eu égard à son importance. Mais c'est l'habitude de Victorinus de résoudre les questions importantes en quelques lignes, après s'être laissé entraîner à recopier ou à développer de longs hors-d'œuvres. Plan du développement présent : 1° Consubstantialité de la forme du vivre, la vie, avec le vivre lui-même (13,15-29) : *a*) définition de la vie, comme forme du vivre (13,15-18) ; *b*) c'est parce que le vivre premier est par soi et en soi qu'il produit la forme qu'est la vie (13,18-24) ; *c*) producteur et produit étant éternels l'un et l'autre sont consubstantiels (13,24-29). 2° Consubstantialité du Père et du Fils (13,29-38) : *a*) intériorité réciproque du producteur et du produit (13,28-34) ; *b*) unité de leur substance (13,34-38). Ainsi le développement présent mène à bien la tentative de démonstration du consubstantiel faite en 8,9-57 et qui, à en juger par 9,1-7, avait échoué, Victorinus reconnaissant la complexité des notions utilisées. C'est apparemment l'introduction de la notion de forme qui était venue remettre en question les résultats obtenus en 7,23-33, c'est-à-dire la conclusion obtenue, concernant la consubstantialité du vivre et de la vie. Le vivre et la vie étaient apparus comme consubstantiels parce qu'ils étaient l'un en l'autre, parce qu'il suffisait de poser l'un pour que l'autre soit. Mais la nature de leur rapport ontologique n'avait pas été définie complètement, sinon comme *agere* et *actio* (5,4 – 6,17). En définissant la vie comme *forme* (8,30-42), Victorinus répond à ce besoin. Mais il complique le problème. Comment expliquer la consubstantialité de l'être ou vivre et de sa forme ? Sans doute, commentant *Phil.* 2,5, Victorinus a déjà prouvé (I 22,28-55) la consubstantialité *forma-substantia*, mais, cette fois, c'est la consubstantialité *agere-forma* ou *actus-forma* qu'il faut démontrer. On est dans une toute autre problématique. Dans cette problématique, la reprise faite en 9,8 – 10,44 du *superior tractatus* sur le vivre et la vie, et ensuite la remontée vers le vivre originel, vers Dieu, source de la vie (10,45 – 12,17) n'ont pas été inutiles : deux phrases ont fait progresser la pensée ; 1° en 10,12-13 (n.), la définition de *vivere-vita* comme une seule substance *causa sui* ; 2° en 12,17 (n.), l'affirmation de l'identité de l'*esse* et du *sic esse* en Dieu. Ces deux éléments nouveaux (et eux seuls) servent à résoudre le problème de la consubstantialité de la forme et du vivre, en somme à définir le mode de génération de la forme-vie à partir du vivre (cf. 13,18-24).

13,15. habitus. — Correspond peut-être à l'ἕξις τοῦ (νοεῖν) qui se trouve dans la théorie rapportée par Proclus, *in Parm.*, Cousin, p. 1106, 18-32 (cf. 5,4 – 6,18 n.). En tout cas, il faut traduire *vivendi habitus* par manière d'être du vivre et entendre par là ce que Plotin appelait le οὕτως de l'Un (*Enn.* VI 8,9,35). En agissant, on se fait de telle ou telle manière. La manière d'être est résultat de l'agir. Mais quand il s'agit de l'agir premier, la manière d'être qui en résulte n'est pas un accident, mais la substance-vie.

13,16. status. — Ce mot traduit peut-être σύστασις qui comporte l'idée d'un rapport à soi-même, cf. Sénèque, *epist.* 121,10 : « Constitutio (= σύστασις) est... principale animi quodam modo se habens erga corpus ».

13,18-24. — *Unum simplici suo geminum* correspond à 10,12 : *simplicitate... duplicatum* ; cette formule paradoxale exprime *le rapport à soi-même* : l'un ne se redouble pas avec autre chose qu'avec lui-même, il ne fait deux qu'avec lui-même. *In se* et *ex se* correspondent eux aussi à *ex se* et *in se* de 10,12. L'un qui a rapport à soi-même est en soi et vient de soi. Victorinus essaie ici de faire comprendre la consubstantialité à l'aide de la notion d'intimité avec soi-même. Le rapport à soi-même implique un *acte* et la *manière d'être* *soi-même* résultant de cet acte. Ainsi le rapport du Premier avec lui-même implique une activité intérieure, un mouvement tourné vers soi : *aliquid operatur in se* (13,20). Cf. Plotin, *Enn.* VI 8,16,28-29 : « Donc l'acte dirigé vers soi-même, c'est là son être, lui et cet acte ne font qu'un (τὸ ἄρα εἶναι ὅπερ ἔστιν ἡ ἐνέργεια ἡ πρὸς αὐτόν· τοῦτο δὲ ἓν καὶ αὐτός). » Le Premier se fait être et se fait être tel qu'il est par son agir intérieur (13,20-22). C'est l'écho de 12,16-17, identité en Dieu de l'*esse* et du *sic esse.* Ces quelques lignes de Victorinus sont parmi les plus importantes de toute son œuvre, parce qu'on y sent l'effort pour saisir le mystère du *soi* divin, de l'intimité divine, fondement dernier du mystère trinitaire.

13,19. — La suite d'implications est significative : *in se*, intimité avec soi-même = quasi-dualité ; *quia ex se* : parce que la simplicité première est *par soi* ; et elle est par soi, parce qu'elle a un acte intérieur.

13,20. aliquid operatur in se. — Cf. 18,57 : « Intus semper operantur » ; 18,60 : « Si intus in se operatur, vel se potius operatur vita et intellegentia. » Ce parallèle est significatif : 1° *aliquid* ne désigne pas un terme quelconque de l'acte intérieur ; en fait, c'est l'acte lui-même qui se termine à lui-même. 2° Cet acte intérieur est la forme même (vie et intelligence) ; cette forme se pose dans l'agir même de Dieu et se confond avec lui. Dire que la simplicité première a un acte intérieur, c'est dire qu'elle a une forme *confondue avec elle-même* et qui pourtant se pose d'elle-même en elle.

13,20-21. — Cf. 17,1. Ce *motus*, cette *agendi operatio*, c'est indissolublement le *motus* et l'*operatio* du vivre et de la vie. C'est-à-dire que *se rapporter à soi*, c'est se déterminer par rapport à soi-même, c'est *se former.* Mais l'être se forme *quand une forme se forme en lui.* La caractéristique de l'être divin, c'est que la forme ne lui vient pas de l'extérieur, mais qu'elle se détermine en lui par son mouvement propre et autonome. Victorinus hésite d'ailleurs à parler d'une autoposition totale. Il se contente (*vel potius*) d'une autodétermination dans l'ordre de la manière d'être. En 18,58, par contre, la forme *operatur quod est esse.* En tout cas, définir Dieu comme *vivere*, c'était déjà lui donner une forme, car vivre, c'est se mouvoir, et se mouvoir, c'est se poser comme forme, c'est-à-dire donner à une forme de se poser elle-même, à l'intérieur de soi. Le vivre se fait vie, en vivant, parce que son propre mouvement se donne sa forme.

13,22. esse vivere. — *Vivere* est sujet, d'après le parallèle, 8,16-30 (n.).

13,23. motus. — Le manuscrit *A* porte *modus*. Mais je pense qu'il faut accepter la leçon de Sicard, *motus*, parce que *motus* s'oppose ici à *esse* (13,22), comme un mouvement prêt à se manifester, s'opposant au mouvement tourné vers soi qu'est l'être. On remarquera, chez Plotin, une liaison analogue, entre forme, vie, mouvement et acte, *Enn.* VI 3,2,23-25 : « La matière ne reçoit pas la forme, comme si c'était *sa propre vie* et *son acte propre*... Là-bas, la forme est un acte et un mouvement (ἐκεῖ τὸ εἶδος ἐνέργεια καὶ κίνησις). »

13,24. confecta. — Le mot est constant en tous ces développements sur la forme (8,31 ; 10,23 ; 13,24 sq. ; 15,7 ; 18,48 et 23,29).

13,24-29. — Consubstantialité démontrée par le *simul*, cf. 10,32-34 n. ; 14,26-35.

13,28-38. — Cf. 10,16-44.

13,38. in quali... in tali. — Cf. 14,2 (*talis*), 14,12 (*tali... talis*), *de hom. rec.* 3,16-17 (*qualia... talia*). Dans tous ces cas, le contexte exige que ces expressions signifient l'identité, non la ressemblance. *Talis*, notamment, a la valeur d'un démonstratif ; *talis substantia* signifie : *précisément cette substance-là.* Au VIe siècle, *talis* sera l'équivalent de *is*, chez Oribase.

***

14,1-35. Une objection : n'introduit-on pas ainsi deux inengendrés ? — Cf. CAND. II 2,3 : « Neque duo ingenita audivimus. » La réponse est assez succincte : *Ioh.* 6,58 prouve que le Père donne au Fils ce vivre qu'est sa substance. En conclusion, énoncé très abondant de la consubstantialité du Père et du Fils, selon les deux sens du mot *homoousios*.

14,2. substantia autem istius vivit. — *Istius* est un génitif de définition, cf. 10,6 ; 8,10-13 n.

14,6. — Ceci rappelle *Phèdre* 245 d. Cf. *ad Cand.* 16,10.

14,9. visque substantiae. — Cf. 8,11.

14,20. ἐπακτόν. — Cf. 11,26 ; chez Plotin, *Enn.* IV 7,2,13 : ἐπακτῷ κέχρηται τῇ ζωῇ ; I 6,7,24 : καὶ γὰρ ἐπακτὰ πάντα ταῦτα. S'oppose à αὐτόγονον (*a se genitam*), cf. 13,5.

14,26-35. — Cf. 10,31-44 ; 7,23-33 ; sur les deux sens d'*homoousios*, II 10,21-11,8 n.

15,1-34. Une comparaison : le présent et l'éternité. — Comme le dit Victorinus lui-même, ce n'est pas vraiment une comparaison ; c'est bien le vivre qui est le présent, la vie qui est l'éternité (15,1-2). On a défini, plus haut, Dieu comme vivre, c'est-à-dire comme acte, ayant son être dans l'acte même, et la vie, comme sa forme, produite par cet acte (15,2-9). Or il en est de même de l'éternité. Elle est engendrée par l'acte toujours présent de toutes choses (15,9-13). De même, chez nous, le présent est le seul temps (15,13-22). Conclusion : la vie, forme et puissance universelle, est engendrée par le vivre et le Fils est engendré par le Père et consubstantiel à lui. On remarquera ici encore que l'essentiel de la démonstration est très succinct, exactement 4 lignes (15,9-13). L'allusion au présent humain, s'il éclaire relativement la notion de présent divin, est quand même finalement un hors-d'œuvre. Philosophiquement et théologiquement, si court soit son énoncé, la comparaison est intéressante. L'assimilation entre vie et éternité est extrêmement fréquente dans les courants de pensée les plus divers de l'antiquité, cf. A.-J. Festugière, *Le Dieu inconnu*, p. 153-199. On la trouve notamment chez Plotin, *Enn.* III 7,5,26 : « L'éternité est la vie infinie, ce qui veut dire qu'elle est une vie totale et qu'elle ne perd rien d'elle-même, puisqu'elle n'a ni passé ni avenir, sans quoi elle ne serait pas totale. » Mais, pour Plotin, l'éternité est une manière d'être de l'être en soi, *Enn.* III 7,4,42 : αὕτη ἡ διάθεσις αὐτοῦ (Victorinus 13,15 a parlé de la vie comme *vivendi habitus*), et III 7,5,16 : une κατάστασις (Victorinus 13,16 a parlé de *status*) ; mais aussi bien, elle est acte de l'être (*Enn.* III 7,6,10). Toutefois Plotin n'affirme pas avec la vigueur que nous trouvons chez Victorinus, que c'est l'acte éternellement présent qui produit l'éternité. Victorinus utilise ici un intermédiaire qui a réfléchi sur les données de Plotin, les a développées, mais est encore très proche de lui : Plotin voyait dans l'éternité une sorte de rayonnement de l'être intelligible (*Enn.* III 7,3,25). Victorinus insiste plus sur l'*agir propre* de l'être intelligible et définit plus nettement l'éternité, comme le résultat de cet agir, mieux encore, comme une substance engendrée par l'agir pur.

15,5. motu. — Mouvement confondu avec l'être, ou, à l'inverse, être confondu avec le mouvement.

15,10. praesenti semper rerum actu. — Cf. Plotin, *Enn.* III 7,3,16 : ζωὴν μένουσαν ἐν τῷ αὐτῷ ἀεὶ παρὸν τὸ πᾶν ἔχουσαν et III 7,3,21 : ὄντος ἐν τῷ παρόντι ἀεί. Mais Victorinus, par le mot *actus*, exprime l'idée que cette « présence totale » est celle d'un acte, d'un agir pur. C'est d'ailleurs dans la logique de la définition de l'éternité comme acte d'une vie permanente tendant à rester dans l'unité (*Enn.* III 7,6,10) et dont la meilleure définition est τὸ ἔστιν : *il est* (III 7,6,18).

15,12. vitalitas. — Cf. 5,33 et 37. C'est la puissance universelle de la vie.

15,13-22. — Victorinus dit exactement le contraire dans *in Cicer. rhet.* I 26 ; p. 224,4 : « Praesens autem esse negaverunt. » Les deux formules ne s'excluent pas nécessairement, cf. V. Goldschmidt, *Le système stoïcien et l'idée de temps*, Paris, 1953, p. 30-45. « Seul le présent existe », c'est une thèse stoïcienne, cf. Chrysippe, dans *Arius Didym.* 26 (*Dox. gr.*, Diels, p. 461,23 sq.) ; Marc-Aurèle, III 10,1 : « Chacun ne vit que le présent, cet infiniment petit ; car le reste, ou bien est déjà vécu ou bien est incertain. » Victorinus veut dire : de même que c'est notre acte qui définit le temps, c'est-à-dire le présent, de même c'est l'acte divin qui définit l'éternité, c'est-à-dire sa propre forme.

15,17. imago τοῦ αἰῶνος. — Cette théorie stoïcienne du présent redonne vie à la vieille formule platonicienne (*Timée* 37 d) : c'est le présent qui est image de l'éternité.

15,22-23. — A cause de la comparaison avec le présent humain, *vita* signifie la durée d'un être vivant ; de même que la succession des présents actuels constitue la vie humaine, de même l'unité de l'acte présent éternel constitue la forme unique de la vie éternelle.

15,23-26. — Cf. I 22,28 n. ; II 2,10 n. Liaison procession-formation d'après les *Oracles chaldaïques*, Kroll, p. 57, dans Proclus, *in Cratyl.*, Pasquali, p. 31,12 : ἄνω γὰρ ἀμόρφωτος οὖσα, διὰ τὴν πρόοδον ἐγένετο μεμορφωμένη.

15,26-29. — L'ambiguïté de *vivendo vita* apparaît ici clairement : la forme se confond avec l'acte : *in vivendo vita* ; mais elle se distingue de lui, en se mettant elle-même à agir : *vivendo vita* ; elle est alors elle-même, pour elle-même.

***

16,1 — 18,44. Le Fils et l'Esprit-Saint. — Ayant défini le Père comme vivre et le Fils comme vie, Victorinus a transformé son schéma trinitaire. Il s'agit maintenant de rendre compte de l'hypostase de l'Esprit-Saint, dans cette nouvelle perspective. Mais en fait, tout l'exposé présent va répéter, pour l'essentiel, le livre III dont il est, somme toute, un excellent résumé. Les principes fondamentaux de la théologie de l'Esprit-Saint restent d'ailleurs identiques à ce qu'ils ont été dans le reste de l'œuvre : l'Esprit-Saint représente la pensée, l'intelligence, la sagesse, par rapport à la vie qu'est le Fils. L'Esprit-Saint est Fils dans le Fils unique ; Fils et Esprit-Saint constituent donc la dyade engendrée par le Père, l'unique mouvement qui provient de l'être. Leur distinction se manifeste notamment dans les deux phases de l'économie du salut : vivification par le Christ incarné, illumination par l'Esprit-Saint. Mais, pour exposer tout cela, Victorinus reprend tout le matériel conceptuel utilisé dans le livre III : *a*) vivre et penser sont le mouvement unique issu de l'être (16,1 – 17,12) : donc si être et mouvement sont consubstantiels, et si vivre et penser sont en un seul mouvement, les trois sont consubstantiels ; *b*) l'Esprit-Saint vient du Père, parce que le mouvement vient de l'être (17,12-18) ; *c*) Christ et Esprit-Saint sont différents en leurs fonctions propres (17,19 – 18,13) ; *d*) et pourtant identiques, parce que tous deux sont *sagesse*, tous deux sont *premier engendré* (18,14-44).

16,1 — 17,12. Vivre et penser, mouvement unique de l'être. — 1° Partant des notions qui sont dans l'Écriture et dans les professions de foi : *spiritus*, *lumen*, cf. 4,6-8, Victorinus reprend d'abord l'affirmation de l'identité en Dieu, du vivre et du penser avec l'être (16,1-12 = 8,9-16 = III 4,6-11 et III 7,1-17). 2° Consubstantialité du vivre et du penser avec l'être et entre eux (16,12-25 = III 4,11-19 et III 8,25-27). 3° Le Fils, en tant que vie, donne à l'Esprit-Saint, qui est la pensée, tout ce qu'il reçoit du Père qui est l'être (16,25-29 = III 8,44-51). 4° Le Père s'oppose à la dyade du Fils et de l'Esprit-Saint, comme le mouvement intérieur au mouvement extérieur (16,29 – 17,10 = III 8,1-5). 5° Conclusion : tous trois sont consubstantiels (17,10-12). Nous sommes replacés dans la problématique du livre III.

16,12-19. — La conclusion : *una eademque substantia*, suppose la raison donnée dans la phrase suivante : *esse* est identique à *moveri* et surtout la formule énoncée en 17,1 : « Esse, quamquam dicatur quies, movetur » : l'être étant repos en mouvement ou mouvement en repos est consubstantiel au mouvement, si le mouvement vient s'identifier à la substance, cf. III 2,31-40 (n.).

16,19. officio gemino. — Cf. III 8,28 : *duo officia conplens.*

16,23. se vertente. — Cf. *conversio una*, 10,26.

16,29 — 17,2. — C'est le résumé de III 2,12-54 (n.).

17,2-10. — Rencontre entre la problématique du livre III (*motus internus et motus foris*) et la problématique du livre IV (*movente se vita et intellegentia* : c'est l'autoposition de la *forma*, 18,60 et 21,7, par rapport à l'*actus*). De même la formule : « Ut et intus esset et foris ista trinitas », est caractéristique de la problématique du livre IV (cf. 26,4-8). Mais, logiquement, dans le livre IV, cette *trinitas intus* est *esse-vivere-intellegere* (= *actus*) et cette *trinitas foris* est *exsistentia-vita-intellegentia* (= *forma*), tandis que dans le livre III, le *motus intus* est *esse*, le *motus foris* est *vivere-intellegere*. Le résultat de cette rencontre entre deux problématiques, c'est la distinction entre *esse-vivere-intellegere intus* et *esse-vivere-intellegere foris*. Même situation en 25,44 – 26,7 (n.).

17,12-18. L'Esprit-Saint vient du Père. — Cf. III 7,7-8 n. et 8,42-44.

17,14-16. — Il s'agit de prouver rapidement que l'*intellegentia* est un *motus foris*, par opposition au mouvement intérieur de Dieu. Victorinus la présente donc comme « existence et puissance » de la connaissance, c'est-à-dire comme source de toute connaissance, comme puissance universelle, comme idée, cf. 5,30 et 39. En tant que « se communiquant », elle est donc « au-dehors » et elle est donc mouvement, donc « sortie de Dieu ».

17,16. hoc ipso quod motus substantia. — C'est-à-dire : elle est mouvement parce que son être propre (= *substantia*) consiste à se mouvoir, parce qu'elle a son être dans la manifestation et la communication de soi, cf. 16,19-21.

17,16-17. in Christo vel Christus. — Cf. III 7,7-8 n. ; I 12,23 ; *de hom. rec.* 1,20.

17,18. a vita quod Christus est. — Cf. III 8,49-50 ; III 15,31-36. Tout ceci est utilisation pure et simple, sans modification, du schéma théologique de III.

17,19 — 18,13. Altérité entre le Christ et l'Esprit-Saint. — Dans l'unité de leur mouvement, Christ et Esprit-Saint se distinguent par leurs fonctions économiques, comme l'a déjà montré III 8,30-37 et III 15,46 – 17,9. Ils sont tous deux « paraclets », mais différents l'un de l'autre, l'un donnant la vie par la foi, l'autre la science, en agissant à l'intérieur des âmes (17,21-32). Réexposition de cette double fonction : le Christ rend la vie aux hommes qui étaient morts (17,32-36) ; l'Esprit-Saint donne aux hommes la connaissance de soi, de Dieu et du monde et ainsi fait croître la *semence déposée par le Christ* (17,36 – 18,6) ; conclusion : la fonction propre de l'Esprit-Saint, la science et la pensée, émane de la fonction propre du Christ, la vie, et ils sont en continuité avec le Père et donc consubstantiels (18,6-13). Les deux phases du mouvement extérieur de

Dieu sont donc aussi deux phases de l'histoire : la courte manifestation visible du Logos incarné, puis son intériorisation, son action invisible dans les âmes, qui tend à la spiritualisation complète de l'univers : la mort et le retour du Christ auprès du Père ont amorcé un mouvement de prédominance de l'invisible sur le visible, de l'esprit sur la vie. L'histoire du monde révèle la vie intérieure de Dieu.

17,19. a me habet omnia. — Cf. III 8,47 n.

17,23-25. adest ... reconciliamur. — Cf. III 14,4-7 ; cela veut dire que le Christ est déjà un Paraclet.

17,25. obrutam. — Sur cet oubli de soi et de Dieu, cf. Plotin, *Enn.* V 1,1,1-3.

17,26-29. — Cf. I 58,18-24, notamment I 58,23-24 : *cognoscentia, fide, amore = scientia, caritas, fides.*

17,26. opus est. — Construit comme un verbe personnel, cf. Ernout-Thomas, *Syntaxe latine*, p. 79.

17,30. testimonium ... docet. — Cf. III 8,34 n. et III 15,46-17,9 n.

17,31. interior Christi virtus. — C'est-à-dire le Christ caché dans les âmes pour leur donner la science : III 14,22 : *occultus* Iesus ; IV 33,21 : Iesum Christum *interiorem.*

17,32. salvationem. — III 8,31 : *salutem.*

17,32. alter paraclitus. — Cf. III 14,8 et plus haut 17,23-25.

17,34. erigerentur. — Cf. I 58,23.

17,35. subveniret. — Cf. III 3,29 n.

17,36. fidem. — Identification entre la foi et le Christ, cf. *in Galat.* 3,25 ; 1173 a 3 : « Veniente ipso Christo, id est ipsa fide. »

17,37. scientia. — Ainsi le principe *fides quaerens intellectum* est déjà inscrit dans l'économie du mystère du salut, et finalement dans la trinité. Sur ce rapport entre foi et science, chez Victorinus, cf. *ad Cand.* 20,3 ; *adv. Ar.* I 2,6-42 ; *de hom. rec.* 4,4-12.

17,40. liberarentur. — Cf. III 10,9 ; *in Ephes.* 3,18 ; 1269 d 4 : « Sola... caritas in Christum elevat et liberat animas. » La libération des âmes est le but du mystère, cf. *in Ephes.* 1,4 ; 1238 c 13 ; c 5 (cf. Porphyre, dans Augustin, *de civ. dei* X 32 : « Viam animae liberandae. »)

17,40. intellegentia. — Même caractère « gnostique » du salut, en I 58,20, et surtout en *in Ephes.* 1,4 ; 1240 c-d.

18,1. posterior. — Peut-être le sujet n'est-il pas *scientia*, mais *Iesus* ou *Christus.*

18,2. fides posterior. — En vertu de l'identification

fides = *Christus*, 17,36, il s'agit d'un « alter Iesus », cf. III 15,60-64 n.

18,2. miracula. — Cf. III 14,20-24.

18,3. seminaverat. — La science va développer la semence de la foi, l'amener à maturité.

18,6-13. — Cf. III 8,51 n.

18,8-10. vita de vivendo. — C'est ici le schéma propre au livre IV : *vivere*, agir, ayant pour forme la *vita* et l'*intellegentia*, cf. 20,10-25. Ce n'est plus le *vivere*, venant de l'*esse*, propre au livre III.

18,12. esse, vivere, intellegere. — C'est la *trinitas* dont il a été parlé en 17,8. Dans le livre IV, *esse*, *vivere*, *intellegere* deviennent exactement un équivalent de la substance de Dieu, de cet *omnia* que le Père donne au Fils et par le Fils à l'Esprit-Saint, cf. 23,20 ; 30,43, sa forme étant l'*exsistentia-vita-intellegentia*.

18,14-44. Identité entre le Christ et l'Esprit-Saint. — Les arguments, ici, sont légèrement différents de ceux qui ont été employés en III. Sans doute, il y a, comme en III 9,9-21, l'argument tiré de l'identité des noms : *sagesse*, *science*, donnés par l'Écriture au Fils et à l'Esprit-Saint. Mais c'est surtout *Sirach* 1,1-4 qui est employé pour cette démonstration (18,30-42).

18,14-24. — *Ecce ego vobiscum sum* prouve que, même après son départ, le Christ reste avec les disciples et les fidèles ; c'est donc qu'il est présent dans l'Esprit-Saint, cf. 18,5 et III 14,24-49.

18,19-24. — Cf. 16,22-25, ils s'impliquent mutuellement.

18,30-42. — C'est la seule exégèse que Victorinus nous donne de ce texte dans son œuvre. D'ailleurs ce texte est relativement peu employé dans les controverses de l'époque. Par contre, la méthode de son exégèse est absolument identique à celle que Basile d'Ancyre avait employé dans la synodale d'Ancyre (358) dans Épiphane, *panarion* 73,7,3-8; Holl, p. 277,4 sq. lorsqu'il avait rapproché *Prov.* 8,22, qui représente un texte très parent de *Sirach* 1,1-4, avec *Col.* 1,15. Ce rapprochement, terme à terme (*sapientia* = *imago; initio* = *primogenitus*), correspond exactement au rapprochement que fait Victorinus entre *Sirach.* 1,4 : « Prior omnium », et *Col.* 1,16 : « Primogenitus » ; seulement, la méthode est employée par Victorinus pour montrer la consubstantialité du Fils et de l'Esprit-Saint. Le Christ est Esprit-Saint, parce qu'il est *sagesse*, et il est sagesse, parce que la *sagesse* est *prior omnium* = *primogenitus*.

L'Esprit-Saint est Christ, parce qu'il est l'*intellectus prudentiae ab aevo*, c'est-à-dire premier-né, *primogenitus*, et que le Christ est *primogenitus*. Cette unicité du Fils est d'ailleurs une pièce essentielle de la théologie de l'Esprit-Saint, puisqu'elle oblige Victorinus à affirmer que l'Esprit-Saint est le Fils, qu'il forme avec le Christ la dyade-Fils.

18,41. primigenitus. — Cf. I 24,34 n.

***

18,45 — 33,25. II. Intellegendo intellegentia. Le mode de procession de la forme. — La première partie a énoncé un fait : le Père est le vivre ; le Fils est sa forme ou vie, engendrée par l'acte de vivre (cf. le résumé de Victorinus lui-même : 18,45-59). Mais il n'a rien dit ou presque sur le *comment* de cette génération ; seule, la comparaison très succincte de la vie avec l'éternité représentait une ébauche de réponse aux questions que toutes ces affirmations ne manquaient pas de soulever. Cette deuxième partie va répondre à la question fondamentale du *quomodo*.

La composition de Victorinus est assez habile et, comme je l'ai déjà dit, elle s'appuie sur le schéma trinitaire qu'il a dans l'esprit (cf. IV, caractère général), et qui, en ce livre IV, est caractérisé par l'introduction de la notion de *forme* de l'*actus*. L'*esse*, *vivere*, *intellegere* ne représente plus, comme en III, la triade d'hypostases que sont le Père, le Fils et l'Esprit-Saint ; c'est maintenant l'acte triadique constitutif de la substance du Père. La forme produite par cet acte est l'*exsistentia*, *vita*, *intellegentia*. Les propriétés personnelles restent pourtant identiques : le Père est plus être, le Fils, plus vie, l'Esprit-Saint, plus intelligence. Mais on peut aussi bien appeler le Père *vivere* ou *intellegere*, du moment qu'on le considère comme l'*actus*. Quant au Fils, il est, en un seul mouvement, *vita* et *intellegentia* (l'*exsistentia* étant en quelque sorte absorbée par *vita* et *intellegentia*). Ces deux aspects de la forme sont étudiés dans les deux parties du livre ; et si *vita* a servi à établir le fait de l'*existence* d'une forme, *intellegentia* va être étudiée de façon à rendre compte du *comment* de sa génération.

Après avoir résumé la première partie du livre (18,45-59), Victorinus pose le *problème de la génération de la forme de Dieu* : si l'on doit reconnaître que Dieu a une forme intérieure, et une forme extérieure, peut-on dire que la forme extérieure est identique à la forme intérieure ? (18,60 –

21,18). Pour répondre à la question, Victorinus va, comme d'habitude, reprendre les choses à l'origine : définition de Dieu et de sa forme, affirmation de l'existence d'une forme intérieure à Dieu (21,19 – 23,31) pour en arriver ainsi à la description de la sortie, donc de la génération de la forme. Mais, cette fois, la forme est considérée comme *intellegentia*, comme pensée (23,31 – 29,23). Il y aura d'abord une description de l'*intellegentia* dans l'état de forme intérieure, puis une description de cette même *intellegentia* dans son mouvement d'autoconnaissance. Cette description du mode de génération permettra de conclure à la consubstantialité entre Dieu et sa forme (29,24-38) et l'exégèse de *Phil.* 2,5 viendra ensuite apporter les bases scripturaires capables de confirmer les descriptions précédentes (29,39 – 33,25). On suivra, avec saint Paul, le mouvement de la forme de Dieu, dans son incarnation, jusqu'à la mort de la croix.

***

18,45-59. Résumé de la première partie. — Il est toujours intéressant de voir Victorinus résumer lui-même ce qui lui semble essentiel, ce qu'il a voulu démontrer. D'après le présent résumé, la première partie du livre a montré que le Père, que Dieu est *esse*, c'est-à-dire *vivere*, les deux étant indissolublement confondus, mais aussi qu'engendrant la vie, Dieu est *exsistentia*, *vita*, *intellegentia* confondues avec l'être.

18,45-46. — Cf. 8,9-13.

18,47 non ... vivit. — Cf. 10,45-46.

18,47-48. — Cf. 10,3-6; 15,7-8.

18,49. — Cf. 8,14-16.

18,49-52. — Cf. 8,16-20 ; 16,9-11.

18,52-56. — Ici Dieu est considéré, sous l'aspect de sa forme, tournée vers elle-même. Cette notion sera développée en 21,26 – 23,11.

18,54-55. — Dieu connaît tout en se connaissant, parce qu'il est cause de tout (cf. 21,26 – 23,11).

18,56-59. — La forme confondue avec l'être est identique à l'acte d'être, cf. 13,15-24, mais surtout 18,60 – 21,18, c'est-à-dire le développement qui suit immédiatement. Nous avons ici la charnière, le pivot entre les deux parties du livre. Nouveau problème : cette forme confondue avec l'être s'extériorise-t-elle ?

***

18,60 — 21,18. Position du problème : quel est le rapport entre forme intérieure et forme extérieure de Dieu ? — Si l'on reconnaît que vie et intelligence sont un acte intérieur à Dieu, ou, si l'on veut, que sa forme et son acte coïncident, comment cette forme peut-elle être engendrée (18,60-62) ? Pour mieux définir les termes du problème, on peut remplacer *forma* par λόγος ou par ὄν et se demander (après avoir défini ces deux termes, 18,62 – 19,37) si le vivre premier a un Logos ou est un Logos (20,1-2). On répondra que son Logos se confond avec son être (20,2-10) et l'on verra alors que vie et intelligence, puissances du Logos, qui sont la *forme* dont il était question, sont aussi, en Dieu, confondues avec son être (20,10-21). Mais, de même que le Logos se manifeste, de même la vie et l'intelligence sortent de Dieu, se distinguent de lui (20,21-25). Alors se posera, en termes plus précis, le problème qui nous occupe : comment la forme qui était à l'intérieur, s'est-elle extériorisée ? On énumérera alors toutes les hypothèses possibles, avant de donner la solution dans le développement suivant (20,26 – 21,18).

***

18,60-62. Premier énoncé. — Trois arrière-plans à ces questions : 1° L'arrière-plan exégétique que constitue le texte fondamental *Phil.* 2,5, qui sera étudié en 29,39 – 33,25, et auquel Victorinus pense en tout ce développement : si le Christ était *in forma dei*, est-il resté *forma dei* en prenant *formam servi* ? 2° L'arrière-plan des controverses théologiques, et, plus spécialement, l'influence des idées homéousiennes. En effet, s'il est une tradition bien établie, chez les théologiens antérieurs à Victorinus, c'est bien celle d'une sagesse intérieure à Dieu, d'une sagesse consubstantielle au Père. Que ce soit la *ratio* du Dieu de Tertullien (*adv. Prax.* 5 ; *PL* 2,160 a), la *sagesse* de Théophile d'Antioche (cf. P. Nautin, *Notes critiques sur Théophile d'Antioche, ad Autolycum II*, dans *Vigiliae Christianae* XI 1957, p. 212-217), que ce soit la *sagesse* consubstantielle admise par l'arien Astérius (Athanase, *contra arianos* I 32; *PG* 26,77 b 2) au sein de Dieu et aussi bien par Arius lui-même, comme le prétend Athanase, *contra arianos* I 5 ; *PG* 26,21 b, tout le problème théologique posé par le Fils consiste à définir le rapport qui existe entre le Fils engendré et cette sagesse intérieure à Dieu. Chez les homéousiens, le problème évolue de la façon suivante : le Père est vie ἀσυνθέτως, *simplici exsistentia* dirait Victorinus (8,17) ; le Fils est vie, également ; il n'y a pas dans le Père de différence entre sa vie et ce qu'il est (cf. Épiphane, *panarion* 73,8,7 ; Holl, p. 279,2 sq. ; *PG* 42,417 c : οὐ γὰρ ἄλλο μέν ἐστιν ὁ πατήρ, ἄλλο δὲ ἡ ζωὴ ἡ ἐν αὐτῷ) ; et le Fils est également vie ἀσυνθέτως, sans que sa vie fasse composition avec lui. Ceci posé, les homéousiens établissent un rapport de similitude entre ces deux vies, celle du Père et celle du Fils, en se fondant sur *Ioh.* 5,25 qui emploie οὕτως : *comme* le Père... *ainsi* le Fils. On a déjà vu l'importance de cette doctrine homéousienne dans la formation de la pensée de Victorinus, cf. I 41,1 – 43,4 n. De même le Père est sage ἀσυνθέτως, et est ainsi substance, et le Fils est sagesse qui, elle aussi, est substance. Ici encore les homéousiens concluent à la similitude de ces deux substances. Mais, dans la problématique consubstantialiste, tout le problème est de savoir si cette vie qu'est le Père peut devenir cette vie qu'est le Fils, sans changement, sans passion, sans altération. Et nous retrouvons ainsi 3° : le *troisième arrière-plan* de la question, la formule de 13,21 : « Motus vero et agendi operatio format sibi ex se quod sit vel potius quonam modo sit », précédée de « quia aliquid operatur in se prima simplicitas ». C'est de cet *aliquid operatur in se* que nos questions présentes se font l'écho (18,60 : *intus in se operatur*) : si *Dieu est vie* en soi, *sans composition*, c'est par son acte même, par son acte de vivre, qu'il se fait tel ; c'est son agir intérieur qui le fait tel qu'il est (13,20-21 n.). Mais alors comment expliquer que la vie qu'est le Fils, *que Dieu engendre en soi, par son acte de vivre*, puisse se distinguer de lui, puisqu'elle est identique à son être. On admettra bien que Dieu ait une forme, si l'on entend par forme *son être pris comme résultat de son agir*, mais l'on se demandera comment sa forme peut être *vraiment engendrée*, c'est-à-dire sortir de lui, se distinguer de lui.

18,60. intus in se operatur. — = 18,56-58. La forme de Dieu est tournée vers soi.

18,62. foris aut intus. — Cf. *ad Cand.* 21,9.

18,62-66. — Cf. *ad Cand.* 2,10 – 23,10 n. Ces nouvelles questions apparaissent sans transition, mais Victorinus peut penser que ses lecteurs feront d'eux-mêmes le rapprochement avec les problèmes théologiques connus par ailleurs, concernant la présence d'un Logos en Dieu et le mode de sa sortie, ou encore qu'ils sont assez cultivés pour savoir que les philosophes, eux aussi, posaient des questions analogues mais que les philosophes les posaient à propos de l'ὄν et du Logos (ou de l'Intelligence).

18,63. docti ad legem. — Les exégètes rencontrant *Jean* 1,1 ou *Exode* 3,13 ?

18,63. philosophi. — Sans pouvoir assigner de sources précises à cette allusion, je pense que le développement qui suit (19,4 – 20,19) nous garde les lignes essentielles d'une source philosophique que Victorinus a utilisée. Et, d'autre part, je crois que l'on peut situer le débat comme une sorte de controverse entre la tradition de Numénius et celle de Plotin, c'est-à-dire entre celle qui admet vie et intelligence au sein du Premier et celle qui refuse toute vie et toute intelligence à l'Un. Par exemple, *Plotin, Enn.* VI 7,17,40 : « L'Un est sans forme et sans « espèce déterminée » (ἄμορφος καὶ ἀνείδεος); c'est ainsi qu'il peut produire la forme. S'il était lui-même la forme, l'Intelligence ne serait que son Logos. » De même, *ibid.* VI 7,17,18 : « Ce qui produit lui-même la forme, est lui-même sans forme. » En face de lui, Numénius appelle le Bien suprême, αὐτοόν (*fragm.* 26, Leemans), consubstantiel à la substance (σύμφυτον τῇ οὐσίᾳ, *fragm.* 25, Leemans). Le passage à la limite qui permettra d'admettre un Logos confondu avec l'être est analogue au passage à la limite qui permet d'admettre un mouvement confondu avec le repos (cf. III 2,31-40 n. et I 4,3 n. citant Numénius).

18,64-66. — Cf. 17,6-10. Sens de ces questions : Dieu a-t-il un Logos, ou bien faut-il mettre le Logos en dehors de Dieu, seulement dans le monde, ou bien faut-il admettre que le Logos est à la fois en Dieu et hors de Dieu ?

19,2. exsequenter pleneque. — Ces deux adjectifs sont bien exagérés si Victorinus vise ici *ad Cand.* 21,6-10. Faut-il penser à des traités théologiques perdus ou aux *libri platonici* traduits par Victorinus ?

19,4-37. — Opposition entre l'*esse primum*, d'une part, et l'ὄν et le Logos, d'autre part.

19,7. universale. — L'universel en extension correspond à l'indétermination et à la compréhension minimum. Chaque genre ou espèce introduit une forme et un Logos particulier ; l'être universel est donc antérieur à toute forme, et transcendant à l'être formé selon les déterminations génériques et spécifiques.

19,10. esse primum. — Cf. Commentaire anonyme *sur le Parménide* (*Palimpseste de Turin*) XII, fol. 93 v, lignes 29-

35 ; Kroll, *Rhein. Museum* 47 (1892), p. 615 : « Il y a deux sortes d'être (διττὸν τὸ εἶναι) : l'un préexiste à l'exsistant (τὸ μὲν προϋπάρχει τοῦ ὄντος), l'autre qui est produit à partir de l'Un », et lignes 26-27 : « Il est l'être avant l'existant (αὐτὸ τὸ εἶναι τὸ πρὸ τοῦ ὄντος).» Ce commentaire anonyme datant probablement de la deuxième moitié du IVe siècle, on voit que la doctrine de Victorinus correspond à certaines tendances qui se faisaient jour dans le néoplatonisme.

19,10. inparticipatum. — Semble une des premières utilisations de la notion d'ἀμέθεκτος : non participé, parce qu'il est absolument transcendant, l'être ne peut recevoir aucun nom, ce qui impliquerait que quelque chose participe à lui, cf. Proclus, *elem. theol.*, *prop.* 23, et la note de E. R. Dodds, p. 210-211.

19,10-16. — L'*esse* est donc, comme l'*unum* de I 49,9, objet de théologie négative.

19,11. praelationem. — Cf. 23,26 : *supralationem* ; *ad Cand.* 13,5.

19,12. ultra simplicitatem. — Le mot correspond-il à ὑπερηπλῶσθαι ? Cf. Proclus, *elem. theol.*, *prop.* 93 ; Dodds, p. 84,6, cf. la note de E. R. Dodds qui signale Jamblique, *de mysteriis*, Parthey, p. 251,13.

19,12. praeexsistentiam. — Cf. I 50,2.

19,13. universale. — Cf. III 2,12.

19,13-15. — Cf. I 49,18-25 ; IV 24,28-29.

19,15-16. — Cf. 26,10. L'idée peut correspondre au nom de Dieu dans l'hermétisme : τὸν προεννοούμενον θεόν, Jamblique, *de mysteriis* X 7 : Parthey, p. 292,1 ; Lactance, *div. inst.* 4, 7,3 (cf. Nock-Festugière, *Corpus Hermeticum* IV, p. 111) ; Cyrille, *contra Julian.*, *PG* 76,553 b (cf. Nock-Festugière, IV, p. 135 : τὸν προεγνωσμένον θεόν). Cf. I 33,12.

19,20. nec ὄν. — Cf. 19,10 n. ; I 49,15.

19,20. certum. — Cf. *ad Cand.* 8,14 ; *adv. Ar.* II 4,8-18.

19,21-30. Définition du Logos. — Il est lui-même un être déterminé et c'est lui qui distribue les déterminations à chaque existant. C'est la notion stoïcienne de Logos, telle qu'elle a été reprise et transposée dans le moyen platonisme.

19,22-23. — Logos au sens de puissance active.

19,23-24. — Aspect cognitif : ce sont les *logoi* de toutes choses qui sont contenus dans l'âme et lui permette de connaître, cf. Porphyre, *sentent.* XVI ; Mommert, p. 5,3. Sur la connaissance par le Logos, cf. *ad Cand.* 18,2-4 n. ; *in Galat.* 4,4 ; 1179 a 4 sq.

19,26-27. potentia. — Cf. *ad Cand.* 17,1-9. Le Logos en soi, le Logos puissance de toutes choses rassemble en lui tous ces différents aspects de la notion de logos. Il est à la fois le lieu des idées et la force déterminante qui constitue les choses jusque dans leur individualité.

19,27. continens. — Cf. I 24,41-48 et I 37,24. C'est en lui que toutes choses, sous un mode intelligible et universel (*universaliter*) préexistent, notamment les âmes, cf. *in Ephes.* 1,4; 1242 b 5-12 et 1239 b 12 : « Omnia in ipso fuerunt et fuerunt utique substantialiter. »

19,29. sua unicuique et propria. — Cf. Sénèque *epist.* 90, 29 : « Ad initia deinde rerum redit aeternamque rationem toti inditam et vim omnium seminum singula proprie figurantem. » Sur le rôle formateur du Logos, Philon, *de fuga* 2, 12; Wendland, t. III, p. 112,13 : « Le Logos du créateur est le sceau par lequel chacun des êtres est formé (ἡ σφράγις ᾗ τῶν ὄντων ἕκαστον μεμόρφωται). »

19,30-33. — Cf. 10,45 - 11,7.

19,33-37. — Ainsi ὄν et Logos sont deux aspects d'une même réalité qui est Logos, en tant que puissance créatrice, et ὄν, en tant que puissance déterminante.

19,37. — Cf. II 4,8-18.

20,1-25. Dieu a un Logos ou une forme confondus avec son être. — Après cette définition du Logos et de l'existant, on aborde une première étape dans la position du problème : Dieu a-t-il une forme qui lui soit intérieure ? Deux aspects à distinguer : si l'on considère l'*infinité* de Dieu, on ne peut que nier qu'il ait une forme ; si l'on considère l'*esse* divin, on ne peut le penser sans supposer qu'il ait une forme (20,2-9). Synthèse des deux aspects : Dieu a une forme ; mais cette forme est infinie comme lui (20,9-21). Mais cette forme intérieure se révèle, puisque le Logos qui est en Dieu, se distingue de lui, en une deuxième phase de son existence (20,21-25). L'intervention de la notion de Logos, en 19,4-37, n'a pas été inutile. En fait, derrière l'aspect philosophique du présent développement sur la forme de Dieu, c'est le prologue de saint Jean qui est sous-jacent. L'état dans lequel la forme de Dieu est confondue avec son être, c'est le *Logos en Dieu* (20,23) ; l'état dans lequel la forme de Dieu s'extériorise, c'est le Logos πρὸς τὸν θέον, en acte pour créer le monde et s'incarner (20,24-25). Ces deux états du Logos ont été fréquemment considérés par Victorinus, cf. I 5,1-9 n.

20,3. res. — Cf. 19,23-26.

20,4-9. — L'argument ne vaut évidemment que par une projection, au plan divin, du mode de pensée propre à l'homme. La pensée humaine ne saisit jamais l'être en dehors d'un *logos*, cf. II 4,8-18. Mais cet anthropomorphisme est corrigé par le passage à la limite qui consiste à affirmer que le Logos *est* l'être, ce qui revient à dire que toute sa détermination, quand il s'agit de l'être premier, consiste à être infinité et indétermination.

20,4-5. — Il y a en même temps ici l'argument traditionnel en faveur de l'éternité du Logos : jamais Dieu n'a pu être sans son Logos et sa sagesse ; cf. Athanase, *contra arianos* I 19 ; *PG* 26,52 a 7 ; Pseudo-Athanase, *contra arianos* IV 4 ; Stegmann, p. 47,18 ; *PG* 26,472 c.

20,7. latitans. — Cf. la *ratio* du Dieu de Tertullien, *adv. Prax.* 5 ; *PL* 2,160 a : « Habebat enim secum quam habebat in semetipso, rationem suam scilicet. »

20,9. <vi>vere. — *Vere primum illud* n'est pas absolument impossible, cf. 24,21-22 et 20,1.

20,10-14. — On revient à *vita et intellegentia*, la forme dyadique du *vivere* ou de l'*esse* qui était en question en 18,56, et on lui applique les notions de *définissant* et de *défini*, introduites pour opposer le *Logos* à l'*esse*. *Vie* et *pensée* sont l'une par rapport à l'autre dans la situation du défini vis-à-vis du définissant. C'est d'ailleurs pourquoi la forme de Dieu est autodétermination. Sur la définition de la vie par la pensée, cf. I 56,30 n. ; et Plotin, *Enn.* VI 7,17,25 : « L'intelligence, c'est la vie qui a été définie (ὁρισθεῖσα γὰρ ζωὴ νοῦς). »

20,14. intus sunt et in se conversa sunt. — Cf. *ad Cand.* 21,4 ; III 2,12-21 n. ; III 1,36 – 2,11 n. ; IV 26,7.

20,18. vitae intellegentia. — C'est la *lectio difficilior* de *A*, et elle correspond somme toute à la pensée de Victorinus, qui, d'une part, a ici tendance à tout ramener à l'*intellegentia*, cf. 27,1-17 et, d'autre part, a fortement insisté dans le livre III sur le fait que la vraie vie est conscience de la vie, cf. III 4,30-32 n.

20,20. nihil aliud quam esse. — Cf. III 2,12-16 où il apparaît que cette notion présente d'une forme (vie et intelligence) confondue avec l'*esse* correspond à l'idée d'un mouvement identique à l'*esse* et tourné vers soi. Il y a un mouvement mystérieux, inaccessible à l'intelligence humaine, mais propre à l'être divin, et c'est à ce mouvement que correspond la forme confondue avec l'*esse*, c'est-à-dire la détermination qui résulte de ce mouvement, mais qui n'est qu'infinité et indétermination.

20,23. πρὸς τὸν θεόν. — Cf. I 5,1-9 n.

20,26 — 21,18. Y a-t-il identité entre forme intérieure et forme extérieure de Dieu ? — Que Dieu ait une forme intérieure, on l'admet, en donnant à cette forme les caractères transcendants de l'*esse* divin lui-même. Mais quel rapport peut-il y avoir entre cette forme confondue avec l'*esse*, sans aucune détermination conceptuelle, et la forme : vie et intelligence, qui se manifeste au-dehors et répand la vie et l'intelligence sur tous les existants ?

Trois groupes de questions :

Le rapport entre forme intérieure et forme extérieure	Le mode de sortie de la forme	Le *terminus a quo*

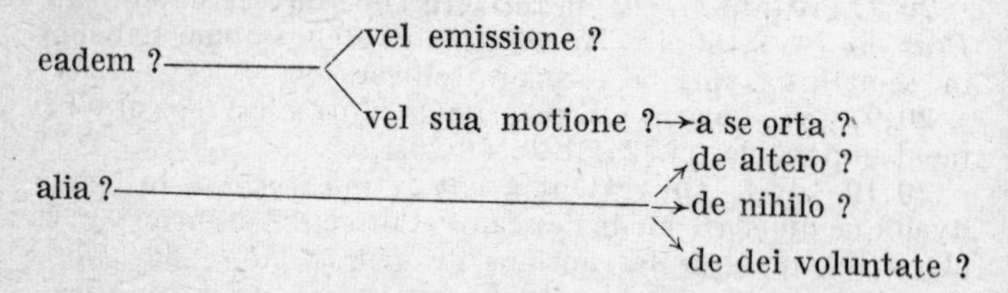

Victorinus annonce à l'avance que l'hypothèse choisie sera « eadem », « a se orta », « sua motione ». Ce concept de procession αὐτογόνως se trouve déjà chez Porphyre, cf. *ad Cand.* 22, 11 n.

20,26-29. — L'objection est très forte. Car, comment passera-t-on de l'indétermination à la détermination, si la forme est primitivement indéterminée. Il faudrait supposer qu'une autre forme vienne la déterminer. La solution sera justement le concept d'autodétermination : la forme indéterminée se fera « déterminée » en restant identiquement elle-même, lorsqu'elle se sera donné sa vie propre, à elle-même : ainsi la *détermination intelligible résulte du mouvement* ; c'est la liberté qui donne une forme à l'*esse* pur.

20,30. emissione ... sua motione. — L'*emissio* est un des modes de génération rejetés par Candidus, cf. CAND. I 5,15. Ici, chez Victorinus, le mot désigne surtout un mode passif de génération, dans lequel Dieu lui-même projeterait sa forme au-dehors. *Sua motione* représente un mode de génération dans lequel, le générateur étant ce qu'il est, engendrant par son être même, sans acte ou mouvement transitif, l'engendré se distingue de l'engendrant dans lequel il était contenu, en conquérant son être propre par son propre mouvement. C'est pour préciser cette notion que Victorinus va tout à l'heure, en 21,19-25, rappeler l'immobilité propre aux générations divines.

20,31 — 21,4. — Ici toutes les positions de la controverse arienne repassent rapidement. Si la forme engendrée est différente de la forme intérieure, il n'y a pas de consubstantiel, elle vient du néant, ou de la volonté de Dieu. Positions que Victorinus rejette évidemment.

21,6. exsistentia. — Réfutation de la notion de génération par la volonté : la volonté, étant cause des substances, est elle-même substance. Cf. I 32,12-15. Donc si la forme venait de la volonté de Dieu, elle viendrait de la substance de Dieu. Mais *si la forme vient de la substance de Dieu*, elle vient d'elle-même, car elle est déjà elle-même la substance de Dieu. C'est le sens de toute l'argumentation : *ipsa ?* (20,26). *Sed quomodo* ? puisqu'elle est *infinie* au-dedans, *déterminée* au-dehors (20,26-29). *Alia est haec* ? (20,29). Mais si la forme extérieure est différente de la forme intérieure, d'où vient-elle ? Du néant ? Impossible. De la volonté de Dieu ? Mais cette volonté est substance. Donc venant de la substance, la forme vient de soi. Génération *par* l'être et *de* l'être même, et autogénération sont identiques.

21,7-12. — Mais de nouvelles difficultés surgissent. Il est difficile de concevoir une génération comme une autogénération. C'est ce que Victorinus va essayer de faire comprendre.

21,16. sine tempore. — Cf. *ad Cand.* 22,1-3.

***

21,19 — 33,25. Solution du problème : la pensée de la pensée. — La solution mobilise à la fois les ressources de la philosophie (21,18 – 29,38) et la réflexion sur l'Écriture sainte (29,38 – 33,25), exactement sur *Phil.* 2,5 : *in forma dei*. La *philosophie* montrera comment une réalité confondue avec l'être divin peut conquérir sa subsistence propre. L'Écriture sainte obligera à affirmer l'identité *forma-filius-imago-Iesus*. On retrouvera là le mode de raisonnement souvent employé en I a. Et par là, on verra que c'est bien la forme de Dieu elle-même qui s'est extériorisée jusqu'à la mort sur la croix. Ainsi la théorie philosophique concernant l'autogénération de la forme permet de concevoir non seulement la consubstantialité, mais l'incarnation :

le Fils Jésus-Christ est la forme intérieure de Dieu qui se révèle elle-même.

***

21,19 – 29,38. Partie philosophique. La forme s'extériorise en se pensant comme pensée. — On a ici probablement les meilleures pages philosophiques et théologiques de Victorinus. Sans doute le livre III était parfaitement construit et donnait un ensemble excellent de réflexion théologique et d'exégèse. Quant au livre I b, il représentait une tentative analogue aux pages qu'on va lire, mais il n'échappait pas à une certaine incohérence. Victorinus trouve enfin une image admissible du mode de génération du Fils, qui tient compte de toutes les implications du dogme du « consubstantiel » (un seul Dieu peut être Père et Fils, sans rompre son unité), tout en admettant la réalité hypostatique du Fils, et qui permet d'épurer le concept de génération, sans le vider de son contenu. L'idée d'*une pensée primitivement confondue avec l'être divin, puis se prenant elle-même pour objet, et se donnant ainsi son hypostase propre*, sans rompre son unité avec l'acte d'être où elle s'enracine, paraît bien la tentative préaugustinienne la plus hardie pour essayer de *penser* le mystère trinitaire. Le schéma ci-contre permettra de suivre la marche de la pensée :

Avant la description de la première phase (21,26 – 24,39), Victorinus place une courte introduction (21,19-25) sur le mode absolument immobile des générations en Dieu. De même, avant la description de la deuxième phase (25,44 – 29,39), Victorinus place aussi une introduction, plus longue cette fois, concernant le rapport du mouvement et de repos en Dieu (24,40 – 25,43) : introductions indispensables, puisque tout l'exposé qui les suit oblige à admettre un mouvement en Dieu : le mouvement automoteur de la forme qui se pose comme identique à Dieu. Plus exactement, la forme est engendrée par Dieu (23,7 : *conficitur* ; 23,29 : *conficiuntur* ; 25,45 : *conficiunt*) ; mais cette génération n'implique pas un acte spécial de Dieu : il se contente d'être lui-même, d'être l'agir pur. La génération est donc et ne peut être qu'une autogénération. Ceci est dans la logique de la doctrine néoplatonicienne des générations divines. Mais l'originalité de la doctrine exposée par Victorinus consiste à tenter d'assurer au maximum l'identité entre engendrant et engendré entre engendrant et autoengendré. Il s'agit de montrer que c'est la même forme qui *est* l'engendrant, en une simplicité

Dieu	sa forme intérieure	
est	est	
esse-vivere-intellegere = *unum et solum*	*exsistentia-vita-intellegentia* = *unum*;	
mais, selon Plotin il est *unum omnia, principium omnium*	elle est	
donc il est *omniexsistens, omnivivens, omniintelligens,*	*omniexsistentia, omniviventia, omniintellegentia ;*	
mais, selon Plotin, il est aussi *nec unum nec omnia*	elle est	
donc il est *praeexistens, praevivens, praecognoscens.*	*praeexsistentia, praeviventia, praecognoscentia ;*	
donc il est *incognoscibile* mais *cognoscibile* en puissance,	en tant que sa forme, *cognoscentia* en puissance, *se confond* avec l'être.	
Deuxième phase :	état de distinction :	
	la forme intérieure devient	*forme extérieure*
	l'*intellegentia* (=*cognoscentia*) se constitue elle-même comme forme intérieure, en *se pensant* comme *être*, identique à Dieu (27,1-17).....	et, dans le même acte, elle *se pense* comme *pensée*, c'est-à-dire se donne son être propre et s'engendre (28,1-22.)

totale, et qui se distingue, d'elle-même, de l'être avec lequel elle était confondue. D'où l'insistance de Victorinus sur la doctrine de la forme intérieure à Dieu, la description de la sortie de cette forme ne prenant que quelques lignes (28,1-22). C'est l'identité de cette forme avec l'être qui est la pièce essentielle de la démonstration.

L'interprétation du chapitre 27 est décisive pour la compréhension de toute cette doctrine. Victorinus parle de la forme confondue avec l'*esse* divin, de l'intelligence intérieure (27,14) : *haec est ut intus intellegentia.* Pourtant, il emploie à propos d'elle exactement le même vocabulaire (*fit ut intellegentia ipsa se intellegat* 27,8 = 28,12) qu'il emploiera à propos de la forme, de l'intelligence extériorisée. Je pense qu'effectivement, il y a un seul acte, un seul mouvement de la forme-intelligence, grâce auquel elle se pose, à la fois, comme forme *de Dieu* et comme *forme*, comme pensée *de l'être* et comme *pensée*. Son acte d'autogénération consiste à être à la fois l'être et la forme, Dieu et elle-même. Voilà qui assure fortement la consubstantialité.

La doctrine ici rapportée par Victorinus est, sinon celle de Numénius, du moins une élaboration de la doctrine de Numénius, telle que nous pouvons la reconstituer au travers du témoignage de Proclus (*in Tim.*, Diehl, t. III, p. 103,29) et des allusions de Plotin (*Enn.* III 9,1,15-21 ; II 9,1,25-57). La doctrine de Victorinus correspond à la distinction logique introduite par Numénius entre pensée qui pense et pensée qui se pense, que Plotin rejette en II 9,1,40-44 : « Il faut examiner si, même par une distinction logique (ἐπινοίᾳ), on peut admettre une intelligence qui ne fait que penser, sans avoir conscience qu'elle pense », et qu'il admet à la suite de Numénius, en *Enn.* III 9,1,15-21. Voir la note de E. R. Dodds, dans *Proclus' Elements of Theology*, (*prop.* 168, p. 287) et surtout son étude *Numenius and Ammonius*, dans *Entretiens pour l'étude de l'Antiquité classique, Fondation Hardt*, t. V. Et, pourtant, c'est précisément dans ce développement présent de Victorinus, que nous trouvons l'unique citation littérale de Plotin (22,8-9) que contienne son œuvre. C'est donc par l'intermédiaire d'un disciple de Plotin que Victorinus aura trouvé ce rapprochement entre les deux doctrines, celle de Plotin, celle de Numénius.

***

21,19-25. Théorème initial. — C'est un des théorèmes fondamentaux du néoplatonisme, cf. Plotin, *Enn.* III

4,1,1; V 2,2,2-3; III 2,1,40-45; V 4,2,19-33 (ce dernier texte : « Si donc il reste en lui-même et si un être se produit, cet être vient de lui, alors qu'il est au plus haut point ce qu'il est (ὅταν ἐκεῖνο μάλιστα ᾖ ὅ ἐστι) ; c'est quand il reste dans son propre caractère (μένοντος... αὐτοῦ ἐν τῷ οἰκείῳ ἤθει) ; qu'un produit naît de lui », nous donne d'ailleurs la source dernière de cette doctrine, Platon, *Timée* 42 e : ἔμενεν ἐν τῷ ἑαυτοῦ κατὰ τρόπον ἤθει) ; Porphyre, *sentent.* XXIV ; Mommert, p. 10,14-18 (voir le texte en *de hom. rec.* 3,15-16 n.). On remarquera que c'est justement en V 2,1,18 (cf. plus bas 21,23 n.) que Plotin distingue le mode de génération propre à l'âme du mode de génération propre aux deux premières hypostases, et que c'est au même traité V 2,1,1 qu'est empruntée la citation littérale de Plotin rapportée plus bas (22,8-9). On peut en conclure que la source utilisée par Victorinus extrayait d'*Enn.* V 2 à la fois une définition de Dieu (*Enn.* V 2,1,1 = Victorinus 22,8-9) et une définition du mode de génération propre à Dieu (*Enn.* V 2,1,14-18). Une autre hypothèse est possible : la « source » utilise le début de deux traités de Plotin (*Enn.* V 2,2,1 = Victorinus 22,8-9 ; et III 4,1,1-2 = Victorinus 21,19-25). En effet, l'allure générale de notre théorème est beaucoup plus proche du résumé d'*Enn.* V 2,1,14-18 donné en *Enn.* III 4,1,1-2 : « Les principes supérieurs demeurent en eux-mêmes, quand naissent, à partir d'eux, les hypostases ; seule l'âme, on l'a déjà dit (= *Enn.* V 2,1,14-18), se meut pour engendrer (τῶν μὲν αἱ ὑποστάσεις γίνονται μενόντων ἐκείνων, ἡ δὲ ψυχὴ κινουμένη ἐλέγετο γεννᾶν). »

21,20. quo. — Pour *ubi.* (Confusion inverse, dans Boèce (= Victorinus ?) *in Isag., ed.* Ia, II 16; Schepps-Brandt, p. 114,15).

21,21-23. — Énumération intéressante : 1° les noms propres des hypostases : la première = Dieu ; la seconde = Logos ou νοῦς, équivalence explicite ! 2° les noms communs, qui peuvent être appropriés à l'un ou à l'autre : esprit, vie, pensée ; ce sont les noms rencontrés tout au long de ce livre IV ; quant au problème des noms communs appropriés à l'un ou à l'autre, il a été traité en I b.

21,23-24. — Cf. *Enn.* V 2,1,17 = *Enn.* III 4,1,2.

***

21,26 — 22,6. — Définition de Dieu, comme être, vivre, penser, source de l'être, vivre, penser de tous les existants.

Ceci est la répétition d'un schéma stéréotypé chez Victorinus : Dieu a trois puissances ; ces trois puissances se distinguent par prédominance, tout en étant chacune trois ; elles sont le point de départ de l'existence, de la vie, de l'intelligence chez les existants particuliers. Cf. I 50,10-15 ; I 52,3-9 et surtout IV 5,36-47.

21,28. se praestat. — = praestat (cf. Ernout-Thomas, *Syntaxe latine*, n° 234, p. 181).

21,29. — Même preuve rapide en 5,41-44.

21,30. singularitas. — Cf. *hymn.* III 224.

22,3. captu. — Cf. 5,14 n.

22,3. participatione sui. — Cf. 25,19 ; 11,13.

22,4. sortita. — Cf. I 4,14. Même sens actif (« répartissant ») chez Virgile, *Énéide* 3,634 ; 8,445 ; 9,174.

22,6. superiorum. — Cf. 25,29.

***

22,6 — 23,31. — Ce développement qui définit successivement Dieu comme l'omniexistant (omnivivant, omnipensant) et comme le préexistant (prévivant, prépensant) et sa forme comme l'omniexistence (omnivitalité, omnivoyance) et comme la préexistence (prévitalité, préconnaissance), emprunte à Plotin, *Enn.* V 2,1,1, non pas ce vocabulaire, mais une définition antithétique des rapports entre Dieu et les choses, qui autorise à juxtaposer ces épithètes. Le but de ce développement, c'est la définition plus exacte de la forme de Dieu, notamment comme *praecognoscentia* (23,28). Nous concevons la forme de Dieu, *a posteriori*, à partir de l'existence, vie, intelligence qui se trouvent dans les existants. Mais cela n'est possible que parce que cette forme de Dieu s'est distinguée de Dieu. C'est à partir du moment où la *cognoscentia* s'est manifestée, que la *cognoscentia* intérieure à Dieu, c'est-à-dire la *praecognoscentia*, a reçu son nom et a été connue indirectement.

Le texte de Plotin, *Enn.* V 2,1,1, cité littéralement, mais compris dans un sens totalement différent de celui qu'il a chez Plotin, sert, en un premier moment (22,6 – 23,11) à faire concevoir, *a posteriori*, la forme de Dieu, à partir de l'existence, vie, intelligence qui se trouvent dans les existants ; puis, en un second moment (23,12-31), il sert à dépasser cette première définition, pour reconnaître que la forme de Dieu est transcendante.

***

22,6 — 23,31. Note sur le sens d'*Enn*. V 2,1,1 selon Victorinus. — 1° Sur le caractère littéral de la citation, cf. P. Henry, *Plotin et l'Occident*, Louvain, 1934, p. 48-54. 2° Victorinus considère toute la phrase de Plotin, non comme une proposition indépendante, mais comme un prédicat du sujet « Dieu ». 3° Il comprend ce prédicat, comme une suite d'antithèses; le premier membre s'oppose à la notion commune de Dieu ; le second membre au premier membre, avec une synthèse finale.

Notion commune :	1er membre :	2e membre :	synthèse finale :
Unum et solum unum	unum omnia	et nec unum non omnia	illo modo omnia (cf. 22,9 n.).

A *unum omnia* correspond 22,6 – 23,11 ; à *nec unum* et *non omnia*, 23,11-31 ; à *illo modo omnia*, 23,31 – 24,39.

4° *Nec unum* (οὐδὲ ἕν) signifie chez Plotin : l'Un n'est aucune des choses; chez Victorinus, Dieu n'est même pas Un (cf. 19,10). 5° Victorinus fait de *omnium enim principium* la raison de *nec unum nec omnia* (23,17 et 24,29) : principe de tout, Dieu est au-delà de Tout, et donc inconnaissable. 6° *Illo modo omnia* peut signifier que Dieu est « être, vie, pensée » selon son mode propre, c'est-à-dire en sa forme confondue avec son être (cf. 23,31 – 24,39).

***

22,6 — 23,11. L'omniexistant et son omniexistence. — En dehors du commentaire d'*Enn*. V 2,1,1 : *unum omnia*, il n'y a ici qu'un résumé de la première partie de notre livre IV : le vivre engendre la forme universelle qu'est la vie.

22,9. unde. — Ce mot, qui n'a pas de correspondant chez Plotin, serait, selon W. Theiler, *Die chaldaische Orakel*, p. 18, n. 4, un vestige des commentaires de Porphyre sur ce traité. Voir les intéressants parallèles doctrinaux, *ibid.*, notamment Synésius, *hymn*. 1,180, Terzaghi : ἓν καὶ πάντα, ἓν διὰ πάντων, ἓν τε πρὸ πάντων.

22,9. illo modo. — = ἐκείνως. Traduction Henry-Theiler : « d'une manière transcendante ». Sur le problème du texte de Plotin, *Enn*. V, 2,1,1, cf. R. Harder, *Plotins Schrif-*

ten, Hambourg, 1956, t. I b, p. 510 et W. Theiler, c. r. de Harder dans *Deutsche Literaturzeitung*, 80, 1959, n° 1.

22,11. illa tria. — = *esse, vivere, intellegere.*

22,14-20. — On voit le syllogisme qui légitime ces appellations : *unum* = *exsistens, vivens, intellegens* (22,10-14) ; or Dieu est *unum omnia* ; donc il est *omnia existens, omnivivens*, etc. La lettre de Plotin sert donc à expliquer un genre de mot assez répandu dans le gnosticisme et l'hermétisme ; cf. A.-J. Festugière, *Le Dieu inconnu*, p. 65 (et p. 66, ses réflexions sur l'antithèse : Dieu a tous les noms, Dieu n'a aucun nom, antithèse ici fondée comme on l'a vu plus haut, sur la littéralité de Plotin). *Omnia existens* (cf. 24,23-24 : *omniexistens*) nous fait comprendre comment ces néologismes ont été construits.

22,21. ut cum. — Cf. Ernout-Thomas, *Syntaxe latine*, n. 345, p. 294.

22,22. energia. — Cf. 13,1-14.

22,23-24. — Cf. 5,29-48.

23,7. conficitur forma. — Cf. 15,7-8.

23,8-11. — A chacun des aspects de l'acte d'être ou de vivre, qui, par lui-même, est absolue simplicité, correspond un aspect de la puissance universelle, ou forme universelle, qui, par elle-même est, elle aussi, unique et simple. C'est le vivant qui détermine la forme, mais c'est la forme qui le fait connaître par la détermination qu'il en reçoit ; c'est le principe de 5,19-22, qui sera repris, selon un rigoureux parallélisme en 23,27-31.

***

23,12-31. Le préconnaissant et sa préconnaissance. — Il s'agit bien, dans cette théologie négative, fondée sur Plotin, *Enn.* V 2, 1,1, de la description de l'état de confusion de la forme de Dieu avec l'être qu'est Dieu, cf., d'une part, 20,1-21 et, d'autre part, 26,7-13.

23,12-13. — Deux groupes d'affirmations simultanées (*vel* = et) que Victorinus considère comme antithétiques.

23,13. nec unum nec omnia. — Cf. l'hymne attribué à Grégoire de Nazianze (E. Norden, *Agnostos Theos*, p. 179) : εἷς καὶ πάντα καὶ οὐδείς, οὐχ ἓν ἐών, οὐ πάντα· πανώνυμε, πῶς σε καλέσσω. La formule plotinienne, telle qu'elle est comprise par Victorinus, devient donc une sorte de formule hymnique.

23,13-15. — Cf. 19,13-15 et 20,14-19.

23,15-18. — Cf. 19,10. Raisonnement analogue, mais qui n'est pas tiré de Plotin, dans le *commentaire anonyme* *sur le Parménide* (Palimpseste de Turin, Kroll, II, fol. 91 v., 12-14), p. 603 : « Lui-même n'est ni un ni multitude, mais supersubstantiel (ὑπερούσιος) par rapport aux existants qui viennent de lui ; en sorte que ce n'est pas seulement du multiple, qu'il est au-delà, mais bien du concept d'un lui-même (ἀλλὰ καὶ τῆς τοῦ ἑνὸς ἐπινοίας) ; car c'est de lui que proviennent l'un et la monade. » Sur les spéculations pythagoriciennes, susceptibles d'être à l'origine de cette formule, cf. A.-J. Festugière, *Le Dieu inconnu*, p. 19-25.

23,22. supra omnia. — Cf. 26,7-12 ; I 49,15-18, où l'on retrouve les mots latins correspondant à l'énumération présente de termes négatifs.

23,26. supralationem. — Cf. 19,11 : *praelationem.*

23,26. — Cf. *ad Cand.* 28,1-6 n. Grégoire de Nazianze (hymne cité plus haut, 23,13 n.) nous donne la raison : « Toi seul est indicible, puisque c'est toi qui engendre tout ce qui se dit (μοῦνος ἐὼν ἄφραστος, ἐπεὶ τέκες ὅσσα λαλεῖται). »

23,27. προόν. — Cf. *ad Cand.* 2,28 n.

23,30-31. — Cf. 23,8-11 n.

***

23,31 — 24,39. La forme intérieure de Dieu, comme connaissance identique à son objet. — Tout ce développement (qui correspond probablement à *illo modo omnia*, tiré de Plotin, *Enn.* V 2,1,1) se résume par la formule de 23,33 : « Erant quidem, sed nondum animadversa, nondum nominata. » C'est à la description de cet état de préexistence de la forme dans l'être que tout le développement est en effet consacré : 1° l'inconnaissable divin est un connaissable en puissance parce qu'il est aussi connaissance en puissance (23,31-45) ; 2° il y a en effet, en Dieu, une connaissance qui est à elle-même son propre objet, absolument pure, en repos et tournée vers soi (24,1-20) ; 3° on peut concevoir Dieu comme acte et forme confondus dans l'unité, comme centre immobile de toutes choses (24,21-39).

23,31-32. — Cf. I 57,29-30 n.

23,34. incognoscibile. — Pas un inconnaissable absolu, car la forme, qui, en s'extériorisant, révèle Dieu, est primitivement Dieu même, inconnaissable sans doute, mais connaissable en puissance, parce qu'il est lui-même connaissance en puissance.

23,36. relativa. — Aristote, *categ.* 7 b 22 – 8 a 12, n'admet pas cette réciprocité totale de l'intelligence et de l'intelligible, qui impliquerait une production de l'objet par la pensée. Toutefois, sa théorie de l'intelligence divine, *metaphys.* XII 9; 1074 b 18 sq., implique, jusqu'à un certain point, cette relativité totale.

23,38. nondum ... non. — Grammaticalement les deux négations devraient s'annuler ; le sens exige qu'elles se renforcent.

23,41-43. — Cf. 24,11-12.

24,5. hoc sit cognoscentia. — Cf. 24,12. La tendance à admettre une antériorité au moins logique de la connaissance sur le connaissable quand il s'agit de Dieu est ici très marquée.

24,5-9. — Cf. 27,2-5. C'est-à-dire que l'acte de connaître a le pouvoir de poser par soi-même les deux autres, selon le processus décrit en 27,8-13.

24,9-10. — C'est dans les choses qui sont après Dieu qu'il ne peut y avoir de connaissance sans connaissable. Mais Dieu ne devient connaissable que parce qu'il est déjà connaissance.

24,10-20. — Dans ses deux états, la connaissance est à elle-même son propre intelligible. Mais, dans son premier état (24,10-17), elle *est* l'intelligible, en *étant* elle-même ; dans son second état (24,17-20), elle se donne à elle-même comme intelligible, elle se *pense*. Les deux aspects de cet acte de « pensée de soi » seront distingués en 27,1 – 28,22. Donc, dans son premier état, elle est connaissance sans objet ; en son second état, elle est connaissance de soi-même comme connaissance. C'est la distinction (probablement de Numénius) rapportée par Plotin, en *Enn.* II 9,1,25-57, cf. 21,19 – 29,38 (fin de la note). La « pensée qui ne fait que penser » est, pour Victorinus, une forme confondue avec Dieu, mais elle n'est pas Dieu même ; elle est ce qui, étant confondu avec Dieu, va se distinguer de Dieu. Comme il apparaîtra nettement en 27,1 – 28,22, il y a d'abord l'acte d'être, absolument pur et inconnaissable ; mais, en lui, la connaissance se pose comme identique à lui, et, en se posant comme connaissance identique à l'être, elle se pense à la fois comme être et comme pensée. Son acte d'autogénération consiste à être à la fois Dieu et elle-même. C'est ce qui différencie radicalement cette doctrine de la doctrine plotinienne de l'intelligence, qui, si elle admet bien une autogénération de l'intelligence, n'admet jamais que l'intelligence soit l'Un, même dans un état de conversion sur soi, sauf peut-être dans le traité III 9,1, en des lignes qui semblent fortement influencées par Numénius et que Plotin rejettera explicitement en *Enn.* II 9,1,25-27. Cf. note suivante.

24,12. nisi ipsa cognoscentia. — Cf. Plotin, encore proche de Numénius, *Enn.* III 9,1,15-17 : « Rien n'empêche que l'intelligible soit l'intelligence elle-même à l'état de repos, d'unité et de calme (ἢ τὸ μὲν νοητὸν οὐδὲν κωλύει καὶ νοῦν εἶναι ἐν στάσει καὶ ἑνότητι καὶ ἡσυχίᾳ). » *Enn.* II 9,1,26 (contre Numénius) : « L'on ne doit pas imaginer qu'il y a une intelligence en repos et une intelligence en mouvement (οὐδ' ἐπινοεῖν τὸν μέν τινα νοῦν ἐν ἡσυχίᾳ τινί, τὸν δὲ οἷον κινούμενον). »

24,17. — Mot à mot : elle est « à forme » de lui, pour qu'il puisse être connaissable. C'est-à-dire que confondue avec l'être, la seule distinction logique que l'on puisse trouver entre la connaissance plongée dans l'être et l'être même, c'est qu'elle est ce qui, en se distinguant de l'être, le rendra connaissable. Peut-être ce datif final correspond-il à la notion de πρόσχρησις chère à Numénius, pour qui le premier Dieu pense en utilisant la seconde intelligence (dans Proclus, *in Tim.*, Diehl, t. III, p. 103,29).

24,18. se circuminspiciens. — Cf. I 57,13-21.

24,19-20. — L'autoactuation de la connaissance est donc en même temps autoactuation du connaissable ; en se faisant « Dieu connaissant », la connaissance se fait « Dieu connu ».

24,21-39. — Cette longue énumération résume la plupart des dénominations rencontrées en 21,19 – 24,20. On en reconnaîtra facilement le plan : *unum, solum* ; *deus, spiritus, lumen* ; puis la triade *esse-vivere-intellegere* aux différents moments du passage de l'acte à la forme, depuis *exsistens* jusqu'à *omniexsistentia* (cf. 22,6 – 23,11) ; puis les déterminations négatives (cf. 23,12-31) : sans limite, sans mesure, suivies des antithèses plotiniennes (cf. 23,12) ; enfin les épithètes exprimant le repos absolu de l'être divin, repos du centre immobile de toutes choses. Ce genre d'énumération rappelle l'écrit gnostique *Apocryphon Johannis*, Till, p. 90,13-22 : « Il est la lumière, le donnant la lumière; la vie, le donnant la vie ; le bienheureux, le donnant la béatitude ; la connaissance, le donnant la connaissance. »

24,32-34. — Damascius, *dubit. et solut.*, 47 ; Ruelle, t. I, p. 94,3 sq. : ἀλλὰ φήσομέν γε ἡμεῖς ἐκεῖνο μὴ εἶναι τὸ μένον, ἀλλὰ τὴν μονὴν αὐτὴν κατὰ ἀναλογίαν.

24,34-39. — Il y a certainement ici l'image de l'*omnividens* (22,20). L'idée générale de Dieu comme centre peut se rapporter à une tradition ayant pour origine les *Oracles chaldaïques*, cf. W. Theiler, *Die chaldaische Orakel*, p. 20, n. 5, comparant le texte présent de Victorinus avec Synésius, *hymn.* 5,70, Terzaghi, et 1,151 : πάντων κέντρον. Mais les détails qui entourent cette notion se retrouvent en divers courants de la pensée grecque. Cf. par exemple Zeus = le Soleil qui voit tout, dans Macrobe, *Saturnales* I 23,9 (développement probablement traduit de Porphyre, selon Fr. Altheim, *Aus Spätantike und Christentum*, Tübingen, 1951, p. 2-24).

24,35. sedere. — Idée de stabilité ; cf. dans un contexte différent, Synésius, *hymn.* 9,57 : θεὸς ἔμπεδος θαάσσει.

24,36. oculo. — Cf. *Orphica* VIII ; Abel, p. 61 : πανδερκὲς αἰώνιον ὄμμα.

24,36. substantiae. — C'est-à-dire que Dieu voit par son être même : il *est* indivisiblement toutes choses.

24,37. lineas. — Il faut corriger *ineas* AΣ en *lineas* pour être fidèle à la métaphore. Du centre, Dieu voit en son unité tous les rayons qui s'échappent de lui. Cf. Synésius, *de insomniis* 3 ; *PG* 66,1289 c 15 : οἷόν εἰσιν εὐθεῖαί τινες ἐκ κέντρου ῥυεῖσαι καὶ εἰς τὸ κέντρον συννεύουσαι, μία μὲν πᾶσαι κατὰ τὴν κοινὴν ῥίζαν, à propos du sens commun, mais on peut comparer avec *hymn.* 9,69 : ἀπὸ κέντρου τε θορόντων. Les *lineae* des êtres, ce sont les γραμμαί selon lesquelles les existants sortent de Dieu. Les existants sont à la fois les rayons visuels et les rayons lumineux qui rayonnent de l'œil divin.

24,38. non versabili aspectu. — Cf. Clément d'Alexandrie, *Strom.* VI 17,156,7 ; Stählin, p. 512,24 ; *PG* 9,388 c 13 : ἀθρόως τε γὰρ πάντα, καὶ ἕκαστον ἐν μέρει μιᾷ προσβολῇ προσβλέπει.

24,39. a centro. — Cf. F. Cumont, *La théologie solaire du paganisme romain*, *Mém. Acad. Inscr.* XII 2 (1909), p. 459 et sq. ; *Corpus Hermeticum* XVI 7 ; Nock-Festugière, t. II, p. 234,11 : μέσος γὰρ ἵδρυται στεφανηφορῶν τὸν κόσμον.

***

24,40 — 29,23. Le mode de génération du Fils. — Les premières lignes de ce nouveau développement annoncent toute la fin du livre; *quomodo deus pater et quis filius?* la réponse sera, 25,44 – 29,38, c'est-à-dire l'affirmation de l'autoposition de la connaissance, de la forme de Dieu, qui fait que Dieu est Père et que la forme est le Fils;

quis filius? la réponse sera, 29,39 – 32,13, le commentaire de *Phil.* 2,6 ; enfin *quomodo Iesus filius* ? la réponse sera 32,14 – 33,25, c'est-à-dire le commentaire de *Phil.* 2,7-8.

En 21,19 – 24,39, dans tout le développement qui vient de s'achever, une pièce essentielle de la démonstration du consubstantiel a été établie : Dieu a une forme confondue avec l'être qu'il est. Mais il s'agit maintenant de rendre compte de la distinction du Père et du Fils : il s'agit de montrer comment cette forme s'engendre. On répondra ainsi à l'aporie fondamentale posée en 18,60 – 21,18 (n.) : comment la forme qui était à l'intérieur de Dieu s'est-elle extériorisée ? Pour répondre à cela, on va trouver 1° une longue introduction sur le mouvement et le repos en Dieu (24,40 – 25,43) ; 2° un rappel des descriptions qui ont été consacrées précédemment à l'état d'identité absolue entre Dieu et sa forme (25,44 – 26,27) ; 3° enfin, et ce sera le centre de tout ce développement, la description de l'autogénération de la forme (27,1 – 28,22) ; 4° une étude du rapport entre les deux pensées, intérieure et extérieure, viendra achever la démonstration, en montrant qu'elles sont consubstantielles (29,1-23).

24,40 — 25,43. Mouvement et repos en Dieu. — L'essentiel du développement se trouve en 24,41-46 et en 25,39-43 ; il s'agit de montrer qu'en Dieu, il n'y a pas d'opposition de contrariété, comme dans le monde sensible ; d'où la longue digression sur les contraires dans le monde sensible. On comprendra le sens de cette discussion si on la compare avec ce que Macrobe, *in somn. Scip.* II 16,1 nous rapporte, très probablement à la suite de Porphyre, des objections aristotéliciennes et des réponses néoplatoniciennes au sujet du caractère automoteur du mouvement de l'âme. Chez Victorinus, justement, c'est le problème de l'autogénération de la forme, qui est en question. Or Macrobe écrit (*loc. cit.*) : « Non possunt, inquit (= Aristoteles), *eadem initiis suis esse quae nascuntur* (cf. Victorinus 24,46-50), et ideo animam quae initium motus est, non moveri, ne idem sit initium et quod de initio nascitur, id est ne motus ex motu processisse videatur (cf. Victorinus 24,43-46) » ; et plus loin, une des réponses les plus proches de la pensée de Victorinus (*ibid.* II 16,10) : « Constat omne initium inesse rei cuius est initium. » D'une manière générale, le sens de la réponse chez Macrobe, comme chez Victorinus, consiste à dire : même dans le monde sensible, il y a une certaine identité entre l'engendrant et l'engendré ; mais dans le monde intelligible, cette intériorité est parfaite ; la contrariété est surmontée. Donc, pour Victorinus, la forme engendrée pourra être identique à la forme engendrante, l'autogénération de la forme sera possible de telle sorte que la forme engendrante soit identique à Dieu et que la forme engendrée, quoique distinguée, lui reste aussi identique.

24,41-43. — Transition avec le développement précédent, cf. 24,31-34.

24,43-44. — S'il y a une génération en Dieu, elle ne peut résulter que d'un mouvement. Donc il y aura pour Dieu passage d'un contraire à un autre contraire, du repos au mouvement.

24,46-50. — C'est la doctrine traditionnelle, résumée par Aristote, *phys.* I 9 ; 192 a 21 : « Les contraires sont destructeurs les uns des autres (φθαρτικὰ... ἀλλήλων). »

25,1-14. — Même dans le monde sensible, il y a une certaine intériorité réciproque des contraires : ils paraissent seulement se détruire mutuellement ; en fait ils demeurent présents les uns dans les autres.

25,3-10. — L'argument est ici simplement tiré de la réciprocité même des générations des contraires : la mort, le non-être, le repos sont positifs, ont l'être, dans la mesure où ils doivent engendrer à leur tour ce par quoi ils ont été engendrés.

25,14-39. — La vraie raison de la permanence des contraires réside dans les incorporels et non dans les corps, d'une part dans l'existence, la vie, l'intelligence qui rayonnent du monde intelligible, de l'autre, dans l'éternité de la matière. Autrement dit, les corps changent de forme, mais les images qui se reflètent dans la matière sont éternelles.

25,16-22. — Cf. 21,26 – 22,6.

25,20. in noetis et noeris. — Cf. 2,17.

25,22-27. — La mort est décomposition en des éléments permanents.

25,32. lineis. — Peut-être les ὀχετοί, les canaux qui, selon les *Oracles chaldaïques* (Kroll, p. 35 et 55) conduisent le feu divin au monde ?

25,32-34. — Cf. Plotin, *Enn.* II 4,6,4 : οὐ γὰρ παντελὴς τοῦ μεταβάλλοντος ἡ φθορά... συνθέτου γάρ.

25,40-43. — Cf. 15,23-26. C'est la conclusion recherchée :

la génération en Dieu ne peut être qu'autogénération, puisqu'elle sera toujours manifestation d'une préexistence, que mouvement et repos s'impliqueront toujours, de même qu'être et non-être. Cf. Plotin, *Enn.* VI 2,8,25 : ἕκαστον τῶν ὕστερόν τι ὂν καί τις στάσις καί τις κίνησις.

***

25,44 — 26,27. Dieu et sa forme en état d'identité absolue. — C'est, pour l'essentiel, un résumé de 21,26 – 24,39, c'est-à-dire de la longue description de la forme intérieure de Dieu qui a précédé.

25,44 — 26,7. — C'est la doctrine habituelle, cf. 21,26-31. Mais elle est compliquée par la juxtaposition de deux schémas trinitaires. Comme dans le livre III, le Père est *esse*, le Fils, *vivere*, l'Esprit-Saint, *intellegere* (cf. III 7,1-9 par exemple), mais, comme dans le livre IV, le Père est *esse, vivere, intellegere,* ne faisant qu'un dans l'*esse* et le Fils (Christ-Esprit-Saint) est *exsistentia, vita, intellegentia,* se distinguant en *vita* et *intellegentia* selon le Christ et l'Esprit-Saint. Les lignes 1-4 brisent d'ailleurs la phrase et pourraient être une addition postérieure. On peut trouver une solution en identifiant le *vivere* extériorisé avec la *vita,* l'acte manifesté avec sa forme, cf. 17,2-10.

26,4-7. — La forme intérieure de Dieu résulte de l'acte intérieur de Dieu. Il se donne cette forme par son propre mouvement, cf. 13,19 n. et 13,20-21 n.

26,6. actu ... interiore. — Cf. III 2, 15 ; III 17,22.

26,7-13. — Quand le Fils est identique au Père, c'est-à-dire quand la forme est confondue avec l'être ou quand le mouvement reste tourné vers lui-même, Dieu et sa forme sont en fait transcendant à la triade *esse-vivere-intellegere.*

26,9-10. — Cf. 23,23-24.

26,10. praeintellegentia. — C'est le mode propre de la connaissance qui porte sur l'*esse,* cf. 19,15.

26,10. inventus ista. — Cf. 28,10; mais, en 28,10, la sortie de la forme-connaissance fait connaître que Dieu est *esse-vivere-intellegere* ; ici, la forme restant intérieure, on ne saisit de Dieu que les déterminations négatives : sans substance, sans vie, sans intelligence, etc. Ainsi, la distinction entre forme intérieure et forme extérieure correspond également à une distinction entre deux modes de connaissance de la réalité divine.

26,12. in patre est filius. — Cf. 26,25-27 ; I 56,25-28 n. ; I 34,9-10.

26,13-27. — Victorinus n'a pas encore dit clairement que la forme était le Fils (cf. 28,16). Il anticipe donc sur ses propres conclusions. C'est qu'il est pressé d'assimiler son concept de forme confondue avec l'être, avec son concept de Fils consubstantiel au Père, parce qu'originellement confondu avec lui. Ce faisant, il retrouve un vocabulaire déjà utilisé précédemment, l'opposition *forma-substantia* que I 22,28 avait introduit à propos de *Phil.* 2,6 et que l'on retrouve en *hymn.* III 151 sq. La *substantia* désigne évidemment ici l'*esse* divin absolument simple.

26,14. — *Quia id est* répète *quia hoc est forma.*

26,15-27. — L'argumentation est fondée sur l'identité de puissance (*valent* 26,19 ; 26,22-23) entre le *quomodo* et le *quid* en Dieu, c'est-à-dire entre le *sic esse* et l'*esse* (12,17 n.). Dans les êtres autres que Dieu, il y a deux *logoi*, un *logos* substantiel, c'est-à-dire la puissance par laquelle l'existant constitue sa propre substance, son être propre, et un *logos* qualifiant, c'est-à-dire la puissance par laquelle l'existant se donne sa forme, cf. la note de III 2,31-40 où l'on trouvera les références aux principaux textes concernant le mouvement tonique stoïcien, mouvement qui se tournant vers l'intérieur constitue le *quid* et se tournant vers l'extérieur constitue le *quomodo.* En fait, c'est un seul *logos* qui est doué de ce double mouvement (cf. Simplicius, *in categ.*, Kalbfleisch, p. 272,11-18 sur la sortie et la conversion vers soi du *logos* de chaque chose). Mais on peut dire que, dans l'unité divine, les deux mouvements du *Logos*, substantialisation et qualification, concentration et manifestation, sont confondus, au profit du mouvement de concentration et de substantialisation.

26,17. supra ista. — Cf. 26,8. Je pense que Victorinus veut dire que l'*esse, vivere, intellegere* est transcendant à la forme *exsistentia, vita, intellegentia*, entendue comme distinguée, comme *formata* (cf. 23,18-22). C'est cette transcendance qui fonde en lui l'identité forme-substance.

26,22. unus λόγος. — Qui est confondu avec l'*esse*, cf. 20,4-9.

26,25. substantialis ... forma. — C'est-à-dire forme qui elle-même a valeur de substance; cf. I 22,28 : « Est igitur forma substantia », parce qu'elle révèle la substance, cf. Boèce, *in Isag., sec. ed.*, III 2 ; Schepps-Brandt, p. 200,9 : « (forma substantialis) tamquam ipsa qualitas substantiam monstrans. »

26,26-27. — La consubstantialité du Père et du Fils

se fonde sur un état d'unité originelle absolument simple : l'*unum ipsum solum* (cf. 22,7), dans lequel notre pensée seule imagine une forme préexistante correspondant au Fils. *L'antithèse Père-Fils est donc liée à la sortie d'une forme*, et cette forme, en sortant, nous révèle bien qu'elle préexistait dans l'Un, sans qu'il y ait la moindre opposition. L'expression est pourtant très ambiguë et peu orthodoxe. Mais elle a le mérite de poser brutalement la question de la préexistence de la forme en Dieu. Comment, dans cette unité absolument indistincte, une forme de Dieu a-t-elle pu s'engendrer elle-même, et le révéler ? C'est ce que la suite va essayer de montrer.

***

27,1 — 28,22. La sortie de la forme. — Cf. 21,19 – 29,38 n., le tableau représentant le schéma général du processus d'autoposition. A la question qu'il a posée en 18,60 – 21,25, Victorinus va enfin donner la réponse qu'il avait annoncée (21,7) : la forme est engendrée par soi, au sein de l'être, et en dehors de l'être, en un seul et même acte. Victorinus distingue nettement une *intus intellegentia* (27,14) et une *foris intellegentia* (28,15), qu'il rapproche en 29,1. La première se pense, mais sans mouvement (27,14) ; la seconde se pense, mais par son propre mouvement (28,15). Pourtant, la première se fait exister et vivre, en pensant (27,7-11) et la seconde s'extériorise en se pensant : elle est *intellegentiam intellegendo se genita intellegentia* (29,10), c'est-à-dire que c'est bien la pensée intérieure qui s'engendre en se pensant elle-même comme pensée; elle passe d'un état inengendré (27,12) à un état engendré. C'est en un seul et même acte que la pensée se pose comme intérieure et extérieure, comme inengendrée et engendrée, comme en repos et en mouvement, comme être et comme pensée, comme identique au Père et comme distincte de lui. En effet 27,8 : *fit ut intellegentia ipsa se intellegat* = 28,12 : *cum ipsa intellegentia intellegit quod sit intellegentia.* C'est bien de part et d'autre la même prise de conscience de la pensée par elle-même. En résumé, Dieu est être pur, ou Un pur. Dans l'unité originelle de Dieu, la pensée est plongée (cf. 24,16), en étant, si l'on peut dire, en cet état, la pure quiddité de la pensée. Mais, sous-entendu : grâce à la fécondité infinie de l'être divin, cette pensée qui n'est autre que l'être divin identique à soi et pour qui la connaissance est réduite à cette identité, cette pensée donc se prend comme objet, se pense ; mais elle se pense à la fois comme identique à l'être, c'est l'*intus intellegentia*, et comme distincte de lui, c'est la *foris intellegentia* : elle se découvre à la fois comme en repos dans l'être et en mouvement vers soi.

27,3. magis agendi virtus. — Cf. 24,8 : « Tota *vis* singulorum », et 24,5-9 n.

27,4-5. — Cf. III 4,30-32 n.

27,6-7. — C'est exactement le raisonnement d'Aristote, *metaphys.* XII 9 ; 1074 b 21-40, Dieu, s'il pense, ne peut penser que soi. Victorinus ajoute implicitement la nuance : parce que pour lui, penser, c'est être, et se penser, c'est être soi.

27,7-8. — Cf. Aristote, *ibid.* : « Et sa pensée est la pensée de la pensée. » Pour Victorinus, c'est parce que Dieu *est* la pensée que sa pensée est *pensée de la pensée.* En effet si Dieu est la pensée et qu'il se pense, ce qui en lui est la pensée se pense aussi. C'est donc l'unique acte intérieur de Dieu, par lequel il *est* purement et simplement, qui fonde l'acte par lequel la pensée, qu'il est, se pense elle-même.

27,8-11. — La pensée s'approprie l'*esse* et le *vivere*.

27,11-13. — Engendrant son être et son vivre, et soi-même comme penser, la pensée est donc elle-même Dieu, elle s'approprie l'être divin. Mais il ne s'agit pas d'une véritable génération, c'est-à-dire d'une véritable distinction. Il y a simplement un rapport de soi à soi, de l'inengendré à l'inengendré. Cf. 29,12 : *ingenita.*

27,15-16. — La pensée de Dieu est, dans cet état d'intériorité, indissolublement pensée et être, mais être par prédominance; cf. Plotin, *Enn.* VI 2,8,13 : ὢν γὰρ νοεῖ καὶ ὄντα ἑαυτόν.

28,1-6. — *Imaginem... filium* : les deux mots vont caractériser l'état d'extériorité de la pensée-forme de Dieu. *Filium* = *genita* (28,2) ; *imaginem* = *forma* (28,4). Dieu sera connu par la forme (*exsistentia, vita, intellegentia*) dans la mesure où cette forme sera engendrée, et cette forme engendrée sera le Fils image de Dieu. Mais Dieu lui-même se connaît par sa forme, c'est-à-dire par sa pensée.

28,9-11. — Cf. 29,3-12, où l'on comprendra ce qui fonde cette définition de la forme comme substance.

28,13-15. — C'est l'autre face de cet acte unique de prise de conscience de soi. C'est donc bien la même forme qui est à l'intérieur et à l'extérieur.

28,17. de eo quod est ... intellegentia. — C'est-à-dire qu'il y a autogénération ; c'est du fait même qu'elle se pose comme pensée confondue avec l'être que la pensée s'engendre.

28,22. imago imaginis. — Parce que la pensée intérieure est image en tant que forme intérieure.

***

29,1-23. Rapport consubstantiel entre pensée intérieure et pensée de la pensée. — On va passer ici de la philosophie au dogme, en retrouvant, dans la description du rapport entre les deux pensées, les expressions mêmes des symboles de foi qui fondent l'*homoousios* : Dieu de Dieu, lumière de lumière, tout du tout.

29,2. — Cf. une idée analogue chez Plotin, *Enn.* VI 2, 8,11-12 : « Dans le « penser » consiste l'acte et le mouvement de la pensée, dans le « se » (de *se* penser), sa substance et son être. » La pensée à l'intérieur est le *soi* de la pensée ; la pensée à l'extérieur, le *penser* de la pensée.

29,4. deum intellexit. — L'équation est révélatrice : *se* = *deum* = *intellegentiam internam.* La pensée *se* prend pour objet ; mais se prendre pour objet consiste pour elle à se découvrir comme identique à Dieu, donc comme intelligence intérieure. L'identité de la connaissance de soi comme pensée et de la connaissance de Dieu est fortement marquée.

29,4. intellegentiam internam. — Cette pensée est pensée par la pensée pensante ; on comparera avec le développement très proche de Numénius (cf. 21,19 – 29,38 n.) qui se trouve en Plotin, *Enn.* III 9, 1,18-20 : « La pensée qui voit cette pensée demeurant en repos, est un acte qui provient de cette pensée en repos ; et c'est cet acte qui voit la pensée en repos ; en tant que cet acte la voit, il est en quelque sorte la pensée pensante de cette pensée en repos, puisqu'il la pense » ὁρῶντα δὲ ἐκεῖνον οἷον [ἐκεῖνον *del.* Volkmann] εἶναι νοῦν ἐκείνου, ὅτι νοεῖ ἐκεῖνόν.

29,5-12. — L'intelligence extérieure est être *en pensant* ; c'est-à-dire qu'un acte, un mouvement vient servir d'intermédiaire entre elle et son être, tandis que l'intelligence intérieure est immédiatement l'être. La pensée extériorisée, ou la forme extériorisée est donc *esse, vivere, intellegere* en connaissant l'*esse*, *vivere*, *intellegere* ; c'est le sens de 28,9-11. L'identité ontologique est, pour elle, obtenue par l'intermédiaire de l'identité noétique. Ce n'est plus la consubstantialité originelle et première ; c'est la consubstantialité finale, après la distinction. Sur tout ceci, cf. I 57,7 – 58, 13 n.

29,7-9. — Cf. les trois intelligences d'Amélius (dans Proclus, *in Tim.*, Diehl, t. I, p. 306,1-31) : ὤν, ἔχων, ὅρων dans un contexte différent ; c'est une distinction que l'on retrouve chez Proclus, *in Tim.*, t. I, p. 242,27 et 244,25.

29,9-18. — Ce développement, en utilisant un vocabulaire différent, répète ce qui précède : en pensant, la forme se pose comme identique et consubstantielle à Dieu. Mais c'est une consubstantialité de mouvement, de recherche, de retour à l'origine. *Plérôme* et *réceptacle* sont deux notions déjà rencontrées à propos du Fils, cf. I 24,44-48 et I 13,17 et l'on peut se demander si ce ne sont pas des termes employés dans une profession de foi, car ils sont traités ici de la même manière que *deus de deo* ou *lumen de lumine* (cf. 29,25). Ces deux termes pouvaient provenir d'une spéculation sur *Col.* 2, 8-9. Ici la relation *plénitude-réceptacle* est évidemment liée à l'analyse de l'acte de pensée : penser, c'est recevoir en soi la plénitude d'un autre : Dieu est donc le plérôme qui est à lui-même son propre réceptacle, étant l'être pur, tandis que la pensée engendrée n'est plérôme qu'en étant réceptacle.

29,18-23. — *Totus ex toto, lumen ex lumine, deus ex deo* : on reconnaît le thème souvent rencontré, cf. II 10,4-20 n. *Totus ex toto* se trouve notamment dans la profession de foi des « Encénies », cf. I 9,7 n.

***

29,24-38. Consubstantialité du Père et du Fils. — Elle se fonde sur la communauté des dénominations, cf. I 48,4-5 n. Excellente transition avec l'étude exégétique qui va suivre, cf. 30,29-34. Comparer cette liste de noms avec celle qui est rassemblée dans le tableau de la note se rapportant à I 32,16 – 43,4.

29,26. imago et imago. — Cf. 28,20-22 et I 20,7-9.

***

29,39 — 33,25. La forme, le Fils, le Logos et Jésus-Christ. — Comme dans tous les développements de Victorinus consacrés à un commentaire scripturaire, le plan résulte d'une interférence entre la suite du texte à commenter et les idées que Victorinus veut mettre en valeur : 1° identité *forma-filius* (29,39 – 31,9) ; 2° identité *filius-Logos* (31,9 – 32,13) ; 3° identité *Logos-Iesus* (32,14 – 33,25). C'est un mode de raisonnement déjà rencontré en I 35,1 – 37,3 par exemple, ou bien dans le commentaire sur les textes trinitaires de saint Jean, I 3,1 – 15,12 n. C'est d'ailleurs la réponse à la question posée plus haut, 24,40-41, et, d'une manière plus générale, au problème de la forme de Dieu. La *forme* primitivement confondue avec Dieu s'engendre, donc devient *Fils* et, dans son mouvement d'extériorisation, elle répand la vie et l'intelligence dans le monde ; elle est donc *Logos* qui tend à s'abaisser vers les inférieurs, à s'incarner ; elle devient donc *Jésus* et l'*Esprit-Saint.* C'est la manifestation visible de la forme cachée en Dieu. Et tout ceci est le commentaire de *Phil.* 2,6.

***

29,39 — 31,9. La forme de Dieu est le Fils de Dieu. — 1° La forme est confondue avec le Père (29,39 – 30,11). 2° La forme est engendrée par le Père : elle est le Fils (30,12-31,9) qui *a*) (30,12-37) a tout ce qu'a le Père, mais *b*) l'a par le don du Père (30,37 – 31,9), comme l'enseignent *Ioh.* 16,15 et *Matth.* 11,27.

29,39 — 30,11. — D'abord, insistance sur la consubstantialité entre la forme et Dieu. Dieu a une forme et une image, et cette image et cette forme sont le Fils. Sur *Phil.* 2,6, cf. I 21,27 – 23,47.

30,11. nostram. — Cf. 29,27 ; I 20,7.

30,12 — 31,9. — *Phil.* 2,6 implique pourtant une différence entre *forma* et *deus.* Pour expliquer cette distinction, Victorinus résume ce qu'il a dit précédemment sur la génération de la forme de Dieu, et sur la consubstantialité de la forme avec Dieu.

30,14. exsistentia sua propria. — Cf. 33,35.

30,17-18. — C'est-à-dire qu'il n'y aurait pas de distinction entre Dieu et sa forme, donc que ce serait Dieu lui-même qui s'incarnerait : il n'y aurait pas de préexistence du Fils. Mais la suite du texte de l'Épître aux Philippiens montre bien, qu'étant dans la « forme de Dieu », le Fils est pourtant bien distinct de Dieu, puisqu'il reconnaît son égalité avec lui et y renonce.

30,29-37. — Rapprochement entre « omnia » de *Matth.* 11, 27 et de *Ioh.* 16,15 et « forma » de *Phil.* 2,6. Ce tout que le Père donne au Fils est caché dans le Père et manifesté dans le Fils, et ce tout est l'ensemble des noms divins, notamment *esse, vivere, intellegere* qui constitue la forme ;

celle-ci est donc cachée dans le Père, manifestée dans le Fils.

30,29-34. — Cf. 29,24-38.

30,34-37. — Opposition entre *exsistentia* et *actus agens*, qui rappelle III 18,13-15, et, d'une manière générale, l'opposition *esse-motus*.

30,42 — 31,9. — Résumé de 25,44 – 29,23, c'est-à-dire de tout le développement concernant la génération de la forme de Dieu.

30,44 — 31,30. — A l'identification forme-Fils (29,39 – 31,9) puis à l'identification Fils-Logos (31,9 – 32,13) s'ajoute le thème de l'implication du Fils dans le Père (30,44-46) = état d'unité, et du Père dans le Fils (31,1-30) = état de distinction ; sur ces deux états, cf. I 34,9-12 n.

31,3. gemina. — Ceci confirme mon interprétation de 27,1 – 28,22 n. La conversion de la pensée vers soi fait qu'elle est à la fois à l'intérieur et à l'extérieur. Sur *geminus*, cf. III 2,47 n. ; mais ici, il s'agit moins de l'objet et du sujet que de la distinction entre intelligence se pensant comme être et intelligence se pensant comme intelligence.

31,4. exsistentia. — Cf. 28,9-11. La pensée en se distinguant constitue son existence propre.

31,6-9. — C'est-à-dire qu'étant pensée, il est en même temps être et vivre, et qu'il a donc tout ce qu'est le Père.

31,9 — 32,13. Le Fils est Logos. — En I 22,37 aussi, le commentaire de *Phil.* 2,6 passe par la phase d'identification de la forme avec le Logos. Si le développement précédent 29,39 – 31,9 a surtout considéré le problème du rapport ontologique entre le Père et le Fils, entre Dieu et sa forme, cette fois c'est le rapport des *actes* (qui correspond à la notion de *Logos*) qui va être envisagé : 1° *le Père* agit par et dans le Logos qui est son acte agissant (31,9-18) ; 2° le Logos agit pourtant *par lui-même* (31,18-30); 3° et il subit les passions *en son acte*, non en sa substance (31,31-53); 4° 32,1-13 résume tout ce qui a été dit sur le rapport d'agir entre Dieu et le Logos. Cf. I 39,1-34 n.

31,9-11. — Cf. 21,31 – 22,6 et 25,18-22. Le Logos va apparaître comme ce qui communique l'être, vivre, penser à tous les existants.

31,12. actu actuoso. — Cf. 30,36 et III 17,21. Le Logos est acte transitif, se terminant à autre que soi.

31,14-16. — Cf. 19,26-29 ; I 26,34 ; III 8,5 ; III 10,10 ; III 12,14 ; *hymn.* I 39 ; *ad Cand.* 17,5 ; *ad Cand.* 18,5.

31,17-18. — Ce sont les noms du Logos stoïcien, cf.

Sénèque, *epist.* 65,12 : « Ratio scilicet faciens (= operans), id est deus. » *Verbum activum* n'est qu'une autre traduction de la même formule.

31,18-30. — Le fait d'être l'instrument de l'acte paternel n'empêche pas le Logos d'avoir son acte propre, comme il apparaît en certains textes scripturaires. En affirmant cela, on continue d'ailleurs l'exégèse du même passage de l'épître aux Philippiens, en passant à *Phil.* 2,6-7. Cf. 32,47-49.

31,31-53. — Même développement sur les passions du Logos en I 22,43-55 dans le même contexte (*Phil.* 2,5-7). Pour la métaphore du fleuve et de la source, cf. I 47,20-31.

31,31. intellegentia. — Probablement la doctrine de la forme de Dieu.

31,32. — Cf. 30,44 – 31,30, sur l'implication du Père et du Fils.

31,35-45. — Le sens exige cette longue parenthèse, sans cela on serait obligé d'admettre une anacoluthe en 31,35 après *ex fonte.* Mais c'est « parce qu'autre est le Père, autre le Fils... que le Fils reçoit les passions en son acte. »

31,36. manens ... quieta. — Cf. Plotin, *Enn.* III 8,10,7 : πηγὴν... μένουσαν αὐτὴν ἡσύχως.

31,40-45. — Cette descente du fleuve du Logos a été décrite en 11,7-20. Une certaine allure générale du morceau fait penser à la description de la sortie du fleuve des Idées hors de la source paternelle, que l'on trouve dans les *Oracles chaldaïques*, Kroll, p. 23-24 ; par exemple, les Idées se brisent sur les corps du monde comme sur des rochers (ῥηγνύμεναι κόσμου περὶ σώμασιν). On pensera à « nunc spumat occurrentibus saxis ».

31,45-47. — Cf. *ad Cand.* 29,1-22 n. sur la distinction entre ordre substantiel et ordre économique. Sur la théorie de l'impassibilité de la substance du Logos, cf. I 22,44-55 n. Les passions se localisent dans l'ordre du mystère, de l'économie, non dans la substance divine du Logos.

31,48-49. — On voit qu'il s'agit toujours d'un commentaire de *Phil.* 2,5-7.

31,50-51. in primo exsistentiae suae actu. — C'est le mouvement premier par lequel le Fils pose son existence propre, le mouvement propre d'autoposition qui le constitue en son hypostase. Cf. I 51,31 : *prima motione.*

31,51. multis libris. — On ne connaît que la courte allusion de I 51,31.

31,51. passio ... recessionis. — Cf. I 51,32 n. : la vie s'est éloignée du Père pour vivifier, et comme son mouvement allait de soi vers l'infini, son mouvement a eu pour conséquence l'apparition de la matière (cf. I 26,35 et I 56,36). Peut-être y a-t-il là une interprétation allégorique de la passion du Christ, *Marc* 15,33-34 : ténèbres et abandon du Christ. D'autre part, on peut, peut-être, comparer avec les noms de la dyade, dans Jamblique, *theolog. arithm.*, de Falco, 12, p. 13,11 : « La dyade est appelée affliction (δύη), patience (ὑπομονή), et souffrance (τλημοσύνη) parce que la dyade a été la première à subir la séparation (χωρισμόν).. » En tout cas, pour le fond, Victorinus veut dire que, dans son acte substantiel et non pas seulement en son acte économique, dans le mouvement par lequel il se pose, non dans le mouvement par lequel il crée les autres êtres, le Fils subit d'une certaine manière la passion de sa distinction, de son éloignement par rapport au Père (cf. I 56,36-37). Victorinus a dit tout le contraire en I 22,51-55 et plus bas IV 32,4-5.

31,52. consecuta. — Doctrine que Plotin attribue aux gnostiques, *Enn.* II 9,3,17 : « C'est, dit-on, que la matière était une conséquence indirecte, mais nécessaire (ἀναγκαῖον ... παρακολουθεῖν.) » La matière résulte de l'infinité passive que le mouvement de la vie provoque pour vivifier.

32,1-13. — Résumé de tout le développement précédent : le Fils, en tant que Logos, est par son acte à la fois à l'intérieur du Père et hors du Père (cf. 30,44 – 31,30 n.).

32,9-11. — Cf. I 34,18-20. Le Logos est le genre des genres suprêmes, mais aussi de tous les degrés de la réalité jusqu'aux individus.

32,11-13. — Transition : le fondement de l'Incarnation, c'est l'universalité du Logos, qui est Logos, non seulement des incorporels, mais des êtres corporels, cf. I 64,11-14, mais surtout III 3,27.

32,14 — 33,25. Le Logos est Jésus. — 1° C'est bien le Logos et le Fils préexistant qui s'est incarné (32,14-22). 2° Le prouvent les prophètes, les évangélistes et saint Paul, notamment en *Phil.* 2,5-7, puisque, après avoir défini le Fils comme la forme de Dieu, il montre ce même Jésus-Christ, forme du Père, s'anéantissant jusqu'à la mort de la croix (32,22-53). 3° Saint Jean, dans le prologue de son évangile, confirme cette doctrine (33,1-19). 4° Quant à l'Esprit-Saint, il est le Fils unique, avec le Christ (33,20-25).

32,15. quia omnium exsistentium. — Cf. 32,11-13.

32,17-22. — Rapide explication du mode de présence du Logos en son corps humain (cf. III 12,21-41, où le rôle de l'âme du Christ est plus détaillé). Formule analogue,

I 51,39. Analogie de la présence du Logos dans le corps et de l'Esprit-Saint dans les âmes ; elle est fondée sur la doctrine de Victorinus selon laquelle le Christ est l'Esprit-Saint manifesté et l'Esprit-Saint est Jésus intérieur aux âmes. Autrement dit, la présence du Fils (Christ et Esprit-Saint) dans le monde humain doit avoir, en ses deux modes, un parallélisme rigoureux (cf. 33,20-25). Toutefois, Victorinus ne veut pas dire que le Logos est dans l'homme Jésus comme l'Esprit-Saint peut être présent dans les prophètes (cf. I 45,7-23). C'est une erreur qu'il a combattue. On peut penser en effet que les conditions ontologiques d'habitation du Saint-Esprit dans les âmes sont différentes de celles que supposent une présence du Logos dans un corps humain. Ce que Victorinus veut dire, c'est que le Logos comme le Saint-Esprit, dans leur présence sensible ou intérieure, ne sont pas totalement dans l'âme ou dans le corps, mais seulement selon une partie d'eux-mêmes. C'est un cas particulier du problème général de la présence des incorporels dans le monde auquel Plotin a consacré les traités VI 4-5, par exemple VI 4,11,23. Deux aspects : 1° le Logos universel renonce à être universel, lorsqu'il s'incarne, cf. I 22,25-27 ; c'est l'anéantissement dont parle Paul, *Phil.* 2, 5 ; 2° ce Logos, particularisé, est absolument identique à *tout* le Logos universel, en vertu du principe de l'homéomérie du monde intelligible (cf. III 1,8 n.). Cette particularisation n'est pas le fait du Logos lui-même, mais elle provient des conditions particulières : le corps du Christ ; les âmes particulières, dans lesquelles le Logos est reçu. La kénose consiste à accepter d'être « participé » de cette manière partielle.

32,28-53. — Le commentaire de *Phil.* 2,5-7 continue. En I 21,32-38, et en I 22,16-28, le même texte est allégué de la même manière, pour prouver la préexistence du Christ contre les photiniens.

33,1-19. — Le prologue de saint Jean confirme cette doctrine ; c'est le même Logos qui est Fils et qui est Jésus. Cf. I 3,1 – 5,9 n.

33,20-25. — Bref rappel de la doctrine de l'Esprit-Saint comme identique à Jésus-Christ, mais sous le mode de l'intériorité ; cf. 17,31 ; III 14,20-24 ; *hymn.* I 73.

33,22. intellegentias. — Cf. *ad Cand.* 1,7 ; I 27,27 ; III 14,23.

***

33,26-45. Conclusion. — On comparera avec *ad Cand.* 31, 7-13 et avec *adv. Ar.* III 18,11-18. La trinité de Victorinus est une proportion : l'Esprit-Saint est au Christ, comme le Christ est au Père. Cette double dyade a été décrite dans tout le livre III. Ici, fidèle au vocabulaire qu'il a respecté dans tout le livre IV, Victorinus distingue la *substantia* commune de l'*exsistentia* propre (en *ad Cand.* 31, 8 : *actione*; en III 9,3 : *subsistentiae*), cette *exsistentia* étant l'être accompagné d'une détermination, c'est-à-dire ayant à la fois plus de contenu concret et de contenu intelligible que la *substantia* qui est l'*esse* pur (cf. II 4,23 sq.).

33,39. iuncto. — Ici c'est le Christ qui fait le lien, comme en I 56,19 ou en III 15,32 ou en *hymn.* I 63. Et en même temps dans l'*hymn.* I 4, ce sera l'Esprit-Saint qui sera le lien de la trinité. On peut dire que le Christ est milieu dans le mouvement de procession et l'Esprit-Saint milieu dans le mouvement de retour.

33,41-42. — Solennelle traduction d'*homoousion* selon ses deux aspects : *simul*, *eadem*, cf. II 11,5-6.

33,42-45. — Cf. *hymn.* II 282-285.

QU'IL FAUT ACCEPTER L'HOMOOUSION

Caractère général. — Sauf 3,1 - 4,13, le plan de ce petit ouvrage est identique à celui d'*adv. Ar.* II. Il en a la clarté et la simplicité de ton.

1,1-6. But de l'ouvrage. — La querelle théologique n'est plus qu'une querelle de mots, l'accord étant fait sur les points fondamentaux. Victorinus va donc exposer brièvement les points litigieux pour éviter tout retour de l'hérésie arienne.

1,4. omne mysterium. — Grégoire d'Elvire, *de fide*, *PL* 20,45 a : « Sed ut omne mysterium haeresis arianae traducam. »

1,5. Arrium ... excludere. — C'est désormais le minimum requis, cf. Athanase, *tom. ad Antioch.* 2; *PG* 26, 797 c : μηδὲν πλέον ἀπαιτήσητε παρ' αὐτῶν ἢ ἀναθεματίζειν μὲν τὴν Ἀρειανὴν αἵρεσιν.

1,7-16. Le dogme orthodoxe. — Affirmant un seul Dieu qui est deux : Père et Fils, le dogme orthodoxe représente un dépassement des erreurs opposées du paganisme et du judaïsme. Le thème est très riche. On le trouve chez Hilaire, à propos des hérésies qui se combattent et se détruisent mutuellement, *de trinit.* VII 4; *PL* 10,202 c; chez Athanase, *epist. ad Serap.* I 28 ; *PG* 26,596 b ; chez le Pseudo-Athanase, *contra Arianos* IV 10 ; Stegmann, p. 54,6 ; *PG* 26,480 c, opposant ἑλληνίζειν à σαβελλίζειν ; chez Grégoire de Nazianze, *orat.* XXIII 8 ; *PG* 35,1160 d 1 ; *orat.* XLV 4 ; *PG* 36,628 c 8 ; *orat.* II 37 ; *PG* 35,445 a. Chez Grégoire de Nazianze, le thème est particulièrement développé : *a*) La vérité chrétienne apparaît comme le dépassement d'une antithèse, cf. *orat.* XLV 4 ; *PG* 36,628 c : τὸ γὰρ κακὸν ἐν ἀμφοτέροις ὅμοιον κἂν ἐν τοῖς ἐναντίοις εὑρίσκεται. *b*) C'est la notion de Dieu elle-même qui est faite d'une tension entre la concentration et la dispersion, entre l'unité et la diffusion, cf. *orat.* XXIII 8 ; *PG* 35,1160 c 9. *c*) Cette tension de la notion de Dieu s'est révélée historiquement, en niant d'abord la dispersion païenne, « hellénique », la « polyarchie », grâce à la révélation de l'unité divine dans le judaïsme, en niant ensuite la pauvreté judaïque, ἰουδαϊκὴ πενία (*orat.* II 37 ; *PG* 35,445 a) par la révélation de la trinité. *d*) Enfin les hérésies sont rapprochées de ces deux extrêmes : le monarchianisme, du judaïsme et l'arianisme, de l'hellénisme, *orat.* XX 6 ; *PG* 35,1071 c. Victorinus fait, tacitement, la même assimilation.

1,7. Graeci. — Pour désigner les païens, cf. Athanase, *contra arianos* I 34 ; *PG* 26,81 b 13.

1,8. posterior. — Allusion à *Ioh.* 1,17, la *veritas* et la *gratia* données par Jésus remplacent la *lex* donnée par Moïse. La pédagogie divine ne donne définitivement qu'à la fin des temps la vérité parfaite, cf. *in Galat.* 4,4 ; 1176 a 10 et 3,25 ; 1173 a sq.

1,10. duos ... unum. — Cf. II 1,10.

1,11-12. — Cf. Hilaire, *de trinitate* VII 4 ; *PL* 10,202 c : « Sed dum haeretici omnes se invicem vincunt, nihil tamen sibi vincunt. Victoria enim eorum, Ecclesiae triumphus ex omnibus est, dum eo haeresis contra alteram pugnat, quod in haeresi altera Ecclesiae fides damnat... et inter haec, fidem nostram, dum sibi adversantur, affirmant. »

1,13. elementa. — Cf. *in Galat.* 4,9 ; 1180 b : « Ex elementis deos sibi facere » ; Lactance, *div. inst.* II 6 ; *PL* 6, 283 a 12 : « Quod... mundi elementa deos affirmant » ; Grégoire de Nazianze, *Orat.* XXVIII 14 ; *PG* 36,44 c : οἱ δὲ τὰ στοιχεῖα ; Athanase, *contra gentes* 9 ; *PG* 25,18 d 4 sq. (qui décrit la chute progressive de l'âme dans le paganisme, notamment 20 a 12 : τοσοῦτον γάρ τινες καταπεπτώκασι τῇ διανοίᾳ = *lapsi multum*) et 27 ; *PG* 25,51 c sq.

1,13. cibos. — Wöhrer avait lu *cybos* d'après *A*, et en s'appuyant sur Lactance, *div. inst.* II 6,1 ; Brandt, p. 121,21 : « Elementorum figuras. » Mais d'une part *cybos* n'est qu'une graphie particulière de *cibos* ; d'autre part, le texte de Lactance ne me paraît pas signifier un culte des formes géométriques des éléments. Il y a ici, ou bien une allusion au culte de certains animaux, ou bien une allusion au fait que les éléments sont indispensables à la vie, cf. Grégoire de Nazianze, texte cité dans la note précédente : διὰ τὸ χρειῶδες, ὧν ἄνευ οὐδὲ συστῆναι δυνατὸν τὸν ἀνθρώπινον βίον.

1,14. carnali. — Cf. *in Galat.* 2,19 ; 1165 c 10 : « Ante autem carnaliter (lex) intellegebatur. »

1,15. quem aliter confitentur. — Peut-être en admettant les théophanies de l'Ancien Testament, ou en l'attendant encore.

1,16-22. L'homoousion est la meilleure expression

du dogme orthodoxe. — Pour exprimer « duos, patrem et filium, sed unum tamen deum », nos Pères ont choisi le mot *homoousion.* Mais il faut en comprendre le sens. C'est donc ici une transition à l'explication que Victorinus va en donner.

1,17. maioribus. — Cf. II 8,40.

1,18-20. — C'est tout le sujet du livre III (cf. III, Caractère général, et III 17,12 n. ; pour la formule, cf. III 7,7-8 n. et IV 17,16-17 n.).

1,23 — 2,39. Défense d'οὐσία et d'ὁμοούσιον. — Cf. II 3,1 - 12,19 (n.).

1,23 — 2,14. Substantia. — Même plan qu'en II 3,6 - 6,19, mais Victorinus laisse de côté le problème de la distinction entre οὐσία et ὑπόστασις (2,1).

1,23-26. La « res. » — Cf. II 3,6-47, II 1,23 et II 2,1.

1,25. lumen, spiritum, deum, λόγον. — Cf. II 3,6-47 n. ; IV 4,7 n. ; IV 16,1-5.

1,26. fatemur. — Dans toutes les confessions de foi.

1,26 — 2,14. Le « nomen ». — Cf. II 3,48 - 6,19.

1,26. esse. — Cf. II 4,1 - 6,19 n.

1,28. pauci et raro. — C'est presque le contraire de ce que dit Socrate, *hist. eccl.* III 7 ; *PG* 67,396 a. : « Ceux des Grecs qui ont exposé la philosophie hellénique, ont très souvent défini la substance (τὴν μὲν οὐσίαν) ; mais de l'hypostase (ὑποστάσεως δὲ) ils n'ont pas fait la moindre mention. » Toutefois, d'une part, il est question chez Socrate de définition et non d'emploi ; car, Plotin, par exemple, utilise abondamment l'un et l'autre terme. Et, d'autre part, Victorinus peut faire allusion, non aux philosophes, mais aux écrivains ecclésiastiques, et plus spécialement encore à l'Écriture sainte, où ὑπόστασις est plus abondamment employé qu'οὐσία. Cf. l'excellente étude de H. Dörrie, Ὑπόστασις, dans *Nachrichten der Akademie der Wissenschaften in Göttingen*, I, *Philologische-historische Klasse*, 1955, n° 3, p. 35-92.

2,2-13. — Sur ces emplois scripturaires, cf. II 3,48 - 6,19 ; I 30,36-59 (tableau comparatif).

2,5. — Cf. II 5,2-16.

2,6. infinitus. — Cf. II 10,6-7. Le mot se trouvait-il dans une profession de foi ?

2,15-39. Ὁμοούσιον. — Cf. II 6,19 - 12,19 n.

2,15-20. La « res ». — Cf. II 6,19-26 et II 10,4-20. Le raisonnement est fondamental chez Victorinus, cf. également II 7,1-21 ; III 1,14-36 ; IV 29,24-38.

2,20-39. Le « nomen ». — Cf. II 7,1 - 8,41 (n.) ; et surtout, II 10,21 – 11,8, où l'on retrouve la doctrine des deux sens d'*homoousion*.

3,1 — 4,14. Réponse aux objections des adversaires. — Au point de vue du plan, cette partie correspond à II 9,1 – 11,8. Mais le contenu est différent. II 9,1 – 11,8 répondait aux attaques des homéens de Rimini contre l'*homoousios*. Ici Victorinus s'en prend à des gens qui sont égarés par Ursace et Valens. Ses invectives rappellent celles d'Hilaire, contre les légats occidentaux, venus à Constantinople après le concile de Séleucie et qui, influencés par Ursace et Valens, firent cause commune avec le parti d'Acace. Cf. Hilaire, dans *coll. antiar. Par.* B 8,2-3 ; Feder, p. 176-177 ; *PL* 10 (*fragm.* X 2-3), 707-708, notamment p. 176,15 (708 a 15) : « Deinde in quo audientes fefellistis, ut non de nullis exstantibus sit, sed *ex deo* ; numquid et quia a vobis dictum sit, simulatio non patuit ? Cum ideo non de nullis exstantibus, sed ex deo, secundum vestram professionem sit, quia eidem voluntas ad id quod subsistat, exordium fuerit. » Même accusation de duplicité et de trahison. Les deux points litigieux pour Victorinus sont : 1° le refus d'admettre la génération du Fils de Dieu, parce qu'elle impliquerait division ou diminution en Dieu (3,1 – 4,2) ; 2° l'argument tiré d'*Isaïe* 53,8 pour interdire de rechercher le mode de génération du Fils (4,2-14).

3,2. novelli Arii. — Cf. Athanase, *epist. ad afros* 1 ; *PG* 26,1032 a 6 : τῆς Ἀρειανῆς αἱρέσεως παραφυάς.

3,2. actibus. — Victorinus se réfère aux actes d'un concile. Peut-être, à ceux de Constantinople, relatant les discussions préparatoires ?

3,4. factum. — Comme toute la suite le montre, le mot n'est pas employé explicitement par les adversaires de Victorinus, mais il résulte de leurs arguments, cf. ce qu'Hilaire nous dit des formules employées par les légats occidentaux (plus haut 3,1 – 4,14 n.).

3,7-8. — Cf. I 41,20-35 n. L'argument était à peu près général chez les adversaires de l'*homoousion*.

3,11-18. — La réponse fait appel aux principes souvent posés par Victorinus, cf. IV 21,19-21 ; II 2,7-11 n., et elle en est un excellent résumé : *a*) les incorporels sont parfaits et ne connaissent ni augmentation ni diminution, surtout dans l'ordre de la substance ; *b*) s'engendrant eux-mêmes, ils maintiennent en eux-mêmes l'identité entre producteur et produit ; *c*) la génération est donc chez eux sans mouvement et sans passion.

3,14. omnimodis perfecta. — Cf. III 7,16; *ad Cand.* 22,4.

3,14. neque augeri neque minui. — Cf. Porphyre, *in categ.*, Busse, p. 183,30 : πάντα τὰ νοητὰ καὶ ὅπερ ὄντα οὐσίαι ἐστιν καὶ διὰ τοῦτο οὐκ ἐπιδέχονται τὸ μᾶλλον καὶ τὸ ἧττον (= *categ.* 3 b 33-34).

3,15-16. — Sur αὐτόγονα, αὐτοδύναμα, cf. I 41,54-55 ; IV 13,5-14 ; I 63,30-33 n. ; *ad Cand.* 22,11 n. ; III 7,40 – 8,5 n. ; III 17,16. Sur *qualia... talia...*, pour désigner l'identité, cf. IV 13,38. Puisqu'ils s'engendrent eux-mêmes, les êtres premiers ne connaissent pas la distinction entre générateur et engendré. Cf. Porphyre, *sentent.* XXIV ; Mommert, p. 10,14 – 11,2 : « Les processions des vivants incorporels se font, de telle sorte que les premiers demeurent fixes et immobiles, sans rien corrompre de leur être propre dans l'hypostase de ce qui procède d'eux-mêmes et sans être changés (ἐπὶ τῶν ζῴων τῶν ἀσωμάτων, αἱ πρόοδοι μενόντων τῶν προτερῶν ἑδραίων καὶ βεβαίων γίνονται καὶ οὐ φθειρόντων τι αὐτῶν εἰς τὴν τῶν ὑπ᾽ αὐτὰ ὑπόστασιν, οὐδὲ μεταβαλλόντων). » Ici, Porphyre insiste sur l'impassibilité des êtres premiers, lorsqu'ils engendrent. Mais Victorinus affirment que, pour les êtres qui s'engendrent eux-mêmes, le produit est identique au producteur, cf. IV 24,40 – 25,43 n.

3,19—4,2. — Argument *ad hominem.* Il y a contradiction entre ces insinuations : le Christ serait fait à partir du néant, et la profession de foi : *deum de deo, lumen de lumine*, que les adversaires confessent.

3,27. a deo. — *De* veut dire : tiré de la substance de ; *a* veut dire : fait par.

4,2. de nihilo. — Cf. I 3,1-18. Allusion au prologue de saint Jean.

4,2-14. Le mode de génération est-il inconnaissable ? — A ceux qui s'appuient pour l'affirmer sur *Isaïe* 53,8, Victorinus répond qu'avec l'aide de l'Esprit-Saint, on peut essayer de connaître ce mode, inconnaissable à l'homme laissé à ses propres forces ; et surtout, la discussion ne porte pas sur le mode de génération mais sur l'*homoousios.*

4,2. illi. — D'abord, Eusèbe de Nicomédie ; cf. *Cand.* II 2,11 ; mais surtout Ursace et Valens dans le « blasphème » de Sirmium (357), cf. Hilaire, *de synodis* 11 ; *PL* 10,488 a 15 : « Nec quisquam possit *nativitatem* filii enarrare de quo scriptum est : generationem eius quis enarrabit. Scire autem manifestum est solum patrem quomodo genuerit filium suum et filium quomodo genitus sit a patre. » On remarquera l'identité du mot *nativitatem* chez Victorinus et dans le « blasphème » de Sirmium. C'est peut-être sous l'influence d'Ursace et Valens qu'à partir du *Credo* daté (22 mai 359), de la formule de foi de Séleucie (359), puis de Constantinople (360), ce texte d'Isaïe pénètre dans les confessions de foi ; on le retrouve dans la formule de Germinius, dans *coll. antiar. Par.* B 6,1 ; Feder, p. 161,9 ; *PL* 10,719 c, écrite probablement en 367. C'est en tout cas à la mauvaise influence d'Ursace et Valens que Victorinus attribue l'adoption de cette formule par ses adversaires.

4,4-7. — *Quis* se rapporte à *Isaïe* 53,8 : *nemo* à *Matthieu* 11,27 cité implicitement par Ursace et Valens, dans la formule rapportée à la note précédente (*scire solum patrem... quomodo genuerit filium*). *Quis* ou *nemo*, c'est l'homme seul sans le secours de l'Esprit-Saint.

4,5. spiritus sanctus. — C'est le domaine de la recherche doctorale guidée par l'Esprit-Saint, et non de la foi, cf. I 2,41.

4,7. permissu. — Cf. *ad Cand.* 31,2 ; *adv. Ar.* I 46,16 ; I 49,1.

4,7. desperatum. — Cf. III 6,3.

4,8. miraculo. — Victorinus a conscience de l'extrême difficulté de la tâche qu'il a entreprise dans son grand traité.

4,8-14. — Ursace et Valens dans la formule de Sirmium citée en 4,2-14 n. avaient affecté de lier l'*homoousion* à une recherche téméraire sur le mode de génération. Victorinus distingue bien les deux choses ; il ne s'agit pas du mode, du πῶς, mais de l'εἶναι, objet de foi, tandis que le mode est objet de science. Discuter sur l'*homoousion*, c'est discuter sur la substance, par définition.

4,11. cognitu difficile. — Cf. *ad Cand.* 20,3-4 ; *adv. Ar.* I 18,30 ; IV 24,40.

4,12-13. de substantia. — C'est la formule de Nicée.

4,14-38. Conclusion. — Comme en II 11,6-8, puis en II 11,9 - 12,19, Victorinus conclut en proclamant qu'il a donné une traduction latine du mot *homoousion* et en proposant d'ajouter à la profession de foi les articles : *deum in deo, lumen in lumine*, qui, pour lui, expriment parfaitement l'*homoousion*.

4,15. ut satisfiat vobis. — Les adversaires visés ici demandent comme ceux qui étaient visés en II 10,1, que le mot *homoousion* soit traduit en latin.

4,16. — Sur ces deux sens, cf. 2,20-39.

4,22. — Le parallèle avec II 11, 24-25 oblige à faire cette addition.

4,22. verum et plenum. — Cf. II 12,27 ; et Hilaire, *de tri-*

nitate V 37; *PL* 10,154 c 4 : « Verum et absolutum et perfectum fidei nostrae sacramentum est *deum ex deo* et *deum in deo* confiteri, non corporalibus modis sed divinis virtutibus. »

4,23-31. — Contre les homéousiens, cf. II 2,29-49 (n.).

4,32. tractatus. — Victorinus affirme donc bien que son traité I (a) a été écrit en réponse à des libelles homéousiens, cf. I 28,8 - 32,15 n.

4,33. dissimilem. — Seule mention, chez Victorinus, des anoméens, condamnés d'ailleurs par tous.

4,33-35. — Cf. I 44,1. Je pense que ceux que Victorinus désignent ici sont aussi les homéousiens, cf. I 41,20-35 n.

4,36. maiore tractatu. — Tout cela se trouve effectivement en I a. *Facile* : la controverse est plus facile que la recherche du mode de génération (*difficilis* 4,11) auquel notamment le livre IV a été consacré.

4,37. adesto. — Cf. *hymn.* I 1.

4,38. ὁμονοία. — Cf. Athanase, *tom. ad Antioch.* 2; *PG* 26,797 b 1 et 800 b 11.

HYMNE PREMIER

Caractère général. — Dans son ensemble, cet hymne est amétrique. On peut seulement reconnaître à la fin de chaque vers un crétique. On notera quelques rares traces de recherche métrique : le v. 3 est un octonaire ïambique (à moins qu'il ne faille distinguer deux dimètres ïambiques). La première partie du v. 4 (*adesto sancte spiritus*) est également un dimètre ïambique. Impossible d'établir une répartition en strophes, sinon en groupant les vers d'après le sens.

La structure générale de l'hymne est très proche de la structure du livre III : la triade divine est constituée de deux dyades décrites successivement, celle du Père et du Fils (17-49), celle du Logos et de l'Esprit-Saint (50-73). Comme dans le livre III, Père et Fils s'opposent et s'impliquent comme l'être et le mouvement (17-38 = *adv. Ar.* III 2,12-54). Il y a également une même identification, de part et d'autre, entre le mouvement et le Logos-Vie (39-49 = *adv. Ar.* III 3,1 – 4,5 et III 8,5-17). L'exposé concernant la seconde dyade (50-73) est également très proche des développements correspondants du livre III : le mouvement qu'est le Fils se révèle double, vie et intelligence (50-55 = *adv. Ar.* III 8,25-53). On retrouve des expressions communes, comme celle du Christ « milieu » (*medius*) entre le Père et le Fils (63 = *adv. Ar.* III 15,32). Mais l'hymne est plus christocentrique (surtout 68-73). Le Christ est toutes choses : en son état de repos, il s'identifie au Père ; en son état d'actuation, il est le Logos-Vie ; en son état de conversion, il est la sagesse, c'est-à-dire l'Esprit-Saint : tout ceci est contemplé du point de vue de l'économie, du mystère (68 : « Ergo Christus omnia, hinc Christus mysterium »), autrement dit de l'activité salvatrice de Dieu.

Cette synthèse théologique est précédée d'une introduction (7-16) sur les Trois Uns ; le Père qui est Un sans aucun contact avec le Multiple, le Fils qui est l'Un qui engendre le Multiple, l'Un-Multiple enfin, engendré par le Fils et qui n'est autre que la totalité des êtres.

Et l'hymne s'ouvre (2-6) et se referme (74-78) sur le thème de l'expansion et du retour de la substance divine.

***

2. adesto. — Cf. *de hom. rec.* 4,37. Est-ce un indice en faveur d'un rapport entre l'hymne I et le *de homoousio recipiendo* ?

2-6. — Invocation initiale qui appelle chaque hypostase divine par ses caractéristiques propres, en utilisant en partie des noms tirés de la profession de foi et de l'Écriture sainte.

2. lumen verum. — Cf. *adv. Ar.* II 2,23. Remarquer aussi le fragment hermétique dans Festugière, *Corpus Hermeticum* IV, p. 126 : φῶς νοερὸν πρὸ φωτὸς νοεροῦ.

2. pater omnipotens deus. — Cf. *adv. Ar.* II 1,5.

3. lumen luminis. — C'est le *lumen ex lumine* traditionnel depuis Nicée.

3. mysterium et virtus dei. — Il est probable que *mysterium* remplace ici *sapientia.* Le double nom : *virtus et sapientia* (*I Cor.* 1,14) est appliqué au Fils dans la profession de foi de Sardique (342) et repris en de nombreuses professions de foi postérieures. L'expression est très employée par Victorinus, notamment dans *adv. Ar.* I 40-41 et souvent contaminée avec *Rom.* 1,16 (*... evangelium. Virtus enim dei est...*), par exemple *adv. Ar.* I 40,1 ; *adv. Ar.* IV 18,28. Hilaire, *de trinitate* IX 62, appelle le Christ *sacramentum.* (= *mysterium*) en vertu de *Col.* 2,2-3. Il est possible que Victorinus ait remplacé *sapientia* par *mysterium* en pensant au même texte ou à *Eph.* 3,9, ou mieux encore à *I Cor.* 2,6 : θεοῦ σοφίαν ἐν μυστηρίῳ.

4. copula. — Cf. *hymn.* III 242 : *conexio.* Le Fils est *medius* entre le Père et l'Esprit-Saint (*hymn.* I 63), parce qu'il communique à ce dernier ce qu'il reçoit du Père. Mais l'*Esprit-Saint* est *copula* parce que, mouvement d'intelligence, il est mouvement de retour vers le Père. Il relie donc le Fils au Père. Sur la doctrine augustinienne du Saint-Esprit, à laquelle l'expression fait penser, cf. Mellet-Camelot, *Saint Augustin, de Trinitate*, Paris, 1955, p. 587. Une seule expression vraiment parallèle à celle de Victorinus, Épiphane, *ancoratus*, 7; *PG* 43,28 b : σύνδεσμος τῆς τριάδος, et 8; 29 c : ἐν μέσῳ πατρὸς καὶ υἱοῦ.

Idée analogue, dans Synésius, *hymn.* 5,32, Terzaghi : ἑνοτήσιόν τε φέγγος à propos de l'Esprit-Saint (cf. W. Theiler,

Die chaldaische Orakel, p. 13) ou encore *hymn.* 2,99-100 : κέντρον γενέτου, κέντρον δὲ κόρου.

5-6. — Le *Tu* s'adresse ici au Père (cf. *hymn.* III 115), qui est identique à la substance, cf. *hymn.* I 76 : *progressa a patre filio et regressa spiritu* (*substantia*). W. Theiler, *Die chaldaische Orakel*, p. 15, n. 3, rapproche le passage présent, de Synésius, *hymn.* 9,63 : ὅθεν αὐτὴ προθοροῦσα διὰ πρωτόσπορον εἶδος μονὰς ἄρρητα χυθεῖσα τρικόρυμνον ἔσχεν ἀλκάν.

5. quiescis ... procedis. — Thème constant chez Victorinus : l'opposition entre le Père, repos ou mouvement caché et le Fils mouvement extériorisé, cf. *ad Cand.* 21,5 ; *adv. Ar.* I 4,15 ; I 34,9-12 ; I 42,22 ; III 2,33 ; IV 8,26-27.

6. in unum qui cuncta nectis. — L'Esprit-Saint est lien entre le Père et le Fils, mais il est aussi lien entre les êtres et des êtres à Dieu. Son rôle économique manifeste son rôle trinitaire. Les hymnes insistent plus que le reste de l'œuvre de Victorinus sur le rôle unifiant de l'Esprit-Saint, cf. *hymn.* III 98 et 242.

7-16. — L'hymne s'adresse toujours au Père, 7 : *unum primum.... deus*, 12 : *unum autem et tu pater es*, 14 : *tu vero virtus seminis*, et le considère comme source d'unité. Un lui-même, il n'engendre que de l'unité. Le Père lui-même est l'Un sans aucune pluralité. Le Fils, second Un qu'il engendre, engendre un Un qui, aussi, est pluralité. Il y a donc trois Uns, le Père, le Fils, le Monde. Suivant la doctrine constante de Victorinus, l'Esprit-Saint est compris dans le Fils.

Cette doctrine des trois Uns s'inscrit dans la tradition néopythagoricienne, liée peut-être aux commentaires sur les trois premières hypothèses du *Parménide*. Plotin, *Enn.* V 1,8,24, distingue, en ce sens, le premier Un, l'Un multiple, et l'Un *et* Multiple, ces trois Uns correspondant pour lui respectivement à l'Un, à l'Intelligence et à l'Ame. Modératus de Gadès, deux siècles auparavant, semble avoir distingué également, si l'on en croit Porphyre, cité par Simplicius, trois Uns correspondant à l'Un premier au-dessus de l'être, aux Formes, et à l'Ame (Simplicius, *in phys.*, Diels, t. I, p. 230,34). Sur cette tradition, cf. E. R. Dodds, *Class. Quarterly* XXII, 1928, p. 136-139; A.-J. Festugière, *Le Dieu inconnu*, p. 18-31.

7. unum primum. — Cf. Modératus de Gadès cité par Porphyre dans Simplicius, *in phys.*, Diels, t. I, p. 231,1 ; Plotin, *Enn.* V 1,8,25 : τὸ πρῶτον ἕν.

7. unum a se ortum. — Cf. Jamblique, *theol. arithmet.*, de Falco, p. 3,17 : ἑαυτήν γε μὴν γεννᾷ, à propos de la monade. Cf. également Ps.-Hippolyte, *Philos.* IV 43,4 ; Wendland, p. 65,12.

7. unum ante unum. — Cf. *adv. Ar.* III 1,28 ; IV 19,11. D'après ces textes parallèles, l'expression peut signifier, soit que le Père est antérieur au second Un, soit qu'il est antérieur à toute détermination, même celle d'Un. Le premier sens correspond à une tradition néopythagoricienne bien établie, cf. A.-J. Festugière, *Le Dieu inconnu*, p. 23 sq. Le second semble attesté dans le commentaire anonyme du *Parménide*, édité par Kroll, *Rhein. Museum* 47 (1892), p. 603 (texte cité en *adv. Ar.* IV 23,17-18 n.).

8. quantum. — = τὸ ποσόν. D'après E. R. Dodds (*Class. Quarterly* XXII, 1928, p. 138) et A.-J. Festugière (*Le Dieu inconnu*, p. 23, n. 1), le mot ποσόν, « pour désigner la pluralité des Formes, est typiquement néopythagoricien ». C'est pour cette raison que j'ai préféré, dans la traduction, employer *pluralité* plutôt que *quantité*. Le *quantum* dont il s'agit ici n'est pas en effet la quantité, accident de la substance sensible, mais une pluralité intelligible. En fait, il s'agit du nombre, cf. Théon. *expos. rer. math.*, Hiller, p. 19,15 : ἀριθμὸς μὲν γάρ ἐστι τὸ ἐν νοητοῖς ποσόν. Le nombre ne se place, ni au rang du premier Un, ni même au rang du second, mais c'est à partir du second Un que procède le nombre.

8. nullis notus terminis. — L'infini n'est connu que lorsqu'il prend forme, cf. *adv. Ar.* I 31,19; II 4,10 ; IV 8,38; IV 19,30-33. L'idée de la connaissance par le nombre se trouve chez Philolaos, *fr.* 3 ; Diels, I, p. 409 (Jamblique, *in Nicom.*, Pistelli, p. 7,24) : ἀρχὰν γὰρ οὐδὲ τὸ γνωσούμενον ἐσσεῖται, πάντων ἀπείρων ἐόντων κατὰ τὸν Φιλόλαον; et *fr.* 4; Diels, I, p. 409 (Stobée, *ecl.* I 21,7 b ; Meineke, t. I, p. 128,3) : καὶ πάντα γα μὰν τὰ γιγνωσκόμενα ἀριθμὸν ἔχοντι· οὐ γὰρ οἷόν τε οὐδὲν οὔτε νοηθῆμεν οὔτε γνωσθῆμεν ἄνευ τούτω. C'est parce qu'il est transcendant aux nombres que le premier Un est inconnaissable.

9. nihil in te quantum. — Négations analogues, *adv. Ar.* I 49,10-12 ; III 1,26-30 ; IV 23,17.

9. neque quantum ex te. — De l'Un, aucune pluralité ne peut venir, parce que l'unité ne peut engendrer que l'unité.

10. ex te natum unum. — En *adv. Ar.* I 50,22, le second Un appelé *unum unum* jaillit à partir du premier Un. C'est le seul passage de Victorinus où la génération du Fils soit également présentée comme la génération d'un Un par l'Un.

Cette génération peut se concevoir comme une substantialisation de l'Un (cf. *adv. Ar.* I 50,25 : *exsistentialiter unum* opposé à *inexsistentialiter unum*).

10. gignit magis. — Le second Un ne contient la pluralité que dans la mesure où il l'engendre, c'est-à-dire que la pluralité du monde est en lui sous un état d'unité. Macrobe, *in somn. Scip.* I 6,14, emprunte à une source assez proche de Victorinus, et certainement néopythagoricienne quand il décrit la séparation de l'unité vis-à-vis de tout nombre : « Haec monas, initium finisque omnium neque ipsa principii aut finis sciens, ad summum refertur deum eiusque intellectum a sequentium numero rerum et potestatum sequestrat. » Pour Macrobe, il s'agit de l'unité conçue comme une sorte de substance s'étendant du Dieu suprême à l'Intelligence (et ensuite à l'âme) et assurant la continuité entre ces hypostases et leur transcendance vis-à-vis de toute pluralité, et il poursuit en identifiant plus spécialement l'unité à l'Intelligence : « Haec illa est mens ex summo enata deo... cumque, utpote una, non sit ipsa numerabilis, innumeras tamen generum species et de se creat et intra se continet. » Ainsi l'Intelligence de Macrobe, comme le second Un de Victorinus, n'est pas soumise au nombre (*numerabilis*) parce qu'elle est une, et pourtant elle engendre la pluralité des formes, en les contenant en elle d'une certaine manière.

11. — Cf. *adv. Ar.* I 49,18 ; IV 24,28 ; *hymn.* III 172. Le Père, premier Un, n'est pas limité par une forme, mesuré par un nombre. Les textes parallèles précisent qu'il est mesuré et limité vis-à-vis de lui-même, c'est-à-dire qu'il est à lui-même sa propre forme. Le Fils est mesuré par le Père, et il est sans mesure par rapport au monde, dont il est à son tour la mesure. Ici encore la tradition néopythagoricienne se reconnaît : l'Un est mesure de toutes choses, cf. Syrianus, *in metaphys.*, Kroll, p. 168,4 ; 134,24 ; 168,22. Se connaître, c'est se limiter, Syrianus, *in metaphys.*, p. 147,8 : εἰ τοίνυν οἶδεν ἑαυτὸν ὁ θεῖος ἀριθμὸς πάντως ὅτι ἑαυτῷ πεπεράτωται.

12-14. — Victorinus insiste sur la doctrine des trois Uns : à partir du Père qui est Un, seuls des Uns sont engendrés.

12. unum quem genuis. — Cf. 10 : *ex te natum unum.*

13. multa vel cuncta. — = τὰ πολλά, cf. *ad Cand.* 12,5 et 22,6.

13. hoc unum est. — Cf. *adv. Ar.* I 25,38, avec la métaphore de la chaîne des êtres, *catena.* Le troisième Un est l'unité multiple de tous les êtres, l'univers.

14. cunctis qui ὄντος semen est. — Cf. *ad. Cand.* 25, 7 ; *adv. Ar.* I 3,8 ; I 57,35 ; III 4,2 ; III 12,15.

14. virtus seminis. — Alors que dans des développements néopythagoriciens d'allure semblable, par exemple Synésius, *hymn.* 1,183, c'est plutôt le premier Un qui est semence de toutes choses, ici le premier Un est considéré comme force, comme puissance de cette semence qu'est le second Un. Le premier Un est comme le *pneuma* contenu dans le *sperma* et qui lui donne sa fécondité (brève histoire de *pneuma-sperma* dans A.-J. Festugière, *Corpus Hermeticum*, t. III, Paris 1954, p. LXXXVIII-XCV).

15. in quo ... gignuntur cuncta. — Sur cette préformation de toutes choses dans le Logos-semence, cf. *in Ephes.* 1,4 ; 1240-1242.

15. virtus ... dei. — Cf. 3.17.19. Dans l'hymne, *virtus* et *potentia* ne sont pas distingués comme ils le sont dans l'*adversus Arium.* Victorinus employait *virtus* presque exclusivement à propos de *Rom.* 1,16 ou de *I Cor.* 1,24, par exemple *adv. Ar.* I 40. Ici au contraire, si aux lignes 3.15.17.19, *virtus dei* désigne le Fils conformément à *Rom.* 1,16 et *I Cor.* 1, 24, aux lignes 14 et 30, *virtus* équivaut à *potentia.* Il en résulte une certaine équivoque, car, à la ligne 14, *virtus seminis* veut dire la puissance de la semence, au sens de puissance active qui s'actue dans la semence, et, à la ligne 15, *virtus dei* signifie au contraire, pour Victorinus, l'actuation de la *virtus seminis*, cf. *adv. Ar.* I 40,23 où *sapientia* et *virtus* sont des *operationes.* En somme, à la ligne 14, *virtus* a le sens de puissance actuante, à la ligne 15, de puissance actuée, extériorisée et manifestée. C'est la puissance sortie de Dieu qui fait naître les êtres. *Virtus seminis*, c'est le Père, le premier Un ; *virtus dei*, c'est le Fils, le second Un, la semence elle-même.

16. in semen redeunt. — Ce retour des êtres est étudié par Victorinus, dans le commentaire qu'il donne, *adv. Ar.* I 38-39 de *I Cor.* 15,24-28, texte qui sert lui-même à illustrer le *in ipsum omnia* de *Col.* 1,16-17, cf. *adv. Ar.* I 36,21 : « In ipsum omnia, *quoniam efficientur omnia spiritalia.* » Le retour à la semence originelle est donc spiritualisation, œuvre propre de l'Esprit, comme on l'a vu plus haut, ligne 6.

***

17-73. — L'attention se porte maintenant sur le Fils, mouvement consubstantiel à la substance qu'est le Père.

Le Fils lui-même est Dyade : *Logos-Vie* (39-49) et *Esprit-Saint*, qui est sagesse et Christ caché (50-73). Désormais et jusqu'à la fin, l'hymne quitte la forme de l'invocation pour prendre celle de l'exposé à la troisième personne.

17-38. — Le Christ est mouvement consubstantiel à la substance. Les notions ici utilisées, identité du mouvement et de la substance, génération du mouvement par la substance, consubstantialité du mouvement et de la substance, sont très proches d'*adv. Ar.* III 2,12-54.

17. operatur ... cuncta. — J'ai traduit *operatur* par *opère* pour garder au mot son double sens : le Christ *fait* toutes choses et le Christ est l'*acte* universel. En ce sens, l'affirmation équivaut à 56 : *Christus igitur actus omnis.*

17. omnis est virtus dei. — Cf. 15.

18-19. — Cf. 5-6. Le mouvement de Dieu, c'est le Christ, mais ce mouvement est d'abord en un état de repos, de conversion vers soi, selon lequel il n'est que substance. Il est alors confondu avec le Père. Puis il se pose lui-même, c'est-à-dire qu'il se met en mouvement, qu'il s'avance ; il se distingue alors du Père et il est la sagesse et la puissance de Dieu ; cf. *adv. Ar.* III 2,40.

20-21. — Cf. III 2,43.

22. ex deo ... deus. — La formule traditionnelle depuis Nicée, cf. *adv. Ar.* II 2,24 ; III 2,10. De même que le mouvement vient de la substance, en étant lui-même cette même substance mise en mouvement, de même Dieu naît de Dieu.

22. natus quia motus. — Tout mouvement a une origine, *adv. Ar.* III 2,43.

24. — Cf. dans un contexte analogue, *adv. Ar.* IV 17,6-10. Après la distinction entre repos et mouvement, identité finale.

25. — Construction : « Tamen (motus dei est) motus ipse, ut sibi sit esse hoc quod ipse motus est. » Son être propre consiste à être mouvement.

29. singuli. — Le terme, traditionnellement, dans le langage philosophique, désigne l'individu (Boèce qui préférera *individuum* dans la seconde édition de l'*Isagoge*, l'emploie lui aussi en ce sens, dans la première édition, probablement sous l'influence de la traduction de Victorinus). Dans les formules trinitaires de Victorinus, depuis le livre I b *adversus Arium*, il correspond exactement à la notion d'hypostase, cf. *adv. Ar.* I 59,5 ; I 63,21 ; II 3,40 ; III 4,37 ; III 9,7 ; III 10,19 ; IV 10,14 ; IV 21,27 ; IV 33,39 ; *hymn.* I

77. Dieu et son mouvement ont chacun leur individualité propre, mais leur intériorité réciproque assure l'unité de leur substance. Sur cette idée, cf. *adv. Ar.* I 59,5.

31. quae sibi fit. — La substance est donnée au Fils et, en même temps, elle lui est propre, comme la vie dont parle *Ioh.* 5,26 : le Père l'a en soi (et par soi, suivant le texte reçu par Victorinus dans *adv. Ar.* III et IV) et, en même temps, il donne au Fils de l'avoir en soi et par soi.

32-33. — Cf. *ad Cand.* 19,4 ; *adv. Ar.* I 4,2 (*esse-operari*).

32. — Même exclusion de toute considération temporelle, *ad Cand.* 21,2 ; 22,1 ; *adv. Ar.* I 57,17 ; IV 1,21 ; IV 5,26.

33. in divinis ordo virtus est. — *Virtus* ici a un sens assez particulier chez Victorinus, qui ne se manifeste guère que dans *adv. Ar.* IV 24-27. C'est le sens de puissance caractéristique, donc prédominante suivant la doctrine de Victorinus pour qui le nom propre est tiré de l'aspect prédominant. Il y a un ordre entre le Père, le Fils et l'Esprit-Saint parce que la propriété personnelle de l'Esprit-Saint suppose celle du Fils et celle du Fils suppose celle du Père. Ils sont donc ordonnés suivant leur aspect prédominant, car le Père étant lui-même être, vivre, penser, le Fils à son tour étant être, vivre, penser, et de même l'Esprit-Saint, l'ordre qui s'instaure entre eux trois provient de la prédominance de l'être chez le Père, du vivre chez le Fils, du penser chez l'Esprit-Saint, et cet ordre correspond à l'ordre du mouvement (*quodam motus ordine, adv. Ar.* IV 8,24) qui va de l'être au vivre et au penser par une actuation progressive, un déploiement qui s'achève dans le retour unifiant de l'Esprit-Saint. On trouve une formule assez semblable à celle-ci dans Hilaire, *de trinitate* II 1 ; *PG* 10,50 d 2 : « Unus est enim deus pater, ex quo omnia, et unus unigenitus dominus noster..., per quem omnia, et unus spiritus, donum in omnibus. Omnia ergo sunt suis virtutibus ac meritis ordinata, una potestas ex qua omnia, una progenies per quam omnia, perfectae spei munus unum », cf. *de trinit.* III 4 ; *PL* 10,78 a : « Non calumniari de virtutibus suis deo. » Les *virtutes* dont parle saint Hilaire établissent un ordre entre le Père, le Fils et l'Esprit, mais ce sont plus des puissances propres à chacun dans l'économie du salut que des points de vue métaphysiques comme les puissances prédominantes de Victorinus.

34. re ... tempore. — La distinction entre priorité ontologique et priorité temporelle remonte à Aristote, par exemple *phys.* VIII 7 ; 260 b 18.

35. — Contre les homéens qui refusaient l'emploi de *substantia* à propos de Dieu, cf. *adv. Ar.* II 3,6.

37. — Cf. *adv. Ar.* III 1,18.

38. — Reprise de 21-31.

39-49. — Le mouvement du Père qu'est le Christ, c'est le Logos dont a parlé saint Jean, c'est-à-dire la Vie consubstantielle à la substance. D'où les oppositions *deus*-λόγος, *substantia-vita*, toutes équivalentes, comme le remarque *adv. Ar.* I 41,42.

39. — Même passage de l'idée de mouvement à l'idée de Logos et de vie, *adv. Ar.* III 3,12.

39. Graeci. — Le contexte évoquant *Ioh.* 1,1-3, il s'agit du texte grec de l'évangile.

39. deum. — = θεὸς ἦν ὁ λόγος (*Ioh.* 1,1). Sur cette identité du Logos en Dieu, avec Dieu, cf. *ad Cand.* 23,8.

40. — Cf. *adv. Ar.* I 44,15. Le Logos est l'actuation de la puissance créatrice divine.

42-45. — Articulations du raisonnement : 1° Le Logos est identique au Christ. 2° Le Logos est vie, d'après *Ioh.* 1, 3-4. 3° Or le Père est vivant (*Ioh.* 6,57). 4° Or le Vivant engendre la Vie. 5° Donc le Logos est engendré par le Père, et il y a identité entre le Logos, le Fils et le Christ, identité sur laquelle Victorinus revient avec insistance, surtout *adv. Ar.* I 35-36. D'autre part, si le Père est Vie, que le Fils est Vie, et que, dans le Père, la vie et la substance sont identiques, dans le Fils aussi, vie et substance seront identiques. Ainsi Victorinus utilise la notion de Vie pour conclure à la génération consubstantielle du Fils (raisonnement analogue, *adv. Ar.* III 8,10).

46-49. — La métaphore de la source et du fleuve sert à montrer l'identité et la distinction du Fils, fleuve de vie, et du Père, source de vie, cf. *adv. Ar.* I 47,20 et IV 31,35.

47-48. manet ... discurrit. — Cf. *adv. Ar.* IV 31,36 et 42.

50-55. — Passage de la dyade à la triade : de même que la substance est en même temps vie, de même la vie est intelligence. Dans l'unité d'un seul mouvement, il y a le Christ et l'Esprit-Saint. Cf. livre III, caractère général.

50-51. — La triade *substantia-vita-sapientia* se retrouve en III 9,6 sq.

52-54. — *Praecedere, inesse, adesse* sont des termes de logique (cf. index de l'*Isagoge*). Être, vivre, penser sont dans le rapport de sujet à propre ou accident inséparable.

54-55. — Comme aux lignes 32,35, dans les choses divines, il n'y a pas de priorité temporelle, ni d'altérité absolue (sur ce point, cf. *adv. Ar.* I 48), mais il n'y a de distinction entre les « individus » divins que par l'ordre du mouvement (*motus ordine, adv. Ar.* IV 8,24), la puissance propre prédominante (*virtus, hymn.* I 33), le déploiement de l'actuation de la puissance divine (*progressu actuum, hymn.* I 55), toutes expressions équivalentes.

55. ter triplex alterum. — La trinité est donc en fait une ennéade. Cf. *ad Cand.* 31,32 ; *adv. Ar.* I 59,4-5 ; I 54,8 ; I 60,17 ; III 9,7 ; IV 8,24-25 ; IV 21,27 ; *hymn.* III 222 et 250. Dans le développement présent, *alterum* marque la distinction (= *singulum, singularitas*), *ter triplex*, l'unité, puisque l'implication absolue de tous en tous assure une identité totale.

56-67. — Après la distinction métaphysique entre substance, vie, sagesse, la même distinction est retrouvée dans l'ordre économique : le rôle du Fils et de l'Esprit-Saint, dans l'œuvre du salut, correspond à leurs noms propres dans la trinité métaphysique.

56. actus omnis. — Conformément au mouvement général de l'hymne, toutes les modalités de l'activité divine se concentrent dans le Christ. On a vu plus haut (18) que le Christ en son état de repos s'identifie avec le Père. Cette fois, ce sont toutes les avancées de l'activité divine qui lui sont rapportées : sa propre procession est actuation ; en tant que vie, il fait procéder toutes choses, c'est-à-dire qu'il les fait passer de la puissance à l'acte. Enfin l'activité retourne à sa source, quand elle devient connaissance, révélation, perfection : à ce moment le Christ devient l'Esprit-Saint. En résumé le Christ est acte caché dans le Père, acte manifesté en lui-même, et de nouveau acte caché dans l'Esprit-Saint.

56. omnis. — = *universel*, cf. Cand. I 11,13 : *omnis actio* ; *ad Cand.* 2,12 : *omnis operatio.* Le Christ est acte universel en extension : dans le Père, en lui-même, dans l'Esprit-Saint.

58. doctor ... magister ... perfector. — *Doctor* est appliqué au Fils, *adv. Ar.* I 2,26, à l'Esprit-Saint, *adv. Ar.* I 2,41. L'Esprit-Saint est appelé *magister intellegentiae, adv. Ar.* III 6,17. *Perfector* n'est employé qu'ici, mais la perfection (au sens d'achèvement ontologique et de perfection morale) est rapportée à l'Esprit-Saint, *adv. Ar.* I 56,24. Comme tout au long d'*adv. Ar.* III 8 sq., la consubstantialité entre le Christ et l'Esprit-Saint est assurée par l'identité de leur activité : un seul mouvement à double fonction, vie et intelligence, cf. *adv. Ar.* III 8,26. Quand le mouvement, issu du Père, vivifie, il s'agit du Christ ; à partir du moment où la vie devient intelligence, où le mouvement ne vivifie plus, mais illumine, il s'agit de l'Esprit-Saint.

59. — On retrouve ici trois notions qui viennent du *Timée* 41 d – 42 d ; les âmes sont *semées* ; semées *dans les siècles* (qui correspondent aux *instruments du temps* chez Platon) ; elles reçoivent des *lois de la sagesse* (*des lois fatales* chez Platon). Victorinus peut avoir utilisé une source dans laquelle les trois notions étaient déjà rapprochées et transformées. Dans le contexte présent, les semailles des âmes peuvent se rapporter au Christ vivifiant, et évidemment l'infusion des lois de la sagesse est l'œuvre propre de l'Esprit-Saint. Sur cette infusion, cf. *adv. Ar.* III 14,23. Chez Porphyre, *Lettre à Marcella* 26 ; Nauck, p. 291,5, l'esprit imprime en l'âme la loi divine.

60. sophia. — Sur le Christ, comme *sagesse* (= Esprit-Saint), cf. *adv. Ar.* III 10,5 ; IV 18,37.

60-61. — Sur cette révélation du Père par le Fils et du Fils par l'Esprit-Saint, qui unifie Christ et Esprit-Saint dans le même rôle de Sagesse, cf. *adv. Ar.* I 2,19-42 ; *hymn.* III 196-198.

62. — Formule trinitaire tirée de *Ioh.* 16,13-15, cf. *adv. Ar.* IV 16,25-28.

63-67. — Nouvelle formulation de l'idée exprimée en 56-62 et résumée en l'expression *actus omnis* (56). Le Fils est toute l'économie : il joue le rôle du *Père* en donnant l'*être*, il est lui-même la *vie* des êtres, et il *unit* toutes choses, comme *Esprit-Saint*.

63. medius. — Cf. *adv. Ar.* I 56,19 ; III 15,32.

63. sese alterum spiritum. — Cf. *adv. Ar.* III 16,16 : *alter paraclitus* (le Christ étant le premier Paraclet) et *hymn.* III 256 : *sese... alterum.*

64. parentem. — Sur le Logos comme Père, cf. *ad Cand.* 18,5.

66. quid quia. — Expression analogue à *quid quod* ou *quid est quod.*

66-67. — Le Fils, en tant que vie, a une activité qui a un aspect unificateur et révélateur. Mais cet aspect secondaire de l'activité vitale est l'aspect prédominant de l'activité sapientielle propre à l'Esprit-Saint. Il s'agit donc en fait d'une activité de l'Esprit-Saint, dans lequel est le Christ.

66. iungit ac salvat omnia. — Cf. *adv. Ar.* III 8,7 et III 13,21.

66. docet verum deum. — Cf. *adv. Ar.* I 2,26.

67. — L'œuvre du salut est en deux étapes : renaissance par la foi dans le Christ, ensuite unité dans l'Esprit-Saint. Cf. *adv. Ar.* IV 17,20 - 18,10. Le Christ est donc le « milieu ».

68-73. — Le panchristisme, qui se manifestait de plus en plus nettement dans l'hymne, triomphe ici. Le Père et l'Esprit-Saint vont être définis par rapport au Christ. Mais une terminologie, peu usitée chez Victorinus, se fait jour. Elle est empruntée à la géométrie divine d'*Eph.* 3,10. La profondeur du Fils, c'est le Père, la largeur et la longueur du Père, le Fils. Il y a probablement contamination entre ce texte des *Éphésiens* et le vocabulaire chaldaïque qui parle d'un βυθὸν πατρικόν (*orac. chald.*, Kroll, p. 18 ; cf. W. Theiler, *Die chaldaische Orakel*, p. 10 ; remarquer *Synésius, hymn.* 5,27 dans un contexte trinitaire : βυθὸς πατρῷος). Βάθος et Βυθός sont confondus souvent dans les textes gnostiques, par exemple, Clément d'Alexandrie, *excerpta ex Theodoto* 29 ; Sagnard, p. 122 (cf. p. 123, n. 1). Pour Victorinus le Père est la profondeur du Fils, parce que le Fils est caché en lui. Le Fils est le déploiement du Père en largeur et en longueur, de la même façon que, du point, dont parlait *adv. Ar.* I 60, une sphère s'engendre suivant les deux dimensions de la vie et de l'intelligence. Cela revient à dire que le Fils est en puissance dans le Père, le Père en acte dans le Fils. La révélation du mystère paternel se fait en deux étapes : 1° révélation dans le temps et dans la chair, c'est celle du Christ ; 2° intériorisation de la présence du Christ, révélation dans les âmes, c'est la révélation de l'Esprit-Saint.

68-69. — Allusion à *Eph.* 3,9 : « Illuminare omnes quae sit dispositio mysterii absconditi a saeculis in deo qui omnia creavit » (cf. *in Ephes.* 3,9 ; 1265 b c). 1° Le *mystère caché*, c'est le Père ; mais, dans l'hymne, le Christ est le mystère, parce que lui-même est d'abord caché dans le Père, et qu'ensuite le Père est caché en lui (*in Ephes.* 3,9 ; 1266 a : le Dieu qui a créé toutes choses, et dans lequel le mystère est caché, c'est le Christ). 2° *Per ipsum... in ipso... in ipsum*, cf. *adv. Ar.* I 24,41-48. 3° Le mystère est *absconditum a saeculis* ; or (ligne 72) le Christ est *apparens saeculis.*

68. Christus omnia. — Cf. *adv. Ar.* I 57,1 et III 3,1.

71. latitudo. — Contre ΑΣ, il faut corriger *altitudo* en *latitudo*, exigé par le sens ; même faute, *adv. Ar.* III 10,7 dans Σ.

72-73. — Cf. *adv. Ar.* III 14,20-24 et les passages parallèles.

72. saeculis. — Cf. *adv. Ar.* IV 8,6.

72. id profundum doctum. — *Profundum* correspond à *altitudo* (ligne 70), c'est l'abîme paternel. Mais *AΣ* portent *ad profundum doctum* qui est à peu près intraduisible. La correction *id profundum* suppose que *doctum* est un supin introduit par *apparens*. Il faut supposer qu'*arcanum* et *intimum* sont des épithètes de *id* (= *profundum*). En traduisant *-que* par *puis*, j'ai voulu insister sur la succession entre la phase visible et la phase invisible de l'action du Christ. Le mouvement de révélation au monde s'intériorise et devient action intime de l'Esprit-Saint dans les âmes.

74-78. — Cette intériorisation du mouvement salvateur qui vient d'être évoquée, correspond au retour à l'intérieur de la substance divine qui s'est déployée dans le Fils. La dyade Père-Fils s'achève en une triade, parce que le Fils lui-même est dyade (vie et intelligence, sortie et retour). Sur cette double dyade, cf. *adv. Ar.* III 18,11-18.

74. spiritu ... lumine. — Sur ces deux notions fondamentales dans la théologie trinitaire de Victorinus, cf. *adv. Ar.* I 30,18 - 31,17 n.

75. — La formule même de l'orthodoxie : *existence* réelle de chaque hypostase et *unité* de la substance.

76. — Cette idée de la procession et du retour de la substance se trouve également dans *adv. Ar.* I 51 et I 57, et elle s'est déjà rencontrée dans l'*hymne* I 4-6. La formule de l'hymne III 71-73 : *status progressio regressus*, montre bien qu'elle correspond au schéma néoplatonicien μονή, πρόοδος, ἐπιστροφή, qui, déjà employé implicitement par Plotin, est clairement formulé par Proclus, *elem. theol.*, *prop.* 35. Mais on remarquera que la littérature chrétienne plus ancienne utilisait déjà des formules analogues à celle de Victorinus pour exprimer la réalité trinitaire, par exemple Novatien, *de trinitate* XXXI; Fausset, p. 122,12; *PL* 3,852 a-b : « Deus quidem ostenditur filius cui divinitas tradita et porrecta conspicitur et tamen nihilominus, unus deus pater probatur dum, gradatim, *reciproco meatu*, illa maiestas atque divinitas ad patrem qui dederat eam, ab illo ipso filio missa, revertitur et retorquetur. »

78. — La formule *beata trinitas* sera le leitmotiv de l'hymne III. Oppositions du même genre, *ad Cand.* 31,3 ; *adv. Ar.* III 8,51 ; IV 21,30.

HYMNE SECOND

Caractère général. — La première invocation initiale s'adresse aux trois personnes divines et reprend probablement l'usage liturgique du *Kyrie eleison*. L'hymne de Victorinus mérite d'être versé au dossier de l'histoire de cette prière litanique. Le caractère litanique de l'hymne est assuré par le refrain qui commence chaque strophe. Comme dans l'hymne premier, on peut reconnaître la présence de nombreux crétiques et j'ai pu diviser chaque strophe en trois vers, de manière à retrouver à la fin de chaque vers, soit des crétiques, soit une assonance, qui ne laissent aucun doute sur l'existence de ces tercets.

P. Frassinetti, *Le Confessione agostiniane e un inno di Mario Vittorino* dans *Giornale italiano di Filologia*, II 1949, p. 50-59, a voulu voir une influence de cet hymne de Victorinus sur les *Confessions* de saint Augustin. Cet hymne second aurait un caractère autobiographique, insistant sur la faiblesse de la volonté aux prises avec la lourdeur charnelle et cette « confession » de Victorinus aurait été le modèle des « Confessions » d'Augustin. Je doute que cet hymne ait exercé une influence fondamentale sur Augustin, à supposer qu'il l'ait connu. Mais M. Frassinetti a eu raison de souligner la sensibilité religieuse propre à cet hymne second. Il y a là effectivement une sorte d'autobiographie, mais transcendante, se déroulant au sein d'une âme qui voit les choses *sub specie aeterni*. J'ai signalé, dans les notes qui suivent, les rapprochements entre cet hymne et les *Confessions* d'Augustin, qui m'ont paru intéressants, dans l'étude de P. Frassinetti.

Si l'hymne premier est très proche du livre III, l'hymne second doit être rapproché du livre IV, cf. 11-34 n. où l'on verra comment, à la suite du livre IV, notre hymne remplace l'opposition être-mouvement, propre au livre III (et à l'hymne I) par l'opposition *vivit-vita*, propre au livre IV. On remarquera, dans les notes suivantes, la fréquence des parallèles entre notre hymne et les hymnes de Synésius : les images et le ton général sont très proches. Resterait à préciser leur source commune.

***

2-10. — L'invocation initiale contenue dans les deux premières strophes s'adresse au Christ.

6. misericordia. — Seul emploi du mot dans l'œuvre théologique de Victorinus.

7-10. — Cf. *adv. Ar.* III 3,27 sq. qui montre bien que le salut est conçu par Victorinus comme une universalisation et une spiritualisation. En devenant le Logos des esprits, des âmes et des corps, le Logos universel réunit les êtres concrets à leur forme éternelle, il les ramène à leur essence originelle et les sauve de leur dispersion.

11-34. — Comme dans l'hymne I, après l'invocation initiale, le ton redevient didactique. Toutefois cet exposé théologique va servir à situer la destinée de l'âme et à orienter la prière. Si l'hymne I 7-16 décrivait les trois Uns, le Père, le Fils, le Monde, notre hymne, peut-on dire, décrit les trois Vies : le Père qui vit par soi et éternellement, le Fils qui vit par soi et éternellement par le don du Père, l'âme enfin qui vit de même, mais seulement à l'image des deux premiers. Cette doctrine est issue de la rencontre entre *Ioh.* 5,26 et la théorie platonicienne (*Phèdre* 245 c) concernant le caractère automoteur de l'âme, cf. *adv. Ar.* I 27,26 ; I 63 et surtout IV 13, 5. Dans notre hymne, la forme du développement est très proche d'*adv. Ar.* IV 9-10 :

Hymne *Miserere*	*adv. Ar.* IV 10,2-6
Vivit deus et *semper* vivit deus et quia ante ipsum nihil est *a se vivit* deus.	Vivit ergo *a se* et *semper* spiritus qui deus est.
Quia vivit deus et semper vivit deus, hinc *aeterna vita* nata est, aeterna autem vita filius dei Christus est.	Nata ergo est vivente deo vita, et a deo ex aeterno atque in aeternum vivente, *vita aeterna* generata est.

Ces raisonnements très caractéristiques sont propres au livre IV *adv. Ar.*, notamment la liaison *a se, semper*, la génération de la vie par l'acte de vivre du Père, enfin la consubstantialité assurée par le caractère substantiel de la vie. Ajoutons qu'*adv. Ar.* IV 13 précise le caractère automoteur de l'âme, image de Dieu et du Christ. Ici c'est l'idée de vie éternelle qui prédomine.

26. consubstantiale. — Cf. *adv. Ar.* IV 13,28. Le neutre avec *filius* sujet est possible ; cette tournure correspond à l'emploi d'ὁμοούσιον par *Victorinus*, cf. *adv. Ar.* IV 17,10.

26. quod ut. — Pléonasme, = puisque.

27-34. — La prière reprend désormais : s'appuyant sur la réalité essentielle de l'âme, son caractère d'image et de ressemblance de la vie éternelle que sont le Père et le Fils, elle demande la réalisation de cette essence, c'est-à-dire la vie éternelle. Cf. *adv. Ar.* III 13,17.

30. — Cf. Augustin, *Conf.* X 20,29 : « Quaeram te ut vivat anima mea. » Cité par Frassinetti.

31-34. — Cf. *adv. Ar.* I 62-64 ; I 20. *Homo = anima.* Dans tous les textes qui traitent de *Gen.* 1,26 et ici même, *ad imaginem* est interprété comme une relation de l'âme à l'image de Dieu qu'est le Fils ou la Vie. L'âme est image de l'image, c'est-à-dire à l'image du Fils. *Ad similitudinem* est rapporté à l'ordre de la qualité, de la perfection morale (et non de la substance), *adv. Ar.* I 20,52 sq. ; I 63,28. *Ad similitudinem tuam deus pater* (à la ressemblance du Père) est donc une formule nouvelle chez Victorinus, peut-être inspirée par *Matth.* 5,48 : Soyez parfaits comme votre Père céleste est parfait.

34. — Cf. *in Galat.* 4,9 ; 1180 d 2.

35-46. — La destinée de l'âme est un drame en trois actes : préexistence, chute, retour. Elle est décrite d'abord d'une manière succincte (35-38), puis c'est la conscience de la chute (39-42) et l'espoir du retour (43-46).

35-38. — *Mundum* a dans cette strophe une résonance johannique, cf. *Ioh.* 15,19 ; 17,14 ; I *Ioh.* 2,15 ; c'est à la fois le monde visible et le mal qui est en ce monde. Il faut interpréter toute la strophe par rapport à la destinée métaphysique de l'âme. L'âme est attirée par le monde, parce qu'elle voit en lui l'œuvre de Dieu, le reflet de la beauté divine. Mais elle y tombe prisonnière, parce que le monde contient un principe hostile à Dieu et à ceux qui sont de Dieu. L'âme alors se détourne du monde et le hait, quand elle reçoit l'Esprit. C'est l'annonce du retour. Évidemment tout ceci peut se transposer sur le plan moral : on retrouve le même schéma appliqué cette fois à l'histoire de la conversion spirituelle dans Augustin, *Conf.* X 27,38 : « *Sero te amavi... in ista formosa* quae fecisti, *deformis inruebam.* Ea me tenebant longe a te, quae si in te non essent, non essent. *Vocasti et clamasti... flagrasti* et duxi spiritum, et anhelo tibi, gustavi *et esurio et sitio.* » Même passage de l'amour des choses faites par Dieu, à la captivité, *Conf.* X 6,10, *amore subduntur eis.* Mais cette transposition est proprement augustinienne. L'interprétation métaphysique de la strophe présente semble confirmée par *in Ephes.* 1,4 ; 1240 a-b : Victorinus affirme là que le monde a été fait par Dieu pour que les âmes y fassent l'expérience de la connaissance sensible : « Quibus anima detenta cognosceret et qui sunt sensus et quantum valeant. » Seule l'Incarnation du Christ suivie de l'infusion de l'Esprit-Saint peut détourner les âmes du monde sensible et leur apprendre la vie spirituelle (cf. 1241 b : « Fecit deus mundum ad cognitionem sensuum »). Dans cette perspective, la chute de l'âme dans le monde sensible est une épreuve voulue par Dieu (*in Ephes.* 1,7 ; 1243 c 12 : « Haec captivitas ad utilitatem nostram provenit »).

39-42. — Strophe difficile à interpréter. Le sens général est celui-ci : secoure les pécheurs qui se repentent parce que le péché lui-même fait partie de l'économie du salut, cf. *in Galat.* 3,20 ; 1171 a 1 : « Ipse autem mediator, alia quae inter se *mysterio quodam* discreta sunt, quodam rursus mysterio reconciliat atque coniungit. Sumus autem nos et qui separati sumus per maiores nostros et iuncti rursus per maiores quidem sed secundum Christum. » Il semble bien par ce passage parallèle que notre strophe se rapporte au péché originel.

43-46. — Thème très riche du retour de l'âme. Le thème de la hâte dans le retour vers le Père est également abondant (cf. *in Galat.* 4,4 ; 1178 c 8 ; 4,26 ; 1186 b 4) depuis l'épître *aux Hébreux* 4,11 jusqu'aux *Oracles chaldaïques* (Kroll, p. 52 : χρή σε σπεύδειν πρὸς τὸ φάος) en passant par Plotin, *Enn.* I 6,8,16. Quant à l'idée d'un commandement inscrit dans l'âme qui rappelle l'âme vers Dieu, elle semble avoir son origine dans les *Oracles chaldaïques*, Kroll, p. 50 : c'est la notion de σύνθημα, signe magique, qui met les êtres à la disposition de l'action divine, cf. Proclus, *theol. plat.* II (VIII), Portus, p. 104-105, cité par Dodds, *Proclus, Elements of Theology*, p. 223. Ce signe est une sorte de mot d'ordre par lequel la divinité fait agir. Liée à l'idée de retour, la notion se retrouve dans les hymnes de Synésius, 1,539 : κατὰ τὰν ἐπὶ σὲ/ἱερὰν ἀτραπὸν/σύνθημα δίδου/σφραγῖδα τεάν.

Cette notion est donc liée ici à celle de loi écrite dans le cœur, cf. *ad Cand.* 1,7 : *figurationes intellegentiarum.* Augustin, dans les *Soliloques* I 1,2, a été influencé par une source parente de celle de Victorinus quand il écrit : « Pater pignoris quo admonemur redire ad te » et I 1,5 : « Ad te mihi redeundum esse sentio. »

47-62. — Après la situation métaphysique de l'âme, l'état actuel de celui qui prie : faiblesse, désir, espérance. Le ton plus personnel déjà dans les strophes immédiatement précédentes s'accentue encore ; le caractère chrétien de l'invocation se précise, sans abandonner le vocabulaire néoplatonicien.

47-50. — Cette description de la lutte de l'âme contre son corps s'inspire de *Rom.* 7,14-25. Il est même possible que le *mandatum* mentionné dans la strophe précédente ait évoqué le souvenir du νόμος πνευματικός de *Rom.* 7,14. Le *adhuc mihi caro est* correspond bien à *Rom.* 7,14 : ἐγὼ δὲ σάρκινός εἰμι. *Repugno* rappelle ἀντιστρατευόμενον, *Rom.* 7,23. La lutte contre l'ennemi, c'est-à-dire le diable et le péché personnifié, se prolonge. L'âme sent que tant qu'elle sera dans la chair, jamais elle ne pourra triompher. Expérience spirituelle paulinienne et néoplatonicienne se rejoignent ici, cf. *in Ephes.* 1,4 ; 1240 a 14 : « Dataque lex a deo est et monitiones ut cognosceretur deus et cognosceretur quod dei non est (= cognosco domine mandatum tuum), sed tantum victae animae sensualibus potentiis (= inimico meo)... neque idoneae essent ad vincenda et rumpenda vincula quae animam continerent (= diu resisto). » Ces suites d'idées identiques proviennent d'une conception platonicienne de la destinée de l'âme, peut-être du *de Regressu animae* de Porphyre. L'impuissance de l'âme appelle un sauveur et le mystère chrétien du salut consiste en ce paradoxe que c'est dans la chair même, ennemie de l'esprit, que la chair est vaincue, que les puissances hostiles à Dieu sont mises en déroute, cf. *Col.* 2,15 : θριαμβεύσας αὐτοὺς ἐν αὐτῷ et les textes de Victorinus, *adv. Ar.* I 39,22 ; III 3,31 ; *in Galat.* 6,14 ; 1196 d 3 et 1,11 ; 1151 b 2.

50. — Le sujet de *dedit* est *diabolus victus*, tournure qui équivaut à un substantif verbal de sens abstrait : la victoire sur le diable.

50. fidei murum. — Cf. *in Ephes.* 6,16 ; 1291 a 7 : *munimento fidei* mais, dans le commentaire sur les Éphésiens, il s'agit de la foi elle-même, ici de la victoire du Christ.

51-54. — Victorinus continue à utiliser la description paulinienne de la lutte entre la loi spirituelle et la loi charnelle, cf. *Rom.* 7,18 : « Velle mihi adiacet. » Mais, cette fois, il s'agit du désir inefficace de faire le bien, qui devient chez Victorinus, le désir inefficace d'abandonner les choses sensibles, pour retourner auprès de Dieu. Ce désir s'exprime à l'aide de l'image traditionnelle de l'aile de l'âme. A la suite de saint Paul, Victorinus reconnaît l'inefficacité du vouloir humain privé de la grâce, cf. *in Philipp.* 2,13 ; 1212 a 10 : « Et velle quasi nostrum est, unde nos operamur salutem. Et tamen quia ipsum velle a deo nobis operatur, fit ut ex deo et operationem et voluntatem habeamus, ita utrumque mixtum est ut et nos habeamus voluntatem et dei sit ipsa voluntas et quia habemus voluntatem, adsit efficacia pro bona voluntate. »

52. mundum et terras linquere. — Même sentiment, Synésius, *hymn.* 1,647 : μετά μοι μέλεται χθονίας βιοτᾶς. Mais on peut trouver la même disposition d'âme dans II *Cor.* 5,10. Elle n'a rien de spécifiquement néoplatonicien.

53-54. — L'image des ailes de l'âme, venue de Platon, *Phèdre* 246 c, est un thème très riche chez les néoplatoniciens et chez les Pères de l'Église, cf. A. d'Alès, *Les ailes de l'âme*, dans *Ephemerides theologicae Lovanienses*, t. X, 1933, p. 63-72 ; P. Courcelle, *Quelques symboles funéraires du néoplatonisme latin*, dans *Revue des études anciennes*, t. XLVI, 1944, p. 65-93 ; A. Orbe, *Variaciones gnosticas sobre las alas del Alma*, dans *Gregorianum*, XXXV, 1954, p. 18-55. *Inbecilla pluma* : l'aile doit être fortifiée par la grâce divine, autrement dit, l'âme est incapable de remonter vers Dieu par elle-même ; l'image remonte à *Phèdre* 246 e : αὔξηται τὸ τῆς ψυχῆς πτέρωμα ; cf. Synésius, *hymn.* 2,284 : (ἵνα) πιαίνηται ταρσὸς ψυχᾶς (et *hymn.* 3,67 ; voir W. Theiler, *Die chaldaische Orakel*, p. 27, n. 3). Sur le don des ailes par Dieu, cf. Synésius, *hymn.* 1,701 : σὺ δὲ λάμψον ἄναξ/ἀναγωγὰ φάη/πτερὰ κοῦφα διδούς et 1,616-619 : νεῦσον, γενέτα/νεῦσον προπόλῳ/ἤδη νοεροὺς/πετάσαι ταρσούς· Il ne faut pas oublier d'autre part que, pour un chrétien, l'image platonicienne pouvait s'associer à celle de *Ps.* 54,7.

55-62. — Sous l'action de la grâce, le désir inefficace devient volonté réelle et espérance vivante du salut. Ici encore le sentiment chrétien emprunte son expression à la description néoplatonicienne de la remontée de l'âme. Le chemin de l'âme est la voie lactée qui va de la porte des homme (Cancer) à la porte des Dieux (Capricorne). Quand l'âme remonte, elle passe par cette porte et retrouve alors sa place (*sedes*). Telle est la description donnée par Macrobe, *in somn. Scip.* I 12, à la suite de Porphyre, *de antro nympharum* 28 (cf. P. Courcelle, *Les Lettres grecques en Occident de Macrobe à Cassiodore*, p. 30, n. 1). Si l'âme cherche la porte par où elle rentre dans le ciel, c'est donc qu'elle c'est déjà bien éloignée de la terre. Arrivée dans le ciel, elle se reposera *sede lucis*, nous dit Victorinus. Cette expression désigne ou bien le siège propre de l'âme, cf. Macrobe, *in somn. Scip.* I 12,2 : *in propriae immortalitatis sedem* et I 12,16 : *ad animae sedem*, ou bien peut-être, d'une manière moins précise, l'ensemble de la patrie céleste. Les mêmes images, *porte, clef, trône de lumière* se retrouvent dans l'hymne I de Synésius, comme je le signalerai dans les notes suivantes. Chez Victorinus, c'est l'Esprit-Saint qui ouvre les portes et c'est le Christ qui donne les clefs du ciel. Il me semble que ces métaphores n'ont pour lui aucune valeur cosmologique.

56. portas. — Cf. Synésius, *hymn.* 1, 635 : ἵνα μοι φάεος πετάσωσι πύλας.

57-58. — Sur cette double connaissance, *de Christo, quid sit mundus*, cf. *adv. Ar.* IV 17,37-38 ; III 16 (= *Ioh.* 15, 26 et 16,8-10). On voit que l'ouverture des portes du ciel par l'Esprit est toute spirituelle : l'Esprit-Saint révèle à l'âme la vanité du monde et le caractère divin du Christ.

61. claves caeli. — Cf. Synésius, *hymn.* 1,630 : σοῖς/ἁγνοῖς προπόλοις/οἳ κατὰ κλεινοῦ/βένθεα κόσμου/πυρίων ἀνόδων/κληϊδοφόροι/ἵνα μοι φάεος πετάσωσι πύλας. Synésius parle de *saints serviteurs porte-clefs*, des créatures angéliques vraisemblablement. Chez Victorinus, il s'agit du Christ. La métaphore est probablement d'origine orphique, cf. Lobeck, *Aglaophamus*, p. 519 ; Proclus, *in Tim.*, Diehl, t. I, p. 101,14. Ne pas oublier en même temps les clefs du royaume des cieux, *Matth.* 16,19.

61. vince diabolum. — Cf. Synésius, *hymn.* 1,541 sq. : κηριτρέφεας/δαίμονας ὕλας/σεύων ; 2,245.

62. sede lucis. — Cf. Synésius, *hymn.* 1,601 : θρόνισόν με πάτερ/φωτὸς ἐν ἀλκᾷ/ζωηφορίου.

HYMNE TROISIÈME

Caractère général. — Comme dans l'hymne second, la division en strophes est facilitée par la présence du refrain *o beata trinitas* (qui, du point de vue métrique, pourrait être le deuxième hémistiche d'un septénaire trochaïque). Le caractère trinitaire de l'hymne impose la disposition ternaire que nous avons adoptée à l'intérieur de chaque strophe.

Il est difficile de déceler un plan précis. On peut distinguer deux parties : 1° une énumération des noms et fonctions « économiques » du Père, du Fils et de l'Esprit-Saint (1-108) ; 2° un exposé plus systématique des rapports entre les Trois, qui se fonde principalement sur la triade *substantia-forma-notio* : cet exposé est repris quatre fois (140-171 ; 172-191 ; 192-220 ; 221-251). L'hymne se termine sur trois strophes consacrées au rôle rédempteur du Christ (252-269) et sur quatre strophes de prière finale (270-285).

Comme l'hymne I (5-6), l'hymne III emploie tout particulièrement des formules d'aspect peu orthodoxe sur l'identité entre les Trois (cf. 115,139,178,184-185,190,212). C'est la notion de prédominance qui doit corriger ces formules : il y a identification entre la notion caractéristique de chaque personne (par exemple, *forma*, caractéristique du Fils) et la personne elle-même. Mais comme cette notion n'appartient à la personne que par prédominance, les autres personnes peuvent être désignées aussi par cette notion (*forma* par exemple), mais elle ne leur est pas hypostatiquement propre. Il s'ensuit que, pour dire : le Père est *aussi* (mais non par prédominance) *forma* ou *notio*, Victorinus dira : le Père est aussi Fils et Esprit-Saint, remplaçant ainsi le nom de la caractéristique personnelle par le nom de la Personne elle-même. Chaque notion est à la fois propre et commune, désignant à la fois l'Un des Trois et chacun des Trois (d'où la formule ennéadique : 248-250). Comme l'hymne I (6 et 76), l'hymne III insiste fortement sur la notion de *lien* de la Trinité, caractéristique de l'Esprit-Saint (242-246).

Il est difficile de situer plus précisément l'hymne III par rapport à l'*adversus Arium*. J'y verrais un essai contemporain de la composition des livres III et IV.

***

2-58. — De la même manière, Athanase rapproche *I Cor.* 12,4-6, de *II Cor.* 13,13, pour montrer l'indivision de la trinité et la monarchie du Père, dans *epist. ad Serap.* I 30 ; *PG* 26,600 b, trad. J. Lebon, Paris, 1947, p. 138 ; cf. *ad Serap.* III 6 ; *PG* 26,633 b. L'idée est déjà chez Origène, *in Ioh.* II 6 ; *PG* 14,129 b ; Preuschen, p. 65,29 et *de princip.* I 3,7 ; Koetschau, p. 60,19.

10-13. — *Praestator* reprend *I Cor.* 12,6 : ὁ θεὸς ὁ ἐνεργῶν τὰ πάντα ἐν πᾶσιν. *Minister* reprend *I Cor.* 12,5 rapporté au Fils (*dominus*) : διακονιῶν. *Divisor* reprend *I Cor.* 12,11 : τὸ... πνεῦμα, διαιροῦν. Sur la traduction de *minister*, cf. le sens de *ministratio* dans *ad Cand.* 29,18.

14-16. — Victorinus rapproche encore une fois *I Cor.* 12, 4-6 et 11 : si c'est le même Esprit qui opère tout, on peut appeler le Père, le Fils et l'Esprit-Saint du même nom d'Esprit, cf. *adv. Ar.* I 18,32 sq. Mais on les distinguera suivant la phase qu'ils représentent dans l'unique action divine, phase que Victorinus découvre dans les trois termes employés par saint Paul, *I Cor.* 12,4-6 : *operationes* (= Père), *ministeria* (= Fils), *gratiae* (= Esprit-Saint), et qu'il a déjà exprimée par les trois termes *praestator, minister, divisor*. L'action divine s'enracine dans le Père, s'actue et s'ordonne dans le Fils, se répand dans le monde par l'Esprit-Saint. Il est possible aussi que *ministeria* désigne les actions sacramentelles (cf. *in Ephes.* 4,12 ; 1275 c 13 : « Dono Christi instituta sunt huiusmodi et mysteria et ministeria quibus perfectio et consummatio omnium sanctorum ») et *gratiae*, les charismes spirituels, les premiers étant rapportés de préférence au Christ et les seconds à l'Esprit-Saint. Cette interprétation plus conforme à la pensée de saint Paul semble pourtant contredite par la formule *praestator, minister, divisor* qui semble bien interpréter le texte, non pas dans le sens d'une diversité de modes d'action, mais dans le sens de phases différentes d'un unique procès.

18. — Athanase lui aussi déduit l'unité de principe du même texte de saint Paul, *epist. ad Serap.* I 30 ; *PG* 26,600 b.

22. — Cf., pour le même raisonnement, *adv. Ar.* I 29,15 ; II 3,16 ; I 55,19.

26. — Cf. la profession de foi du synode des Encénies (341) dans Hilaire, *de synodis* 29 ; *PL* 10,502 b : *perfectum de perfecto.*

30-33. — Cf. *adv. Ar.* I 47,26-31 et hymn. I 49 et 59. L'image se trouve déjà chez Tertullien, *adv. Prax.* 8,7 : « Tertius a fonte rivus ex flumine », et chez Athanase, *epist. ad Serap.* I 19 ; *PG* 26,573 d.

34-37. — Cf. *hymn.* I 55. *Actio* désigne l'acte commun que chaque hypostase s'approprie, cf. *adv. Ar.* III 17,10.

40. cognitio. — Presque toujours, Victorinus emploie *intellegentia* ou *cognoscentia* pour désigner le troisième terme de cette triade. *Cognitio* ne vient probablement ici que pour assurer une assonance avec *inrigatio*, *actio*, *communicatio.*

42-58. — Athanase, qui cite le même texte de saint Paul, *epist. ad Serap.* I 30 ; 600 c, considère *caritas*, *gratia*, *communicatio* comme des dons et non comme des noms des trois hypostases. Ici *caritas* est considéré comme la source, *gratia* comme le canal, *communicatio* comme la présence de l'acte divin dans l'homme.

61. genito genitus. — La notion d'une procession de l'Esprit-Saint distincte de la génération du Fils est complètement étrangère à Victorinus. Il n'y a qu'une génération, celle d'un mouvement unique à double fonction : le Christ et l'Esprit-Saint, cf. *adv. Ar.* III 8,29. L'Esprit-Saint est donc engendré dans le Fils : il faut entendre l'ablatif *genito* au sens de « par l'intermédiaire de l'engendré ».

65. regenerans. — Dans tout l'hymne, le rôle économique de l'Esprit-Saint est fortement marqué. Cf. *adv. Ar.* I 12,32 ; I 39,16 (qui rapproche la génération de *vita* et la régénération d'*intellegentia*).

67-70. — Noms tirés de la profession de foi et, en dernière analyse, de *Ioh.* 1,9; cf. *hymn.* I 2. Idée analogue, Athanase, *epist. ad Serap.* I 19 ; *PG* 26,573 c-d.

71-74. — Cf. *hymn.* I 76.

75-78. — Le Père est invisible par sa substance et par son mode d'action : il est en lui-même, non manifesté. Le Fils est acte et forme, donc manifestation qui va d'elle-même jusqu'à la corporéité : il est donc visible, puisque, par son essence propre, il est acte et vie ; mais son mode d'action (*invisibiliter*) reste caché : visible, en tant qu'incarné, il agit invisiblement en tant que son action est divine ; ou encore il est *spiritus apertus*, l'Esprit-Saint manifesté (*adv. Ar.* III 14,21), visible en tant que manifesté, mais agissant d'une manière invisible en tant qu'Esprit.

L'Esprit-Saint est intelligence, donc retour à l'intérieur de l'être ; par son essence, il est donc invisible, puisqu'il est mouvement d'intériorisation et non plus d'extériorisation ; mais, s'il n'agit plus dans le monde visible, mais à l'intérieur des âmes, son action est encore manifestation : il révèle le Fils, il est *Iesus occultus*, Jésus caché dans les âmes, invisible en tant que caché dans l'intérieur, mais visible en tant que manifestant ; cf. *adv. Ar.* I 12,13-32 n.

79-82. — Sur le rapport du Père au Fils comme *potentia-actio*, cf. *adv. Ar.* I 50,27 et II 3,34. *Agnitio* marque la reconnaissance de la puissance par l'acte, cf. *adv. Ar.* I 57,9-21.

83-86. — Type de formule analogue à 75-78. Mais, cette fois, c'est le Fils qui est *inpassibilis passibiliter.* Le Fils est en effet *inpassibilis* en tant que Logos, *passibilis* en tant qu'incarné, cf. *adv. Ar.* I 22,49 ; I 44,36 ; I 47,20 (*inpassibiliter patientem* : on voit que la formule ne doit pas être prise trop à la lettre). Quant à l'Esprit-Saint, il est *passibilis inpassibiliter.* On comprend que Victorinus reconnaisse dans l'Esprit-Saint un aspect de passibilité tout extérieur, puisqu'il est reçu différemment dans les âmes. Mais on ne voit pas clairement pourquoi il est *passibilis inpassibiliter* plutôt qu'*inpassibilis passibiliter*, sinon pour assurer la symétrie de la formule.

87-90. — Cf. Tertullien, *adv. Prax.* 8,7 : « Tertius a radice fructus ex frutice. »

91-94. — Souvenir de *Rom.* 11,36 et peut-être de la profession de foi du synode des Encénies (341) dans Hilaire, *de synodis* 29 ; *PL* 10,502 b : *de quo omnia... per quem omnia.* La répétition d'*unus* annonce la strophe suivante.

95-100. — Emploi indifférent au masculin et au neutre du nom divin *Un-Seul*, cf. *Corp. Herm.* IV 1 ; Nock-Festugière, t. I, p. 49,4 ; IV 5, p. 51,6 ; IV 8, p. 52,11.

97. ex uno unus. — Cf. la profession de foi du synode des Encénies, dans Hilaire, *de synodis* 29 ; *PL* 10,502 b : *unum ex uno.* Sur le rapport entre les deux Uns, cf. *hymn.* I 7-16.

98-99. — L'Esprit est force unifiante à la fois en la trinité et dans les êtres. Cf. *hymn.* I 4-6.

101-104. — Cette strophe reprend en partie 59-66, mais insiste sur l'éternité. *Ex aeterno genite* rappelle ἀειγενής d'Alexandre d'Alexandrie, cf. Cand. II 1,23 et *adv. Ar.* I 34,7. Ici encore l'Esprit-Saint est appelé *genite* et distingué du Fils uniquement par son rôle économique qui consiste à communiquer les dons divins, ici l'éternité.

105-108. — Cf. *adv. Ar.* I 59,8 : « Deus in potentia et in occulto movet et inperat omnia. » L'idée est également exprimée *ad Cand.* 22, où le Père apparaît comme volonté créatrice et le Fils comme acte créateur. Pour *recreas*, cf. 65 : *regenerans* et 119 : *reformatio*. L'hymne semble opposer à la fonction cosmologique et vivificatrice du Fils l'action sanctificatrice et réparatrice de l'Esprit-Saint qui ramène la création vers le Père et lui redonne ainsi une forme nouvelle. Idée analogue, Basile, *de spiritu sancto* XVI 38 ; *PG* 32,136 c : « Le Seigneur qui ordonne, la Parole qui crée, le Souffle qui affermit. Or qu'est-ce qu'affermir, sinon parfaire en sainteté » (trad. B. Pruche, p. 177).

109-251. — A partir de maintenant le rythme de l'hymne change : sans doute, il s'agit toujours d'un rythme ternaire, groupant par trois les noms des hypostases ; mais les strophes se font plus longues, sont consacrées à une seule hypostase à la fois ; le raisonnement devient plus important et la démonstration s'étale sur plusieurs strophes. Les deux triades principalement étudiées ici par Victorinus, sont *substantia, vita, salvatio* (109-134) et *substantia, forma, notio* (135-251), formules d'ailleurs très proches. Dans les deux cas, Victorinus s'efforce de montrer que chaque notion implique les autres, que les Trois sont en chacun des Trois.

109-134. — La clef de tout ce développement est *salvatio* qui ne signifie pas ici salut, mais conservation de l'être, permanence de la forme et de l'essence. On peut comparer avec *adv. Ar.* I 56,28-35, où l'on retrouve la vie, infinie par soi, emportée par son mouvement infini vers la corporéité et l'incarnation, donc la mort. Mais la connaissance convertit ce mouvement de la vie, la ramène à elle-même ; et comme vie et connaissance sont un seul et unique mouvement, on peut dire que la vie est *salvans et salvata a semetipsa*, c'est-à-dire qu'elle se garde, qu'elle se maintient elle-même. La *salvatio* est donc l'autodélimitation de la vie par la connaissance. *Substantia, vita, salvatio*, impliquent chacune à la fois la Limite et l'Infini, puisqu'elles sont les phases d'un unique mouvement d'autodélimitation. La trinité divine est la source de ce mouvement (et de cette triade) chez les êtres, mais elle est formée elle-même de ces trois phases.

113-116. — Cette strophe précise bien le sens de *salvatio* : la vie est *salvatio* parce qu'éternelle. C'est donc bien l'idée de permanence qui est ici sous-jacente. Les notions chrétiennes de vie éternelle et de salut sont transposées dans le vocabulaire métaphysique. En *adv. Ar.* I 56,28-35 et III 8,17, la vie devient parfaite et éternelle par la connaissance et est ainsi *salvans et salvata.* On retrouvera des affirmations analogues aux lignes 139,178,190,212 ; l'implication qui se révèle exister entre les trois notions qui désignent le Père, le Fils et l'Esprit-Saint, conduit à conclure que le Père est aussi Fils et Esprit-Saint, etc., c'est-à-dire que chacun est les Trois. Cf. *adv. Ar.* III 16,16-20.

117-120. — *Reformatio* représente, comme *salvatio,* une idée assez isolée chez Victorinus. Si le Père donne l'être aux existants (cf. *adv. Ar.* I 52,11), si le Fils donne la forme (cf. *adv. Ar.* I 49,26), le don propre de l'Esprit-Saint, l'intelligence, n'est pas appelé *reformatio* dans le reste de l'œuvre de Victorinus. Pourtant l'assimilation de l'intelligence à une *reformatio* doit avoir été le fait d'une source commune à Victorinus et à saint Augustin, car nous retrouvons dans le *de vera religione* 55,113 un rapprochement analogue entre sagesse et réformation : « Unum deum quo creatore *vivimus,* per quem *reformati sapienter* vivimus, quem diligentes et quo fruentes beate vivimus. » Il se produit ici une sorte de décalage que l'on peut résumer de la manière suivante :

	Père	Fils	Esprit-Saint	
Victorinus :	esse	forma (vita)	reformatio (intellegentia)	
Augustin :		Père unum deum quo *creatore* *vivimus*	Fils per quem *reformati* *sapienter* vivimus	Esprit-Saint quo *fruentes* *beate* vivimus.

Ainsi, point commun : Augustin et Victorinus identifient *reformatio* et *intellegentia* ; point de divergence : Victorinus les rapportent à l'Esprit-Saint, Augustin au Fils. Sur l'identification *intellegentia-beatitudo* chez Victorinus, cf. *adv. Ar.* I 50,11.

Reformatio identifié à la sagesse me semble assez proche du sens stoïcien qu'il a chez Sénèque, *epist.* 58,26 : le redressement moral. La sagesse opère une *conversion* à la fois morale et métaphysique de la vie.

121-134. — Sur la notion de Père de la Limite et de l'Infini, cf. Proclus, *in Tim.*, Diehl, t. I, p. 385,18, qui interprète Platon, *Phileb.* 23 c 9 : « Dieu a manifesté dans les êtres la limite et l'illimité », dans le sens d'une production de la Limite et de l'Infini par l'Un, cf. A.-J. Festugière, *Le Dieu inconnu*, p. 32-36 (ajouter Proclus, *theol. plat.*, Portus, p. 132,32). Le texte présent de Victorinus atteste donc l'existence de cette exégèse dès le IVe siècle : l'unité est le Père de la Limite et de l'Infini; d'où la strophe 131-134 : *ter pater unitas* ; les Trois sont la même unité, qui est Père de la Limite et de l'Infini. D'où le jeu de mots : *paternitas* (pater + unitas), que l'on retrouverait chez Damascius, *dubit. et solut.* 117 ; Ruelle, t. I, p. 303,1 : πατριάδα si l'on admet la conjecture de Chaignet (Damascius, t. II, p. 100, n. 4) ; Ruelle lit πατρίδα.

123. — Même liaison entre la vie et l'infini, *adv. Ar.* I 56,36, entre le Fils et le rappel de la vie, de la mort à la vie, *adv. Ar.* I 57,3. La vie qu'est le Fils a déjà en elle le mouvement de conversion qui sera propre à l'Esprit-Saint, et en cela, elle engendre à la fois de l'infini (mouvement vers l'incarnation) et du fini (retour de la vie vers sa source).

128. definito. — La leçon de *A*^{ac} *definitio* pourrait représenter un autre nom de *salvatio* : « Parce que la définition contient (dans les deux sens du mot) l'infini, tu es Père de l'Infini et du Fini. » Pour l'idée, cf. *adv. Ar.* IV 19, 30-37. Mais le mot *definitio*, ici mal attesté paléographiquement, n'est employé nulle part ailleurs en ce sens par Victorinus. Il faut plutôt comprendre *definito* comme désignant la Limite qui contient l'Infini.

131-134. — Les Trois sont chacun Père de la Limite et de l'Infini, donc chacun unité : « paterunité », suivant le jeu de mots signalé plus haut 121-134 n. Mais d'après *Eph.* 3, 15, toute paternité provient de Dieu. Grâce à ce rapprochement entre Écriture et langage platonicien, Victorinus conclut que Dieu ne fait qu'un avec la paternité (paterunité) qui provient de lui. Commentant ce texte des Éphésiens, *in Ephes.* 3,15 ; 1268 b-c, Victorinus interprète également *omnis paternitas* comme se rapportant au Christ.

135-140. — La strophe expose comment Dieu est devenu Trois en Trois (cf. 113-116 n.). 1re phase : Dieu procrée le Logos ; il devient Père. 2e phase : le Logos devient Dieu. 3e phase : l'unité Père-Logos est scellée par l'Esprit-Saint (qui est donc, pour cela, lui-même, Dieu et Logos). Conclusion : dans les Trois, Esprit, Logos, Dieu, il y a les Trois, Esprit, Logos, Dieu.

135. creasti. — *Creare* n'a pas chez Victorinus un sens technique, qui l'opposerait rigoureusement à *gignere* (cf.

in Galat. 4,27; 1186 c 15 : « Sine dolore etenim tibi filii *creantur* »).

138. duo unum. — Cf. *adv. Ar.* I 49,2.

138. iunxisti. — Il faut corriger *unxisti* AΣ en *iunxisti*, car 1° *unxisti* ne s'accorde pas avec le contexte ; 2° il n'est employé nulle part ailleurs par Victorinus ; 3° *iungere* (*hymn.* I 67) et des synonymes de *iungere*, *conectere*, *conplexio* (*hymn.* III 243-247) sont appliqués à l'Esprit-Saint.

141-251. — Même étude successive de λόγος et ὄν en *ad Cand.* 2-16 et 16-23 ; *adv. Ar.* IV 19. Mais la dénomination d'ὄν, appliquée au Père, au Fils et à l'Esprit-Saint, rappelle *adv. Ar.* II 4,29. Le développement présent ne définit plus seulement l'ὄν comme *esse formatum* (*adv. Ar.* II 4,10) mais comme *substantia formata* et *nota.* C'est en fait la même doctrine puisque l'ὄν est défini, *adv. Ar.* II 4,10 : « *Forma* quaedam in *notitiam* veniens. »

146. omne. — Signifie ici plutôt *tout* existant, que l'existant *universel.*

156. ὂν verum. — Cf. *adv. Ar.* I 49,36-40.

160. universalis. — Reprend *omnis et tota* et désigne la totalité, l'achèvement, non l'universalité logique. Quand la substance est complète, elle est déterminée, formée ; la forme est donc inséparable de la substance, et si la substance est Dieu, le Christ est aussi Dieu.

164-165. totius exsistentiae demonstratio. — Cf. *adv. Ar.* I 31,35 et I 53,12, même liaison avec *forma. Totius* aussi a le sens d'achèvement : la substance n'est achevée, que si elle se révèle ; sa révélation est son achèvement. On peut se demander si *exsistentia* a ici un sens technique (= ὕπαρξις) : dans ce cas l'existence achevée est substance, cf. *adv. Ar.* I 30,21-26 et l'existence devient substance, quand elle s'est extériorisée dans la vie et intériorisée dans l'intelligence. Mais *exsistentia* peut être aussi bien ici un équivalent de *substantia.*

167. nosse. — Cf. *adv. Ar.* IV 29,7-8.

169. habet. — Cf. *Ioh.* 16,15 ; *adv. Ar.* I 13,36 ; I 19,47.

172-191. — Reprise de la triade *substantia-forma-notio* étudiée dans les strophes précédentes, mais avec une insistance plus marquée sur le *Logos* et surtout sur l'implication réciproque du Père, du Fils et de l'Esprit-Saint.

172. inmensus. — Cf. *hymn.* I 11 ; *adv. Ar.* IV 24,28.

175. — Même affirmation de la présence d'une forme, d'un Logos, d'une connaissance identifiés à l'être, *adv. Ar.* IV 19-24.

178. id. — Peut-être (cf. 212) faut-il corriger *id* en *idem*. Mais *id* (A. Ernout-F. Thomas, *Syntaxe latine*, p. 23, § 36) peut avoir le sens d'un accusatif de relation.

180. visibilis. — Cf. 76.

181. fit forma de vita. — Même insistance sur le caractère formateur de la vie qui donne à chaque existant sa forme propre, en *adv. Ar.* IV 11,4-6. Source de forme, le Fils, vie, est donc forme universelle.

184-185. — Cf. 151-154.

187-191. — Reprise de 164-170. *Cognoscis deum*, cf. *I Cor.* 2,11.

192-195. — Cette triade doit se comprendre en partant de la définition de l'Esprit-Saint : se révéler être l'esprit. On a vu plus haut (165) que l'Esprit-Saint est *totius exsistentiae demonstratio*. Se révéler être l'Esprit est donc l'achèvement de la substance divine et, puisque l'Esprit-Saint révèle le Père et le Fils, il faudra identifier être l'Esprit au Père et au Fils. Ainsi le Père sera l'être, le Fils la détermination de l'être, donc l'être-Esprit. La formule revient à dire que tous trois sont *Esprit* (*adv. Ar.* I 55,1-16), mais que c'est l'Esprit-Saint qui est Esprit par prédominance : se révéler comme Esprit ou être plus Esprit sont deux expressions équivalentes, cf. *adv. Ar.* II 3,41.

194. apparere quod sit spiritus. — *Quod sit* signifie *le fait d'être* (plutôt que *ce qu'est*) l'Esprit.

196-199. — Relations d'origine et de révélation, cf. Athanase, *epist. ad Serap.* I 32 ; *PG* 26,605 c.

200-225. — Toujours la même triade : *substantia*, *forma*, *notio*, avec insistance, cette fois, sur l'opposition du caché et du révélé (développement de l'idée de révélation introduite aux strophes précédentes, 192-199). Victorinus fait en somme un nouvel effort pour exprimer avec plus de plénitude son leitmotiv (apparent depuis la ligne 113) : l'unité de la substance divine est assurée par le fait que chacun de ses trois moments est lui-même les trois moments, que chaque individualité y est triple. Le Père est les Trois, mais sous un mode non manifesté, le Fils est les Trois, sous un mode manifesté, l'Esprit-Saint également, mais son rôle économique est différent de celui du Fils.

203. προόν. — Cf. *ad Cand.* 2,28 et 14,23. Le Préexistant, c'est l'Existant encore caché.

205-207. — Explication du caractère substantiel de la forme : la forme de la substance (= du Père) doit être elle-même substance, cf. *adv. Ar.* I 53,11-13.

218. — Cf. 65.

221-225. — Il y a donc une seule substance, mais qui est trois fois dans les Trois, une seule forme, mais trois fois dans les Trois, etc. L'ennéade est triade, par la prédominance d'un élément en chaque triade.

224. singularitas. — Cf. *hymn.* I 29.75 et 77 ; *adv. Ar.* IV 21,30.

226-251. — Développement exactement parallèle à 200-225 et à 173-191. Le développement présent semble additionner les dénominations successivement énumérées dans les strophes précédentes, par exemple l'incognoscibilité du Père, son caractère de forme sans forme, de préexistant. Un seul élément nouveau, l'Esprit-Saint est conjonction, lien.

226-231. — Cf. *adv. Ar.* IV 23,18-27 (*incomprehensibilis*, προόν).

230. cessantis cognoscentiae. — Cf. *adv. Ar.* IV 24,13. Il est probable que le mot *noscentia* remplace ici *notio* exigé par la symétrie avec les strophes précédentes. La forme de la connaissance ne peut être que celle d'une connaissance confondue avec l'être même.

232-235. — Cf. 205-207.

239. ἐκ τοῦ ὄντος τὸ ὄν. — Dirigé contre les ariens qui affirmaient l'origine du Fils à partir du néant.

239-240. — Chacun des Trois doit être les Trois pour être existant total : la réalité du Père, du Fils, de l'Esprit exige leur implication réciproque ; chacun doit être en même temps, substance, forme et notion.

242-247. — Le rôle économique de l'Esprit-Saint, lien de l'univers (*hymn.* I 6) présuppose son rôle dans la vie trinitaire : il relie la forme à la substance, il est leur lien substantiel (cf. 139). *Conexio* et *conplexio* sont très probablement deux traductions du même mot grec : συμπλοκή, désignant la copule reliant le prédicat au sujet et, d'une manière générale, toute liaison de notions. J'ai traduit *conexio* par *conjonction* pour laisser au mot sa pluralité de sens, grammatical, logique, physique. On peut comparer avec Augustin, *de trinit.* XI 7,12 : « Voluntas utrumque coniungens et ex utroque ac tertia se ipsa unum aliquid complens. » Voir les remarques de W. Theiler, *Die chaldaische Orakel*, p. 9.

246. nihil distans uno. — De soi l'union n'est pas l'unité, cf. *adv. Ar.* I 50,20 ; IV 2,6. Ici, l'idée fondamentale étant que chacun des Trois *est* les Trois, on peut dire que l'Esprit, copule, unit en *étant* les deux et lui-même.

250. — Cf. *hymn.* I 55.

252-258. — L'économie de l'Incarnation reproduit l'économie trinitaire : le Père envoie le Logos, et celui-ci l'Esprit-Saint, cf. 196-199.

252. ministrat. — Désigne l'action de diriger et d'accomplir l'économie du salut, le mystère, cf. *ad Cand.* 29,18.

256. — La mission de l'Esprit-Saint est liée au retour du Christ auprès du Père, cf. *adv. Ar.* III 14. Sur la descente et la remontée du Christ, cf. *in Ephes.* 4,10 ; 1274 b-c.

256. sese. — Il faut corriger *esse* AΣ en *sese*, si l'on compare avec *hymn.* I 63 : « Inter parentem et *sese alterum.* »

259-265. — La problématique de l'Incarnation pose la question de la préexistence du Christ ; réponse : le Christ est vie, donc acte, donc à la fois engendré (ayant une origine) et éternel (puisque acte d'un Dieu qui agit toujours). Cf. *hymn.* II 15-22.

268. — *Ab homine*, formule attribuée aux photiniens, *adv. Ar.* I 21,34 ; cf. I 6,10 : le Christ n'existerait qu'à partir du moment où il est engendré par l'homme, comme homme ; il n'y aurait pas de préexistence éternelle du Christ. Contre eux, Victorinus affirme que l'homme n'est pas pour le Christ, un point d'origine, mais un point d'aboutissement. Les photiniens faisaient une distinction entre le Logos qui s'étendait jusqu'à l'humanité (cf. Hilaire, *de syn.* 45 ; *PL* 10,514 d 1 : « *Usque ad* sanctam virginem substantiae dilatatione protendere ») et le Christ qui commençait seulement à partir du moment où le Logos touchait l'humanité. Victorinus insiste sur le fait que c'est le Christ lui-même qui s'étend jusqu'à l'humanité, c'est-à-dire qui préexiste à l'incarnation. Il s'appuie pour cela sur *Eph.* 4. 10 : si celui qui remonte aux cieux (= le Christ) est le même que celui qui en descend (= le Logos), il y a bien identité entre le Christ et le Logos et préexistence éternelle du Christ.

270-285. — La prière finale prend elle-même un caractère ternaire : on peut rapporter (279) la vie au Fils, la paix et la gloire à l'Esprit-Saint.

OUVRAGES CITÉS DANS LE COMMENTAIRE

Cet index est destiné à compléter les références bibliographiques, présentées d'une manière abrégée dans le commentaire. Je n'ai donc pas signalé ici les auteurs cités selon la manière traditionnelle : Platon, Aristote ; ou selon le système commode des numéros de livre, chapitre et paragraphe : Cicéron, Augustin, Ambroise, Marc-Aurèle — sauf le cas où mes références se rapportaient à une édition déterminée. De même, je n'ai pas énuméré ici les ouvrages cités selon le tome et la colonne de la *Patrologie grecque* (*PG*) ou *latine* (*PL*).

CAG = Commentaria in Aristotelem Graeca, Berlin.
CSEL = Corpus scriptorum ecclesiasticorum latinorum, Vienne.
GCS = Die Griechischen Christlichen Schriftsteller der ersten drei Jahrhunderte, Leipzig-Berlin.
SC = Sources Chrétiennes, Paris.
TU = Texte und Untersuchungen zur Geschichte der altchristlichen Literatur, Leipzig-Berlin.

Albinus, *Didascalicos* = C. F. Hermann, *Platonis Dialogi*, V, Leipzig, Teubner, 1873, p. 152-189.

Alès (A. d'), « Les ailes de l'âme », dans *Ephemerides theologicae Lovanienses*, t. X, 1933, p. 63-72.

Alexandre d'Aphrodise, *De anima*, éd. I. Bruns, *CAG*, *Supplementum aristotelicum* II 1, Berlin, Reimer, 1887.

Altheim (Fr.), *Aus Spätantike und Christentum*, Tübingen, Niemeyer, 1951.

Ambroise de Milan, *De Isaac* = Ambrosii, *Opera* I, éd. C. Schenkl, *CSEL* 32, Vienne, Tempsky, 1897.

— *De sacramentis* = Ambroise de Milan, *Des sacrements, des mystères*, éd. B. Botte, *SC* 25, Paris, Éditions du Cerf, 1950.

— *In Lucam* = Ambroise de Milan, *Traité sur l'Évangile de saint Luc*, I et II, texte latin, introd., trad. et notes de G. Tissot, *SC* 45 et 52, Paris, Éditions du Cerf, 1958.

Ammonius, *In Aristotelis de interpretatione commentarius*, éd. A. Busse, *CAG* IV 5, Berlin, Reimer, 1897.

Anonymus Taurinensis (Commentaire anonyme sur le Parménide) = W. Kroll, « Ein neuplatonischer Parmenidescommentar in einem Turiner Palimpsest », dans *Rheinisches Museum*, 47, 1892, p. 599-627.

Apocryphon Johannis, cf. W. Till.

Apulée, *De Platonis dogmate* et trad. du Pseudo-Aristote, *De mundo* = Apulei Madaurensis, *Opuscula quae sunt de philosophia*, Recensuit A. Goldbacher, Vienne, Gerold, 1876.

Aristote, *Fragmenta selecta*, éd. W. D. Ross, Oxford, Clarendon Press, 1955.

Aristote (Pseudo-), *De mundo*, éd. W. L. Lorimer, Paris, Les Belles-Lettres, 1933.

Arnobe, *Adversus nationes libri VII*, éd. A. Reifferscheid, *CSEL* 4, Vienne, Gerold, 1875.

Asclepius, *In Aristotelis metaphysicorum libros A-Z commentaria*, éd. M. Hayduck, *CAG* VI 2, Berlin, Reimer, 1888.

Asclepius, voir Corpus Hermeticum.

Athanase, *De decretis Nicaeni synodi* et *de synodis* = Athanasius *Werke*, éd. H. G. Opitz, II 1, Berlin, de Gruyter, 1935-1940.

— *Contra gentes* et *De incarnatione verbi*, trad. = Athanase, *Contre les Païens et sur l'Incarnation du Verbe*, introd., trad. et notes de P. Th. Camelot, *SC* 18, Paris, Éditions du Cerf, 1947.

— *Epistolae ad Serapionem*, trad. = Athanase, *Lettres à Sérapion sur la divinité du saint Esprit*, introd. et trad. de J. Lebon, *SC*. 15, Paris, Éditions du Cerf, 1947.

Athanase (Pseudo-), *Contra arianos* IV = A. Stegmann, *Die Pseudoathanasianische IVte Rede gegen die Arianer als* κατὰ Ἀρειανῶν λόγος, *ein Apollinarisgut*, Rottenburg, Bader, 1917.

Augustin, *De civitate Dei libri XXII*, éd. B. Dombart, 2 vol., Leipzig, Teubner, 1863.

— *De trinitate*, trad. = Augustin, *La Trinité* (livres I-VII),Texte de l'édit. bénéd., trad. et notes par M. Mellet et Th. Camelot, Introd. par E. Hendrikx, *Bibliothèque augustinienne*, Œuvres de saint Augustin, 15, Paris, Desclée de Brouwer, 1955.

Bardy (G.), *La question des langues dans l'Église ancienne*, Paris, Beauchesne, 1948.

Basile de Césarée, *De spiritu sancto*, trad. = *Traité du Saint-Esprit*, introd., trad. et notes de B. Pruche, *SC* 17, Paris, Éditions du Cerf, 1947.

— *Epistolae* = *Lettres*, t. I, texte établi et traduit par Y. Courtonne, Paris, Les Belles-Lettres, 1957.

Baus (K.), *Der Kranz im Antike und Christentum*, Theophaneia 2, Bonn, Hanstein, 1940.

Benz (E.), *Marius Victorinus und die Entwicklung der abendländischen Willensmetaphysik*, Forschungen zur Kirchen- und Geistesgeschichte, I, Stuttgart, Kohlhammer, 1932.

Beutler (R.), Article *Numenios*, dans *Paulys Realencyclopädie*, Supplementband 7, 1940, col. 664-677.

— Article *Plutarchos von Athen*, *Paulys Realenc.*, 21, 1951, col. 962-975.

Blaise (A.), *Dictionnaire latin-français des auteurs chrétiens*, Strasbourg, Le latin chrétien, 1954.
— *Manuel du latin chrétien*, *ibid.*, 1955.
Boèce, *In Isagogen Porphyrii commenta*, éd. G. Schepps-S. Brandt, *CSEL* 48, Vienne, Tempsky, 1906.
— *Quod substantiae in eo quod sint bonae sint* = A. M. S. Boetii, *Philosophiae consolationis libri quinque accedunt... opuscula sacra*, éd. R. Peiper, Leipzig, Teubner, 1871.
Bonitz (H.), *Index aristotelicus*, sec. editio, Graz, Akademische Druck, 1955.
Bouillet (M. N.), *Les Ennéades de Plotin*, trad. fr., notes et éclaircissements, 3 tomes, Paris, Hachette, 1857-1861.
Boulgakov (S.), *Le Paraclet*, trad. C. Andronikof, Paris, Aubier, 1946.
Bréhier (É.), cf. Plotin.
— *Études de philosophie antique*, Paris, Presses univ. de France, 1955.
— *Les idées philosophiques et religieuses de Philon d'Alexandrie*, Paris, Vrin, 1907.
Buresch (K.), 'Απόλλων Κλαρίος, *Untersuchungen zum Orakelwesen des späteren Altertums*, Leipzig, Teubner, 1889.
Butler (E. C.), « The New Tractatus Origenis », dans *Journal of Theological Studies*, 2, 1900, p. 117.
Cadiou (R.), *La jeunesse d'Origène*, Paris, Beauchesne, 1936.
Caelius Aurelianus, *De acutis et chronicis morbis* = *On acute diseases and on chronic diseases*, éd. I. E. Drabkin, Chicago, University press, 1950.
Caspari (C. P.), *Kirchenhistorische Anecdota nebst neuen Ausgaben patristicher und kirchlich-mittelalterlicher Schriften*, Christiania, 1883.
Chaignet (A. Ed.), cf. Damascius.
Chalcidius, *Platonis Timaeus interprete Chalcidio cum eiusdem commentario*, éd. I. Wrobel, Leipzig, Teubner, 1876.
Cicéron = *M. Tullii Ciceronis Scripta quae manserunt omnia*, recognovit C. F. Müller, Leipzig, Teubner, 1878-1897.
Clément d'Alexandrie, *Protrepticos*, éd. O. Stählin, *GCS* 12, Leipzig, Hinrichs, 1905.
— *Stromata*, éd. O. Stählin, *GCS* 15 et 17, *ibid.*, 1905-1906.
— *Extraits de Théodote*, *SC* 23, Paris, Éditions du Cerf, 1948.
Corpus Hermeticum, éd. A. D. Nock et A. J. Festugière, I-IV, Paris, Les Belles-Lettres, 1945-1954.
Courcelle (P.), *Les lettres grecques en Occident de Macrobe à Cassiodore*, Paris, Boccard, 1943.
— « Quelques symboles funéraires du néoplatonisme latin », dans *Revue des études anciennes*, 46, 1944, p. 65-93.
— « Plotin et saint Ambroise », dans *Revue de philologie*, 76, 1950, p. 29-56.
— « Les sages de Porphyre et les viri novi d'Arnobe » dans *Revue des études latines*, 31, 1953, p. 257-271.

CUMONT (F.), *La théologie solaire du paganisme romain*, Mémoires de l'Acad. des Inscr. et Belles-Lettres, XII 2, Paris, 1909.

DAMASCIUS, *Dubitationes et Solutiones de primis principiis, in Platonis Parmenidem*, éd. C. E. Ruelle, I-II, Paris, Klincksieck, 1889.

— *Problèmes et solutions touchant les premiers principes*, trad. de A. Ed. Chaignet, I-III, Paris, Leroux, 1898.

DANIÉLOU (J.), *Origène*, Paris, La Table ronde, 1948.

DEBRUNNER (A.), *Griechische Wortsbildungslehre*, Heidelberg, Winter, 1917.

DENYS (Pseudo), *Œuvres complètes*, trad., préface et notes de M. de Gandillac, Paris, Aubier, 1943.

DE VOGEL (C. J.), « Platon a-t-il ou n'a-t-il pas introduit le mouvement dans son monde intelligible », *Actes du XI*e *Congrès international de Philosophie*, t. XII, p. 61-67, Bruxelles, 1953.

DEXIPPE, *In Aristotelis categorias commentarius*, éd. A. Busse, *CAG* IV 2, Berlin, Reimer, 1888.

DIELS (H.), Cf. DOXOGRAPHI et VORSOKRATIKER.

DIETRICH (E. L.), « Der Urmensch, als androgyn », dans *Zeitschrift für Kirchengeschichte* 56, 1939, p. 297-345.

DINNEEN (L.), *Titles of address in Christian Greek Epistolography to* 527 *A. D.*, Catholic University of America, Patristic Studies, XVIII, Washington, 1929.

DIOGÈNE LAËRCE, *De clarorum philosophorum vitis, dogmatibus et apophthegmatibus libri decem*, éd. C. G. Cobet, Paris, Didot*t*, 1878.

DODDS (E. R.), « The Parmenides of Plato and the Origin of the Neoplatonic One », dans *Classical Quarterly*, 22, 1928, p. 129-143.

DOERRIE (H.), ΥΠΟΣΤΑΣΙΣ, *Nachrichten der Akademie der Wissenschaften in Göttingen*, I, Philologische-historiche Klasse, 1955, p. 35-92.

DOXOGRAPHI GRAECI, éd. H. Diels, editio iterata, Berlin et Leipzig, De Gruyter, 1929.

DU PLEIX (Scipion), *Métaphysique*, Rouen, Loudet, 1645.

ELIAS, *In Porphyrii Isagogen et Aristotelis categorias commentaria*, éd. A. Busse, *CAG* XVIII 1, Berlin, Reimer, 1900.

ERNOUT (A.) et THOMAS (F.), *Syntaxe latine*, Paris, Klinksieck, 1951.

ÉPIPHANE, *Panarion*, éd. K. Holl, t. III, *CGS* 37, Berlin-Leipzig, Hinrichs, 1933.

ETYMOLOGICON MAGNUM, éd. Th. Gaisford, Oxford, Typographeum academicum, 1848.

EUSÈBE DE CÉSARÉE, *Praeparatio evangelica*, éd. K. Mras, I et II, *CGS* 43, 1-2, Berlin, Akademie-Verlag, 1954-1956.

— *De ecclesiastica theologia*, éd. E. Klostermann, *CGS* 14, Leipzig, Hinrichs, 1906.

FAVONIUS EULOGIUS, *Disputatio de somnio Scipionis*, éd. A. Holder, Leipzig, Teubner, 1901.

FEDER (A. L.), cf. HILAIRE.

FESTUGIÈRE (A. J.), *La révélation d'Hermès Trismégiste*, t. IV, *Le Dieu inconnu et la gnose*, Paris, Gabalda, 1954.

Fortunatianus, *Artis rhetoricae libri tres*, éd. C. Halm, *Rhetores latini minores*, Leipzig, Teubner, 1863.

Frassinetti (P.), « Le Confessione agostiniane e un inno di Mario Vittorino », dans *Giornale italiano di Filologia* 2, 1949, p. 50-59.

Galien, *De typis* et *De tremore* = *Opera omnia*, éd. C. G. Kühn, t. VII, Leipzig, 1824.

Gandillac (M. de), *La philosophie de Nicolas de Cues*, Paris, Aubier, 1941.

Ghellinck (J. de), « L'histoire du symbole des apôtres. A propos d'un texte d'Eusèbe », dans *Recherches de science religieuse*, 18, 1928, p. 118-125.

Gilson (E.), *L'être et l'essence*, Paris, Vrin, 1948.

Goldschmidt (V.), *Le système stoïcien et l'idée de temps*, Paris, Vrin, 1953.

Gummerus (J.), *Die homöousianische Partei bis zum Tode des Konstantius, ein Beitrag zur Geschichte des arianischen Streites in den Jahren* 356-361, Leipzig, Deichert, 1900.

Hilgard (A.), *Scholia in Dionysii Thracis artem grammaticam*, *Grammatici graeci* III, Leipzig, 1901.

Hadot (P.), « Cancellatus respectus. L'usage du chiasme en logique » dans *Archivum latinitatis Medii Aevi* (Bulletin du Cange), 24, 1954, p. 277-282.

— « De lectis non lecta conponere (Marius Victorinus, adversus Arium II 7). Raisonnement théologique et raisonnement juridique », *Studia Patristica*, I (*TU* 63), Berlin, Akademie Verlag, 1957.

Harder (R.), cf. Plotin.

Harnack (A.), *Lehrbuch der Dogmengeschichte*, I-III, Fribourg en Brisgau, Siebeck, 1886-1892.

Hennecke (E.), *Neutestamentliche Apokryphen*, Tübingen, Mohr, 1904.

Henry (P.), *Plotin et l'Occident*, Louvain, Spicilegium sacrum Lovaniense, 1934.

— Article *Kénose*, Supplément au *Dictionnaire de la Bible*, t. V, Paris, Letouzey, 1951.

Héracléon, *Fragmenta*, éd. A. E. Brooke, *Texts and Studies*, Contributions to Biblical and Patristic litterature edited by J. Armitage Robinson, vol. I, n. 4, Cambridge, 1891.

Hérodianus = Herodiani Technici *Reliquiae*, I et II, éd. A. Lentz, Leipzig, Teubner, 1867-1870.

Hilaire, *Fragmenta* = *Collectanea antiariana Parisina*, éd. A. L. Feder, *CSEL* 65, Vienne, Tempsky, 1916.

— *Hymni*, éd. A. L. Feder, *CSEL* 65, *ibid.*, 1916.

— *Tractatus super psalmos*, éd. A. Zingerle, *CSEL* 22, *ibid.*, 1891.

Hippolyte, *Contra haereses* = Hippolyte, *Contre les hérésies*, Étude et édition critique par P. Nautin, Études et textes pour l'histoire du dogme de la Trinité, 2, Paris, 1949.

Hippolyte (Pseudo-), *Philosophoumena* (= *Elenchos*), éd. P. Wendland, *GCS* 26, Leipzig, Hinrichs, 1916.

HUBER (G.), *Das Sein und das Absolute. Studien zur Geschichte der ontologischen Problematik in der spätantiken Philosophie*, Studia Philosophica, Supplementum 6, Bâle, Verlag für Recht und Gesellschaft AG, 1955.

IRÉNÉE, *Adversus haereses*, éd. W. W. Harvey, I et II, Cambridge, Typographeum Academicum, 1857.

— *Demonstratio evangelica*, trad. allemande de K. Ter-Mekerttschian et E. Ter-Minassiantz, *TU* 31,1, Leipzig, Hinrichs, 1907.

JAMBLIQUE, *De communi mathematica scientia liber*, éd. N. Festa, Leipzig, Teubner, 1891.

— *De mysteriis liber*, éd. G. Parthey, Berlin, Nicolai, 1857.

— *In Nicomachi Arithmeticam introductionem*, éd. H. Pistelli, Leipzig, Teubner, 1894.

— *Theologoumena arithmeticae*, éd. V. de Falco, Leipzig, Teubner, 1922.

JULIEN L'EMPEREUR, *De Constance ou de la Royauté* = *Discours de Julien César*, éd. et trad. J. Bidez, Paris, Les Belles-Lettres, 1932.

— *Orationes* = IULIANI IMPERATORIS *quae supersunt... omnia*, éd. F. C. Hertlein, I et II, Leipzig, Teubner, 1875-1876.

JULIUS VICTOR, *Ars rhetorica*, éd. C. Halm, *Rhetores latini minores*, Leipzig, Teubner, 1863.

JUSTIN (Pseudo-), *Expositio rectae fidei*, éd. J. K. Th. von Otto, *Corpus apologetarum christianorum saeculi secundi*, t. III, 1, 3e édition, Iéna, 1880.

JUNGMANN (J. A.), *Missarum solemnia*, 3e édition, Vienne, Herder, 1952.

KAUFFMANN (F.), *Aus der Schule der Wulfila*, Texte und Untersuchungen zur altgermanischen Religionsgeschichte, I, Strasbourg, 1899.

KITTEL (G.), *Theologisches Wörterbuch zum Neuen Testament*, Stuttgart, 1933 sq.

KLAUSER (Th.), « Der Uebergang der romischen Kirche von der griechischen zur lateinischen Liturgiesprache », *Miscellanea Giovanni Mercati* I, Studi e Testi 121, Cité du Vatican, 1946, p. 467 sq.

KROLL (W.), *De oraculis chaldaicis*, Breslauer philologische Abhandlungen VII 1, Breslau, 1894.

KOHNKE (F. W.), « Plato's Conception of οὐκ ὄντως οὐκ ὄν », dans *Phronesis*, 2, 1957, p. 32-40.

LACTANCE, *Divinae institutiones*, éd. S. Brandt-G. Laubmann, *CSEL* 19 et 27, Vienne, Tempsky, 1890-1893.

LAGRANGE (M. J.), *Introduction à l'étude du Nouveau Testament. Deuxième partie, Critique textuelle, II. La Critique rationnelle*, Paris, Gabalda, 1935.

LE NAIN DE TILLEMONT (S.), *Mémoires pour servir à l'histoire ecclésiastique des six premiers siècles*, VI, Paris, Robustel, 1693-1712.

LEWY (H.), *Chaldaean Oracles and Theurgy, Mysticism, Magic and Platonism in the later Roman empire*, Recherches d'Archéologie, de Philologie et d'Histoire, t. XIII, le Caire, 1956.

LOBECK (C. A.), *Aglaophamus sive de theologiae mysticae Graecorum causis*, I-II, Königsberg, Borntraeger, 1829.

LUBAC (H. de), *Surnaturel*, Théologie 8, Paris, Aubier, 1946.

LUCRÈCE, *De rerum natura*, éd. et trad. A. Ernout, I-II, Paris, Les Belles-Lettres, 1924.

LYDUS (IOANNES LAURENTIUS), *Liber de mensibus*, éd. R. Wünsch, Leipzig, Teubner, 1898.

MACROBE, éd. F. Eyssenhardt, Leipzig, Teubner, 1893.

MANSI (J. D.), *Sacrorum Conciliorum nova et amplissima collectio*, t. III, Paris, Welter, 1901 (reproduction de l'édition de Florence, 1759).

MARCEL D'ANCYRE, *Fragmenta*, éd. E. Klostermann, *Eusebius Werke* IV, *GCS* 14, Leipzig, Hinrichs, 1906.

MARTIANUS CAPELLA, *De rhetorica*, éd. C. Halm, *Rhetores latini minores*, Leipzig, Teubner, 1863.

MAU (G.), *Die Religionsphilosophie Kaiser Julians in seinen Reden auf den König Helios und die Göttermutter*, Leipzig, Teubner, 1907.

MAXIME DE TYR, *Philosophoumena*, éd. H. Hobein, Leipzig, Teubner, 1910.

MERKI (H.), ΟΜΟΙΩΣΙΣ ΘΕΩ. *Von der platonischen Angleichung an Gott zur Gottähnlichkeit bei Gregor von Nyssa*, Paradosis VII, Fribourg (Suisse), Paulusverlag, 1952.

MINUCIUS FELIX, *Octavius*, éd. J. P. Waltzing, Leipzig, Teubner, 1912.

MONCEAUX (P.), *Une invocation au « Christus medicus » sur une pierre de Timgad*, Comptes-rendus de l'Acad. des Inscr. et B.-L. Paris, 1920.

MONDOLFO (R.), « L'unité du sujet dans la gnoséologie d'Aristote », dans *Revue philosophique*, 78, 1953, p. 359-378.

MOUSON (J.), « Jean-Baptiste dans les fragments d'Héracléon », *Ephemerides theologicae Lovanienses*, 30, 1954, p. 301-322.

NAUTIN (P.), « Notes critiques sur Théophile d'Antioche *ad Autolycum lib. II* » dans *Vigiliae Christianae* 11, 1957, p. 212-225.

NÉMÉSIUS, *De natura hominis*, éd. C. F. Matthaei, Halle, Gebauer, 1802.

NICOMAQUE DE GERASA, *Introductionis arithmeticae libri II*, éd. R. Hoche, Leipzig, Teubner, 1866.

NOCK-FESTUGIÈRE, voir CORPUS HERMETICUM.

NONNIUS MARCELLUS, *De compendiosa doctrina*, éd. W. M. Lindsay, I-III, Leipzig, Teubner, 1903.

NORDEN (E.), *Agnostos Theos*. Untersuchungen zur Formengeschichte religiöser Rede, Leipzig, Teubner, 1913.

NOVATIEN, *De trinitate liber*, éd. W. Y. Fausset, Cambridge, University Press, 1909.

NUMÉNIUS, *Testimonia et fragmenta*, éd. E. A. Leemans, Acad. royale de Belgique, Classe des Lettres, Mémoires, t. 37,2, Bruxelles, 1937.

OPITZ (H. G.), *Urkunden zur Geschichte des Arianischen Streites* 318-328, dans *Athanasius Werke* III 1, Berlin, De Gruyter, 1934-1935.

Oracula Chaldaica, cf. W. Kroll.
Orbe (A.), « Variaciones gnosticas sobre las alas del Alma », dans *Gregorianum*, 35, 1954, p. 18-55.
Origène, *Contra Celsum*, éd. P. Koetschau, *GCS*, 2-3, Leipzig, Hinrichs, 1899.
— *Entretien (Dialectos) avec Héraclide*, éd. J. Scherer, 1re édition, Publications de la Société Fouad I de Papyrologie, Textes et Documents IX, le Caire, 1949 (2e édit., *SC* 67, Paris, 1960).
— *In Johannem*, éd. E. Preuschen, *GCS* 10, Leipzig, Hinrichs (1901).
— *In Genesim homiliae*, éd. W. A. Baehrens, *GCS* 29, *ibid.*, 1920.
— *In Matthaeum Commentariorum series*, éd. E. Klostermann-E. Benz, *GCS* 38, *ibid.*, 1933.
— *De principiis*, éd. P. Koetschau, *GCS* 22, *ibid.* 1913.
Orphicorum Fragmenta, éd. O. Kern, Berlin, Weidmann, 1922.
Petau (D.), *Dogmata theologica*, t. II, Paris, Vivès, 1865-1867.
Philolaos, cf. Vorsocratiker.
Philon d'Alexandrie, *Opera*, éd. L. Cohn et P. Wendland, I-VI, Berlin, 1896-1915.
Philopon (Ioannes), *In Aristotelis categorias commentarium*, éd. A. Busse, *CAG* XIII 1, Berlin, Reimer, 1898.
Plotin, *Ennéades*, éd. et trad. E. Bréhier, I-VI 2, Paris, Les Belles-Lettres, 1924-1938.
— *Opera* I-II (*Enn.* I-V), éd. P. Henry et H.-R. Schwyzer, Paris, Desclée de Brouwer ; Bruxelles, l'Édition universelle, 1951 et 1959.
— *Plotins Schriften*, I, éd. R. Harder, Hambourg, Meiner, 1957.
Plutarque, *De animae procreatione = Moralia* VI 1, éd. C. Hubert, Leipzig, Teubner, 1954.
— *De Iside et Osiride = Moralia* II, éd. W. Nachstädt, W. Sieveking, J. B. Titchener, Leipzig, Teubner, 1935.
Pohlenz (M.), *Vom Zorne Gottes*, Forschungen zur Religionsliteratur des Alten und Neuen Testaments I (XII) 1909.
— *Die Stoa, Geschichte einer geistigen Bewegung*, I-II, Göttingen Vandenhoeck und Ruprecht, 1948-1949.
Porphyre *Isagoge et in Aristotelis Categorias commentarium*, éd. A. Busse, *CAG* IV 1, Berlin, Reimer, 1887.
— *Isagoge*, trad. J. Tricot, Paris, Vrin, 1947.
— *Opuscula* (= *ad Marcellam, de antro nympharum, hist. philos.*), éd. T. Nauck, Leipzig, Teubner, 1886.
— *Sententiae ad intellegibilia ducentes*, éd. B. Mommert, Leipzig, Teubner, 1907.
Prestige (G. L.), *God in Patristic Thought*, Londres, SPCK, 1952.
— Traduction française : *Dieu dans la Pensée patristique*, Paris, Aubier, 1955.
Proclus, *Hymni = Eudociae Augustae, Procli Lyci, Claudiani carminum graecorum reliquiae*, éd. A. Ludwich, Leipzig, Teubner, 1897.
— *Institutio Theologica*, The Elements of Theology, éd. E. R. Dodds, Oxford, Clarendon Press, 1933.
— *In Platonis Cratylum commentaria*, éd. G. Pasquali, Leipzig, Teubner, 1908.

— *In primum Euclidis elementorum librum commentarii*, éd. G. Friedlein, *ibid.*, 1873.

— *In Platonis Parmenidem commentaria* = *Opera inedita* secundis curis edidit V. Cousin, Paris, Durand, 1864.

— *In Platonis Rempublicam commentarii*, éd. G. Kroll, I-II, Leipzig, Teubner, 1899-1901.

— *In Platonis Timaeum commentaria*, éd. E. Diehl, I-III, *ibid.*, 1903-1906.

— *In Platonis Theologiam libri sex*, éd. Aemilius Portus, Hambourg et Francfort-sur-le-Main, Ruland, 1618.

Reinhardt (K.), *Kosmos und Sympathie, neue Untersuchungen über Poseidonios*, Munich, Beck, 1926.

Salluste, *De diis et mundo liber* dans *Fragmenta philosophoлum Graecorum*, éd. F. G.A. Mullach, t. III, p. 30-50, Paris, Firmin-Didot, 1881.

Schildenberger (J.), *Die altlateinische Texte des Proverbienbuches*, Beuron, 1941.

Schmid (R.), *Marius Victorinus Rhetor und seine Beziehungen zu Augustin*, Kiel, 1890.

Séjourné (P.), Article *Victorinus*, dans *Dictionnaire de Théologie catholique*, t. XV, Paris, 1950.

Seldmayr (H. S.), *Der Tractatus contra Arianos in der Wiener Hilarius-Handschrift*, Sitzungsberichte der Kaiserlichen Akademie der Wissenschaften in Wien, Philologische-Historische Klasse, 146, Vienne, 1903.

Sénèque, *Consolatio ad Helviam* dans *Dialogorum libros* XII, ed. E. Hermes, Leipzig, Teubner, 1905.

— *Ad Lucilium epistularum moralium quae supersunt*, éd. O. Hense, Leipzig, Teubner, 1898.

— *Naturales quaestiones*, éd. A. Gercke, Leipzig, Teubner, 1907.

Servius, *In Vergilii carmina commentarii*, éd. G. Thilo et H. Hagen, I-III, Leipzig, Teubner, 1881-1902.

Sextus Pythagoricus, « *Sententiae* », dans *Gnomica* I, éd. A. Elter, Bonn, 1892.

Simplicius, *In libros Aristotelis de anima commentaria*, éd. M. Hayduck, *CAG* XI, Berlin, Reimer, 1882.

— *In Aristotelis categorias commentarium*, éd. C. Kalbfleisch, *CAG* VIII, *ibid.*, 1907.

— *In Aristotelis physicorum libros commentaria*, éd. H. Diels, *CAG* IX-X, *ibid.*, 1882-1895.

— *In Enchiridion Epicteti*, éd. F. Dübner, Theophrasti Characteres, etc., Paris, Firmin-Didot, 1840.

Stobaeus (Ioannes), *Eclogarum physicarum et ethicarum libri duo*, éd. A. Meineke, Leipzig, Teubner, 1860.

Synésius, *Hymni et opuscula*, éd. N. Terzaghi, I-II, Rome, Regia officina polygraphica, 1939-1944.

Syrianus, *In Aristotelis metaphysica commentaria*, éd. W. Kroll, *CAG* VI 1, Berlin, Reimer, 1902.

TERTULLIEN, *Apologeticum*, éd. J. P. Waltzing, Paris, Les Belles-Lettres, 1929.
— *De anima*, éd. J. H. Waszink, Amsterdam, 1947.
THEILER (W.), *Die chaldaische Orakel und die Hymnen des Synesios*, Schriften der Königsberger Gelehrten Gesellschaft, Geisteswissenschaftliche Klasse, 18,1, Halle (Saale), Niemeyer, 1942.
— *Porphyrios und Augustin*, Schriften der Königsberger Gelehrten Gesellschaft, Geisteswissenschaftliche Klasse, 10,1, Halle (Saale), Niemeyer, 1933.
— *Die Vorbereitung des Neuplatonismus*, Berlin, Weidmann, 1930.
— *Gnomon*, 10, 1934, p. 493-499 (c. r. de E. Benz).
— *Deutsche Literaturzeitung*, 80, 1950, n. 1 (c. r. de R. Harder).
THÉODORET, *Historia ecclesiastica*, éd. L. Parmentier-F. Scheidweiler, 2e éd., *GCS* 44, Berlin, Akademie-Verlag, 1954.
THÉODOTE, cf. CLÉMENT D'ALEXANDRIE.
THÉON, *Expositio rerum mathematicarum*, éd. E. Hiller, Leipzig, Teubner, 1878.
THÉOPHILE D'ANTIOCHE, *Ad Autolycum*, trad. G. Bardy, *SC* 20, Paris, Éditions du Cerf, 1948.
TILL, W. *Die gnostichen Schriften des Koptischen Papyrus Berolinensis* 8502, *herausgegeben, übersetzt und bearbeitet*, Berlin, Akademie Verlag, 1955.
VICTORINUS (MARIUS), *Explanationes in Ciceronis Rhetoricam*, éd. C. Halm, *Rhetores latini minores*, Leipzig, Teubner, 1863.
VORSOKRATIKER (DIE FRAGMENTE DER), Griechisch und Deutsch von H. Diels, 7 Auflage von W. Kranz, Berlin, Weidmann, 1954.
WÖHRER (J.), *Studien zu Marius Victorinus*, Jahresbericht des Privatuntergymnasiums der Zisterzienser zu Wilhering für das Schuljahr, 1904-1905, Wilhering, 1905.
WESTCOTT (B. F.) et HORT (F. J. A.). *The New Testament in the original Greek*, Londres et Cambridge, Macmillan, 1895.
XÉNOPHON, *Institutio Cyri*, éd. G. Gemoll, Leipzig, Teubner, 1912.

TABLES

1. La première table se rapporte directement au texte latin de Victorinus et signale les auteurs et textes cités par lui.

2. La seconde et la troisième table indiquent les notions fondamentales de la pensée de Victorinus étudiées dans le commentaire et les auteurs et textes qui ont été cités dans ce même commentaire à titre de comparaison doctrinale. Les références de ces deuxième et troisième tables *se rapportent donc aux notes du commentaire.*

3. La quatrième table permettra au lecteur de retrouver dans le commentaire les notes justifiant la traduction de certains mots, qui, revenant assez souvent dans l'œuvre de Victorinus, présentent des difficultés d'interprétation. Cette quatrième table se rapporte donc uniquement à des problèmes de traduction.

4. Toutes les références sont données selon le système qui a été constamment employé : nom de l'ouvrage de Victorinus, numéro du livre, numéro du chapitre, numéro de la ligne du chapitre. Pour alléger ces références, j'ai supprimé ici les sigles *adv. Ar.* désignant l'*adversus Arium*, en me contentant de donner le numéro du livre (I, II, III, IV). Les autres ouvrages (Cand. I et II, *ad Cand.*, *de hom. rec.*, *hymn.*) sont toujours désignés par leurs sigles.

I

INDEX DES TEXTES CITÉS PAR VICTORINUS

a) Écriture sainte.

b) **Autres auteurs.**

II

INDEX DES NOTIONS FONDAMENTALES ÉTUDIÉES DANS LE COMMENTAIRE[1]

1. Pour faciliter l'étude de certaines notions, quelques références au texte latin lui-même ont été ajoutées pour compléter les indications fournies par le commentaire.

III

INDEX DES AUTEURS

Ariens

Enn. III 6,2,34-37	I 40,9-23
— 4,36	I 22,45
— 6,10	*ad Cand.* 2,29
— 6,23-29	*ad Cand.* 2,14 et 22
— 6,28	*ad Cand.* 2,28
— 7,9-27	IV 10,49
— 19,25	*ad Cand.* 10,34
— III 7,3,21	IV 15,10
— 3,25	IV 15,1-34
— 4,42	IV 15,1-34
— 5,26	IV 15,1-34
— 6,10	IV 15,1-34 (15,10)
— 6,18	IV 15,10
— III 8,8,27	III 4,30-32
— 10,7	IV 31,36
— III 9,1,15-21	III 1,36 – 2,11 ; IV 21, 19 – 29,38 (IV 24, 10-20 ; IV 24,12 ; IV 29,4)
— 4,4	I 50,9
— 5,2	*ad Cand.* 7,20
— 7,1	III 2,36-40
— 7,4	III 2,47
— IV 3,1,13	III 2,47
— 14,1	I 61,13
— 17,8	I 61,13
— 23,21	I 62,29
— 23,23	*ad Cand.* 9,11 et 9,14
— 23,31	III 5,19-24
— 26,8	III 5,19-24
— IV 4,8,35	IV 12,28
— 40,29	I 26,37
— 44,29-33	I 26,37
— IV 5,7,13-17	I 19,29-43
— IV 7,2,12	IV 14,20
— 3,19-25	IV 10,45 – 11,13
— 9,10	IV 10,45 – 13,14
— 10,13	I 63,1-2
— IV 8,2,33	III 12,27
— 4,3	I 61,13
— 4,40-42	IV 5,26-29
— 6,1	I 64,1-8
— 6,10	I 44,15-20
— 7,5	I 61,19
— 7,11	I 61,21
— 7,15	I 61,22
— V 1,1,1-3	IV 17,25
— 1,4	I 61,15
— 2,15	IV 10,48

Enn. VI 1,8,12-14	IV 5,20-22
— 22,2-5	Cand. I 6,14-17
— 22,7	I 32,61-65
— 26,1-4	Cand. I 1,26-32
— 27,14-18	Cand. I 2,4
— VI 2,4	I 32,16 – 43,4
— 5-7	II 32,16 – 43,4
— 6,6-8	I 32,40-42
— 6,9	I 32,32
— 6,10-12	I 32,42-44
— 6,15	I 32,36
— 6,16-20	I 32,53
— 7	I 30,30-35 ; IV 5,33
— 7,4	IV 5,33
— 7,16-20	I 32,44-45
— 7,17	I 32,40
— 7,20-27	IV 1,1 – 3,38
— 7,20-24	III 17,13
— 7,35	III 17,13
— 8,1	III 4,35-36
— 8,1-2	I 42,12
— 8,11-12	IV 29,2
— 8,13	IV 27,15-16
— 8,24	I 32,53
— 8,25	IV 25,40-43
— 8,36	III 4,8
— 14,15	I 20,37-67
— 15,1-4	I 30,31-35
— 15,2-15	III 17,18
— 22,29-30	I 61,9
— VI 3,2,22-25	IV 13,23
— 3,6	Cand. I 6,6
— 6,12	II 4,34
— 8,32	I 26,5-8
— 21,39	Cand. I 1,4
— 22,4-10	Cand. I 6,14-17
— 23,5	IV 11,19
— VI 4,9,37-41	I 19,11-17
— 10,12	I 19,11-17
— 16,8-9	I 22,25-28
— 16,47	I 8,1
— VI 5,4,18	I 25,2-10
— 4,22	I 60,19
— VI 6,8,12	III 4,6 – 5,31
— 15,1	III 4,6 – 5,31
— VI 7,1,49	IV 12,27
— 11,43	I 51,3
— 13,28	*ad Cand.* 22,8
— 16,13-19	I 58,1-14

Plutarque

Porphyre

IV

INDEX DE QUELQUES MOTS LATINS

TABLE DES MATIÈRES

TOME I

*

TOME II

COMMENTAIRE.

TABLES.

ACHEVÉ D'IMPRIMER
LE 23 JUIN 1960
SUR LES PRESSES
DE PROTAT FRÈRES,
A MACON

NUMÉROS D'ORDRE : IMPRIMEUR, 5865 ; ÉDITEUR, 5014
DÉPOT LÉGAL : 3e TRIMESTRE 1960.

NIHIL OBSTAT :

Lyon, le 23 octobre 1958

C. MONDÉSERT, s. j.

IMPRIMI POTEST :

Bruxelles, le 10 décembre 1958

A. SNOECK, s. j.

Praep. Prov. Belg. Sept.

IMPRIMATUR :

Paris, le 23 décembre 1958

J. LE CORDIER

v. g.

SOURCES CHRÉTIENNES

LISTE COMPLÈTE DE TOUS LES VOLUMES PARUS

N. B. — L'ordre suivant est celui de la date de parution (n° 1 en 1942), et il n'est pas tenu compte ici du classement en séries : grecque, latine, byzantine, orientale, textes monastiques d'Occident; et série annexe : textes para-chrétiens.

Sauf indication contraire, chaque volume comporte le texte original, grec ou latin, souvent avec un apparat critique inédit.

La mention *bis* indique une seconde édition.

NF

1 bis. Grégoire de Nysse : **Vie de Moïse**. J. Daniélou, S. J., prof. à l'Inst. cath. de Paris (1956)........ 14,1

2 bis. Clément d'Alexandrie : **Protreptique**. C. Mondésert, S. J., prof. aux Fac. cath. de Lyon, avec la collaboration d'A. Plassart, prof. à la Sorbonne (1949)........ 12,00

3. Athénagore : **Supplique au sujet des chrétiens**. G. Bardy (trad. seule) (1943)........ *Épuisé*

4. Nicolas Cabasilas : **Explication de la divine Liturgie**. S. Salaville, A. A., de l'Inst. fr. des Ét. byz. (trad. seule) (1943)........ *Épuisé*

5 bis. Diadoque de Photicé : **Œuvres spirituelles**. E. des Places, S. J., prof. à l'Inst. biblique de Rome (1955).... 14,10

6. Grégoire de Nysse : **La création de l'homme**. J. Laplace, S. J., et J. Daniélou, S. J. (trad. seule) (1944)........ *Épuisé*

7. Origène : **Homélies sur la Genèse**. H. de Lubac, S. J., prof. à la Fac. de Théol. de Lyon, et L. Doutreleau, S. J. (trad. seule) (1944)........ *Épuisé*

8. Nicétas Stéthatos : **Le paradis spirituel**. M. Chalendard, doct. ès lettres (1945)........ *Épuisé*

9. Maxime le Confesseur : **Centuries sur la charité**. J. Pégon, S. J., prof. à la Fac. de Théol. de Fourvière (trad. seule) (1945)........ *Épuisé*

10. Ignace d'Antioche : **Lettres. — Lettre et Martyre** de Polycarpe de Smyrne. P.-Th. Camelot, O. P., prof. aux Fac. dominic. du Saulchoir (3ᵉ édition, 1958)........ 12,00

11. Hippolyte de Rome : **La Tradition apostolique**. B. Botte, O. S. B., au Mont-César (1946)........ *Épuisé*

12. Jean Moschus : **Le Pré spirituel**. M. J. Rouët de Journel, S. J., prof. à l'Inst. cath. de Paris (trad. seule) (1946).... *Épuisé*

13. Jean Chrysostome : **Lettres à Olympias**. A. M. Malingrey, agr. de l'Université (1947)........ *Épuisé*
Trad. seule 8,70

NF

14. Hippolyte : **Commentaire sur Daniel.** G. Bardy et M. Lefèvre (1947) 15,30
Trad. seule 9,60
15. Athanase d'Alexandrie : **Lettres à Sérapion.** J. Lebon, prof. à l'Univ. de Louvain (trad. seule) (1947) 8,10
16. Origène : **Homélies sur l'Exode.** H. de Lubac, S. J., et J. Fortier, S. J. (trad. seule) (1947) 10,50
17. Basile de Césarée : **Traité du Saint-Esprit.** B. Pruche, O. P. (1947) .... *Épuisé*
Trad. seule 10,50
18. Athanase d'Alexandrie : **Discours contre les païens. De l'Incarnation du Verbe.** P.-Th. Camelot, O. P. (1947) .. 12,30
19. Hilaire de Poitiers : **Traité des Mystères.** P. Brisson, prof. à l'Univ. de Poitiers (1947) 7,50
20. Théophile d'Antioche : **Trois livres à Autolycus.** J. Sender (1948) 10,80
Trad. seule 7,20
21. Éthérie : **Journal de voyage.** H. Pétré, prof. à Sainte-Marie de Neuilly (réimpression 1957) 11,70
22. Léon le Grand : **Sermons,** t. I. J. Leclercq, O. S. B., et R. Dolle, O. S. B., à Clervaux (1949) .... *Épuisé*
23. Clément d'Alexandrie : **Extraits de Théodote.** F. Sagnard, O. P., prof. aux Fac. du Saulchoir (1948) .... *Épuisé*
24. Ptolémée : **Lettre à Flora.** G. Quispel, prof. à l'Univ. d'Utrecht (1949) .... *Épuisé*
25 bis. Ambroise de Milan : **Des sacrements. Des mystères.** B. Botte, O. S. B .... *Sous presse*
26. Basile de Césarée : **Homélies sur l'Hexaéméron.** S. Giet, prof. à l'Univ. de Strasbourg (1950) 19,50
27. **Homélies Pascales** : t. I. P. Nautin, chargé de recherches au C.N.R.S. (1951) 8,40
28. Jean Chrysostome : **Sur l'incompréhensibilité de Dieu.** F. Cavallera, S. J., prof. à l'Inst. cath. de Toulouse, J. Daniélou, S. J., et R. Flacelière, prof. à la Sorbonne (1951) 12,90
29. Origène : **Homélies sur les Nombres.** J. Méhat, agr. de l'Univ. (trad. seule) (1951) 21,00
30. Clément d'Alexandrie : **Stromate I.** C. Mondésert, S. J., et M. Caster, prof. à l'Univ. de Toulouse (1951) 14,40
31. Eusèbe de Césarée : **Histoire ecclésiastique.** t. I. G. Bardy (1952) 17,40
32. Grégoire le Grand : **Morales sur Job.** R. Gillet, O.S.B., et A. de Gaudemaris, O.S.B., à Paris (1952) 14,40
33. **A Diognète.** H.-I. Marrou, prof. à la Sorbonne (1952) 11,70

NF

34. Irénée de Lyon : **Contre les hérésies**, livre III. F. Sagnard, O. P. (1952).. *Épuisé*

35. Tertullien : **Traité du baptême**. F. Refoulé, O. P......... 5,70

36. **Homélies Pascales**, t. II. P. Nautin (1953)................ 5,85

37. Origène : **Homélies sur le Cantique**. O. Rousseau, O.S.B., à Chèvetogne (1954)................................. 6,30

38. Clément d'Alexandrie : **Stromate II**. P. Camelot, O. P., et C. Mondésert, S. J. (1954)........... 10,80

39. Lactance : **De la mort des persécuteurs**. 2 volumes. J. Moreau, prof. à l'Université de la Sarre (1954)........... 25,80

40. Théodoret : **Correspondance**, t. I. Y. Azéma, agr. de l'Univ. (1955)... 7,80

41. Eusèbe de Césarée : **Histoire ecclésiastique**, t. II. G. Bardy (1955).. 19,20

42. Jean Cassien : **Conférences**, t. I. E. Pichery, O.S.B., à Wisques (1955).. 19,50

43. S. Jérôme : **Sur Jonas**. P. Antin, O.S.B., à Ligugé (1956).. 8,10

44. Philoxène de Mabboug : **Homélies**. E. Lemoine (trad. seule) (1956)....................................... 21,00

45. Ambroise de Milan : **Sur S. Luc**, t. I. G. Tissot, O.S.B., à Quarr Abbey (1957)................................. 21,00

46. Tertullien : **De la prescription contre les hérétiques**. P. de Labriolle et F. Refoulé, O. P. (1957).............. 9,60

47. Philon d'Alexandrie : **La migration d'Abraham**. R. Cadiou, prof. à l'Inst. cathol. de Paris (1957)...................... 6,00

48. **Homélies Pascales**, t. III. P. Nautin et F. Floëri (1957). .. 7,80

49. Léon le Grand : **Sermons**, t. II. R. Dolle, O.S.B. (1957) . 7,20

50. Jean Chrysostome : **Huit Catéchèses baptismales** inédites. A. Wenger, A. A., de l'Inst. fr. des Ét. byz. (1957)...... 16,50

51. Syméon le nouveau Théologien : **Chapitres théologiques, gnostiques et pratiques**. J. Darrouzès, A. A. (1957)....... 9,60

52. Ambroise de Milan : **Sur S. Luc**, t. II. G. Tissot, O.S.B. (1958).. 18,00

53. Hermas : **Le Pasteur**. R. Joly (1958)...................... 19,50

54. Jean Cassien : **Conférences**, t. II. E. Pichery, O.S.B. (1958).. 21,00

55. Eusèbe de Césarée : **Histoire ecclésiastique**, t. III. G. Bardy (1958).. 17,50

56. Athanase d'Alexandrie : **Deux apologies**. J. Szymusiak, S. J. (1958)... 12,90

57. Théodoret de Cyr : **Thérapeutique des maladies helléniques**. 2 volumes. P. Canivet, S. J. (1958)............... 48,00

58. Denys l'Aréopagite : **La hiérarchie céleste**. G. Heil, R. Roques, prof. à la Fac. de Théol. de Lille, et M. de Gandillac, prof. à la Sorbonne (1958).................... 24,00

NF

59. **Trois antiques rituels du baptême.** A. Salles, de l'Oratoire (1958) 3,60

60. Aelred de Rievaulx : **Quand Jésus eut douze ans...** Dom Anselm Hoste, O.S.B., à Steenbrugge et J. Dubois (1958) 6,60

61. Guillaume de Saint-Thierry : **Traité de la contemplation de Dieu.** Dom J. Hourlier, O.S.B., à Solesmes (1959)... 8,40

62. Irénée de Lyon : **Démonstration de la prédication apostolique.** L. Froidevaux, prof. à l'Institut catholique de Paris. Nouvelle trad. sur l'arménien (trad. seule) (1959).. 9,60

63. Richard de Saint-Victor : **La Trinité.** G. Salet, S. J., prof. à la Fac. de Théol. de Lyon-Fourvière. (1959)...... 24,00

64. Jean Cassien : **Conférences**, t. III. E. Pichery, O.S.B. (1959) 15,00

65. Gélase Ier : **Lettre contre les Lupercales et dix-huit messes du sacramentaire léonien.** G. Pomarès, D[r] en théol. (1960) 13,80

66. Adam de Perseigne : **Lettres**, t. I. J. Bouvet, sup[r] du grand séminaire du Mans (1960) 10,50

67. Origène : **Entretien avec Héraclide.** J. Scherer, prof. à l'Univ. de Besançon (1960) 9,60

68. Marius Victorinus : **Traités théologiques sur la Trinité.** P. Henry, S. J., prof. à l'Institut catholique de Paris, et P. Hadot, attaché au C.N.R.S. Tome I. Introd., texte critique, traduction (1960).

69. **Id.** — Tome II. Commentaire et tables (1960). Les 2 vol.. 49,50

70. Clément d'Alexandrie : **Le Pédagogue**, t. I. H.-I. Marrou et M. Harl, prof. à la Sorbonne (1960). 16,80

SOUS PRESSE :

Amédée de Lausanne : **Huit homélies mariales.** G. Bavaud, prof. à Fribourg, J. Deshusses et A. Dumas, O.S.B. à Hautecombe.

Léon le Grand : **Sermons**, t. III, R. Dolle, O.S.B.

Eusèbe de Césarée : **Histoire ecclésiastique**, t. IV. Introduction générale de G. Bardy et tables.

Defensor de Ligugé : **Le livre d'étincelles.** H. Rochais, O. S. B., à Ligugé.

Origène : **Homélies sur Josué.** A. Jaubert, agrégée de l'Université.

Didyme l'aveugle : **Sur Zacharie.** Texte inédit. 3 volumes. Doutreleau, S. J.